JN043887

世界一わかりやすい

改訂 第3版

九大の数学

英進館株式会社
代表取締役社長
筒井 俊英［著］

理系数学 ＋ 文系数学 の

前期日程 **15か年**

＊この本は、小社より 2020 年に刊行された『改訂第2版　世界一わかりやすい九大の数学』の改訂版です。この改訂第3版では 2024 年度〜2023 年度を追加しました。

はしがき

　九大の過去問集がいくつかあるなかあえて本書を上梓するにあたって私たち執筆者が意図したことを，ここでいくつか述べさせていただきます。

(1)　「2次試験（個別学力検査）でどのくらい得点できれば合格ラインに届くのか？」

　私たちは，毎年5月の連休明けから発表される，教え子たちの入試の得点開示の結果に注目しています。英進館に在籍した受験生が，その合否にかかわらず入試でどれだけ得点できていたかを知ることが，私たちによる受験指導の締めくくりとなると考えているからです。年度によって難易度の差はあるとはいえ，その得点傾向には，他教科のみならず「理系数学」「文系数学」についても顕著な特徴があります。

　九大「理系数学」は，**学部・学科ごとの合格点の差が大きい**です。通常の難易度であれば，**250点満点換算の場合，医学部医学科で200点以上，薬学部の臨床薬学科で160点前後が必要**でしょう。つまり，5問のうち3問は完答することが求められるため，問題の見極めやしっかりとした計算力が欠かせません。その他の理系学部では2問程度の完答を得て130点前後が必要となるようです。「文系数学」においても，数学の得手不得手の差があるにせよ**200点満点の場合120点前後を目安に得点したい**ところです。

(2)　「どのような論述が求められているのか？」

　数学では，**出題意図を踏まえた論述の仕方**が求められます。九大「理系数学」では，多めの小問誘導のなかで「……を示せ。」という形式の問題が多くみられます。近年では「文系数学」においてもこの形式が増えています。本書では，与えられたすべての条件に対する論述の流れのなかでの適切な言及，前小問との関連から来る筋道への配慮など，「**できるだけ減点されない答案**」が書けるようになるよう配慮しています。

(3)　「難問とおぼしき問題に遭遇したとき，どう対応すべきなのか？」

　初めから放棄してしまってはいけません。解く方向性を考え，「こうと

しか考えられない」という分析のなかで，完答は無理だとしても，**部分点を取りにいくという姿勢はほしい**ところです。本書でも，その点を具体的に指摘しています。ただし，実際の試験時間内では，難問への対応のみならず，目標点を取りにいくために「できている問題についての答案チェック・見直し・答案の洗練化」も重要となることはいうまでもありません。

　改訂第 3 版を出すにあたり，私たちが改めて感じたことを，以下に述べます。

　九大数学の特徴は，努力が報われる試験ということに尽きます。他の旧七帝大と比較しても，難問奇問は少なく，典型問題や過去問との類似問題といった，いわゆる良問が揃っています。2019年以降は難度の高い問題も出題されていますが，特別なひらめきや発想力を要する問題はほとんど見られません。2010年以降の全問題を解くという作業を最低 3 回繰り返せば，確実に合格ラインに達することができます。そのために 1 日でも早く過去問に取り組むことを強く勧めます。

　そして，九大数学に限りませんが，記述式答案で一番大事なことは，前半でミスをしないことです。前半で計算ミスをしてしまうと，それを踏まえた以降の答案はほぼゼロ点となり致命的です。これとは対照的に，後半の計算ミスであればしっかりと部分点を確保できます。答案の冒頭で焦らず，計算の見直しをしながら先に進むくらいの慎重さを心がけてください。

　42 ページ以降の年度別講評で，設問ごとの難易度を表記しています。部分点を効率よく取る際の戦略の参考としてください。

　実際に合格するためには，2 次試験だけでなく共通テストでも高得点を上げることが必要となりますが，本書では，まずは九大「理系数学」「文系数学」の「記述力」を向上させることに主眼を置いています。執筆者・監修者一同，すべての受験生の努力に敬意を表し，読者のみなさまの合格を祈願してやみません。

英進館㈱　代表取締役社長

執筆担当

筒井　俊英

この本の構成

◆「資 料 編」

　年度別の難易度，および学部・学科間での合格目標点にばらつきのある「理系数学」，典型問題が多く本番での問題選びが合否を分ける「文系数学」の出題傾向につき，落としてもかまわない問題，部分点を取りにいく問題，完答すべき問題を指摘する**徹底的な分析**とともに，**具体的に実践可能なアドバイス**を与えています。また，学校の授業と入試レベルとのギャップが激しい「**複素数平面**」の単元については，別立てで対策を講じています。

◆「問題編」「解答・解説編」

　「理系数学」「文系数学」の前期日程の問題および解答・解説を，2024年度から2010年度にさかのぼって計15年度分掲載しています。

　各年度大問の解答・解説は，以下の要素からなります。

- ●「**問題を見てやるべきこと**」：大学側のねらい・出題意図をあぶり出すとともに，解くうえで必要となる**知識・解法**を確認させます。

- ●「**解答**」：「数学」を必ずしも得意としない学習者が試験会場で**実際に再現できる，論理的な筋道を丁寧に追ったわかりやすい模範解答**を示しています。式変形がわかりにくい箇所については解答欄にフキダシによる補足説明を加えるなど，**まるで参考書のようなくわしさ**です。

- ●「**研究**」：「解答」中に含まれる，**学習にあたってのエッセンスとなる事項**や，**別の視点から作られた別解**を取り上げています。

*後期日程「数学」の入試問題は掲載されていません。

*九大の入学試験に関する情報は掲載されていません。

*本書では，**理系数学**を課す学部・学科(経済学部経済工学科，理学部，医学部(保健学科看護学専攻を除く)，歯学部，薬学部，工学部，芸術工学部，農学部)を指し，以後「**理系学部**」と記します。

　　文系数学を課す学部・学科(共創学部，文学部，教育学部，法学部，経済学部経済・経営学科，医学部保健学科看護学専攻)を指し，以後「**文系学部**」と記します。

も く じ

はしがき **2**　　この本の構成 **4**

資 料 編

数学の学習法とこの書の使用法　**8**

理系数学・文系数学の傾向と対策　**9**

　理系数学　出題分野一覧　**10**

　文系数学　出題分野一覧　**16**

出題形式の変遷　**20**

数学重要公式・定義のまとめ　**22**

複素数平面の問題について　**32**

理系数学・文系数学　年度別講評　**41**

問 題 編

2024年度
　理系学部　**74**
　文系学部　**77**

2023年度
　理系学部　**79**
　文系学部　**84**

2022年度
　理系学部　**88**
　文系学部　**93**

2021年度
　理系学部　**97**
　文系学部　**101**

2020年度
　理系学部　**103**
　文系学部　**106**

2019年度
　理系学部　**108**
　文系学部　**111**

2018年度
　理系学部　**113**
　文系学部　**116**

2017年度
　理系学部　**119**
　文系学部　**123**

2016年度
　理系学部　**125**
　文系学部　**129**

2015年度
　理系学部　**131**
　文系学部　**135**

2014年度
　理系学部　**138**
　文系学部　**141**

2013年度
　理系学部　**143**
　文系学部　**146**

2012年度
　理系学部　**149**
　文系学部　**152**

2011年度
　理系学部　**154**
　文系学部　**157**

2010年度
　理系学部　**160**
　文系学部　**163**

解答・解説編

2024年度
　理系学部　166
　文系学部　183
2023年度
　理系学部　190
　文系学部　209
2022年度
　理系学部　225
　文系学部　243
2021年度
　理系学部　258
　文系学部　274
2020年度
　理系学部　286
　文系学部　300
2019年度
　理系学部　311
　文系学部　326
2018年度
　理系学部　335
　文系学部　351
2017年度
　理系学部　359
　文系学部　373

2016年度
　理系学部　384
　文系学部　401
2015年度
　理系学部　408
　文系学部　426
2014年度
　理系学部　441
　文系学部　457
2013年度
　理系学部　465
　文系学部　484
2012年度
　理系学部　497
　文系学部　516
2011年度
　理系学部　528
　文系学部　546
2010年度
　理系学部　561
　文系学部　579

資料　「中分類－小分類」における出題分類一覧　588

資料編

数学の学習法とこの書の使用法

　まずは1日も早く，全単元の学習を終了させましょう。そして，**できれば夏休み中に，遅くとも2学期の前半までには，過去問にとりかかりましょう。**

　最初は，年度ごとに，本番と同じように正確に時間を計って解いてみます。解答用紙も本番同様にB4の用紙を用意し，縦向きで使用してください。こうすることで，時間配分や本番のレベルを身体感覚で経験することができます。解き終わったら，解説を熟読し，答えのみならず，着眼点・解答の流れを確認してください。該当年度の講評を見て，〔易・やや易〕とされている問題を，まず100％ものにしましょう。

　そして，次に〔標準〕とされている問題をしっかり復習して身につけてください。〔やや難〕以上の問題は，あと回しにしてかまいません。ただし，**九大の問題はほとんどが小問に細かく分かれており，(1)は確実に易しい設問ですので，**大問として〔難〕であっても，(1)だけは確認とやり直しをしておいてください。

　年度別の学習が約10年度分終了したら，今度は〔やや難〕以上の問題に挑戦しながら，**微分積分・確率・ベクトル**といった頻出単元については，さらに古い年度にも挑戦しましょう。この際には，年度別に時間を計るのではなく，単元別にまとめて学習し，その単元の九大特有の傾向をつかんでください。最終的に本番直前には，最近10年度分の標準以下の問題については，1問15分くらいで解けるようになるまで徹底的に復習してください。ここまで徹底することで，**本番の試験の際に，確実に解くべき問題と飛ばしてもよい問題を自信をもって判別できるようになります。**たとえば，バリエーションが多い確率の分野でも，近年はサイコロ・コイン・色玉・数字カードのいずれかからの出題がほとんどです。**共通テスト後は，一般の問題集にはあまり手を出さずに，九大の過去問演習に集中してください。**

　p.22にまとめていますが，ほかの国公立大にもまして，九大は公式・定義といった基本事項を重視しています。そこをダイレクトに問う問題も多いので，基本は絶対におろそかにしないでください。教科書に出てくる公式・定義を，証明を含めて，すべて復習するのが理想ですが，時間がなければ，最低でも後述の「**数学重要公式・定義のまとめ**」は確認しておきましょう。

理系数学・文系数学の傾向と対策

　九大「理系数学」「文系数学」の入試問題を概観し，合格に向けての指針を示したいと思います。

◆出題形式について

　問題数と試験時間は，「**理系数学**」は**大問が5問で150分**，「**文系数学**」は**大問が4問で120分**です。多くが小問誘導形式になっています。参考までに，次ページからの出題範囲の一覧のなかに，各大問に設定されている小問数をあげておきました。

◆配点について

　基本的に1問50点ですが，**学部によっては配点が異なる**ところがあります。

　「理系数学」は5問で250点満点であるところがほとんどですが，経済学部経済工学科は300点満点に換算します。

　「文系数学」は4問で200点満点であるところがほとんどですが，文学部と医学部保健学科看護学専攻は100点満点，共創学部は300点満点に換算します。

◆問題用紙・解答用紙®について

　問題用紙はB5見開きサイズで，左側に問題，右側に（下書き用紙）として計算欄があります。解答用紙はB4サイズで縦に使用し，上からおよそ1/6は受験番号などの記入欄になっているので，単純な途中計算などは適当に計算用紙ですまさなければ，スペースが足りなくなる場合もあるでしょう。

　また，紙質は，問題用紙，解答用紙ともに再生紙でやや薄い茶色になっていますが，解答用紙は，視認性をよくするためか，問題用紙よりは白っぽくなっています。

　㊟　弊社ホームページにて解答用紙のサンプルがダウンロードできます。

　以下に，理系数学・文系数学それぞれの**過去15年度分**の出題分野の一覧を示します。

理系数学　出題分野一覧

⦿　行列および１次変換は，学習課程から削除されています。

*　大問の欄の（　）は小問数を表します。

年度	大問	中分類	小分類	おもな内容
2024	1 (2)	空間ベクトル	面積	座標空間内の三角形について成立条件を調べた後，面積の最大値を求めます。
	2 (2)	複素数平面	n 乗根	$f(z)=0$ の解の満たすべき条件を調べた後，$f(z)=0$ のすべての解が $f(wz)=0$ の解となるような w を求めます。
	3 (3)	整数	方程式・不等式	階乗を含む不等式が成り立つことを示し，それを利用して方程式の解を求めます。
	4 (3)	場合の数	数え上げ	3点以上の格子点を通る直線の数を具体的に数え上げます。
	5 (2)	積分極限	部分積分法	部分積分法を利用して関係式を作り，それを利用して数列の極限を求めます。
2023	1 (2)	複素数平面	三角形の形状決定	相反方程式を解いた後，それを利用して複素数平面上の三角形の形状を調べます。
	2 (4)	極限	数列の極限	絶対値を含む隣接二項間漸化式について，初項に応じた極限を調べます。
	3 (3)	平面ベクトル	内積	1次独立であるための条件を調べた後，各条件を満たすベクトルや整数を求めます。
	4 (4)	微分法	関数方程式	関数方程式を満たす2つの関数を，与えられた条件や微分の定義を用いて求めます。
	5 (2)	微分法積分法	接線面積	媒介変数表示された曲線 C について，y 軸に平行な接線の本数を求め，C の一部と $y=x$ で囲まれる部分の面積を求めます。
2022	1 (3)	空間ベクトル	垂線対称移動	空間上で，点を対称移動し，2点間の最短距離を求めます。
	2 (3)	式と証明微分法	割り算導関数の定義	整式の割り算で商・余りを証明・計算し，その極限を求めます。
	3 (3)	整数	互いに素剰余類	互いに素の証明，倍数になることを証明し，具体的な値を求めます。
	4 (4)	積分法	証明	誘導に従って，定積分に関する公式を証明します。
	5 (4)	積分法	面積グラフ	媒介変数表示された曲線の概形を調べます。

年　度	大　問	中 分 類	小 分 類	おもな内容
2021	① (2)	空間ベクトル	内 接 球	内接球の半径を計算し，球と平面が交わる条件を求めます。
	② (3)	複素数平面	方程式の解	与えられた条件を図で考え，満たす θ を求めます。
	③ (2)	積 分 法	解の存在条件 回 転 体	条件を満たす点の集合を図示し，回転させた体積を求めます。
	④ (3)	複素数平面	平均値の定理	平均値の定理を複素数平面上で考えます。
	⑤ (2)	式と証明	二項係数	二項係数の範囲を証明し，素数になる条件を求めます。
2020	①	微 分 法	存在条件	**小問なし** 接線を計算し，定数分離して，a の範囲を求めます。
	② (2)	式と証明 整数の性質	高次方程式 合同式	与えられた 4 次方程式を満たす解を調べます。
	③ (2)	空間ベクトル	外 接 球	四面体で 2 直線のなす角を計算し，外接球の半径を求めます。
	④ (3)	確 率	サイコロ	4 個のサイコロを投げ，$25 \cdot 4 \cdot 100$ の倍数になる確率を求めます。
	⑤ (2)	積 分 法	回 転 体	円柱を切断した立体の断面積を計算し，x 軸回りに回転します。
2019	①	積 分 法	定 積 分 極 限	**小問なし** 文字定数を含む定積分の最小値を求め，その極限を求めます。
	② (2)	式と証明	恒 等 式	2 つの整式に関する恒等式から，次数に関する条件を求め整式を決定します。
	③ (3)	確 率 複素数平面	サイコロ 二次方程式	サイコロの目により 2 次方程式を作り，解が条件に合うような確率を求めます。
	④	極 限	数列の極限	**小問なし** 座標平面上の点列についての漸化式を作り，その極限を調べます。
	⑤	複素数平面	軌 跡	**小問なし** 条件を満たす軌跡となるように一次分数変換の係数を決定し，軌跡を図示します。

年　度	大　問	中 分 類	小 分 類	おもな内容
2018	①	2 次曲線	軌　跡	小問なし 定点 A，双曲線上の動点 P を結ぶ直線 AP と定平面との交点の軌跡を求めます。
	② (3)	積　分	面　積 体　積	半円上の 2 点 P，Q と内分点 R について，線分 PR の通過領域の面積と y 軸まわりの回転体の体積を求めます。
	③	確　率	漸 化 式	小問なし 復元抽出によるカードの取り出しで，書かれた数字の積を 4 で割った余りについて漸化式を立てて確率を求めます。
	④ (3)	整　数	整 数 解 有理数解	与えられた 3 次方程式について，整数解が存在しないことを示し，有理数解をもつ条件を求めます。
	⑤	複素数平面	方 程 式	小問なし 複素数の係数をもつ方程式の解を求めます。
2017	① (3)	積　分	面　積 三角関数	与えられた条件を満たす 2 つの曲線で囲まれた部分の面積を求めます。
	② (2)	空間ベクトル	成分表示 内　積	座標空間上の点について，線分への垂線の足の座標と，2 つのベクトルのなす角を求めます。
	③ (3)	整　数 数　列	倍　数	等差数列が 7 の累乗の倍数となる条件を考察します。
	④ (3)	確　率	漸 化 式	袋に入った玉に関するゲームを 3 人で行い，A が勝つ確率についての漸化式を求めます。
	⑤ (3)	複素数平面 対数関数	極 形 式 常用対数	複素数平面上の点 P_n が単位円や直角二等辺三角形の内部に存在するための条件を，極形式を用いて求めます。
2016	① (3)	極　限	面　積	2 曲線とそれらの交点を結ぶ線分とで囲まれる部分の面積に関する極限値を求めます。
	② (4)	平面ベクトル	内 分 比	三角形の辺上の内分点を結んだ線分の交点によって得られる三角形の面積比を求めます。
	③ (3)	確　率	サイコロ	サイコロの出目に応じて正六角形の頂点を移動するコインについて，n 回目の試行後に頂点 P_0 に存在する確率を求めます。
	④ (3)	整　数	剰 余 類	10^n を 13 で割った余りを求めることで，与えられた条件を満たす自然数を求めます。
	⑤ (3)	複素数平面	ド・モアブルの定理	ド・モアブルの定理を用いて $\cos n\theta$，$\sin n\theta$ に関する等式を証明し，それらを利用して与えられた式を証明します。

年　度	大　問	中 分 類	小 分 類	おもな内容
2015	1 (3)	積　分	面　積 中間値の 定　理	上に凸の2次関数と直線で囲まれた部分の面積を，$\frac{1}{6}$ 公式を用いて求め，2つの領域の面積が等しくなりうることを中間値の定理で示します。
	2 (3)	積　分	不定積分 不 等 式	自然対数で表された関数の微積分の計算と，Σ に関する不等式を区分求積の考え方で示します。
	3 (3)	積　分	面　積 体　積	座標空間内の半球に光を当ててできる影の面積と，光が当たらない部分の体積を，断面を調べることで求めます。
	4 (4)	確　率		袋の中に入っている赤玉・青玉の個数の変化を，樹形図を用いて調べます。
	5 (3)	整数の性質	証　明	整数の性質を，因数分解や背理法を用いて証明します。
2014	1 (2)	積　分	回転体の体積	曲線，y 軸と平行な直線および x 軸で囲まれた領域を x 軸のまわりに回転してできる立体の体積を求めます。
	2 (3)	整数の性質	証　明	平方数の3で割った余りに注目し，3つの自然数 a, b, c による等式 $a^2 + b^2 = 3c^2$ を考察します。
	3 (3)	2 次曲線	線形計画法	楕円と $\lvert x \rvert + \lvert y \rvert = k$ の関係を図形的に判断します。
	4 (2)	確　率	期 待 値	コインの表裏の状況で，得点の期待値を注意深く計算します。
	5	微　分		小問なし　x 軸と n 個の共有点をもつ n 次関数について，連続する任意の区間における極値の存在を考察します。
2013	1 (2)	積　分 極　限	面　積 2直線のなす角	2直線のなす角とその極限を求めます。
	2	空間ベクトル	分 点 比	小問なし　与えられた内積の値から分点比などを求めます。
	3 (3)	確　率	期 待 値	6枚の硬貨の表裏を議論します。
	4 (2)	積　分	回転体の体積	2つの円および y 軸で囲まれた図形を x 軸に平行な直線のまわりに回転してできる立体の体積を求めます。
	5 (4)	行　列	証　明	$A^4 = E$ などの条件から行列 A の成分を決定します。

年　度	大　問	中 分 類	小 分 類	おもな内容
2012	1	積　　分	回転体の体積	小問なし　円の一部を x 軸のまわりに回転してできる立体の体積を求めます。
	2 (3)	行　　列	演　　算 周 期 性	2つの行列 A, B のさまざまな積を考察します。
	3 (2)	微　　分	方程式の解の存在条件	文字を分離して，方程式の解の個数を，グラフを用いて考察します。
	4 (3)	極　　限	数列の極限	2次方程式の解 α, β で表された数列 $\{a_n\}$ に関する極限を考察します。
	5 (3)	確　　率		2つの箱 A，B にそれぞれ入っている玉を2個ずつやり取りします。
2011	1 (3)	積　　分	面　　積	曲線と直線で囲まれてできる2つの面積が等しくなる条件を考察します。
	2 (3)	微　　分	方程式の解の個数	グラフを用いて，方程式の解が3つある条件を求めます。
	3 (3)	数　　列	漸 化 式 三角関数	一般項を求めるのではなく，三角関数との融合問題として，周期性を議論します。
	4 (3)	空間ベクトル	四面体の体積	球面を考え，その中心とほかの3点とでできる四面体の体積を求めます。
	5 (4)	確　　率	期 待 値	4枚のカードを，条件に従って並べ替えていきます。
2010	1 (3)	図形と計量	三 角 比	三角形の形状を，文字で与えられた3辺の長さで考察します。
	2 (3)	確　　率	期 待 値	サイコロを2回投げたときの期待値に関する問題です。期待値を最大にするための戦略を考察します。
	3 (4)	極　　限	無限級数	曲線とその接線などでできる面積を次々に定義し，点列によってできる面積の級数の和を考察します。
	4 (3)	2 次曲線	面　　積 曲線の長さ	サイクロイドの式を立て，x 軸とで囲まれる面積と曲線の長さを求めます。
	5 (3)	行　　列	1次変換	放物線 $y = x^2$ の変換後の像をもとに，変換に用いた行列 A の成分を考察します。

memo

文系数学　出題分野一覧

㊟　共通テストの数学ⅡBCの選択問題として出題される「平面上の曲線と複素数平面」は文系数学では出題されません。

*　大問の欄の（　）は小問数を表します。

年　度	大　問	中分類	小分類	おもな内容
2024	① (2)	積分法	面　積	2つの合同な放物線とその共通接線で囲まれた部分の面積を求めます。
	② (2)	平面ベクトル	内　積	内積計算を通じて，与えられた条件を満たすベクトルを求めます。
	③ (3)	整　数	方　程　式・不　等　式	階乗を含む不等式が成り立つことを示し，それを利用して方程式の解を求めます。
	④ (3)	場合の数	数え上げ	3点以上の格子点を通る直線の数を具体的に数え上げます。
2023	①	積　分　法	面　積	小問なし　曲線と直線で囲まれる2つの部分の面積が等しくなる条件を求めます。
	② (3)	三角関数（ベクトル）	2直線のなす角（内積）	2直線のなす角の正弦の2乗を求め，それを利用して長さの比の最小値を求めます。
	③ (3)	平面ベクトル	内　積	平行であるための条件を求めた後，平行でない場合について内積計算を通じて条件を満たすベクトルや実数を求めます。
	④ (4)	確　率複素数	漸　化　式共役複素数	さいころの目に応じた操作をすることでできる複素数列について，項が特定の値になる確率を漸化式から求めます。
2022	① (2)	積分法	接　線面　積	絶対値つきの二次関数と直線が接する条件と，囲まれた部分の面積を求めます。
	② (3)	空間ベクトル	対称移動	空間上で，垂線の長さや，対称移動した点の座標を求めます。
	③ (3)	式と証明整数の性質	高次方程式整数解	与えられた4次方程式を満たす解を調べます。
	④ (4)	積分法	証　明	誘導に従って，定積分に関する公式を証明します。

年　度	大　問	中 分 類	小 分 類	おもな内容
2021	1(2)	図形と方程式	円と直線	内接円の中心を計算し、円によって切り取られる線分の長さを求めます。
	2(2)	図形と方程式	領　域	条件を満たす点の集合を図示します。
	3(2)	積 分 法	面　積	放物線と直線で囲まれた部分の面積を計算します。
	4(2)	数　列	和の計算	等差×等比の和、特殊な漸化式の一般項を求めます。
2020	1(2)	積 分 法	面　積	放物線同士で囲まれた部分の面積を計算します。
	2(2)	空間ベクトル	四面体	正四面体になる条件を計算し、断面積を求めます。
	3(2)	式と証明 整数の性質	高次方程式 合同式	与えられた3次方程式を満たす解を調べます。
	4(3)	確　率	サイコロ	4個のサイコロを投げ、$25 \cdot 4 \cdot 100$ の倍数になる確率を求めます。
2019	1	対数関数 確　率	常用対数	小問なし　常用対数を用いて条件を確認し、確率を求めます。
	2	微 分 法	極　値	小問なし　3次関数の極値の差を求めます。
	3(2)	空間ベクトル	体　積	平面に下ろした垂線の長さを計算し、四面体の体積を求めます。
	4(2)	式と証明	恒 等 式	与えられた条件をみたす整式を求めます。
2018	1(2)	積 分 法	面　積	x軸と接する3次曲線について、この曲線とx軸で囲まれた部分の面積の最小値を求めます。
	2(2)	整　数	剰 余 類 n 進法	2^n を7で割った余りを求め、それを利用することで2進法で表された数を7で割った余りを求めます。
	3(2)	平面ベクトル	位置ベクトル	三角形の重心に関する性質をベクトルの演算によって示します。
	4(3)	確　率	条件付き確率	与えられた複数の条件を整理して、さまざまな確率を求めます。

年　度	大問	中分類	小分類	おもな内容
2017	1 (2)	積分法	面　積	2つの放物線についてその共通接線を求め、それらで囲まれた面積の比を求めます。
	2 (3)	図形と式	三角形 命題と証明	座標平面上の3点について、正三角形となるための条件を考察します。また、無理数であることを、背理法を用いて証明します。
	3 (3)	確　率 数　列	サイコロ	サイコロを交互に投げるゲームを行ったときの、Aが勝つ確率を求めます。
	4 (3)	整　数	約数と倍数	225との最大公約数について、素因数分解を利用してその個数などを求めます。
2016	1 (2)	積分法	面　積	x軸と3点で交わる三次関数のグラフについて、囲まれる面積の和とその最小値を求めます。
	2 (4)	平面ベクトル	比	三角形の辺上の内分点を結んだ線分の交点によって得られる三角形について、元の三角形との面積比を求めます。
	3 (4)	確　率	コインの移動	袋の中から取り出した玉の色に応じて座標平面上の格子点を移動するコインについて、与えられた条件を満たす確率を求めます。
	4 (3)	整　数	剰余類	10^n を13で割った余りを求めることで、与えられた条件を満たす自然数を求めます。
2015	1 (3)	積分法 軌跡と領域	面　積	$y = x^2$ とで囲まれる面積が一定、という条件の下で放物線を動かすとき、その頂点の軌跡を求めます。
	2 (3)	空間ベクトル	正四面体	正四面体の辺上の点を結んで作られる線分の長さや三角形の面積を求めます。
	3	確　率	色　玉	**小問なし** 赤玉2個、青玉1個入った袋に対し、簡単なルールで色玉のやり取りを行います。青玉3個の状態で硬貨を1枚もらい、4回の操作のあと、もらう硬貨の枚数が1枚の場合と、もらう硬貨の枚数が2枚となる確率を求めます。
	4 (2)	整数の性質	方程式	$2^{p-1} - 1 = p^k$ を満たす素数 p と0以上の整数 k の組を求めます。
2014	1 (2)	軌跡と領域 積分法	面　積	与えられた条件を変形し、2つの放物線についての議論に帰着させます。
	2 (3)	整数の性質	証　明	平方数を3で割った余りに注目し、$a^2 + b^2 = 3c^2$ を満たす自然数 a, b, c について考察します。
	3 (3)	図形の性質	証　明	三角形の重心と外心の性質に関連して、与えられた等式の証明をします。
	4 (2)	確　率	コイン	指示されたルールに則って、硬貨のやりとりを行います。

年　度	大　問	中 分 類	小 分 類	おもな内容
2013	1 (4)	空間ベクトル	四 角 錐	辺の分点により得られる直線と平面の垂直関係を考察します。
	2 (2)	図形と方程式	線形計画法	点 P が与えられた領域 D 内を動くときの，$x + y$, $ax + by$ の値の最大・最小について考えます。
	3 (3)	確　率	サイコロ・コイン	サイコロを投げて 6 枚の硬貨の表裏を反転させ，指示された状態になる確率を求めます。
	4 (3)	図形と方程式・積分法	不等式で表された領域	円，直線，放物線で囲まれる領域の和集合や共通部分を図示し，面積を求めます。
2012	1 (3)	空間ベクトル	三角形の面積	点 A から直線 BC に下した垂線の足 H の座標を求め，△OAH の面積を求めます。
	2 (3)	微 分 法	3 次関数	3 次関数の平行な 2 接線について考察し，またそれらの接点 P，Q の間の距離の最小値を求めます。
	3 (3)	整 数 の 性質・図形と方程式	線形計画法	乗車券 7 枚480円のセット A と 3 枚220円のセット B の購入について，購入金額の最小値を求めます。
	4 (3)	確　率		2 つの箱 A・B 間の玉のやり取りを考え，指示された状態になる確率を求めます。
2011	1 (4)	図形と方程式・積分法	面　積	放物線と直線で囲まれたいくつかの部分の面積を計算します。
	2 (3)	数　列三角関数	漸 化 式	一般項を求めるのではなく，三角関数との融合問題として，周期性を議論します。
	3 (3)	平面ベクトル	内　積	与えられた条件式を変形して，いくつかのベクトルの大きさを求めます。
	4 (4)	確　率	カ ー ド	4 枚のカードを，条件に従って並べ替えて，指定された並びになる確率を求めます。
2010	1 (3)	図形と計量	三 角 比	三角形の形状を，文字で与えられた 3 辺の長さで考察します。
	2 (3)	確　率	サイコロ	サイコロを 2 回投げたときの期待値に関する問題です。期待値を最大にするための戦略を考察します。
	3 (4)	三角関数・微分法	単 位 円	単位円周上に点をとり，指示された線分の長さを計算します。
	4 (3)	数　列	Σ の計算	Σk, Σk^2, Σk^3 の公式の証明をします。

出題形式の変遷

(1) 1997年度から2003年度

　この時期の入試問題は，必須問題と選択問題から構成されていました。この時期には，必須問題・選択問題のいずれにおいても，全分野において難問・奇問のたぐいが散見されます。とりわけ，「数学Ⅲ」の微分積分における難問は，この時期に集中的に出題されています。出題形式が近年とまったくちがうため，この時期の問題を年度別に時間を計って解く意味はあまりありません。しかし，一部の難問・奇問を除いては，各単元の九大特有の出題傾向に近年との共通項が多く見られますので，時間が許すかぎり解くことをおすすめします。

(2) 2004年度から2014年度

　選択問題がなくなり，標準問題中心の構成になりました。

　「理系数学」については，全5題のうち「数学Ⅲ」から2題，確率と行列から各1題，という構成でほぼ決まっていました。数学Ⅲにおいては，速度・加速度，曲線の長さ，近似，逆関数といった細かい分野からの出題も見られます。整数問題に関しては，相対的に難度が高く医学部受験者など，数学で高得点が必要な受験生は，特に準備が必要でした。三角関数がからむ問題も頻出です。また，2012年度・2013年度・2014年度と，小問なしの問題が出題されるようになりました。

　「文系数学」については，全4題のうち2題が「数学Ⅱ」の微分積分と確率という構成でほぼ固まっています。ほかの2題はさまざまな分野から出題されていますが，ベクトルと図形がらみの問題が多く出題されています。この時期は，三角関数にからんだ出題が多いのも特徴的です。数列に関しては，三角関数・整数などとの融合問題がほとんどで，独立の問題として出題されたのは2010年度くらいです。

(3)　**2015年度から2024年度**

　課程が変わり，「理系数学」は，全5題のうち「数学Ⅲ」から2題(積分・複素数平面)，確率と整数から各1題，残り1題は「数学Ⅲ」の積分，またはベクトルという構成でほぼ決まっていました。複素数平面に関しては，2022年度・2020年度と出題がなかった年があるもののほぼ1題ずつ出題されるようになっており，難度も高い傾向にあるため，受験生は十分な対策が必要です。

　「理系数学」は，近年，また難化傾向が見られます。典型的な問題の習熟はもちろんのこと，やや難程度の問題でも部分点を取りに行くようにしたいところです。

　「文系数学」は全4題のうち「数学Ⅱ」の積分が1題，ほぼ確実に出題されます。4題のうち一番易しいことがほとんどなので，徹底的に練習しましょう。他は確率，整数，ベクトル，数列からの出題が多いです。単元融合型の問題も多く出題されるため，教科書の事項はしっかり学習しておく必要があります。

数学重要公式・定義のまとめ

すべての受験数学において，公式・定義といった基本事項の徹底理解が重要であることは言うまでもありませんが，とりわけ，九大においては，公式の証明・定義に関する出題が目立ちます。

以下では，九大で過去に出題された公式・定義についての問題，あるいは，今後の出題の可能性のある重要公式・定義をまとめました。九大受験生は完全理解に努めてください。

---

❶ $\sqrt{7}$ が無理数であることを示せ。 〈2000年度　九大〉

証明

$\sqrt{7}$ が無理数でない，つまり有理数であると仮定すると，1以外に正の公約数をもたない2つの自然数 p，q を用いて，$\sqrt{7} = \dfrac{q}{p}$ とおける。

このとき，$\sqrt{7}\,p = q$，つまり $7p^2 = q^2$　……①

これより，q^2 は7の倍数。よって q も7の倍数。

ここで，n を自然数として $q = 7n$ とおくと，①に代入して，

$$7p^2 = 49n^2$$

つまり

$$p^2 = 7n^2$$

これより，p^2 は7の倍数，つまり p も7の倍数となり，p，q が1以外の正の公約数をもたないことに矛盾する。よって，$\sqrt{7}$ は無理数である。

---

❷ 自然数 a，b が互いに素であるとはどういうことか。〈2001年度　九大〉

解

自然数 a，b が1以外の正の公約数をもたないとき，互いに素である，という。

❸ 円 $x^2 + y^2 = r^2$　$(r > 0)$ 上 の 点 (a, b) に お け る 接 線 の 方 程 式 は，$ax + by = r^2$ となることを示せ。　〈2002 年度　九大〉

証　明

点 A(a, b) とおき，接線上の点を P(x, y) とおくと，$\overrightarrow{OA} \perp \overrightarrow{AP}$ より，

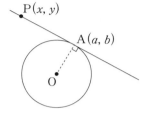

$$\overrightarrow{OA} \cdot \overrightarrow{AP} = (a, b) \cdot (x - a, y - b) = 0$$

$a(x - a) + b(y - b) = 0$ より，

$$ax + by = a^2 + b^2 \quad \cdots\cdots ①$$

点 A(a, b) は，$x^2 + y^2 = r^2$ 上より，

$$a^2 + b^2 = r^2 \quad \cdots\cdots ②$$

①・②より，$a^2 + b^2$ を消去して，$\underline{ax + by = r^2}$

㊟　中心が原点でなくとも対応できるようにしましょう。

❹ xy 平面において，点 (x_0, y_0) と直線 $\ell : ax + by + c = 0$ の距離は，$\dfrac{|ax_0 + by_0 + c|}{\sqrt{a^2 + b^2}}$ である。これを証明せよ。　〈2013年度　阪大〉

証　明

点 P(x_0, y_0) から直線 ℓ に下ろした垂線の足を H とおくと，$\vec{\ell}$ の法線ベクトルの 1 つは (a, b) なので，$\overrightarrow{PH}$ の方向ベクトルの 1 つは (a, b) とおける。よって，$\overrightarrow{PH} = t(a, b)$ とおける。

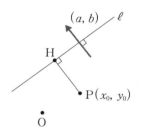

$$\overrightarrow{OH} = \overrightarrow{OP} + \overrightarrow{PH} = (x_0 + at, y_0 + bt)$$

点 H は ℓ 上により，

$$a(x_0 + at) + b(y_0 + bt) + c = 0$$

よって，$t = -\dfrac{ax_0 + by_0 + c}{a^2 + b^2}$

$\therefore\ |\overrightarrow{PH}| = |t|\sqrt{a^2 + b^2} = \dfrac{|ax_0 + by_0 + c|}{\sqrt{a^2 + b^2}}$

❺　$\cos(\alpha + \beta) = \cos\alpha\cos\beta - \sin\alpha\sin\beta$ を証明せよ。　　〈1999年度　東大〉

証　明

　単位円上に点 A$(\cos\alpha,\ \sin\alpha)$,
点 B$(\cos\beta,\ \sin\beta)$ をとる。

$$\begin{aligned}
AB^2 &= (\cos\alpha - \cos\beta)^2 + (\sin\alpha - \sin\beta)^2 \\
&= (\cos^2\alpha - 2\cos\alpha\cos\beta + \cos^2\beta) \\
&\quad + (\sin^2\alpha - 2\sin\alpha\sin\beta + \sin^2\beta) \\
&= 2\{1 - (\cos\alpha\cos\beta + \sin\alpha\sin\beta)\}
\end{aligned}$$
$$\cdots\cdots①$$

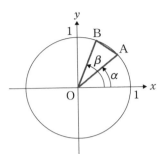

　△OAB を原点を中心に $-\alpha$ 回転すると,
OA が x 軸と一致し, 点 A は点 A$'(1,\ 0)$, 点 B
は点 B$'(\cos(\beta - \alpha),\ \sin(\beta - \alpha))$ に移る。

$$\begin{aligned}
A'B^2 &= \{1 - \cos(\beta - \alpha)\}^2 \\
&\quad + \{0 - \sin(\beta - \alpha)\}^2 \\
&= 2\{1 - \cos(\beta - \alpha)\} \qquad \cdots\cdots②
\end{aligned}$$

①・②より,
$$\cos(\beta - \alpha) = \cos\alpha\cos\beta + \sin\alpha\sin\beta$$
ここで, α を $-\alpha$ におきかえて,
$$\underline{\cos(\alpha + \beta) = \cos\alpha\cos\beta - \sin\alpha\sin\beta}$$

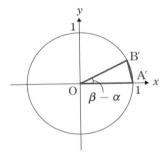

❻　$\tan\dfrac{\pi}{12}$ の値を求めよ。　　〈2011年度　九大〉

解　1

〈加法定理〉

$$\tan\frac{\pi}{12} = \tan\left(\frac{\pi}{3} - \frac{\pi}{4}\right) = \frac{\tan\dfrac{\pi}{3} - \tan\dfrac{\pi}{4}}{1 + \tan\dfrac{\pi}{3}\cdot\tan\dfrac{\pi}{4}} = \frac{\sqrt{3} - 1}{1 + \sqrt{3}\cdot 1} = \underline{2 - \sqrt{3}}$$

解　2

〈図　形〉

　右図より, $\tan 15° = \dfrac{AB}{AD} = \dfrac{1}{2 + \sqrt{3}} = \underline{2 - \sqrt{3}}$

❼　$\cos \dfrac{2}{5}\pi$ の値を求めよ。　　　　　〈2008年度　九大・1994年度　東大〉

解　1

〈**加法定理 [2倍角・3倍角]**〉

$\alpha = \dfrac{2}{5}\pi$ とおくと，$5\alpha = 2\pi$ より，$3\alpha = 2\pi - 2\alpha$

$\therefore \quad \sin 3\alpha = \sin(2\pi - 2\alpha) \iff \sin 3\alpha = -\sin 2\alpha$

$-4\sin^3\alpha + 3\sin\alpha = -2\sin\alpha\cos\alpha$

$-4\sin^2\alpha + 3 = -2\cos\alpha$　← $\sin\alpha\,(\neq 0)$ で割って

$-4(1 - \cos^2\alpha) + 3 = -2\cos\alpha$ より，$4\cos^2\alpha + 2\cos\alpha - 1 = 0$

$\therefore \quad \cos\alpha = \dfrac{-1 + \sqrt{5}}{4}\ (>0)$

解　2

〈**図　形**〉

一辺の長さが1の正五角形から△ACD を取り出す。

AC $= x$ とおくと，

　　△ACD ∽ △CFD

より，

　　$x : 1 = 1 : (x - 1)$

$x^2 - x - 1 = 0$ より，

　　$x = \dfrac{1 + \sqrt{5}}{2}\ (>1)$

$\therefore \quad \cos 72° = \dfrac{\mathrm{CH}}{\mathrm{AC}}$

　　$= \dfrac{1}{2} \div \dfrac{1 + \sqrt{5}}{2}$

　　$= \dfrac{\sqrt{5} - 1}{4}$

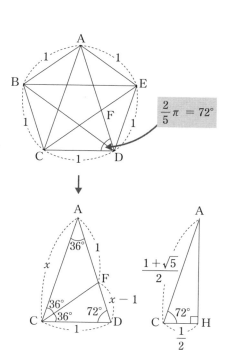

$\dfrac{2}{5}\pi = 72°$

❽　関数 $f(x) = ax^2 + bx + c$　$(a \neq 0)$ について，

(1)　x が p から q まで変化するとき，関数 $f(x)$ の平均変化率を求めよ。
ただし，$p < q$ とする。
(2)　$f(x)$ の $x = r$ における微分係数 $f'(r)$ を定義に従って求めよ。

〈1997年度　九大〉

解

(1)

$$\frac{f(q) - f(p)}{q - p} = \frac{(aq^2 + bq + c) - (ap^2 + bp + c)}{q - p} = \underline{a(p + q) + b}$$

(2)

$$f'(r) = \lim_{h \to 0} \frac{f(r + h) - f(r)}{h} = \lim_{h \to 0} \frac{a(r + h)^2 + b(r + h) + c - (ar^2 + br + c)}{h}$$

$$= \lim_{h \to 0} \frac{2arh + ah^2 + bh}{h} = \lim_{h \to 0} (2ar + ah + b) = \underline{2ar + b}$$

❾　次の等式が成り立つことを示せ。

(1)　$\displaystyle\int_{\alpha}^{\beta} (x - \alpha)(x - \beta)dx = -\frac{1}{6}(\beta - \alpha)^3$

〈2007年度　岡山大・2011年度　九工大・2009年度　琉球大〉

(2)　$\displaystyle\int_{\alpha}^{\beta} (x - \alpha)^2(x - \beta)dx = -\frac{1}{12}(\beta - \alpha)^4$　　　〈2006年度　熊本大〉

(3)　$\displaystyle\int_{\alpha}^{\beta} (x - \alpha)^2(x - \beta)^2 dx = \frac{1}{30}(\beta - \alpha)^5$　　　〈1989年度　九大〉

解

(1)

$$\int_{\alpha}^{\beta} (x - \alpha)(x - \beta)dx = \int_{\alpha}^{\beta} (x - \alpha)\{(x - \alpha) - (\beta - \alpha)\}dx$$

$$= \left[\frac{1}{3}(x - \alpha)^3 - \frac{1}{2}(\beta - \alpha)(x - \alpha)^2\right]_{\alpha}^{\beta} = \underline{-\frac{1}{6}(\beta - \alpha)^3}$$

(2)

$$\int_\alpha^\beta (x-\alpha)^2(x-\beta)dx = \int_\alpha^\beta (x-\alpha)^2\{(x-\alpha)-(\beta-\alpha)\}dx$$

$$= \left[\frac{1}{4}(x-\alpha)^4 - \frac{1}{3}(\beta-\alpha)(x-\alpha)^3\right]_\alpha^\beta = -\frac{1}{12}(\beta-\alpha)^4$$

(3)

$$\int_\alpha^\beta (x-\alpha)^2(x-\beta)^2dx = \int_\alpha^\beta (x-\alpha)^2\{(x-\alpha)-(\beta-\alpha)\}^2dx$$

$$= \int_\alpha^\beta \{(x-\alpha)^4 - 2(\beta-\alpha)(x-\alpha)^3 + (\beta-\alpha)^2(x-\alpha)^2\}dx$$

$$= \left[\frac{1}{5}(x-\alpha)^5 - \frac{1}{2}(\beta-\alpha)(x-\alpha)^4 + \frac{1}{3}(\beta-\alpha)^2(x-\alpha)^3\right]_\alpha^\beta$$

$$= \frac{1}{30}(\beta-\alpha)^5$$

---

❿ $y = x^3 + ax^2 + bx + c$ のグラフを G とする。G はこの上のある点に関して点対称であることを示せ。

〈2001年度 九大・2012年度 九大 − 文系（類題）〉

証 明

G を x 軸方向に $-p$，y 軸方向に $-q$ 平行移動したグラフを G′ とする。

$$G' : y + q = (x+p)^3 + a(x+p)^2$$
$$\qquad\qquad + b(x+p) + c$$
$$y = x^3 + \underline{(3p+a)}x^2 + (3p^2 + 2ap$$
$$\qquad + b)x + \underline{p^3 + ap^2 + bp + c - q}$$

ここで，x^2 の係数と定数項が 0 になるように，

$$\begin{cases} 3p + a = 0 \\ p^3 + ap^2 + bp + c - q = 0 \end{cases}$$

つまり，

$$\begin{cases} p = -\dfrac{a}{3} \\ q = \left(-\dfrac{a}{3}\right)^3 + a\left(-\dfrac{a}{3}\right)^2 + b\left(-\dfrac{a}{3}\right) + c = \dfrac{2}{27}a^3 - \dfrac{ab}{3} + c \end{cases}$$

と定めると，G′ は $y = x^3 - \left(\dfrac{a^2}{3} - b \right) x$ となり，奇関数，つまり，原点につ

き対称となる。

> $\langle g(-x) = -g(x) \rangle$

よって，G は G′ を x 軸方向に p，y 軸方向に q 平行移動したもので，点 $(p,$ $q)$ に関して対称である。

㊟　任意の 3 次関数のグラフは，点対称となります。

$y = ax^3 + bx^2 + cx + d$ とおくと，対称の中心は $\left(-\dfrac{b}{3a} ,\ \dfrac{2b^3}{27a^2} - \dfrac{bc}{3a} + d \right)$

となります。

---

❶❶　(1)　和 $1 + 2 + \cdots\cdots + n$ を n の多項式で表せ。また，証明も記せ。
〈2010年度　九大－文系〉

(2)　和 $1^2 + 2^2 + \cdots\cdots + n^2$ を n の多項式で表せ。また，証明も記せ。
〈1998年度　九大・2010年度　九大－文系〉

(3)　和 $1^3 + 2^3 + \cdots\cdots + n^3$ を n の多項式で表せ。また，証明も記せ。
〈2010年度　九大－文系〉

証　明

(1)

$S = 1 + 2 + \cdots\cdots + (n - 1) + n$　……①　とおく。

$S = n + (n - 1) + \cdots\cdots + 2 + 1$　……②（①の順序を逆にしている）

①②を辺々加えて，$2S = \underbrace{(n + 1) + (n + 1) + \cdots\cdots + (n + 1)}_{n\,組}$

∴　$2S = n(n + 1)$

∴　$S = \dfrac{1}{2} n(n + 1)$

(2)　恒等式 $(k + 1)^3 - k^3 = 3k^2 + 3k + 1$ において，$k = 1,\ 2,\ \cdots\cdots,\ n$ を代入していく。

$$\begin{cases} (\cancel{1+1})^3 - 1^3 = 3 \cdot 1^2 + 3 \cdot 1 + 1 \\ (\cancel{2+1})^3 - \cancel{2}^3 = 3 \cdot 2^2 + 3 \cdot 2 + 1 \\ (\cancel{3+1})^3 - \cancel{3}^3 = 3 \cdot 3^2 + 3 \cdot 3 + 1 \\ \quad\vdots \\ (n+1)^3 - \cancel{n}^3 = 3 \cdot n^2 + 3 \cdot n + 1 \end{cases}$$

これらを辺々加えて,

$$(n+1)^3 - 1^3 = 3\underline{(1^2 + 2^2 + \cdots + n^2)} + 3(1 + 2 + \cdots + n) + n$$

よって, $1^2 + 2^2 + \cdots + n^2 = \dfrac{1}{3}\left\{(n+1)^3 - 1^3 - \dfrac{3}{2}n(n+1) - n\right\}$

$$= \dfrac{1}{6}(n+1)\{2(n+1)^2 - 3n - 2\}$$

$$= \underline{\dfrac{1}{6}n(n+1)(2n+1)}$$

(3)　恒等式 $(k+1)^4 - k^4 = 4k^3 + 6k^2 + 4k + 1$ において, $k = 1, 2, \cdots, n$ を代入していく。

$$\begin{cases} (\cancel{1+1})^4 - 1^4 = 4 \cdot 1^3 + 6 \cdot 1^2 + 4 \cdot 1 + 1 \\ (\cancel{2+1})^4 - \cancel{2}^4 = 4 \cdot 2^3 + 6 \cdot 2^2 + 4 \cdot 2 + 1 \\ (\cancel{3+1})^4 - \cancel{3}^4 = 4 \cdot 3^3 + 6 \cdot 3^2 + 4 \cdot 3 + 1 \\ \quad\vdots \\ (n+1)^4 - \cancel{n}^4 = 4 \cdot n^3 + 6 \cdot n^2 + 4 \cdot n + 1 \end{cases}$$

これらを辺々加えて,

$$(n+1)^4 - 1^4 = 4\underline{(1^3 + 2^3 + \cdots + n^3)} + 6(1^2 + 2^2 + \cdots + n^2)$$
$$+ 4(1 + 2 + \cdots + n) + n$$

よって,

$$1^3 + 2^3 + \cdots + n^3 = \dfrac{1}{4}\left\{(n+1)^4 - 6 \cdot \dfrac{1}{6}n(n+1)(2n+1)\right.$$

$$\left. - 4 \cdot \dfrac{1}{2}n(n+1) - n - 1^4\right\}$$

$$= \dfrac{1}{4}(n+1)\{(n+1)^3 - n(2n+1) - 2n - 1\}$$

$$= \underline{\dfrac{1}{4}n^2(n+1)^2}$$

⓬ △ABC の面積は

$$\frac{1}{2}\sqrt{|\overrightarrow{AB}|^2|\overrightarrow{AC}|^2-(\overrightarrow{AB}\cdot\overrightarrow{AC})^2} \quad \cdots\cdots①$$

に等しいことを示せ。

また，$\overrightarrow{AB}=(x_1,\ y_1)$，$\overrightarrow{AC}=(x_2,\ y_2)$ とすると，①は

$$\frac{1}{2}|x_1y_2-x_2y_1| \quad \cdots\cdots②$$

に等しいことを示せ。

〈2000年度　九大・2007年度　広島大〉

証　明

$\overrightarrow{AB}$ と $\overrightarrow{AC}$ のなす角を θ とする。

$$\triangle ABC=\frac{1}{2}|\overrightarrow{AB}||\overrightarrow{AC}|\sin\theta=\frac{1}{2}|\overrightarrow{AB}||\overrightarrow{AC}|\sqrt{1-\cos^2\theta}$$

$$=\frac{1}{2}|\overrightarrow{AB}||\overrightarrow{AC}|\sqrt{1-\left(\frac{\overrightarrow{AB}\cdot\overrightarrow{AC}}{|\overrightarrow{AB}||\overrightarrow{AC}|}\right)^2}$$

$$=\frac{1}{2}\sqrt{|\overrightarrow{AB}|^2|\overrightarrow{AC}|^2-(\overrightarrow{AB}\cdot\overrightarrow{AC})^2}$$

①

$$=\frac{1}{2}\sqrt{(x_1{}^2+y_1{}^2)(x_2{}^2+y_2{}^2)-(x_1x_2+y_1y_2)^2}$$

$$=\frac{1}{2}\sqrt{x_1{}^2y_2{}^2+x_2{}^2y_1{}^2-2x_1x_2y_1y_2}=\frac{1}{2}|x_1y_2-x_2y_1|$$

②

㊟　①の公式は，証明にかぎらず，九大のベクトルの問題では使用頻度が非常に高いものです。

❸ (1) 平面内で，3点 G，P，Q が同一直線上にある条件を求めよ。
   〈1997年度　九大－文系〉

(2) 空間内で，4点 G，P，Q，R が同一平面上にある条件を求めよ。
   〈1997年度　九大－理系〉

証　明

(1) 点 G が直線 PQ 上にあるとき，$\overrightarrow{PG} = t\overrightarrow{PQ}$（$t$ は
実数）とおける。

$$\overrightarrow{OG} - \overrightarrow{OP} = t(\overrightarrow{OQ} - \overrightarrow{OP})$$

始点を O にそろえます

$$\overrightarrow{OG} = (1 - t)\overrightarrow{OP} + t\overrightarrow{OQ}$$
$$= s\overrightarrow{OP} + t\overrightarrow{OQ} \quad (\text{ただし，} s + t = 1)$$

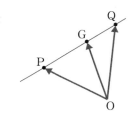

(2) 点 G が 3 点 P，Q，R を通る平面 α 上に
あるとき，$\overrightarrow{PG} = s\overrightarrow{PQ} + t\overrightarrow{PR}$（$s$, t は実
数）とおける。

$$\overrightarrow{OG} - \overrightarrow{OP} = s(\overrightarrow{OQ} - \overrightarrow{OP})$$
$$+ t(\overrightarrow{OR} - \overrightarrow{OP})$$

始点を O にそろえます

$$\overrightarrow{OG} = (1 - s - t)\overrightarrow{OP} + s\overrightarrow{OQ} + t\overrightarrow{OR}$$
$$= r\overrightarrow{OP} + s\overrightarrow{OQ} + t\overrightarrow{OR}$$
$$(\text{ただし，} r + s + t = 1)$$

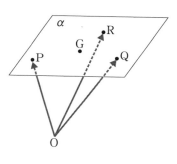

㊟　基本中の基本ですが，丸暗記しているだけの人が意外に多いようです。

複素数平面の問題について

2015年度入試から履修課程に再び加わった複素数平面について，どのようなう問題形式・レベルで出題されていたのかをさかのぼり，数年の問題にあたってみることで確かめておきましょう。

方程式の虚数解としての側面と，**複素数平面という平面図形的な側面**のうち，後者が出題の中心であることは言うまでもありません。**図の証明問題や，結果的にしばしば円となる軌跡の問題**がよく見受けられます。たとえば，ある複素数 z が実数となる条件や複素数 w が純虚数となる条件を考えることで3つの点の位置関係を示す問題などです。**平面幾何的な知識が求められている近年の傾向にあっては，理系のみが対象であるとはいえ，好んで出題される可能性もあります。**さらに，**過去の履修課程にあった行列や1次変換に代わるものとしての位置づけ**となれば必出とも考えられ，早いうちからの熟達が必要です。2005年度までは「数学B」に分類され，文系でも複素数平面が出題されていました。ベクトルと同等の扱いだったといえます。

本項目では，2002年度から2004年度までの3年度分の複素数平面の問題を資料として掲載します。ただし，2004年度は文系のみの出題だったので，この年度についてはこの文系用問題を掲載します。複素数平面の最も熟した時期の出題だけにかなり手ごわいかもしれませんが，ぜひとも取り組んでみてください。

2002 年度　理　系　④(選択問題)

　複素数平面上の原点を中心とする半径 1 の円 C 上に相異なる 3 点 z_1, z_2, z_3 をとる。次の問いに答えよ。

(1)　$w_1 = z_1 + z_2 + z_3$ とおく。点 w_1 は 3 点 z_1, z_2, z_3 を頂点とする三角形の垂心になることを示せ。ここで，三角形の垂心とは，各頂点から対辺またはその延長線上に下ろした 3 本の垂線の交点のことであり，これらの 3 本の垂線は 1 点で交わることが知られている。

(2)　$w_2 = -\overline{z_1} z_2 z_3$ とおく。$w_2 \neq z_1$ のとき，2 点 z_2, z_3 を通る直線上に点 z_1 から下ろした垂線，またはその延長線が円 C と交わる点は w_2 であることを示せ。ここで，$\overline{z_1}$ は z_1 に共役な複素数である。

(3)　2 点 z_2, z_3 を通る直線とこの直線上に点 z_1 から下ろした垂線との交点は，点 w_1 と点 w_2 を結ぶ線分の中点であることを示せ。ただし，$w_1 = w_2$ のときは，w_1 と w_2 の中点は w_1 と解釈する。

解

(1)

$\boxed{\text{「複素数 } w \text{ が純虚数ならば } w + \overline{w} = 0\text{」}}$
の考え方を使います。

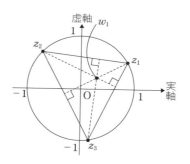

(ア)　三角形 $z_1 z_2 z_3$ が直角三角形であるとき，辺 $z_1 z_2$ が直径であれば $z_1 + z_2 = 0$ となり，また垂心は z_3 となるので，$w_1 = z_1 + z_2 + z_3$ としたとき，$w_1 = z_3$ となって，w_1 は垂心となる。

(イ)　三角形 $z_1 z_2 z_3$ が直角三角形でないとき，「$\dfrac{w_1 - z_1}{z_3 - z_2}$ が純虚数かつ $\dfrac{w_1 - z_2}{z_3 - z_1}$ が純虚数」が成り立てばよいと判断できる。

$$\frac{w_1 - z_1}{z_3 - z_2} + \overline{\left(\frac{w_1 - z_1}{z_3 - z_2} \right)} = \frac{w_1 - z_1}{z_3 - z_2} + \frac{\overline{w_1 - z_1}}{\overline{z_3 - z_2}}$$

$$= \frac{z_2 + z_3}{z_3 - z_2} + \frac{\overline{z_2} + \overline{z_3}}{\overline{z_3} - \overline{z_2}}$$

$$= \frac{(z_2 + z_3)(\overline{z_3} - \overline{z_2}) + (\overline{z_2} + \overline{z_3})(z_3 - z_2)}{(z_3 - z_2)(\overline{z_3} - \overline{z_2})} \quad \cdots\cdots ①$$

ここで，分子は，$z_2\overline{z_3} - |z_2|^2 + |z_3|^2 - \overline{z_2}z_3 + \overline{z_2}z_3 - |z_2|^2 + |z_3|^2 - z_2\overline{z_3}$

> z_2 も z_3 も 原点を中心とする
> 半径 1 の円周上の点

$$= 2(|z_3|^2 - |z_2|^2)$$
$$= 2(1 - 1) = 0 \quad (|z_2| = |z_3| = 1 \text{ より})$$

同様に，$\dfrac{w_1 - z_2}{z_3 - z_1} + \overline{\left(\dfrac{w_1 - z_2}{z_3 - z_1}\right)} = \dfrac{(z_3 + z_1)(\overline{z_3} - \overline{z_1}) + (\overline{z_3} + \overline{z_1})(z_3 - z_1)}{|z_3 - z_1|^2}$

分子は，$2(|z_3|^2 - |z_1|^2) = 2(1 - 1) = 0$

以上より，w_1 は 3 点 z_1，z_2，z_3 で定まる三角形の垂心となる。

(2)

$w_2 = -\overline{z_1}z_2z_3$ について，$|w_2| = |\overline{z_1}z_2z_3|$
$$= |z_1| \cdot |z_2| \cdot |z_3| = 1$$

したがって，w_2 は原点を中心とする半径 1 の円周上にある。

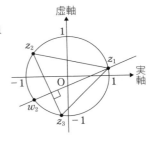

ここで，$\dfrac{z_1 - w_2}{z_3 - z_2} = \dfrac{z_1 + \overline{z_1}z_2z_3}{z_3 - z_2}$ となるから，

複素数 $\dfrac{z_1 + \overline{z_1}z_2z_3}{z_3 - z_2}$ が純虚数であることを示す。

$|z_1|^2 = z_1\overline{z_1} = 1$ より，$\overline{z_1} = \dfrac{1}{z_1}$。同様に，$\overline{z_2} = \dfrac{1}{z_2}$，$\overline{z_3} = \dfrac{1}{z_3}$ などを用いると，

$$\frac{z_1 + \overline{z_1}z_2z_3}{z_3 - z_2} + \overline{\left(\frac{z_1 + \overline{z_1}z_2z_3}{z_3 - z_2}\right)} = \frac{z_1 + \overline{z_1}z_2z_3}{z_3 - z_2} + \frac{\overline{z_1} + z_1\overline{z_2}\,\overline{z_3}}{\overline{z_3} - \overline{z_2}}$$

$$= \frac{z_1 + \dfrac{1}{z_1} \cdot z_2z_3}{z_3 - z_2} + \frac{\dfrac{1}{z_1} + z_1 \cdot \dfrac{1}{z_2} \cdot \dfrac{1}{z_3}}{\dfrac{1}{z_3} - \dfrac{1}{z_2}}$$

$$= \frac{z_1^2 + z_2z_3}{z_1(z_3 - z_2)} + \frac{z_2z_3 + z_1^2}{z_1(z_2 - z_3)}$$

$$= \frac{z_1^2 + z_2z_3 - (z_1^2 + z_2z_3)}{z_1(z_3 - z_2)} = 0$$

よって，$\dfrac{z_1 - w_2}{z_3 - z_2}$ は純虚数となり，題意は示された。

(3)

　$w_1 w_2 \perp z_2 z_3$ であることは成り立っているので，$|w_1 - z_2| = |w_2 - z_2|$ を示すことにより，直線 $z_2 z_3$ が，線分 $w_1 w_2$ の垂直二等分線であることを示す。

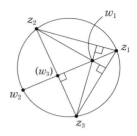

$$|w_1 - z_2|^2 = |z_1 + z_2 + z_3 - z_2|^2$$
$$= |z_1 + z_3|^2 \quad \cdots\cdots ①$$
$$|w_2 - z_2|^2 = |-\overline{z_1} z_2 z_3 - z_2|^2$$
$$= |z_2|^2 |\overline{z_1} z_3 + 1|^2$$
$$= \left| \dfrac{1}{z_1} \cdot z_3 + 1 \right|^2 \quad (|z_2|^2 = 1 \ \text{より})$$
$$= \dfrac{|z_3 + z_1|^2}{|z_1|^2} = |z_1 + z_3|^2 \quad \cdots\cdots ②$$

　①・②の右辺が等しいので，$|w_1 - z_2| = |w_2 - z_2|$ となるから，線分 $z_2 z_3$ と線分 $w_1 w_2$ の交点を w_3 とおくことで，△$z_2 w_2 w_3$ と△$z_2 w_1 w_3$ は直角三角形の合同条件を満たし，w_3 は線分 $w_1 w_2$ の中点となる。

参考

　上の解答では，直線 $z_2 z_3$ が，線分 $w_1 w_2$ の垂直二等分線となることを示すことで証明していますが，線分 $w_1 w_2$ の中点 w_3 が，直線 $z_2 z_3$ 上にあることを示す方法もあります。この場合は，

$$\dfrac{w_3 - z_2}{w_3 - z_3} \ \text{が実数，すなわち} \ \dfrac{w_3 - z_2}{w_3 - z_3} = \overline{\left(\dfrac{w_3 - z_2}{w_3 - z_3} \right)}$$

であることを示すことになります。証明はやや複雑ですが，試してみてください。

2003年度　理　　系　④（選択問題）

---

0 < a < 1 である定数 a に対し，複素数平面上で z = t + ai(t は実数全体を動く) が表す直線を ℓ とする。ただし，i は虚数単位である。

(1)　複素数 z が ℓ 上を動くとき，z^2 が表す点の軌跡を図示せよ。

(2)　直線 ℓ を，原点を中心に角 θ だけ回転移動した直線を m とする。m と (1)で求めた軌跡との交点の個数を sin θ の値で場合分けして求めよ。

解

(1)

z = t + ai であるから，$z^2 = t^2 - a^2 + 2ati$

いま，$z^2 = x + yi$ (x, y ∈ 実数全体) とおけば，

$x = t^2 - a^2, \quad y = 2at$

a ≠ 0，t は実数全体を動くから，

$t = \dfrac{y}{2a}$ として t を消去すると，

$$x = \dfrac{y^2}{4a^2} - a^2, \quad y^2 = 4a^2(x + a^2) \quad \cdots\cdots ①$$

と変形できる。

z^2 の軌跡を xy 平面で示す。

①は放物線 $y^2 = 4a^2x$ を x 軸方向に $-a^2$ だけ平行移動したもので，焦点 (0, 0)，準線 $x = -2a^2$ となる。右に図を示す。

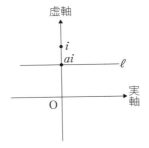

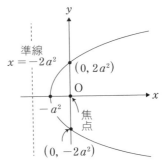

⑵

虚軸上の点 ai を原点のまわりに θ だけ回転させると，

$$ai \cdot (\cos\theta + i\sin\theta) = -a\sin\theta + i \cdot a\cos\theta$$

となる。ここで，右図のように xy 平面上の点 P を $(-a\sin\theta, a\cos\theta)$ とおく。

$\overrightarrow{\text{OP}} = (-a\sin\theta, a\cos\theta)$ は直線 m と垂直であり，m の法線ベクトルを $(-\sin\theta, \cos\theta)$ とすることができるので，直線 m は以下のように表すことができる。

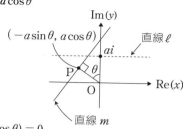

$$-\sin\theta \cdot (x + a\sin\theta) + \cos\theta \cdot (y - a\cos\theta) = 0$$

これを簡単にすると，

$$x\sin\theta - y\cos\theta + a = 0 \quad \cdots\cdots ②$$

となる。

> **注**　法線ベクトルが (a, b) で (x_1, y_1) を通る直線は，
> $$a(x - x_1) + b(y - y_1) = 0$$
> と表せます。

①より $x = \dfrac{y^2}{4a^2} - a^2$ を②に代入すると，

$$\left(\dfrac{y^2}{4a^2} - a^2 \right)\sin\theta - y\cos\theta + a = 0$$

y の2次方程式と見て，

$$\dfrac{\sin\theta}{4a^2} \cdot y^2 - \cos\theta \cdot y + a - a^2\sin\theta = 0 \quad \cdots\cdots ③ \quad \longleftarrow \boxed{\sin\theta \text{ について場合分けをする}}$$

（ⅰ）$\sin\theta = 0$ のとき，

$$-y\cos\theta + a = 0$$

$\boxed{\cos\theta = 1 \quad \text{または} \quad \cos\theta = -1 \quad \text{となり，} \\ y = a \quad \text{または} \quad y = -a \text{として } \theta = n\pi \text{ (}n\text{ は整数)} \\ \text{に対応して交点が1つ定まる}}$

（ⅱ）$\sin\theta \neq 0$ のとき，③の判別式 D を考える。

$$D = \cos^2\theta - 4 \cdot \dfrac{\sin\theta}{4a^2}(a - a^2\sin\theta)$$

$$= \cos^2\theta - \dfrac{\sin\theta}{a} + \sin^2\theta$$

$$= 1 - \frac{\sin\theta}{a}$$

$$= \frac{a - \sin\theta}{a}$$

$0 < a < 1$ なので,

$a < \sin\theta$ のとき $D < 0$ となり,交点はない。

$a = \sin\theta$ のとき $D = 0$ となり,交点は 1 個存在する。

$a > \sin\theta$ のとき $D > 0$ となり,交点は 2 個存在する。

以上,(i)・(ii)より,

$-1 \leqq \sin\theta < 0$,$0 < \sin\theta < a$ のとき, 交点は 2 個

$\sin\theta = a$ または $\sin\theta = 0$ のとき,   交点は 1 個

$a < \sin\theta \leqq 1$ のとき,   交点なし

となる。

2004年度 文 系 ②

> 複素数平面上に複素数 $z = \cos\theta + i\sin\theta$ $(0° < \theta < 180°)$ をとり,$\alpha = z + 1$,$\beta = z - 1$ とおく。
>
> (1) $|\beta| = 2\sin\left(\dfrac{\theta}{2}\right)$ を示せ。
>
> (2) $\arg\beta = \dfrac{\theta}{2} + 90°$ を示せ。ただし,$0° \leqq \arg\beta < 360°$ とする。
>
> (3) $\theta = 60°$ とする。9 つの複素数 $\alpha^m \beta^n$ $(m, n = 1, 2, 3)$ の虚部の最小値を求め,その最小値を与える (m, n) のすべてを決定せよ。

(1)

> $\left[\text{設問に } \dfrac{\theta}{2} \text{ とあるので,半角公式に着目します。}\right]$

$$\beta = z - 1 = \cos\theta - 1 + i\sin\theta$$

$$= -2\sin^2\frac{\theta}{2} + i \cdot 2\sin\frac{\theta}{2}\cos\frac{\theta}{2}$$

$$= 2\sin\frac{\theta}{2}\left(-\sin\frac{\theta}{2} + i \cdot \cos\frac{\theta}{2}\right)$$

$$|\beta| = \left|2\sin\frac{\theta}{2}\right|\sqrt{\sin^2\frac{\theta}{2} + \cos^2\frac{\theta}{2}} = 2\left|\sin\frac{\theta}{2}\right|$$

$0° < \dfrac{\theta}{2} < 90°$ より　　$\sin\dfrac{\theta}{2} > 0$

よって，$|\beta| = 2\sin\dfrac{\theta}{2}$ となり，示せた。

(2)

> 角の書き換えにより，極形式にしていきます。

$-\sin\dfrac{\theta}{2} = \cos\left(\dfrac{\theta}{2} + 90°\right)$，$\cos\dfrac{\theta}{2} = \sin\left(\dfrac{\theta}{2} + 90°\right)$ と書けるので，

$$\beta = 2\sin\frac{\theta}{2}\left\{\cos\left(\frac{\theta}{2} + 90°\right) + i\sin\left(\frac{\theta}{2} + 90°\right)\right\}$$

となり，

$$\arg\beta = \frac{\theta}{2} + 90° + 360° \cdot k \quad (k \text{ は整数}) \quad \longleftarrow \text{一般角で表す}$$

$0° < \dfrac{\theta}{2} < 90°$ だから　　$90° < \dfrac{\theta}{2} + 90° < 180°$

また，$0° \leqq \arg\beta < 360°$ であるから，$k = 0$

よって，$\arg\beta = \dfrac{\theta}{2} + 90°$ と示せた。

(3)

> $z = r(\cos\theta + i\sin\theta)$ のとき，$z^n = r^n(\cos n\theta + i\sin n\theta)$ となるのは重要です。

$\theta = 60°$ なので，$\beta = 2\sin 30° (\cos 120° + i\sin 120°)$

$$= \cos 120° + i\sin 120°$$

$$\beta^n = \cos 120° n + i\sin 120° n \quad \cdots\cdots ①$$

また, $\alpha = z + 1 = \cos 60° + 1 + i \sin 60°$

$\qquad = \dfrac{3}{2} + \dfrac{\sqrt{3}}{2}i = \sqrt{3}\left(\dfrac{\sqrt{3}}{2} + \dfrac{1}{2}i\right)$

$\qquad = \sqrt{3}\,(\cos 30° + i \sin 30°)$

$\alpha^m = (\sqrt{3}\,)^m \cdot (\cos 30°m + i \sin 30°m)$ ……②

$\left.\begin{array}{l} z_1 = r_1(\cos\theta_1 + i\sin\theta_1) \\ z_2 = r_2(\cos\theta_2 + i\sin\theta_2) \end{array}\right\}$ のとき

$\qquad z_1 z_2 = r_1 r_2 \{\cos(\theta_1 + \theta_2) + i\sin(\theta_1 + \theta_2)\}$

となる

①・②より,

$\qquad \alpha^m \beta^n = (\sqrt{3}\,)^m \{\cos(30°m + 120°n) + i\sin(30°m + 120°n)\}$

$\qquad\qquad = (\sqrt{3}\,)^m \{\cos 30°(m + 4n) + i\sin 30°(m + 4n)\}$

ここで, 虚部の係数 $(\sqrt{3}\,)^m \cdot \sin 30°(m + 4n)$ について, m, $n = 1$, 2, 3 を表で示すと, $m + 4n$ の値は以下のようになる。

$\sin 30°(m + 4n) < 0$ となるのは, 右の表の○で囲んだところである。

$\qquad (\sqrt{3}\,)^m \cdot \sin 30°(m + 4n) = \mathrm{P}(m, n)$ とおくと,

$\diagdown$ $\begin{smallmatrix}m\\4n\end{smallmatrix}$	1	2	3
4	5	6	⑦
8	⑨	⑩	⑪
12	13	14	15

$\qquad \mathrm{P}(3, 1) = (\sqrt{3}\,)^3 \cdot \sin 210° = -\dfrac{3\sqrt{3}}{2}$

$\qquad \mathrm{P}(1, 2) = \sqrt{3}\sin 270° \quad = -\sqrt{3}$

$\qquad \mathrm{P}(2, 2) = (\sqrt{3}\,)^2 \cdot \sin 300° = -\dfrac{3\sqrt{3}}{2}$

$\qquad \mathrm{P}(3, 2) = (\sqrt{3}\,)^3 \cdot \sin 330° = -\dfrac{3\sqrt{3}}{2}$

以上より, $-\dfrac{3\sqrt{3}}{2}$ となるのが最小なので, このとき (m, n) のすべては,

$(m, n) = (3, 1)$, $(2, 2)$, $(3, 2)$ の3組となる。

理系数学・文系数学　年度別講評

2024年度
理系学部　**42**
文系学部　**43**

2023年度
理系学部　**44**
文系学部　**45**

2022年度
理系学部　**46**
文系学部　**47**

2021年度
理系学部　**48**
文系学部　**49**

2020年度
理系学部　**50**
文系学部　**51**

2019年度
理系学部　**52**
文系学部　**53**

2018年度
理系学部　**54**
文系学部　**55**

2017年度
理系学部　**56**
文系学部　**57**

2016年度
理系学部　**58**
文系学部　**59**

2015年度
理系学部　**60**
文系学部　**61**

2014年度
理系学部　**62**
文系学部　**63**

2013年度
理系学部　**64**
文系学部　**65**

2012年度
理系学部　**66**
文系学部　**67**

2011年度
理系学部　**68**
文系学部　**69**

2010年度
理系学部　**70**
文系学部　**71**

理系数学

1　　空間ベクトルの基本問題です。(1)は一直線上にないための条件を，背理法または対偶法を用いて示します。(2)は九大頻出の三角形の面積公式から面積を求め，その面積の最小値を求めます。計算がやや煩雑ですが，多少時間をかけてでも完答すべき問題です。　　　　　　　　〔やや易〕

2　　複素数平面の8乗根に関する問題です。(1)は基本的な因数分解で解けます。(2)は題意を捉えづらいですが，要するに(1)の解を複素数平面上の六角形の頂点と見た場合，「掛けて回転させたとき，元の六角形と一致するような w を求めよ」ということです。これに気づかなくても，愚直に解を代入するだけで解けます。完答したい問題です。　　〔やや易〕

3　　階乗を含む不等式・方程式に関する整数問題です。(1)，(2)は易しいです。(3)は答えの予想までは簡単ですが，どのように示すかがやや難しく，差がついたことでしょう。　　　　　　　　　　　　　　　　〔標準〕

4　　3点以上の格子点を通る直線の本数を数え上げるだけの問題です。小問ごとに具体的に図を描き，何本あるか数えます。完答しなければなりません。　　　　　　　　　　　　　　　　　　　　　　　　　〔易〕

5　　「数学Ⅲ」の積分法と数列の極限からの出題です。(1)では部分積分法を利用して積分漸化式を求めます。被積分関数が x^m，e^x，$(\log x)^n$ の異なる種類の関数の積となっているためやや難しいです。「微分したいのはどれか？」を正しく捉えましょう。(2)では(1)の式を利用してはさみう

ちの原理で極限を求めます。数学Ⅲの習熟度が量れる良問です。

〔やや難〕

文系数学

1　2つの合同な放物線とその共通接線とで囲まれた図形の面積を求める問題です。教科書レベルの基本的な計算問題であり，完答すべき内容です。

〔易〕

2　(1)では座標平面上の三角形が直角二等辺三角形になるような1点を，(2)では2つの三角形の面積が等しくなる1点を，内積計算等から求めます。(2)は図形的に考えると計算がほぼ不要です。完答したい問題です。

〔やや易〕

3　(2024年度　理系数学 3 参照)

4　(2024年度　理系数学 4 参照)

理系数学

1　複素数平面において三角形の形状を調べる典型問題です。(1)は相反方程式を解くだけです。因数分解で解くこともできます。(2)では始点を α に揃えて $\dfrac{\gamma - \alpha}{\beta - \alpha}$ の形を作り，これを(1)の結果を用いて求めます。全5問中最も解きやすく，完答したい問題です。　　　　　　　　　　〔**標準**〕

2　絶対値付きの漸化式で定義される数列の収束，発散を調べる，いわゆる力学系の問題です。小問ごとに a_2，a_3，…を具体的に求めてみて，極限を予想するところから始めます。ただ，初見で解くのは難しいです。(1)，(2)が解ければ十分，(3)まで解ければ他受験生に差をつけられるでしょう。　　　　　　　　　　　　　　　　　　　　　　　　　〔**やや難**〕

3　線形代数における行列式を背景にもつ，平面ベクトルの内積に関する問題です。(1)は1次独立に関する問題であることと背理法を使うことに気づけるかどうかです。(2)は単独問題として解けるので，ここだけでも解いておきたいです。(3)は本番では飛ばした方が無難でしょう。　〔**難**〕

4　「数学III」の微分法と関数方程式の問題です。2022年に続き，共通テストを意識した形式になっています。文章量が多く圧倒されますが，(1)は解いておきたいです。(2)は $1 = f(0)$，$0 = g(0)$ として導関数の定義にもちこみます。計算量も多く，完答できた受験生はほぼいないでしょう。　　　　　　　　　　　　　　　　　　　　　　　　　　　　　　〔**難**〕

5　媒介変数表示された曲線に関する問題です。(1)は y 軸に平行な接線の本数で，基本的ですが差がつく問題です。(2)はこの曲線の $y \leqq x$ の部分と $y = x$ で囲まれる部分の面積を求めます。計算量はやや多いですが方針がわかりやすいので，時間をかけても完答を目指すべきでしょう。

〔標準〕

文系数学

1　絶対値付きの 2 次関数と x 軸に平行な直線で囲まれる 2 つの部分の面積に関する頻出問題です。共通の図形を補填することで簡単に面積が求められます。完答したい問題です。　　　　　　　　　　　　　〔やや易〕

2　3 次関数の接線と直線 $y = -x$ のなす角に関する問題です。$\tan \theta$ の加法定理を利用する場合は $\theta = \dfrac{\pi}{2}$ のときを別に考える必要がある点に注意しましょう。なお，ベクトルを利用すれば場合分けは不要です。方針によって難度が変わる，差がつく問題です。　　　　　　　　　〔標準〕

3　ベクトルの内積計算に関する問題です。(1)は 2 ベクトルの平行条件の証明，(2)，(3)は内積計算により条件を満たすベクトルや実数を求めます。ベクトルに関する根本的な理解度を量れる良問です。　　　〔やや難〕

4　1 の虚立方根 ω の性質と確率漸化式の融合問題です。文系数学とは思えないほど本格的な確率漸化式の問題であり，多くの受験生は(1)しか解けなかったのではないかと思われます。とはいえ誘導が非常に丁寧なので，(3)が(4)のヒントになっていることに気づけば完答も可能です。

〔難〕

理系数学

1 　空間ベクトルの基本的な問題です。特に空間座標における垂線を求める問題は，2021年度 1，2017年度 2 と近年2回，出題されており，2011年度・2007年度・2004年度にも出題されています。(1)法線ベクトル，(2)対称移動，(3)最短距離，すべて完答すべき問題です。　　　　〔易〕

2 　「数学Ⅱ」の式と証明，「数学Ⅲ」の微分法からの出題です。(1)・(2)は文字の数が多いものの，整式の割り算に関する標準レベルの問題です。(3)はやや難しい問題です。**基本的な極限の公式が使えない場合，導関数の定義式が使える**ことに気づきましょう。この形は，平均値の定理として 2021年度 4 にも出題されています。　　　　〔やや難〕

3 　整数問題です。(1)は標準レベルの問題で，互いに素であることの基本的な証明です。(2)(3)は難レベルの問題です。問題を解く上での指針が重要になります。その上で，具体的に実験してみる計算力も必要です。3で割った余りを利用する考え方は，2018年度 4，2014年度 2 にも出題されています。　　　　〔難〕

4 　「数学Ⅲ」の積分法からの出題です。過去に例のない，共通テストを意識した形式で，文章量が多く見た目に惑わされる受験生が多いと思います。よく問題を読んでみると(1)〜(4)すべて示すべき内容は教科書レベルとなっており，親切な誘導が付いています。試験会場で非常に差がついただろう問題です。　　　　〔標準〕

5　「数学Ⅲ」の積分法からの出題です。媒介変数表示された曲線に関する問題になっており，(1)導関数の符号(2)面積(3)対称移動・回転移動(4)概形の図示，とさまざまな知識が問われているものの，難易度は標準レベルです。分量が多いため，手際よく答案を作成していく必要があります。

〔**標準**〕

文系数学

1　絶対値つきの二次関数のグラフから，直線と接する条件を求め，囲まれた部分の面積を求める問題です。接する条件をきちんと考える必要がありますが，基本問題なので，完答すべき問題です。

〔**易**〕

2　2022年度理系数学1と途中まで同じで，空間ベクトルの基本的な問題です。(1)法線ベクトル(2)垂線の長さ(3)対称移動，それぞれ練習しているかどうかで差がつく問題です。

〔**標準**〕

3　高次方程式の問題です。(1)は因数定理の基本問題。(2)は虚数解を必ずもつことに注目して，解と係数の関係を利用し，うまく粘りたいです。(3)は整数問題になっており，難しいです。

〔**やや難**〕

4　2022年度理系数学4とほとんど同じ問題です。過去に例のない，共通テストを意識した形式になっています。理系で習う内容を，誘導付きで証明することになりますが，完答した受験生はいなかったと思われます。

〔**難**〕

理系数学

1 空間ベクトルの標準レベルの問題です。特に空間座標における垂線を求める問題は，九大では頻出の内容です。(1)(2)ともに球の中心を意識することが重要ですが，途中の計算も丁寧に進める必要があり，差がついたと思われます。 〔**標準**〕

2 「数学Ⅲ」の複素数平面からの出題です。(1)は基本レベル，(2)(3)は標準レベルの問題ですが，複素数平面上での図形を意識しながら計算を進める必要があり，差がついたと思われます。一つの問題の中でさまざまな知識を問われていますので，どれもしっかりと身につけておいてください。 〔**やや難**〕

3 「数学Ⅲ」の積分法からの出題です。(1)は実数解の存在条件，(2)は回転体の体積，ともに九大では頻出となっています。標準レベルの問題で，解法も典型的ですので，完答すべき問題です。 〔**やや易**〕

4 「数学Ⅲ」の複素数平面からの出題です。平均値の定理を複素数平面に拡張し，平均値の性質を確認します。見た目は本格的ですが，中身は(1)基本レベル(2)(3)標準レベルの計算ですので，とても差がつく問題です。初見の問題であっても，焦らず，従来の解法で考えることが重要です。 〔**やや難**〕

5 二項係数の問題です。類題を練習した経験があるかどうかで，とても差がついたと思います。(1)(2)ともに知識があれば標準レベルですが，試験場で自分で考えるのは大変なので，多くの受験生にとっては難しか

つたと思われます。

〔**難**〕

文系数学

1 　円と直線の位置関係についての問題です。典型的ですが，自分で文字を設定する必要があるので，そこで差がついたでしょう。円が出題されたときは，必ず円の中心を意識しましょう。

〔**標準**〕

2 　通過領域の問題です。典型的ですが，(2)では文字の範囲が追加されていますので，練習しているかどうかで，とても差がつく問題です。

〔**標準**〕

3 　放物線と直線で囲まれた部分の面積についての問題です。途中の計算で出てくる高次方程式を含めて，九大では頻出の内容であり，完答すべき問題です。

〔**易**〕

4 　数列の問題です。(1)は(等差)×(等比)型なので教科書レベルです。(2)は典型問題ではないので，先ず類推する必要があります。その上で，やや特殊な数学的帰納法を用いるため，難しいです。

〔**難**〕

2020年度 数学 年度別 講評

理系数学

1 「数学Ⅲ」の微分法からの出題です。九大としては珍しく誘導がないですが，典型問題です。接線を立式し，定数分離して，a の範囲を求めます。極限を調べるのを忘れないようにしましょう。完答すべき問題です。 〔やや易〕

2 高次方程式と整数の問題です。(1)は基本問題です。確実におさえてください。(2)はやや難しい問題ですが，条件を式にして解けばよく，差がついたと思われます。計算が煩雑なときは，合同式が便利です。 〔やや難〕

3 空間ベクトルの問題です。類題を練習した経験があるかどうかで，とても差がついたと思います。(1)は条件から内積を求めて計算する問題ですが，何をしたらよいか分からなかった受験生も多かったと思います。(2)は等面四面体であることを知っていると楽ですが，多くの受験生にとっては難しかったと思われます。 〔難〕

4 確率の標準レベルの問題です。(1)(2)は基本レベル，(3)は標準レベルの問題です。(1)(2)は余事象を利用すると，楽に考えることができます。(3)は少し面倒ですが，サイコロは4個なので，丁寧に場合分けしましょう。 〔標準〕

5 「数学Ⅲ」の積分法からの出題です。類題を練習した経験があるかどうかで，とても差がついたと思います。(1)は標準レベル，(2)はやや難レベルの問題です。(1)は誘導に従って，断面を把握できれば問題ありま

せん。(2)は回転体なので，一番近い点と遠い点がポイントです。

〔やや難〕

文系数学

1 　放物線どうしで囲まれた部分の面積についての問題です。(2)では自分で文字を設定する必要がありますが，典型問題ですので，なんとか完答したい問題です。

〔標準〕

2 　空間ベクトルの問題です。(1)は少し煩雑なものの，立式して計算すれば求まります。(2)は立体の断面積を求める問題で，差がついたと思われます。

〔やや難〕

3 　2020年度理系数学 2 と同じ形式の出題です。理系の問題より次数が下がっているため（理系：4次式，文系：3次式），計算量は少なめです。(2)は不定方程式を丁寧に解く必要があります。

〔標準〕

4 　2020年度理系数学 4 と同じ問題です。(1)(2)は余事象を利用すると，楽に考えることができます。(3)は少し面倒ですが，サイコロは4個なので，丁寧に場合分けしましょう。

〔標準〕

理系数学

1. 「数学Ⅲ」の積分法からの出題です。定積分の計算が長くなりますが，これを丁寧に求めることができれば，その最小値や極限は易しく求まります。確実に得点したい問題です。〔やや易〕

2. 整式の恒等式に関する問題です。近年に類題がなく，戸惑った受験生が多かったことでしょう。しかも正確な論証にしっかりした洞察が必要であるため，見た目以上に苦戦する問題でした。(1)で2つの式から次数に関する条件を式で表しますが，2つ目の式の次数の扱いに気を付けなければなりません。(1)ができれば(2)は係数比較をするだけです。〔やや難〕

3. 確率と複素数平面の融合問題です。各問とも条件に合う解を持つような条件を，判別式や解と係数の関係などから絞り込むことができれば，あとは数え漏らしのないようにするだけです。難易度はさほどではありませんが，分量が多いです。〔標準〕

4. 「数学Ⅲ」の数列の極限に関する問題です。座標平面における図形上の点列について，条件をもとに漸化式を作れば極限を求めることは難しくありません。線分の長さを用いるか，座標を用いるかを早い段階で決断しましょう。〔標準〕

5. 「数学Ⅲ」の複素数平面上の軌跡に関する問題です。見た目以上に手ごわく，満点の解答を作るのは容易ではありません。係数決定のための論証，軌跡の正確な図示など，細かいところを正確に記述する必要があ

ります。
〔**難**〕

文系数学

1　常用対数の問題です。誘導がなく戸惑った受験生がいたかもしれませんが，条件を満たす場合を求め，確率を計算するだけです。
〔**易**〕

2　3次関数の極値の問題です。誘導はないですが，極値の差を求める典型問題ですので，なんとか完答したい問題です。
〔**標準**〕

3　空間ベクトルの問題です。(1)は文字を残したまま計算する必要がありますが，典型問題です。(2)は(1)が誘導になっていますが，やや難レベルの問題で，差がついたと思われます。
〔**やや難**〕

4　2019年度理系数学 2 と同じ問題です。(1)は論証するのが大変です。(2)は計算するだけですので，なんとか答えを出したい問題です。
〔**やや難**〕

数学 2018年度 年度別講評

理系数学

1　「数学Ⅲ」の二次曲線からの出題です。z 軸上の定点 A と双曲線上の動点 P に対し，直線 AP と平面 $x = d$ との交点の軌跡を求めます。完答できなくとも，少なくとも交点の座標あたりまでは，しっかりと答案に示し，部分点を稼ぎたいところです。医学部受験生は完答すべき問題です。　　　　　　　　　　　　　　　　　　　　　　　　　　　〔やや難〕

2　「数学Ⅲ」の積分法からの出題です。(1)・(2)は標準レベルの問題です。(3)は計算がやや煩雑ですので，完答できた受験生は多くなかったでしょう。(1)・(2)で求めた結果を用いて(3)の回転体の体積を求めます。(1)の面積は半円 C の 3 分の 2，(2)の面積は半円 C の 9 分の 4 になっていることに気づけば，座標計算は不必要です。　　　　　　　　　〔やや難〕

3　確率の標準レベルの問題です。1と同様完答できなくとも，自分の理解している部分をしっかりと丁寧に答案に示し，部分点を稼ぎましょう。積を 4 で割った余りが，0，1，2，3 の各々の場合に対し，カード 1，2，3，4 が出た場合，余りがどのように変化するかを図示して，漸化式を立てましょう。　　　　　　　　　　　　　　　　　　　　　　　　　　　　〔標準〕

4　整数問題です。2006年度の理系3，2012年度の文系3，2014年度の理系2と同様に，3 で割った余りを考えます。(1)は合同式を用いて容易に解答できます。(2)は背理法を用います。(3)は有理数を既約分数の形で表しましょう。(1)は基本，(2)・(3)は難レベルです。　　　　　〔難〕

5　「数学Ⅲ」の複素数平面からの出題です。2016年度から3年連続の出題ですが，本問が一番レベルが高いです。計算も煩雑で本年度の5問の中でも一番難度の高い問題です。1，3同様に小問に分かれていません。アプローチの仕方はいくつかありますが，**どれが実数でどれが複素数かをしっかりと区別する**のがポイントです。　　〔難〕

文系数学

1　3次曲線が $x = c$ で x 軸と接するという条件下で，曲線と x 軸とで囲まれた部分の面積の最小値を求める問題です。(1)の「$x = c$ で x 軸と接する条件」の処理，また(2)の面積計算の工夫などポイントがいくつかあります。頻出なのでしっかり完答したい内容です。　　〔標準〕

2　2の累乗を7で割ったときの余りを求める問題です。整数分野では頻出の内容で，**合同式を利用する**と見通しよく解くことができます。(2)では2進法が登場しますが，特に問題はないと思います。　　〔やや易〕

3　ベクトルの絶対値の計算に関する基本的な問題です。大変丁寧な誘導がついており，内容もほぼ計算のみなので，完答すべき問題です。〔易〕

4　条件付き確率の問題です。設定がやや複雑で，正確な処理が求められるのでそれなりに差がつきます。ベン図を書いたり，表にまとめたりすると見通しがよくなります。また，確率の乗法定理や全確率の定理もきちんとおさえておく必要があります。　　〔標準〕

2017年度 数 学 年度別講評

理系数学

1 「数学Ⅲ」の積分法からの出題です。(1)は2曲線の交点，(2)は交点における各々の接線の直交条件，(3)は2曲線の囲む面積が問われています。いずれも基本レベルから標準レベルの問題です。完答したい問題です。 〔やや易〕

2 2013年度の2と同様の，空間ベクトルの標準レベルの問題です。(2)の内積の計算を丁寧にすることで完答が狙えます。(1)・(2)ともに正射影を用いると計算が少し楽になります。または，xy平面に射影して相似を用いるとさらに計算が楽になります。 〔標準〕

3 整数問題です。(1)は基本レベル，(2)は標準レベル，(3)はやや難レベルです。文字を用いて式で表すと，(2)・(3)は相当に煩雑になります。周期の問題として解いていくほうが賢明です。(1)から(3)と順に難易度が上昇する，学力差が得点に反映される良問です。 〔やや難〕

4 確率と漸化式の問題です。A，B，Cの3人がルールに従って色玉を取り出します。(1)と(2)が，(3)の絶妙な誘導になっているので解きやすいと思います。4回目にAが勝つためには，4回目がAの番である必要があります。7回目も同様です。(3)は漸化式を導くだけで，解く必要はありません。 〔標準〕

5 「数学Ⅲ」の複素数平面からの出題です。(1)は複素数平面の基本事項。(2)は対数の計算で基本レベルの問題。(3)は，(2)の結果より，nが14以上の場合だけ調べればいいことに気づけば，単純に計算をしていくだけです。 〔標準〕

文系数学

1　2つの放物線の共通接線と，もとの放物線とで囲まれた部分の面積に関する問題です。方針で迷うことはないですが，共通接線の結果が煩雑なため，(2)で面積を求める際はうまく処理しないと計算が大変です。とはいえ，頻出の内容なので，なんとか完答したい問題です。　〔標準〕

2　無理数であることの証明問題で，この部分は教科書レベルですが，正三角形であるための条件の処理が煩雑なので，途中で頓挫した受験生が多かったと思われます。差がつく問題です。　〔やや難〕

3　サイコロ投げについての確率の問題です。(1)は常用対数の計算が登場しやや話題が変わりますが，いずれにしても教科書レベルです。(3)は，Aが勝つのはサイコロを投げた回数が奇数回のときなので，1回で勝つ確率，3回で勝つ確率，…，$(2k + 1)$回で勝つ確率と計算してたし上げます。　〔やや易〕

4　条件を満たす自然数の個数を求める問題です。(2)は結局134以下の3でも5でも割り切れない自然数の個数を求めることになります。〔標準〕

2016年度 **数　学** 年度別講評

理系数学

1　「数学Ⅲ」の積分法と極限からの出題です。(1)は基本レベル，(2)・(3)は標準レベルの問題です。(1)の後半で，$a > 1$ を示す際は，式を微分して単調増加となることを利用します。(2)・(3)も丁寧に計算をし，完答を目指すべき問題です。　　　　　　　　　　　　　　　〔標準〕

2　三角形の辺の比と面積に関する問題です。(1)から(4)まで，すべて標準レベルの問題です。**メネラウスの定理で幾何的に解く**のがベストです。ベクトルも使えますが，計算に時間がかかります。　　　　　　〔標準〕

3　確率の基本レベルの問題です。サイコロを振り，正六角形の各頂点をコインが動いていきます。順に解いていくことで，(1)〜(3)の答えはすべて6分の1になることが判明します。完答すべき問題です。　　　〔易〕

4　整数問題です。(1)・(2)は基本レベル，(3)は標準レベルの問題です。
　(1)は合同式を用いると，簡単に示すことができます。(2)の計算も合同式を用いると簡単です。(3)は十万の位の数を a，一の位の数を b として，与えられた条件から関係式を導きます。　　　　　　　　　　〔標準〕

5　「数学Ⅲ」の複素数平面からの出題です。基本から標準レベルの問題です。(1)を利用しなくても，三角関数の問題として(2)・(3)を解答できますが，今後の複素数平面分野での九大受験対策として，(1)を用いて(2)・(3)を解く方法もしっかりと身につけておいてください。　　　〔標準〕

文系数学

1 　x 軸と 3 点で交わる 3 次曲線について，囲まれる面積の和とその最小値を求める問題です。(2) では，β を固定するとはいえ文字が 2 つ登場することと，また α の 4 次関数であることから，増減表を書くまでの過程が少々大変だったと思われます。〔標準〕

2 　(2016 年度　理系数学 **2** 参照)　　　　　　　　　　　　　　〔標準〕

3 　格子点上を移動するコインについての確率の問題です。設定としてはポピュラーですが，回数が n 回となっていることもあり，難問です。(4) まで完答した受験生はほとんどいなかったと思われます。　　　〔難〕

4 　(2016 年度　理系数学 **4** 参照)　　　　　　　　　　　　　　〔標準〕

理系数学

1　「数学Ⅱ」の積分法からの出題です。「数学Ⅱ」の微積分の範囲からの出題は，九大理系前期では，2001年度以来のことです。(1)・(2)は基本問題ですので，落とすわけにはいきません。(3)では，(2)と同様にして S_2 を出すまでは基本レベルですが，$S_1 = S_2$ となる a を出すところは，標準からやや難レベルです。2005年の 5 と同様に，**中間値の定理を用いることに気づく**のがポイントです。　　　　　　　　　　〔標準〕

2　「数学Ⅲ」の積分法からの出題です。(1)は微分をするだけの基本問題です。(2)の不定積分は，気づくと簡単ですが，$\log x = t$ と置換するのが確実かもしれません。(3)は標準レベルの問題です。(1)のグラフの概形を描きましょう。$x = 2$ から $x = n$ まで積分した面積が不等号の右辺に対応します。　　　　　　　　　　　　　　　　　　　　　〔標準〕

3　「数学Ⅲ」の積分法からの出題です。標準レベルの問題で，けっして難しくはないのですが，九大理系前期では過去に例のない問い方でしたので，非常に差がついたと思われます。空間把握能力を試す良問です。(2)の積分計算で円の面積を利用するのは，2012・2013年度と同様です。　　　　　　　　　　　　　　　　　　　　　　　　　　　　〔標準〕

4　基本から標準レベルの確率の問題です。最初の状態から1回目，2回目，3回目，4回目，……，と各々の操作後の状態を図に描くことで，奇数回目と偶数回目は各々常に同じ状態になることにすぐに気づくはずです。(1)・(2)は易しいので，絶対に落とせません。(3)・(4)は標準レベルの問題です。　　　　　　　　　　　　　　　　　　　　　　　　　〔やや易〕

⑤　2014年度の②と同様，整数の性質に関する問題です。レベルはこちらのほうが上で，この年度の問題の中でも最も高度な問題だと思われます。(1)・(2)は基本から標準レベルです。(3)はやや難レベルです。(2)が「互いに素」であることの証明には，2006年度の③(2)と同様に，背理法を用いましょう。　　　　　　　　　　　　　　　　　　　〔やや難〕

文系数学

①　$y = x^2$ とで囲まれる部分の面積が一定という条件下で放物線を動かすとき，その頂点の軌跡を求めよ，という問題です。2つの放物線で囲まれる部分の面積の計算には工夫が必要ですが，この種の計算については，共通テスト対策としても十分勉強してきているでしょうから，大きな差はつかなかったと思います。　　　　　　　　　　　　　　　　　　〔標準〕

②　正四面体の辺上の点を結んでできる線分の長さや三角形の面積を求める問題で，教科書レベルの基本的かつ典型的な問題です。(3)は，

$$\triangle ABC = \frac{1}{2}\sqrt{|\overrightarrow{AB}|^2 |\overrightarrow{AC}|^2 - (\overrightarrow{AB} \cdot \overrightarrow{AC})^2}$$

の公式を知っていたかどうかで明暗が分かれますが，九大ではこの公式が頻出であり，またそう目新しいものでもないため，特に問題なかったかと思います。　　　　　　　　　　〔易〕

③　赤玉2個と青玉1個が入った袋に対し，簡単なルールで色玉のやり取りを行います。操作の回数も4回と少ないので，樹形図を書いてすべての状態推移を考えれば難しくありません。確率の問題としてはここ数年で最も易しく，ぜひとも正解しておきたい問題です。　　　　　　〔易〕

④　整数問題です。他の単元に比べれば対策が手薄で，抵抗感を感じた受験生が多かったかもしれませんが，内容は難しくありません。整数問題は，アプローチの仕方が特徴的なものが多く，経験がものをいいます。しっかり対策しておきましょう。　　　　　　　　　　　　　　　　　〔標準〕

理系数学

1　3年度連続で「数学Ⅲ」の回転体の出題となりましたが，2012年度・2013年度の問題に比べると計算量も軽めの易しい問題ですので，確実に完答すべきです。この年度の問題のなかでは比較的得点しやすい問題です。　〔やや易〕

2　整数問題です。2006年度の理系3，2012年度の文系3(1)と同様に，3で割った余りでaを場合分けすれば，(1)の証明は容易です。(2)も，与式の左辺は3の倍数なので，(1)を利用することで比較的容易に証明できます。(3)も，(2)により，a，b，cが3の倍数であることは容易にわかりますが，そのあとの証明は整数問題に慣れていないと苦戦します。　〔標準〕

3　楕円を題材にした，式と曲線からの出題です。(1)でミスする受験生から，(3)を完答する受験生まで，大きく差のついた問題です。(1)は，計算間違いをしなければ容易です。(2)も確実に解くべき問題です。(3)は，(1)と(2)を利用すれば難しくはないのですが，正答率は高くなかったと思われます。　〔標準〕

4　確率の期待値の問題です。標準からやや易しめの問題で，この年度のなかでは1の次に解きやすかったと思われます。3と同様に，0点の答案から完答の答案まで，大きく差がついたと思われます。A，Bの硬貨の表の出方の組み合わせは16通りなので，表などで具体的にすべての場合を考察するのが確実です。　〔標準〕

⑤　「数学Ⅲ」の微分法からの出題です。2012年度の①，2013年度の②に続き，3年度連続で小問に分かれていない誘導なしの出題となりました。与えられた関数を微分すれば，各区間に導関数 = 0 となる点が少なくとも一つ存在することを理解するのは，さほど難しくありません。しかし，「ただ一つの極値をとる」ことを示すのは，多くの受験生には難しかったと思われます。　　　　　　　　　　　　　　　　　　　　〔やや難〕

文系数学

①　与えられた条件が見慣れない形だったと思いますが，落ち着いて指示どおり計算すれば，結局，(1)は2つの放物線が共有点をもつための条件，(2)は2つの放物線で囲まれる部分の面積を求める問題に帰着できます。そこまでいけば，あとはじつに基本的です。　　　　　　　　　　〔標準〕

②　整数問題です。2006年度の理系③，2012年度の文系③(1)と同様に，3で割った余り0，1，2によって a を場合分けすれば，(1)の証明は容易です。(2)も与式の左辺は3の倍数ですので，(1)を利用すれば難しくありません。(3)も(2)により，a，b，c が3の倍数であることがわかりますが，そのあとの証明は，整数問題に慣れていないと苦戦します。　　　　　　　　　　　　　　　　　　　　　　　　　　　　〔標準〕

③　図形の性質の問題で，必要な知識は高1までに習う初歩的なものばかりですが，その運用については十分な経験が必要です。適切な補助線や定理・公式の適用ができればシンプルに解けますが，完答した受験生はそう多くなかったかと思います。　　　　　　　　　　　　　　〔やや難〕

④　確率の期待値の問題です。標準的な問題ですが，状況を整理してきちんと正解できたかどうかという点では，案外差がついたと思われます。A，Bの硬貨の表の出方や合計金額を表にまとめるなどして具体的にすべての場合を考察するのが確実です。　　　　　　　　　　　　〔標準〕

2013年度 数学 年度別 講評

理系数学

1　「数学Ⅲ」の，面積と極限の問題です。(1)は，接線と曲線と y 軸とで囲まれた部分の面積を求める問題です。易しいので，落とせません。(2)の，2直線のなす角は，tan の加法定理の利用がファースト・チョイスです。2直線のなす角については，2003年度・1995年度にも出題が見られます。ここで差がついたようです。　〔やや難〕

2　空間ベクトルの標準レベルの問題です。与えられた点Pに関する内積の条件をうまく活用できるかどうかがポイントです。点Qが辺BCを外分しているので，とまどった受験生が多かったようです。前年度に引き続き，九大には珍しく，この問題でも小問に分かれていません。完答できなくとも，部分点を確実に獲得するために，答案は特に丁寧に書いてください。　〔標準〕

3　確率の期待値の問題です。基本から標準レベルの問題です。(1)・(2)・(3)の流れに乗れれば難しくないのですが，操作の方法を取りちがえやすいので，差のついた問題であったと思われます。(2)は「サイコロを2回振る」という設定なので，2010年度の2同様に，6 × 6 の表を書いてすべての場合を図示すれば難しくありません。　〔標準〕

4　「数学Ⅲ」の回転体の体積の問題です。(1)は，基本問題です。確実におさえてください。円の幾何的性質をしっかりと活用しましょう。円の方程式から計算だけで解くと，苦戦します。(2)は標準レベルの問題です。計算でかなり差がついたものと思われます。2012年度の1と同様に，$\int_{\alpha}^{\beta} \sqrt{a^2 - x^2}\, dx$ は円の面積の一部として計算しましょう。　〔やや難〕

5　（旧課程内容のため割愛します）

文系数学

1　空間ベクトルの標準的な問題です。小問 4 つに分かれ，丁寧な誘導がついています。ただ，(3)の内積計算や，(4)の "直線と平面が垂直であるための条件" などをきちんとおさえているかどうかで差がついたと思います。
〔標準〕

2　"線形計画法" と呼ばれる教科書レベルの基本問題です。領域 D を正確に図示し，ぜひとも完答したい問題です。
〔標準〕

3　サイコロを投げて指示された状態になる確率を求める問題です。数学的な内容は難しくないのですが，意外に差がついたと思われます。**確率の問題は，とにかく具体的に試してみて，表にまとめるなどの作業を丁寧に行うことが肝要**です。
〔標準〕

4　直線，円，放物線の位置関係を正確にとらえ，指示された領域を図示する問題です。難度・所要時間ともに 4 題のなかでは最も厳しい問題です。(3)については正答率は低かったと思いますが，(1)・(2)までは基本的なので，なんとか解いておきたいところです。
〔やや難〕

理系数学

1　「数学Ⅲ」の回転体の体積の問題です。標準レベルの差のつく問題です。九大としては珍しく，小問に分かれていません。**確実に部分点をとるために，答案に途中のプロセス・説明をきちんと書くことが非常に重要です。**円の方程式を $Y = 1$ より上と下で分けて表すのが，最初のポイントです。最後の積分計算は，円の面積の一部として解くようにしましょう。置換積分をするより簡単です。　　　　　　　　　　　　　〔やや難〕

2　（旧課程内容のため割愛します）

3　「数学Ⅲ」の微分法と整数問題のからんだ，難度の高い総合問題です。(1)から場合分けがあり，計算も煩雑で時間がかかります。完答は大変なので，答案を丁寧に書いて，確実に部分点をとりにいきましょう。最初の時点で，与えられた方程式をどのように変形するかで，考察すべきグラフが異なってきます。「**問題を見てやるべきこと**」で3通り示しましたが，いずれの方法でも必要となる時間は大差はありません。(2)は，(1)で得られた a の最小値と最大値の範囲が問題になります。すべての自然数 n について実数解をもつわけですから，a の最小値の上限と最大値の下限を求めることになります。多くの受験生にとっては苦手な部類だと思われます。　　　　　　　　　　　　　　　　　　　　〔難〕

4　「数学Ⅲ」の極限の問題ですが，解と係数の関係と数列もからんでくる総合問題です。(1)は易しいのですが，(2)は標準，(3)はやや難と，徐々に高度になっていきます。整数条件も出てくる良問です。(2)の α，β の絶対値が 1 より大きいときに逆数をとればいいと気づくかどうかが

ポイントです。(3)の整数 p, q の求め方は差のつくところですので，しっかり復習してください。
〔やや**難**〕

5　確率の，基本から標準レベルの問題です。(1)は易しいのですが，(2)・(3)では意外に差がついたと思われます。状況の変化を視覚的に図示しましょう。箱 A の状態が決まれば，それに対応して箱 B の状態も決まるのが重要です。古いところでは，1995 年度，1997 年度にも類題が出題されています。
〔やや**易**〕

文系数学

1　空間ベクトルの典型問題です。(1)では角度の大小を cos の値で判断するために，内積を計算します。むしろ(1)で困った受験生が多かったかもしれませんが，(2)・(3)は空間ベクトルとして基本的な問題ですから，ぜひとも正解しておきたいところです。
〔やや**易**〕

2　3 次曲線の接線についての問題で，問われていることも標準レベル以上，計算量を考えると難問です。(2)・(3)は "p, q が $f'(x) = t$ の 2 解であること" から解と係数の関係で条件式を得ることが第一のポイントです。あとはいけるところまで計算して，部分点をねらいましょう。〔**難**〕

3　(1)は整数の論証問題ですが，初歩的です。整数であることに注意する必要はありますが，テーマが "線形計画法" に類する問題なので，取り組みやすかったのではないかと思います。
〔やや**易**〕

4　確率の標準レベルの問題です。典型的ですが，完答できた受験生はそう多くなかったでしょう。箱 A の状態が決まればそれに対応して箱 B の状態も決まることに注意して，樹形図を書いて状況を正確に把握していくことが重要です。古いところでは，1995年度，1997年度にも似た設定の問題が出題されています。
〔**標準**〕

2011年度 数 学 年度別講評

理系数学

1 「数学Ⅲ」の積分の面積の問題です。(1)から(3)まではすべて基本的で易しいので，完答すべき問題です。直線の傾きが $45°$ なので，直角二等辺三角形の性質を利用するとさらに計算が簡単になります。〔やや易〕

2 「数学Ⅲ」の微分法と極限の問題です。(1)・(2)は易しいので，完答すべきです。(3)はやや高度で差がつく問題です。定数 $k = $ ●の形に変形して，(1)の式を利用することが重要です。また，a での場合分けに気づくのも，同じように重要です。〔標準〕

3 表記上は数列となっていますが，本質は三角関数の問題です。漸化式が tan の2倍角の公式になっていることに気づくと，(3)も難しくはありません。(1)・(2)は易しく，(3)は標準レベルで差がつきます。〔標準〕

4 空間ベクトルの問題です。標準からやや難レベルの重要問題です。この問題の一番の山場は(2)で，内積(正射影)を用いないと計算に手間どります。**九大では，正射影が有効な問題が目立ちます。**(2)の答えが得られれば，(3)は容易です。非常に差のつく問題です。〔やや難〕

5 確率の期待値の問題です。(1)・(2)は易しめで，(3)・(4)と順に少しずつ高度になっていく良問です。前問の考え方をうまく利用することと，余事象の利用がポイントです。全体として基本から標準レベルです。〔標準〕

文系数学

1. 放物線と直線で囲まれた部分の面積についての問題で，共通テストでも頻出です。全小問とも，指示に従って計算すれば特に難しいことはありません。完答すべき問題です。
〔やや易〕

2. 与えられた漸化式を "解く" という方針ではなく，漸化式から項を 1つひとつ書き出していくという方針をとったかどうかで，(1) から明暗が分かれます。(3) は tan の 2 倍角の公式が連想できたかどうかがポイントとなります。
〔やや難〕

3. 平面ベクトルの問題です。基本的な方針で解決するのですが，計算に手間どります。点 M が △ABC の外心であることに気がつけば計算量は軽減されますが，そこに気がついた受験生はそう多くはなかったでしょう。意外に差のついた問題だったと思います。
〔標準〕

4. カードの並べ替えの問題です。基本的ですが，(1) から順に少しずつ高度になっていく良問です。(4) では左端のカードの数字が 2，3，4 になる確率はすべて等しいことと，(全確率の和) = 1 に気づいたかがポイントです。
〔標準〕

2010年度 数学 年度別講評

理系数学

1 図形と計量の基本的な問題です。易しく，確実に得点すべき問題ですが，(2)・(3)の細かい条件は見落としやすいので，完答は容易ではありません。 〔やや易〕

2 サイコロを題材にした確率と期待値の問題です。(1)と(2)は易しいので完答すべきですが，(3)は難しい問題です。「サイコロを2回振る」という設定の際には，6×6 の表を書く習慣を身につけましょう。 〔標準〕

3 「数学Ⅲ」の微分法と極限の問題です。(1)・(2)で規則を見つければ(3)・(4)は易しいので，全設問，完答すべき問題です。(2)はベクトルで解きます。 〔やや易〕

4 「数学Ⅲ」の微分積分，面積，曲線の長さを問う総合問題です。(1)を通過すると，(2)・(3)はそれほど難しくはありません。完答する受験生とまったく手の出ない受験生とのあいだで大きく差がつく問題です。移動する円上の点に関する問題は，2000年度(後期)・2006年度(後期)・2014年度(後期)でも出題されています。今後の受験生は，ぜひマスターすべきです。 〔やや難〕

5 (旧課程内容のため割愛します)

文系数学

1　図形と計量の基本的な問題です。余弦定理を用いて指示どおり計算します。難しくはないので完答したいところですが，(3)については差がついたかもしれません。　　　〔やや易〕

2　サイコロを題材とした，確率と期待値の問題です。(1)と(2)は易しく完答すべきですが，(3)は難しい問題です。**「サイコロを2回振る」という設定の際は，6 × 6の表を書く習慣を身につけましょう。**　〔やや難〕

3　基本的な問題ですが，"単位円周上の点 P は P$(\cos\square, \sin\square)$ と表せる" ことを念頭において解けたかどうかがかぎとなります。すなわち，"OP が x 軸正方向となす角" に注目します。たとえば，与えられた条件 "NM = MB" を，長さの条件ではなく角度の条件 "$\angle$BOM = $\angle$MON" としてとらえられたかどうかが重要なポイントです。差のつく問題です。

〔やや難〕

4　当然，結果そのものは公式として知っていますから，それを数学的帰納法で示せ，という趣旨の問題です。帰納法の問題としても基本的ですので，絶対に完答しておきたいところです。　　　〔やや易〕

問 題 編

2024年度〜2010年度

（注） この教科は，250点満点です。なお，経済学部経済工学科については，300点満点に換算します。

---

1 （配点50点）

この問題の解答は，解答紙 **15** の定められた場所に記入しなさい。

問題

a を実数とし，座標空間内の 3 点 P$(-1, 1, -1)$，Q$(1, 1, 1)$，R(a, a^2, a^3) を考える。以下の問いに答えよ。

(1) $a \neq -1$，$a \neq 1$ のとき，3 点 P，Q，R は一直線上にないことを示せ。

(2) a が $-1 < a < 1$ の範囲を動くとき，三角形 PQR の面積の最大値を求めよ。

理系学部　**75**

2024
2023
2022
2021
2020
2019
2018
2017
2016
2015
2014
2013
2012
2011
2010

$\boxed{2}$　（配点50点）

この問題の解答は，解答紙 $\boxed{16}$ の定められた場所に記入しなさい。

問題

整式
$$f(z) = z^6 + z^4 + z^2 + 1$$
について，以下の問いに答えよ。

(1)　$f(z) = 0$ をみたすすべての複素数 z に対して，$|z| = 1$ が成り立つことを示せ。

(2)　次の条件をみたす複素数 w をすべて求めよ。

　　条件：$f(z) = 0$ をみたすすべての複素数 z に対して
　　　　　$f(wz) = 0$ が成り立つ。

$\boxed{3}$　（配点50点）

この問題の解答は，解答紙 $\boxed{17}$ の定められた場所に記入しなさい。

問題

以下の問いに答えよ。

(1)　自然数 a, b が $a < b$ をみたすとき，$\dfrac{b!}{a!} \geqq b$ が成り立つことを示せ。

(2)　$2 \cdot a! = b!$ をみたす自然数の組 (a, b) をすべて求めよ。

(3)　$a! + b! = 2 \cdot c!$ をみたす自然数の組 (a, b, c) をすべて求めよ。

4 （配点50点）

この問題の解答は，解答紙 18 の定められた場所に記入しなさい。

問題

n を 3 以上の整数とする。座標平面上の点のうち，x 座標と y 座標がともに 1 以上 n 以下の整数であるものを考える。これら n^2 個の点のうち 3 点以上を通る直線の個数を $L(n)$ とする。以下の問いに答えよ。

(1) $L(3)$ を求めよ。

(2) $L(4)$ を求めよ。

(3) $L(5)$ を求めよ。

5 （配点50点）

この問題の解答は，解答紙 19 の定められた場所に記入しなさい。

問題

自然数 m，n に対して

$$I(m, n) = \int_1^e x^m e^x (\log x)^n dx$$

とする。以下の問いに答えよ。

(1) $I(m + 1, n + 1)$ を $I(m, n + 1)$，$I(m, n)$，m，n を用いて表せ。

(2) すべての自然数 m に対して，$\lim_{n \to \infty} I(m, n) = 0$ が成り立つことを示せ。

文系学部　120分

（注）　この教科は，200点満点です。なお，共創学部については300点満点に，文学部及び医学部保健学科（看護学専攻）については，100点満点に換算します。

1　（配点50点）

この問題の解答は，解答紙 **11** の定められた場所に記入しなさい。

問題

2つの放物線

$$C_1 : y = 2x^2, \quad C_2 : y = 2x^2 - 8x + 16$$

の両方に接する直線を ℓ とする。以下の問いに答えよ。

(1)　直線 ℓ の方程式を求めよ。

(2)　2つの放物線 C_1，C_2 と直線 ℓ で囲まれた図形の面積を求めよ。

2 （配点50点）

この問題の解答は，解答紙 12 の定められた場所に記入しなさい。

問題

座標平面上の原点 O(0, 0)，A(2, 1) を考える。点 B は第 1 象限にあり，$|\overrightarrow{OB}| = \sqrt{10}$，$\overrightarrow{OA} \perp \overrightarrow{AB}$ をみたすとする。以下の問いに答えよ。

(1) 点 B の座標を求めよ。

(2) s, t を正の実数とし，$\overrightarrow{OC} = s\,\overrightarrow{OA} + t\,\overrightarrow{OB}$ をみたす点 C を考える。三角形 OAC と三角形 OBC の面積が等しく，$|\overrightarrow{OC}| = 4$ が成り立つとき，s, t の値を求めよ。

3 （配点50点）

この問題の解答は，解答紙 13 の定められた場所に記入しなさい。

問題

理系数学3 (p.75) に同じ。

4 （配点50点）

この問題の解答は，解答紙 14 の定められた場所に記入しなさい。

問題

理系数学4 (p.76) に同じ。

理系学部　**79**

2024
2023
2022
2021
2020
2019
2018
2017
2016
2015
2014
2013
2012
2011
2010

（注）　この教科は，250点満点です。なお，経済学部経済工学科については，300点満点に換算します。

1　（配点50点）

　この問題の解答は，解答紙 **15** の定められた場所に記入しなさい。

問題

　以下の問いに答えよ。

(1)　4次方程式 $x^4 - 2x^3 + 3x^2 - 2x + 1 = 0$ を解け。

(2)　複素数平面上の△ABC の頂点を表す複素数をそれぞれ α, β, γ とする。
$$(\alpha - \beta)^4 + (\beta - \gamma)^4 + (\gamma - \alpha)^4 = 0$$
が成り立つとき，△ABC はどのような三角形になるか答えよ。

2 （配点50点）

この問題の解答は，解答紙 16 の定められた場所に記入しなさい。

問題

α を実数とする。数列 $\{a_n\}$ が
$$a_1 = \alpha, \quad a_{n+1} = |a_n - 1| + a_n - 1 \quad (n = 1, 2, 3, \cdots\cdots)$$
で定められるとき，以下の問いに答えよ。

(1) $\alpha \leqq 1$ のとき，数列 $\{a_n\}$ の収束，発散を調べよ。

(2) $\alpha > 2$ のとき，数列 $\{a_n\}$ の収束，発散を調べよ。

(3) $1 < \alpha < \dfrac{3}{2}$ のとき，数列 $\{a_n\}$ の収束，発散を調べよ。

(4) $\dfrac{3}{2} \leqq \alpha < 2$ のとき，数列 $\{a_n\}$ の収束，発散を調べよ。

2024
2023
2022
2021
2020
2019
2018
2017
2016
2015
2014
2013
2012
2011
2010

3　（配点50点）

この問題の解答は，解答紙 17 の定められた場所に記入しなさい。

問題

点 O を原点とする座標平面上の $\vec{0}$ でない 2 つのベクトル
$$\vec{m} = (a, c), \quad \vec{n} = (b, d)$$
に対して，$D = ad - bc$ とおく。座標平面上のベクトル $\vec{q}$ に対して，次の条件を考える。

条件 I　$r\vec{m} + s\vec{n} = \vec{q}$ を満たす実数 r, s が存在する。

条件 II　$r\vec{m} + s\vec{n} = \vec{q}$ を満たす整数 r, s が存在する。

以下の問いに答えよ。

(1)　条件 I がすべての $\vec{q}$ に対して成り立つとする。$D \neq 0$ であることを示せ。

以下，$D \neq 0$ であるとする。

(2)　座標平面上のベクトル $\vec{v}, \vec{w}$ で
$$\vec{m} \cdot \vec{v} = \vec{n} \cdot \vec{w} = 1, \ \vec{m} \cdot \vec{w} = \vec{n} \cdot \vec{v} = 0$$
を満たすものを求めよ。

(3)　さらに a, b, c, d が整数であるとし，x 成分と y 成分がともに整数であるすべてのベクトル $\vec{q}$ に対して条件 II が成り立つとする。D のとりうる値をすべて求めよ。

4 （配点50点）

この問題の解答は，解答紙 18 の定められた場所に記入しなさい。

問題

以下の文章を読んで後の問いに答えよ。

　三角関数 $\cos x$，$\sin x$ については加法定理が成立するが，逆に加法定理を満たす関数はどのようなものがあるだろうか。実数全体を定義域とする実数値関数 $f(x)$，$g(x)$ が以下の条件を満たすとする。

（A）　すべての x，y について $f(x + y) = f(x)f(y) - g(x)g(y)$

（B）　すべての x，y について $g(x + y) = f(x)g(y) + g(x)f(y)$

（C）　$f(0) \neq 0$

（D）　$f(x)$，$g(x)$ は $x = 0$ で微分可能で $f'(0) = 0$，$g'(0) = 1$

条件(A)，(B)，(C)から $f(0) = 1$，$g(0) = 0$ がわかる。以上のことから $\underline{f(x)}$，$\underline{g(x) \text{ はすべての } x \text{ の値で微分可能で，}\ f'(x) = -g(x)}$，$\underline{g'(x) = f(x)}$ が成立することが示される。上のことから $\underline{\{f(x) + ig(x)\}(\cos x - i\sin x) = 1}$ であることが，実部と虚部を調べることによりわかる。ただし i は虚数単位である。よって条件(A)，(B)，(C)，(D)を満たす関数は三角関数 $f(x) = \cos x$，$g(x) = \sin x$ であることが示される。

　さらに，a, b を実数で $b \neq 0$ とする。このとき条件(D)をより一般的な

（D)'　$f(x)$，$g(x)$ は $x = 0$ で微分可能で $f'(0) = a$，$g'(0) = b$

におきかえて，条件(A)，(B)，(C)，(D)' を満たす $f(x)$，$g(x)$ はどのような関数になるか考えてみる。この場合でも，条件(A)，(B)，(C)から $f(0) = 1$，$g(0) = 0$ が上と同様にわかる。ここで

$$p(x) = e^{-\frac{a}{b}x} f\left(\frac{x}{b}\right),\quad q(x) = e^{-\frac{a}{b}x} g\left(\frac{x}{b}\right)$$

とおくと，$\underline{\text{条件(A)，(B)，(C)，(D)において，}\ f(x) \text{ を } p(x) \text{ に，}\ g(x) \text{ を}}$ $\underline{q(x) \text{ におきかえた条件が満たされる}}$。すると前半の議論により，$p(x)$，$q(x)$ がまず求まり，このことを用いると $f(x) = \boxed{\text{ア}}$，$g(x) = \boxed{\text{イ}}$ が得られる。

---

(1)　下線部①について，$f(0) = 1$，$g(0) = 0$ となることを示せ。

(2)　下線部②について，$f(x)$ がすべての x の値で微分可能な関数であり，$f'(x) = -g(x)$ となることを示せ。

(3)　下線部③について，下線部①，下線部②の事実を用いることにより，$\{f(x) + ig(x)\}(\cos x - i\sin x) = 1$ となることを示せ。

(4)　下線部④について，条件(B)，(D)において，$f(x)$ を $p(x)$ に，$g(x)$ を $q(x)$ におきかえた条件が満たされることを示せ。つまり $p(x)$ と $q(x)$ が，

　　(B)　すべての x, y について $q(x + y) = p(x)q(y) + q(x)p(y)$

　　(D)　$p(x)$，$q(x)$ は $x = 0$ で微分可能で $p'(0) = 0$，$q'(0) = 1$

を満たすことを示せ。また空欄 ア ， イ に入る関数を求めよ。

5 　（配点50点）

この問題の解答は，解答紙 19 の定められた場所に記入しなさい。

問題

　xy 平面上の曲線 C を，媒介変数 t を用いて次のように定める。

　　$x = t + 2\sin^2 t$，$y = t + \sin t$ 　$(0 < t < \pi)$

以下の問いに答えよ。

(1)　曲線 C に接する直線のうち y 軸と平行なものがいくつあるか求めよ。

(2)　曲線 C のうち $y \leqq x$ の領域にある部分と直線 $y = x$ で囲まれた図形の面積を求めよ。

文系学部　120分

(注)　この教科は，200点満点です。なお，共創学部については300点満点に，文学部及び医学部保健学科(看護学専攻)については，100点満点に換算します。

---

[1]　(配点50点)

この問題の解答は，解答紙 [11] の定められた場所に記入しなさい。

問題

a を $0 < a < 9$ を満たす実数とする。xy 平面上の曲線 C と直線 ℓ を，次のように定める。

$$C : y = |(x - 3)(x + 3)|, \qquad \ell : y = a$$

曲線 C と直線 ℓ で囲まれる図形のうち，$y \geqq a$ の領域にある部分の面積を S_1，$y \leqq a$ の領域にある部分の面積を S_2 とする。$S_1 = S_2$ となる a の値を求めよ。

2 　（配点50点）

この問題の解答は，解答紙 12 の定められた場所に記入しなさい。

問題

xy 平面上の曲線 $C : y = x^3 - x$ を考える。実数 $t > 0$ に対して，曲線 C 上の点 $A(t,\ t^3 - t)$ における接線を ℓ とする。直線 ℓ と直線 $y = -x$ の交点を B，三角形 OAB の外接円の中心を P とする。以下の問いに答えよ。

(1)　点 B の座標を t を用いて表せ。

(2)　$\theta = \angle\mathrm{OBA}$ とする。$\sin^2\theta$ を t を用いて表せ。

(3)　$f(t) = \dfrac{\mathrm{OP}}{\mathrm{OA}}$ とする。$t > 0$ のとき，$f(t)$ を最小にする t の値と $f(t)$ の最小値を求めよ。

3 （配点50点）

この問題の解答は，解答紙 13 の定められた場所に記入しなさい。

問題

点 O を原点とする座標平面上の $\vec{0}$ でない2つのベクトル

$$\vec{m} = (a, c), \quad \vec{n} = (b, d)$$

に対して，$D = ad - bc$ とおく。以下の問いに答えよ。

(1) $\vec{m}$ と $\vec{n}$ が平行であるための必要十分条件は $D = 0$ であることを示せ。
以下，$D \neq 0$ であるとする。

(2) 座標平面上のベクトル $\vec{v}$，$\vec{w}$ で

$$\vec{m} \cdot \vec{v} = \vec{n} \cdot \vec{w} = 1, \quad \vec{m} \cdot \vec{w} = \vec{n} \cdot \vec{v} = 0$$

を満たすものを求めよ。

(3) 座標平面上のベクトル $\vec{q}$ に対して

$$r\vec{m} + s\vec{n} = \vec{q}$$

を満たす実数 r と s を $\vec{q}$，$\vec{v}$，$\vec{w}$ を用いて表せ。

4　（配点50点）

この問題の解答は、解答紙 **14** の定められた場所に記入しなさい。

問題

ω を $x^3 = 1$ の虚数解のうち虚部が正であるものとする。さいころを繰り返し投げて，次の規則で4つの複素数 0, 1, ω, ω^2 を並べていくことにより，複素数の列 z_1, z_2, z_3, …… を定める。

- $z_1 = 0$ とする。
- z_k まで定まったとき，さいころを投げて，出た目を t とする。このとき z_{k+1} を以下のように定める。
  - $z_k = 0$ のとき，$z_{k+1} = \omega^t$ とする。
  - $z_k \neq 0$，$t = 1$, 2 のとき，$z_{k+1} = 0$ とする。
  - $z_k \neq 0$，$t = 3$ のとき，$z_{k+1} = \omega z_k$ とする。
  - $z_k \neq 0$，$t = 4$ のとき，$z_{k+1} = \overline{\omega z_k}$ とする。
  - $z_k \neq 0$，$t = 5$ のとき，$z_{k+1} = z_k$ とする。
  - $z_k \neq 0$，$t = 6$ のとき，$z_{k+1} = \overline{z_k}$ とする。

ここで複素数 z に対し，$\overline{z}$ は z と共役な複素数を表す。以下の問いに答えよ。

(1)　$\omega^2 = \overline{\omega}$ となることを示せ。

(2)　$z_n = 0$ となる確率を n の式で表せ。

(3)　$z_3 = 1$，$z_3 = \omega$，$z_3 = \omega^2$ となる確率をそれぞれ求めよ。

(4)　$z_n = 1$ となる確率を n の式で表せ。

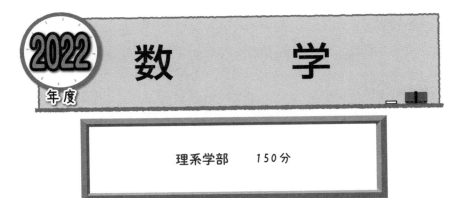

理系学部　150分

(注)　この教科は，250点満点です。なお，経済学部経済工学科については，300点満点に換算します。

☐1　（配点50点）

この問題の解答は，解答紙 ☐15 の定められた場所に記入しなさい。

問題

座標空間内の5点

$$O(0, 0, 0), \ A(1, 1, 0), \ B(2, 1, 2), \ P(4, 0, -1), \ Q(4, 0, 5)$$

を考える。3点 O，A，B を通る平面を α とし，$\vec{a} = \overrightarrow{OA}$，$\vec{b} = \overrightarrow{OB}$ とおく。以下の問いに答えよ。

(1)　ベクトル $\vec{a}$，$\vec{b}$ の両方に垂直であり，x 成分が正であるような，大きさが1のベクトル $\vec{n}$ を求めよ。

(2)　平面 α に関して点 P と対称な点 P′ の座標を求めよ。

(3)　点 R が平面 α 上を動くとき，$|\overrightarrow{PR}| + |\overrightarrow{RQ}|$ が最小となるような点 R の座標を求めよ。

2 （配点50点）

この問題の解答は，解答紙 16 の定められた場所に記入しなさい。

問題

n を 3 以上の自然数，α，β を相異なる実数とするとき，以下の問いに答えよ。

(1) 次をみたす実数 A，B，C と整式 $Q(x)$ が存在することを示せ。
$$x^n = (x - \alpha)(x - \beta)^2 Q(x) + A(x - \alpha)(x - \beta) + B(x - \alpha) + C$$

(2) (1)の A，B，C を n，α，β を用いて表せ。

(3) (2)の A について，n と α を固定して，β を α に近づけたときの極限 $\lim\limits_{\beta \to \alpha} A$ を求めよ。

3 （配点50点）

この問題の解答は，解答紙 17 の定められた場所に記入しなさい。

問題

自然数 m，n が
$$n^4 = 1 + 210m^2 \quad \cdots\cdots①$$
をみたすとき，以下の問いに答えよ。

(1) $\dfrac{n^2 + 1}{2}$，$\dfrac{n^2 - 1}{2}$ は互いに素な整数であることを示せ。

(2) $n^2 - 1$ は 168 の倍数であることを示せ。

(3) ①をみたす自然数の組 (m, n) を 1 つ求めよ。

4 （配点50点）

この問題の解答は，解答紙 18 の定められた場所に記入しなさい。

問題

定積分について述べた次の文章を読んで，後の問いに答えよ。

区間 $a \le x \le b$ で連続な関数 $f(x)$ に対して，$F'(x) = f(x)$ となる関数 $F(x)$ を1つ選び，$f(x)$ の a から b までの定積分を

$$\int_a^b f(x)dx = F(b) - F(a) \quad \cdots\cdots①$$

で定義する。定積分の値は $F(x)$ の選び方によらずに定まる。定積分は次の性質（A），（B），（C）をもつ。

(A) $\displaystyle\int_a^b \{kf(x) + lg(x)\}dx = k\int_a^b f(x)dx + l\int_a^b g(x)dx$

(B) $a \le c \le b$ のとき，$\displaystyle\int_a^c f(x)dx + \int_c^b f(x)dx = \int_a^b f(x)dx$

(C) 区間 $a \le x \le b$ において $g(x) \ge h(x)$ ならば，$\displaystyle\int_a^b g(x)dx \ge \int_a^b h(x)dx$

ただし，$f(x)$，$g(x)$，$h(x)$ は区間 $a \le x \le b$ で連続な関数，k，l は定数である。

以下，$f(x)$ を区間 $0 \le x \le 1$ で連続な増加関数とし，n を自然数とする。定積分の性質 ｜ ア ｜ を用い，定数関数に対する定積分の計算を行うと，

$$\frac{1}{n}f\left(\frac{i-1}{n}\right) \le \int_{\frac{i-1}{n}}^{\frac{i}{n}} f(x)dx \le \frac{1}{n}f\left(\frac{i}{n}\right) \quad (i = 1, 2, \cdots, n) \quad \cdots\cdots②$$

が成り立つことがわかる。$S_n = \dfrac{1}{n}\displaystyle\sum_{i=1}^n f\left(\dfrac{i-1}{n}\right)$ とおくと，不等式②と定積分の性質 ｜ イ ｜ より次の不等式が成り立つ。

$$0 \le \int_0^1 f(x)dx - S_n \le \frac{f(1) - f(0)}{n} \quad \cdots\cdots③$$

よって，はさみうちの原理より $\displaystyle\lim_{n \to \infty} S_n = \int_0^1 f(x)dx$ が成り立つ。

(1) 関数 $F(x)$, $G(x)$ が微分可能であるとき,
$$\{F(x) + G(x)\}' = F'(x) + G'(x)$$
が成り立つことを，導関数の定義に従って示せ。また，この等式と定積分の定義①を用いて，定積分の性質（A）で $k = l = 1$ とした場合の等式
$$\int_a^b \{f(x) + g(x)\}dx = \int_a^b f(x)dx + \int_a^b g(x)dx$$
を示せ。

(2) 定積分の定義①と平均値の定理を用いて，次を示せ。

$a < b$ のとき，区間 $a \leqq x \leqq b$ において $g(x) > 0$ ならば，$\int_a^b g(x)dx > 0$

(3) （A），（B），（C）のうち，空欄 $\boxed{\text{ア}}$ に入る記号として最もふさわしいものを1つ選び答えよ。また文章中の下線部の内容を詳しく説明することで，不等式②を示せ。

(4) （A），（B），（C）のうち，空欄 $\boxed{\text{イ}}$ に入る記号として最もふさわしいものを1つ選び答えよ。また，不等式③を示せ。

2024 2023 2022 2021 2020 2019 2018 2017 2016 2015 2014 2013 2012 2011 2010

5 （配点50点）

この問題の解答は，解答紙 **19** の定められた場所に記入しなさい。

問題

xy 平面上の曲線 C を，媒介変数 t を用いて次のように定める。
$$x = 5\cos t + \cos 5t, \quad y = 5\sin t - \sin 5t \quad (-\pi \leqq t < \pi)$$
以下の問いに答えよ。

(1) 区間 $0 < t < \dfrac{\pi}{6}$ において，$\dfrac{dx}{dt} < 0$, $\dfrac{dy}{dx} < 0$ であることを示せ。

(2) 曲線 C の $0 \leqq t \leqq \dfrac{\pi}{6}$ の部分，x 軸，直線 $y = \dfrac{1}{\sqrt{3}}x$ で囲まれた図形の面積を求めよ。

(3) 曲線 C は x 軸に関して対称であることを示せ。また，C 上の点を原点を中心として反時計回りに $\dfrac{\pi}{3}$ だけ回転させた点は C 上にあることを示せ。

(4) 曲線 C の概形を図示せよ。

2024
2023
2022
2021
2020
2019
2018
2017
2016
2015
2014
2013
2012
2011
2010

文系学部　　*120分*

(注)　この教科は，200点満点です。なお，共創学部については300点満点に，文学部及び医学部保健学科(看護学専攻)については，100点満点に換算します。

1　(配点50点)

この問題の解答は，解答紙 **11** の定められた場所に記入しなさい。

問題

a を $-3 < a < 13$ をみたす実数とし，次の曲線 C と直線 ℓ が接しているとする。

$$C : y = |x^2 + (3 - a)x - 3a|, \qquad \ell : y = -x + 13$$

以下の問いに答えよ。

(1)　a の値を求めよ。

(2)　曲線 C と直線 ℓ で囲まれた 2 つの図形のうち，点 $(a, 0)$ が境界線上にある図形の面積を求めよ。

2 （配点50点）

この問題の解答は，解答紙 12 の定められた場所に記入しなさい。

問題

座標空間内の 4 点

$$O(0, 0, 0), \quad A(1, 1, 0), \quad B(2, 1, 2), \quad P(4, 0, -1)$$

を考える。3 点 O，A，B を通る平面を α とし，$\vec{a} = \overrightarrow{\mathrm{OA}}$，$\vec{b} = \overrightarrow{\mathrm{OB}}$ とおく。以下の問いに答えよ。

(1) ベクトル $\vec{a}$，$\vec{b}$ の両方に垂直であり，x 成分が正であるような，大きさが 1 のベクトル $\vec{n}$ を求めよ。

(2) 点 P から平面 α に垂線を下ろし，その交点を Q とおく。線分 PQ の長さを求めよ。

(3) 平面 α に関して点 P と対称な点 P′ の座標を求めよ。

3 （配点50点）

この問題の解答は，解答紙 13 の定められた場所に記入しなさい。

問題

k を実数とし，整式 $f(x)$ を

$$f(x) = x^4 + 6x^3 - kx^2 + 2kx - 64$$

で定める。方程式 $f(x) = 0$ が虚数解をもつとき，以下の問いに答えよ。

(1) $f(x)$ は $x - 2$ で割り切れることを示せ。

(2) 方程式 $f(x) = 0$ は負の実数解をもつことを示せ。

(3) 方程式 $f(x) = 0$ のすべての実数解が整数であり，すべての虚数解の実部と虚部がともに整数であるとする。このような k をすべて求めよ。

$\boxed{4}$　（配点50点）

この問題の解答は，解答紙 $\boxed{14}$ の定められた場所に記入しなさい。

問題

定積分について述べた次の文章を読んで、後の問いに答えよ。

$f(x)$ を整式とする。$F'(x) = f(x)$ となる関数 $F(x)$ を1つ選び，$f(x)$ の a から b までの定積分を

$$\int_a^b f(x)dx = F(b) - F(a) \quad \cdots\cdots①$$

で定義する。定積分の値は $F(x)$ の選び方によらずに定まる。定積分は次の性質（A），（B），（C）をもつ。

(A)　$\displaystyle\int_a^b \{kf(x) + lg(x)\}dx = k\int_a^b f(x)dx + l\int_a^b g(x)dx$

(B)　$a \leqq c \leqq b$ のとき，$\displaystyle\int_a^c f(x)dx + \int_c^b f(x)dx = \int_a^b f(x)dx$

(C)　区間 $a \leqq x \leqq b$ において $g(x) \geqq h(x)$ ならば，$\displaystyle\int_a^b g(x)dx \geqq \int_a^b h(x)dx$

ただし，$f(x)$，$g(x)$，$h(x)$ は整式，k，l は定数である。

以下，$f(x)$ が区間 $0 \leqq x \leqq 1$ 上で増加関数になる場合を考える。n を自然数とする。定積分の性質 $\boxed{\text{ア}}$ を用い，定数関数に対する定積分の計算を行うと，

$$\frac{1}{n}f\left(\frac{i-1}{n}\right) \leqq \int_{\frac{i-1}{n}}^{\frac{i}{n}} f(x)dx \leqq \frac{1}{n}f\left(\frac{i}{n}\right) \quad (i = 1, 2, \cdots, n) \quad \cdots\cdots②$$

が成り立つことがわかる。$S_n = \dfrac{1}{n}\displaystyle\sum_{i=1}^{n} f\left(\dfrac{i-1}{n}\right)$ とおくと，不等式②と定積分の性質 $\boxed{\text{イ}}$ より次の不等式が成り立つ。

$$0 \leqq \int_0^1 f(x)dx - S_n \leqq \frac{f(1) - f(0)}{n} \quad \cdots\cdots③$$

よって，n を限りなく大きくすると，S_n は $\displaystyle\int_0^1 f(x)dx$ に限りなく近づく。

---

(1) 関数 $F(x)$, $G(x)$ が微分可能であるとき,
$$\{F(x) + G(x)\}' = F'(x) + G'(x)$$
が成り立つことと定積分の定義①を用いて,性質(A)で $k = l = 1$ とした場合の等式
$$\int_a^b \{f(x) + g(x)\}dx = \int_a^b f(x)dx + \int_a^b g(x)dx$$
を示せ。

(2) 定積分の定義①と,関数の増減と導関数の関係を用いて,次を示せ。
$$a < b のとき,区間 a \leqq x \leqq b において g(x) > 0 ならば,\int_a^b g(x)dx > 0$$

(3) (A),(B),(C)のうち,空欄 ア に入る記号として最もふさわしいものを 1 つ選び答えよ。また文章中の下線部の内容を詳しく説明することで,不等式②を示せ。

(4) (A),(B),(C)のうち,空欄 イ に入る記号として最もふさわしいものを 1 つ選び答えよ。また,不等式③を示せ。

2024
2023
2022
2021
2020
2019
2018
2017
2016
2015
2014
2013
2012
2011
2010

（注）　この教科は，250点満点です。なお，経済学部経済工学科については，300点満点に換算します。

1　（配点50点）

この問題の解答は，解答紙　15　の定められた場所に記入しなさい。

問題

座標空間内の 4 点 O(0, 0, 0)，A(1, 0, 0)，B(0, 1, 0)，C(0, 0, 2) を考える。以下の問いに答えよ。

(1)　四面体 OABC に内接する球の中心の座標を求めよ。

(2)　中心の x 座標，y 座標，z 座標がすべて正の実数であり，xy 平面，yz 平面，zx 平面のすべてと接する球を考える。この球が平面 ABC と交わるとき，その交わりとしてできる円の面積の最大値を求めよ。

2 （配点50点）

この問題の解答は，解答紙 16 の定められた場所に記入しなさい。

問題

θ を $0 < \theta < \dfrac{\pi}{4}$ をみたす定数とし，x の 2 次方程式

$$x^2 - (4\cos\theta)x + \frac{1}{\tan\theta} = 0 \quad \cdots\cdots(*)$$

を考える。以下の問いに答えよ。

(1) 2 次方程式 $(*)$ が実数解をもたないような θ の値の範囲を求めよ。

(2) θ が(1)で求めた範囲にあるとし，$(*)$ の 2 つの虚数解を α，β とする。ただし，α の虚部は β の虚部より大きいとする。複素数平面上の 3 点 A(α)，B(β)，O(0) を通る円の中心を C(γ) とするとき，θ を用いて γ を表せ。

(3) 点 O，A，C を(2)のように定めるとき，三角形 OAC が直角三角形になるような θ に対する $\tan\theta$ の値を求めよ。

3 （配点50点）

この問題の解答は，解答紙 17 の定められた場所に記入しなさい。

問題

座標平面上の点 (x, y) について，次の条件を考える。

条件：すべての実数 t に対して $y \leq e^t - xt$ が成立する。 $\cdots\cdots(*)$

以下の問いに答えよ。必要ならば $\lim\limits_{x \to +0} x\log x = 0$ を使ってよい。

(1) 条件 $(*)$ をみたす点 (x, y) 全体の集合を座標平面上に図示せよ。

(2) 条件 $(*)$ をみたす点 (x, y) のうち，$x \geq 1$ かつ $y \geq 0$ をみたすもの全体の集合を S とする。S を x 軸の周りに 1 回転させてできる立体の体積を求めよ。

$\boxed{4}$　（配点50点）

この問題の解答は，解答紙 $\boxed{18}$ の定められた場所に記入しなさい。

問題

自然数 n と実数 $a_0,\ a_1,\ a_2,\ \cdots\cdots,\ a_n\ (a_n \neq 0)$ に対して，2 つの整式

$$f(x) = \sum_{k=0}^{n} a_k x^k = a_n x^n + a_{n-1} x^{n-1} + \cdots\cdots + a_1 x + a_0$$

$$f'(x) = \sum_{k=1}^{n} k a_k x^{k-1} = n a_n x^{n-1} + (n-1) a_{n-1} x^{n-2} + \cdots\cdots + a_1$$

を考える。$\alpha,\ \beta$ を異なる複素数とする。複素数平面上の 2 点 $\alpha,\ \beta$ を結ぶ線分上にある点 γ で，

$$\frac{f(\beta) - f(\alpha)}{\beta - \alpha} = f'(\gamma)$$

をみたすものが存在するとき，

　　　$\alpha,\ \beta,\ f(x)$ は平均値の性質をもつ

ということにする。以下の問いに答えよ。ただし，i は虚数単位とする。

(1)　$n = 2$ のとき，どのような $\alpha,\ \beta,\ f(x)$ も平均値の性質をもつことを示せ。

(2)　$\alpha = 1 - i$，$\beta = 1 + i$，$f(x) = x^3 + ax^2 + bx + c$ が平均値の性質をもつための，実数 $a,\ b,\ c$ に関する必要十分条件を求めよ。

(3)　$\alpha = \dfrac{1-i}{\sqrt{2}}$，$\beta = \dfrac{1+i}{\sqrt{2}}$，$f(x) = x^7$ は，平均値の性質をもたないことを示せ。

5 （配点50点）

この問題の解答は，解答紙 19 の定められた場所に記入しなさい。

問題

以下の問いに答えよ。

(1) 自然数 n, k が $2 \leq k \leq n - 2$ をみたすとき，$_nC_k > n$ であることを示せ。

(2) p を素数とする。$k \leq n$ をみたす自然数の組 (n, k) で $_nC_k = p$ となるものをすべて求めよ。

文系学部　　120分

（注）　この教科は，200点満点です。なお，共創学部については300点満点に，文学部及び医学部保健学科（看護学専攻）については，100点満点に換算します。

1 （配点50点）

この問題の解答は，解答紙 11 の定められた場所に記入しなさい。

問題

座標平面上の3点 O(0, 0)，A(1, 0)，B(0, 2) を考える。以下の問いに答えよ。

(1) 三角形 OAB に内接する円の中心の座標を求めよ。

(2) 中心が第1象限にあり，x 軸と y 軸の両方に接し，直線 AB と異なる2つの交点をもつような円を考える。この2つの交点を P，Q とするとき，線分 PQ の長さの最大値を求めよ。

2 （配点50点）

この問題の解答は，解答紙 12 の定められた場所に記入しなさい。

問題

以下の問いに答えよ。

(1) 次の条件 A をみたす座標平面上の点 (x, y) 全体の集合を図示せよ。
    条件 A：すべての実数 t に対して $y \geqq xt - 2t^2$ が成立する。

(2) 次の条件 B をみたす座標平面上の点 (x, y) 全体の集合を図示せよ。
    条件 B：$|t| \leqq 1$ をみたすすべての実数 t に対して
    $$y \geqq xt - 2t^2$$ が成立する。

3 （配点50点）

この問題の解答は，解答紙 13 の定められた場所に記入しなさい。

問題

a を正の実数とし，放物線
$$C : y = -x^2 - 2ax - a^3 + 10a$$
を考える。以下の問いに答えよ。

(1) 放物線 C と直線 $\ell : y = 8x + 6$ が接するような a の値を求めよ。

(2) a が(1)で求めた値のとき，放物線 C，直線 ℓ，y 軸で囲まれた図形の面積を求めよ。

4 （配点50点）

この問題の解答は，解答紙 14 の定められた場所に記入しなさい。

問題

以下の問いに答えよ。

(1) n を自然数とするとき，
$$\sum_{k=1}^{n} k2^{k-1}$$
を求めよ。

(2) 次のように定義される数列 $\{a_n\}$ の一般項を求めよ。
$$a_1 = 2, \qquad a_{n+1} = 1 + \frac{1}{2}\sum_{k=1}^{n}(n+1-k)a_k \quad (n = 1, 2, 3, \cdots\cdots)$$

2020年度　数　学

理系学部　　150分

（注）　この教科は，250点満点です。なお，経済学部経済工学科については，300点満点に換算します。

1　（配点50点）

この問題の解答は，解答紙 27 の定められた場所に記入しなさい。

問題

点 $(a, 0)$ を通り，曲線 $y = e^{-x} - e^{-2x}$ に接する直線が存在するような定数 a の値の範囲を求めよ。

2 （配点50点）

この問題の解答は，解答紙 28 の定められた場所に記入しなさい。

問題

a, b, c, d を整数とし，i を虚数単位とする。

整式 $f(x) = x^4 + ax^3 + bx^2 + cx + d$ が $f\left(\dfrac{1 + \sqrt{3}\,i}{2}\right) = 0$ をみたすとき，以下の問いに答えよ。

(1) c, d を a, b を用いて表せ。

(2) $f(1)$ を7で割ると1余り，11で割ると10余るとする。また，$f(-1)$ を7で割ると3余り，11で割ると10余るとする。a の絶対値と b の絶対値がともに40以下であるとき，方程式 $f(x) = 0$ の解をすべて求めよ。

3 （配点50点）

この問題の解答は，解答紙 29 の定められた場所に記入しなさい。

問題

四面体 OABC において，辺 OA の中点と辺 BC の中点を通る直線を ℓ，辺 OB の中点と辺 CA の中点を通る直線を m，辺 OC の中点と辺 AB の中点を通る直線を n とする。$\ell \perp m$，$m \perp n$，$n \perp \ell$ であり，$AB = \sqrt{5}$，$BC = \sqrt{3}$，$CA = 2$ のとき，以下の問いに答えよ。

(1) 直線 OB と直線 CA のなす角 $\theta \left(0 \leqq \theta \leqq \dfrac{\pi}{2}\right)$ を求めよ。

(2) 四面体 OABC の4つの頂点をすべて通る球の半径を求めよ。

4 （配点50点）

この問題の解答は，解答紙 **30** の定められた場所に記入しなさい。

問題

4個のサイコロを同時に投げるとき，出る目すべての積を X とする。以下の問いに答えよ。

(1) X が 25 の倍数になる確率を求めよ。

(2) X が 4 の倍数になる確率を求めよ。

(3) X が 100 の倍数になる確率を求めよ。

5 （配点50点）

この問題の解答は，解答紙 **31** の定められた場所に記入しなさい。

問題

座標空間において，中心 $(0, 2, 0)$，半径 1 で xy 平面内にある円を D とする。D を底面とし，$z \geqq 0$ の部分にある高さ 3 の直円柱（内部を含む）を E とする。点 $(0, 2, 2)$ と x 軸を含む平面で E を 2 つの立体に分け，D を含む方を T とする。以下の問いに答えよ。

(1) $-1 \leqq t \leqq 1$ とする。平面 $x = t$ で T を切ったときの断面積 $S(t)$ を求めよ。また，T の体積を求めよ。

(2) T を x 軸のまわりに 1 回転させてできる立体の体積を求めよ。

文系学部　　120分

（注）　この教科は，200点満点です。なお，共創学部については300点満点に，文学部及び医学部保健学科（看護学専攻）については，100点満点に換算します。

1　（配点50点）

この問題の解答は，解答紙 **23** の定められた場所に記入しなさい。

問題

$a \geqq 0$ とする。2つの放物線 $C_1 : y = x^2$, $C_2 : y = 3(x - a)^2 + a^3 - 40$ を考える。以下の問いに答えよ。

(1)　C_1 と C_2 が異なる2点で交わるような定数 a の値の範囲を求めよ。

(2)　a が(1)で求めた範囲を動くとき，C_1 と C_2 で囲まれた図形の面積 S の最大値を求めよ。

2　（配点50点）

この問題の解答は，解答紙 **24** の定められた場所に記入しなさい。

問題

座標空間内の4点 $O(0, 0, 0)$, $A(1, 1, 0)$, $B(1, 0, p)$, $C(q, r, s)$ を頂点とする四面体が正四面体であるとする。ただし，$p > 0$, $s > 0$ とする。以下の問いに答えよ。

(1)　p, q, r, s の値を求めよ。

(2)　z 軸に垂直な平面で正四面体 OABC を切ったときの断面積の最大値を求めよ。

3 　（配点50点）

この問題の解答は，解答紙 25 の定められた場所に記入しなさい。

問題

　a, b, c を整数とし，i を虚数単位とする。整式 $f(x) = x^3 + ax^2 + bx + c$ が $f\left(\dfrac{1+\sqrt{3}\,i}{2}\right) = 0$ をみたすとき，以下の問いに答えよ。

(1) 　a, b を c を用いて表せ。

(2) 　$f(1)$ を 7 で割ると 4 余り，$f(-1)$ を 11 で割ると 2 余るとする。c の絶対値が 40 以下であるとき，方程式 $f(x) = 0$ の解をすべて求めよ。

4 　（配点50点）

この問題の解答は，解答紙 26 の定められた場所に記入しなさい。

問題

理系数学 4 （p.105）に同じ。

理系学部   150分

(注) この教科は，250点満点です。なお，経済学部経済工学科については，300点満点
    に換算します。

1 （配点50点）

  この問題の解答は，解答紙 **27** の定められた場所に記入しなさい。

  問題

    n を自然数とする。x, y がすべての実数を動くとき，定積分

$$\int_0^1 (\sin(2n\pi t) - xt - y)^2 dt$$

  の最小値を I_n とおく。極限 $\lim_{n \to \infty} I_n$ を求めよ。

2 　（配点50点）

この問題の解答は，解答紙 **28** の定められた場所に記入しなさい。

問題

　0 でない 2 つの整式 $f(x)$，$g(x)$ が以下の恒等式を満たすとする。
$$f(x^2) = (x^2 + 2)g(x) + 7$$
$$g(x^3) = x^4 f(x) - 3x^2 g(x) - 6x^2 - 2$$
以下の問いに答えよ。

(1) $f(x)$ の次数と $g(x)$ の次数はともに 2 以下であることを示せ。

(2) $f(x)$ と $g(x)$ を求めよ。

3 　（配点50点）

この問題の解答は，解答紙 **29** の定められた場所に記入しなさい。

問題

　1 個のサイコロを 3 回投げて出た目を順に a，b，c とする。2 次方程式
$$ax^2 + bx + c = 0$$
の 2 つの解 z_1，z_2 を表す複素数平面上の点をそれぞれ $P_1(z_1)$，$P_2(z_2)$ とする。
また，複素数平面上の原点を O とする。以下の問いに答えよ。

(1) P_1 と P_2 が一致する確率を求めよ。

(2) P_1 と P_2 がともに単位円の周上にある確率を求めよ。

(3) P_1 と O を通る直線を ℓ_1 とし，P_2 と O を通る直線を ℓ_2 とする。ℓ_1 と ℓ_2 のなす鋭角が $60°$ である確率を求めよ。

4 （配点50点）

この問題の解答は，解答紙 30 の定められた場所に記入しなさい。

問題

座標平面上の3点 $O(0, 0)$，$A(2, 0)$，$B(1, \sqrt{3})$ を考える。点 P_1 は線分 AB 上にあり，A，B とは異なる点とする。

線分 AB 上の点 P_2，P_3，…… を以下のように順に定める。点 P_n が定まったとき，点 P_n から線分 OB に下ろした垂線と OB との交点を Q_n とし，点 Q_n から線分 OA に下ろした垂線と OA との交点を R_n とし，点 R_n から線分 AB に下ろした垂線と AB との交点を P_{n+1} とする。

$n \to \infty$ のとき，P_n が限りなく近づく点の座標を求めよ。

5 （配点50点）

この問題の解答は，解答紙 31 の定められた場所に記入しなさい。

問題

a，b を複素数，c を純虚数でない複素数とし，i を虚数単位とする。複素数平面において，点 z が虚軸全体を動くとき

$$w = \frac{az + b}{cz + 1}$$

で定まる点 w の軌跡を C とする。次の3条件が満たされているとする。

（ア）　$z = i$ のときに $w = i$ となり，$z = -i$ のときに $w = -i$ となる。

（イ）　C は単位円の周に含まれる。

（ウ）　点 -1 は C に属さない。

このとき a，b，c の値を求めよ。さらに C を求め，複素数平面上に図示せよ。

> ## 文系学部　　120分

（注）　この教科は，200点満点です。なお，共創学部については300点満点に，文学部及び医学部保健学科(看護学専攻)については，100点満点に換算します。

$\boxed{1}$　（配点50点）

この問題の解答は，解答紙 $\boxed{23}$ の定められた場所に記入しなさい。

問題

表に 3，裏に 8 が書かれた硬貨がある。この硬貨を 10 回投げるとき，出た数字 10 個の積が 8 桁になる確率を求めよ。ただし，$\log_{10} 2 = 0.3010$，$\log_{10} 3 = 0.4771$ とする。

$\boxed{2}$　（配点50点）

この問題の解答は，解答紙 $\boxed{24}$ の定められた場所に記入しなさい。

問題

k を実数とする。3 次関数 $y = x^3 - kx^2 + kx + 1$ が極大値と極小値をもち，極大値から極小値を引いた値が $4|k|^3$ になるとする。このとき，k の値を求めよ。

3 （配点50点）

この問題の解答は，解答紙 25 の定められた場所に記入しなさい。

問題

座標空間内の3点 A(1, 2, 3)，B(3, 2, 3)，C(4, 5, 6) を通る平面を α とし，平面 α 上にない点 P(6, p, q) を考える。以下の問いに答えよ。

(1) 点 P から平面 α に下ろした垂線と α との交点を H とする。線分 PH の長さを p, q を用いて表せ。

(2) 点 P が $(p-9)^2 + (q-7)^2 = 1$ を満たしながら動くとき，四面体 ABCP の体積の最大値と最小値を求めよ。

4 （配点50点）

この問題の解答は，解答紙 26 の定められた場所に記入しなさい。

問題

理系数学 2 (p.109) に同じ。

2018年度 数　　学

理系学部　　150分

（注）　この教科は，250点満点です。なお，経済学部経済工学科については，300点満点
に換算します。

1　（配点50点）

この問題の解答は，解答紙 26 の定められた場所に記入しなさい。

問題

座標空間において，xy 平面上にある双曲線 $x^2 - y^2 = 1$ のうち $x \geq 1$ を満た
す部分を C とする。また，z 軸上の点 $A(0, 0, 1)$ を考える。点 P が C 上を動
くとき，直線 AP と平面 $x = d$ との交点の軌跡を求めよ。ただし，d は正の定
数とする。

2 （配点50点）

この問題の解答は，解答紙 27 の定められた場所に記入しなさい。

問題

原点を中心とする半径 3 の半円 $C : x^2 + y^2 = 9 \ (y \geqq 0)$ 上の 2 点 P と Q に対し，線分 PQ を 2 : 1 に内分する点を R とする。以下の問いに答えよ。

(1) 点 P の y 座標と Q の y 座標が等しく，かつ P の x 座標は Q の x 座標より小さくなるように P と Q が動くものとする。このとき，線分 PR が通過してできる図形 S の面積を求めよ。

(2) 点 P を $(-3, 0)$ に固定する。Q が半円 C 上を動くとき線分 PR が通過してできる図形 T の面積を求めよ。

(3) (1)の図形 S から(2)の図形 T を除いた図形と第 1 象限の共通部分を U とする。U を y 軸のまわりに 1 回転させてできる回転体の体積を求めよ。

3 （配点50点）

この問題の解答は，解答紙 28 の定められた場所に記入しなさい。

問題

1 から 4 までの数字を 1 つずつ書いた 4 枚のカードが箱に入っている。箱の中から 1 枚カードを取り出してもとに戻す試行を n 回続けて行う。k 回目に取り出したカードの数字を X_k とし，積 $X_1 X_2 \cdots X_n$ を 4 で割った余りが 0，1，2，3 である確率をそれぞれ p_n，q_n，r_n，s_n とする。p_n，q_n，r_n，s_n を求めよ。

4 （配点50点）

この問題の解答は，解答紙 **29** の定められた場所に記入しなさい。

問題

整数 a, b は 3 の倍数ではないとし，
$$f(x) = 2x^3 + a^2x^2 + 2b^2x + 1$$
とおく。以下の問いに答えよ。

(1) $f(1)$ と $f(2)$ を 3 で割った余りをそれぞれ求めよ。

(2) $f(x) = 0$ を満たす整数 x は存在しないことを示せ。

(3) $f(x) = 0$ を満たす有理数 x が存在するような組 (a, b) をすべて求めよ。

5 （配点50点）

この問題の解答は，解答紙 **30** の定められた場所に記入しなさい。

問題

α を複素数とする。等式
$$\alpha(|z|^2 + 2) + i(2|\alpha|^2 + 1)\overline{z} = 0$$
を満たす複素数 z をすべて求めよ。ただし，i は虚数単位である。

```
          文系学部    120分
```

(注) この教科は，200点満点です。なお，文学部及び医学部保健学科(看護専攻)に
ついては100点満点に，共創学部については300点満点に換算します。

1 (配点50点)

この問題の解答は，解答紙 22 の定められた場所に記入しなさい。

問題

座標平面内の曲線 $y = x^3 + ax^2 + bx + c$ が点 $(c, 0)$ において x 軸に接して
いるとする。ただし，a，b は実数，$c > 0$ である。以下の問いに答えよ。

(1) a，b をそれぞれ c を用いて表せ。

(2) この曲線と x 軸で囲まれた部分の面積を S とする。S を最小にする c の値
を求めよ。

2 (配点50点)

この問題の解答は，解答紙 23 の定められた場所に記入しなさい。

問題

以下の問いに答えよ。

(1) n を自然数とするとき，2^n を 7 で割った余りを求めよ。

(2) 自然数 m は，2 進法で 101 が 6 回連続する表示
$$101101101101101101_{(2)}$$
をもつとする。m を 7 で割った余りを求めよ。

3 （配点50点）

この問題の解答は，解答紙 24 の定められた場所に記入しなさい。

問題

　平面上に三角形 ABC と点 O が与えられている。この平面上の動点 P に対し，
$$L = PA^2 + PB^2 + PC^2$$
とおく。以下の問いに答えよ。

(1)　$\vec{a} = \overrightarrow{OA}$，$\vec{b} = \overrightarrow{OB}$，$\vec{c} = \overrightarrow{OC}$ および $\vec{x} = \overrightarrow{OP}$ とおくとき，次の等式を示せ。
$$L = 3|\vec{x}|^2 - 2(\vec{a} + \vec{b} + \vec{c}) \cdot \vec{x} + |\vec{a}|^2 + |\vec{b}|^2 + |\vec{c}|^2$$

(2)　L を最小にする点 P は三角形 ABC の重心であることを示せ。また，L の最小値は
$$\frac{1}{3}(AB^2 + BC^2 + CA^2)$$
であることを示せ。

4 （配点50点）

この問題の解答は，解答紙 25 の定められた場所に記入しなさい。

問題

　3つの部品 a，b，c からなる製品が多数入った箱がある。製品を1つ取り出したとき，部品 a，b，c が不良品である確率について次のことがわかっている。

- 部品 a が不良品である確率は p である。
- 部品 a が不良品でないとき，部品 b が不良品である確率は q である。
- 部品 a が不良品であるとき，部品 b も不良品である確率は $3q$ である。
- 部品 b が不良品でないとき，部品 c が不良品である確率は r である。
- 部品 b が不良品であるとき，部品 c も不良品である確率は $5r$ である。

ただし，$0 < p < 1$，$0 < q < \dfrac{1}{3}$，$0 < r < \dfrac{1}{5}$ である。以下の問いに答えよ。

(1)　製品を1つ取り出したとき，部品 a，b の少なくとも一方が不良品である確率を p，q を用いて表せ。

(2)　製品を1つ取り出したとき，部品 c が不良品である確率を p，q，r を用いて表せ。

(3)　製品を1つ取り出したところ部品 c が不良品であった。このとき，部品 b も不良品である確率を p，q を用いて表せ。

理系学部　　150分

（注）　この教科は，250点満点です。なお，経済学部経済工学科については，300点満点に換算します。

1 （配点50点）

この問題の解答は，解答紙 **26** の定められた場所に記入しなさい。

問題

定数 $a > 0$ に対し，曲線 $y = a\tan x$ の $0 \leqq x < \dfrac{\pi}{2}$ の部分を C_1，

曲線 $y = \sin 2x$ の $0 \leqq x < \dfrac{\pi}{2}$ の部分を C_2 とする。以下の問いに答えよ。

(1)　C_1 と C_2 が原点以外に交点をもつための a の条件を求めよ。

(2)　a が(1)の条件を満たすとき，原点以外の C_1 と C_2 の交点を P とし，P の x 座標を p とする。P における C_1 と C_2 のそれぞれの接線が直交するとき，a および $\cos 2p$ の値を求めよ。

(3)　a が(2)で求めた値のとき，C_1 と C_2 で囲まれた図形の面積を求めよ。

2 （配点50点）

この問題の解答は，解答紙 27 の定められた場所に記入しなさい。

問題

2 つの定数 $a > 0$ および $b > 0$ に対し，座標空間内の 4 点を
$$A(a, 0, 0), \quad B(0, b, 0), \quad C(0, 0, 1), \quad D(a, b, 1)$$
と定める。以下の問いに答えよ。

(1) 点 A から線分 CD におろした垂線と CD の交点を G とする。
G の座標を a, b を用いて表せ。

(2) さらに，点 B から線分 CD におろした垂線と CD の交点を H とする。
$\overrightarrow{AG}$ と $\overrightarrow{BH}$ がなす角を θ とするとき，$\cos\theta$ を a, b を用いて表せ。

3 （配点50点）

この問題の解答は，解答紙 28 の定められた場所に記入しなさい。

問題

初項 $a_1 = 1$，公差 4 の等差数列 $\{a_n\}$ を考える。以下の問いに答えよ。

(1) $\{a_n\}$ の初項から第 600 項のうち，7 の倍数である項の個数を求めよ。

(2) $\{a_n\}$ の初項から第 600 項のうち，7^2 の倍数である項の個数を求めよ。

(3) 初項から第 n 項までの積 $a_1 a_2 \cdots a_n$ が 7^{45} の倍数となる最小の自然数 n を求めよ。

4 （配点50点）

この問題の解答は，解答紙 **29** の定められた場所に記入しなさい。

問題

赤玉2個，青玉1個，白玉1個が入った袋が置かれた円形のテーブルの周りにA，B，Cの3人がこの順番で時計回りに着席している。3人のうち，ひとりが袋から玉を1個取り出し，色を確認したら袋にもどす操作を考える。1回目はAが玉を取り出し，次のルール(a)，(b)，(c)に従って勝者が決まるまで操作を繰り返す。

(a) 赤玉を取り出したら，取り出した人を勝者とする。

(b) 青玉を取り出したら，次の回も同じ人が玉を取り出す。

(c) 白玉を取り出したら，取り出した人の左隣りの人が次の回に玉を取り出す。

A，B，Cの3人が n 回目に玉を取り出す確率をそれぞれ a_n, b_n, c_n ($n = 1$, $2, \cdots$) とする。ただし，$a_1 = 1$，$b_1 = c_1 = 0$ である。以下の問いに答えよ。

(1) Aが4回目に勝つ確率と7回目に勝つ確率をそれぞれ求めよ。

(2) $d_n = a_n + b_n + c_n$ ($n = 1, 2, \cdots$) とおくとき，d_n を求めよ。

(3) 自然数 $n \geq 3$ に対し，a_{n+1} を a_{n-2} と n を用いて表せ。

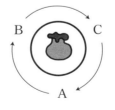

5 （配点50点）

この問題の解答は，解答紙 30 の定められた場所に記入しなさい。

問題

　2つの複素数 $\alpha = 10000 + 10000i$ と $w = \dfrac{\sqrt{3}}{4} + \dfrac{1}{4} i$ を用いて，複素数平面上の点 $P_n (z_n)$ を $z_n = \alpha w^n$ $(n = 1, 2, \cdots)$ により定める。ただし，i は虚数単位を表す。2と3の常用対数を $\log_{10} 2 = 0.301$，$\log_{10} 3 = 0.477$ として，以下の問いに答えよ。

(1) z_n の絶対値 $|z_n|$ と偏角 $\arg z_n$ を求めよ。

(2) $|z_n| \leqq 1$ が成り立つ最小の自然数 n を求めよ。

(3) 下図のように，複素数平面上の $\triangle ABC$ は線分 AB を斜辺とし，点 $C\left(\dfrac{i}{\sqrt{2}}\right)$ を一つの頂点とする直角二等辺三角形である。なお A，B を表す複素数の虚部は負であり，原点 O と2点 A，B の距離はともに1である。点 P_n が $\triangle ABC$ の内部に含まれる最小の自然数 n を求めよ。

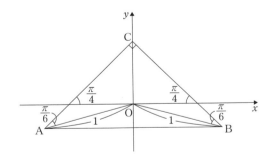

文系学部　120分

（注）　この教科は，200点満点です。なお，文学部及び医学部保健学科（看護学専攻）に
　　　　ついては，100点満点に換算します。

1　（配点 50 点）

この問題の解答は，解答紙 22 の定められた場所に記入しなさい。

問題

　定数 $a < 1$ に対し，放物線 $C_1 : y = 2x^2 + 1$，$C_2 : y = -x^2 + a$ を考える。以下の問いに答えよ。

(1) 放物線 C_1，C_2 の両方に接する 2 つの直線の方程式をそれぞれ a を用いて表せ。

(2) C_1 と(1)で求めた 2 つの直線で囲まれた図形の面積を S_1，C_2 と(1)で求めた 2 つの直線で囲まれた図形の面積を S_2 とするとき，$\dfrac{S_2}{S_1}$ を求めよ。

2　（配点50点）

この問題の解答は，解答紙 23 の定められた場所に記入しなさい。

問題

　座標平面上に原点 O，点 A$(1, a)$，点 B(s, t) がある。以下の問いに答えよ。

(1) $a = 1$ のとき，$\triangle$OAB が正三角形となるような (s, t) をすべて求めよ。

(2) $\sqrt{3}$ は無理数であることを証明せよ。

(3) $\triangle$OAB が正三角形であり，a が有理数であるとき，s と t のうち少なくとも 1 つは無理数であることを示せ。

3 （配点50点）

この問題の解答は，解答紙 24 の定められた場所に記入しなさい。

問題

　AとBの2人がA，B，A，B，…の順にさいころを投げ，先に3以上の目を出した人を勝者として勝敗を決め，さいころ投げを終える。以下では，さいころを投げた回数とはAとBが投げた回数の和のこととする。2と3の常用対数を $\log_{10}2 = 0.301$，$\log_{10}3 = 0.477$ として，以下の問いに答えよ。

(1)　さいころを投げた回数が n 回以下では勝敗が決まらない確率 p_n $(n = 1, 2, \cdots)$ を求めよ。さらに，p_n が 0.005 より小さくなる最小の n を求めよ。

(2)　さいころを投げた回数が3回以下でAが勝つ確率を求めよ。

(3)　自然数 k に対し，さいころを投げた回数が $2k + 1$ 回以下でAが勝つ確率を求めよ。

4 （配点50点）

この問題の解答は，解答紙 25 の定められた場所に記入しなさい。

問題

　以下の問いに答えよ。

(1)　2017 と 225 の最大公約数を求めよ。

(2)　225 との最大公約数が 15 となる 2017 以下の自然数の個数を求めよ。

(3)　225 との最大公約数が 15 であり，かつ 1998 との最大公約数が 111 となる 2017 以下の自然数をすべて求めよ。

（注）　この教科は，250点満点です。なお，経済学部経済工学科については，300点満点に換算します。

1　（配点50点）

この問題の解答は，解答紙 **26** の定められた場所に記入しなさい。

問題

座標平面上の曲線 C_1, C_2 をそれぞれ

$$C_1 : y = \log x \quad (x > 0)$$
$$C_2 : y = (x - 1)(x - a)$$

とする。ただし，a は実数である。n を自然数とするとき，曲線 C_1, C_2 が2点 P，Q で交わり，P，Q の x 座標はそれぞれ 1，$n + 1$ となっている。また，曲線 C_1 と直線 PQ で囲まれた領域の面積を S_n，曲線 C_2 と直線 PQ で囲まれた領域の面積を T_n とする。このとき，以下の問いに答えよ。

(1)　a を n の式で表し，$a > 1$ を示せ。

(2)　S_n と T_n をそれぞれ n の式で表せ。

(3)　極限値 $\displaystyle \lim_{n \to \infty} \frac{S_n}{n \log T_n}$ を求めよ。

2 （配点50点）

この問題の解答は，解答紙 27 の定められた場所に記入しなさい。

問題

t を $0 < t < 1$ を満たす実数とする。面積が 1 である三角形 ABC において，辺 AB，BC，CA をそれぞれ $2:1$，$t:1-t$，$1:3$ に内分する点を D，E，F とする。また，AE と BF，BF と CD，CD と AE の交点をそれぞれ P，Q，R とする。このとき，以下の問いに答えよ。

(1) 3 直線 AE，BF，CD が 1 点で交わるときの t の値 t_0 を求めよ。

以下，t は $0 < t < t_0$ を満たすものとする。

(2) $AP = kAE$，$CR = lCD$ を満たす実数 k，l をそれぞれ求めよ。

(3) 三角形 BCQ の面積を求めよ。

(4) 三角形 PQR の面積を求めよ。

3 （配点50点）

この問題の解答は，解答紙 **28** の定められた場所に記入しなさい。

問題

　座標平面上で円 $x^2 + y^2 = 1$ に内接する正六角形で，点 P_0 (1, 0) を1つの頂点とするものを考える。この正六角形の頂点を P_0 から反時計まわりに順に P_1, P_2, P_3, P_4, P_5 とする。ある頂点に置かれている1枚のコインに対し，1つのサイコロを1回投げ，出た目に応じてコインを次の規則にしたがって頂点上を動かす。

- （規則）（ⅰ）　1から5までの目が出た場合は，出た目の数だけコインを反時計まわりに動かす。たとえば，コインが P_4 にあるときに4の目が出た場合は P_2 まで動かす。
- 　　　　（ⅱ）　6の目が出た場合は，x 軸に関して対称な位置にコインを動かす。ただし，コインが x 軸上にあるときは動かさない。たとえば，コインが P_5 にあるときに6の目が出た場合は P_1 に動かす。

　はじめにコインを1枚だけ P_0 に置き，1つのサイコロを続けて何回か投げて，1回投げるごとに上の規則にしたがってコインを動かしていくゲームを考える。以下の問いに答えよ。

(1)　2回サイコロを投げた後に，コインが P_0 の位置にある確率を求めよ。

(2)　3回サイコロを投げた後に，コインが P_0 の位置にある確率を求めよ。

(3)　n を自然数とする。n 回サイコロを投げた後に，コインが P_0 の位置にある確率を求めよ。

4　（配点50点）

この問題の解答は，解答紙 **29** の定められた場所に記入しなさい。

問題

自然数 n に対して，10^n を 13 で割った余りを a_n とおく。a_n は 0 から 12 までの整数である。以下の問いに答えよ。

(1)　a_{n+1} は $10\,a_n$ を 13 で割った余りに等しいことを示せ。

(2)　$a_1,\ a_2,\ \cdots,\ a_6$ を求めよ。

(3)　以下の 3 条件を満たす自然数 N をすべて求めよ。

(i)　N を十進法で表示したとき 6 桁となる。

(ii)　N を十進法で表示して，最初と最後の桁の数字を取り除くと 2016 になる。

(iii)　N は 13 で割り切れる。

5　（配点50点）

この問題の解答は，解答紙 **30** の定められた場所に記入しなさい。

問題

以下の問いに答えよ。

(1)　θ を $0 \leqq \theta < 2\pi$ を満たす実数，i を虚数単位とし，z を
$z = \cos\theta + i\sin\theta$ で表される複素数とする。このとき，整数 n に対して次の式を証明せよ。

$$\cos n\theta = \frac{1}{2}\left(z^n + \frac{1}{z^n} \right), \qquad \sin n\theta = -\frac{i}{2}\left(z^n - \frac{1}{z^n} \right)$$

(2)　次の方程式を満たす実数 $x\ (0 \leqq x < 2\pi)$ を求めよ。
$$\cos x + \cos 2x - \cos 3x = 1$$

(3)　次の式を証明せよ。
$$\sin^2 20° + \sin^2 40° + \sin^2 60° + \sin^2 80° = \frac{9}{4}$$

文系学部　*120分*

(注)　この教科は，200点満点です。なお，文学部及び医学部保健学科(看護学専攻)に
ついては，100点満点に換算します。

1　(配点50点)

この問題の解答は，解答紙 22 の定められた場所に記入しなさい。

問題

座標平面において，x軸上に3点 $(0, 0)$，$(\alpha, 0)$，$(\beta, 0)$ $(0 < \alpha < \beta)$ があり，
曲線 $C : y = x^3 + ax^2 + bx$ が x軸とこの3点で交わっているものとする。た
だし，a，b は実数である。このとき，以下の問いに答えよ。

(1)　曲線 C と x軸で囲まれた2つの部分の面積の和を S とする。S を α と β
の式で表せ。

(2)　β の値を固定して，$0 < \alpha < \beta$ の範囲で α を動かすとき，S を最小とする
α を β の式で表せ。

2　(配点50点)

この問題の解答は，解答紙 23 の定められた場所に記入しなさい。

問題

理系数学2(p.126)に同じ。

3 （配点50点）

この問題の解答は，解答紙 24 の定められた場所に記入しなさい。

問題

袋の中に，赤玉が 15 個，青玉が 10 個，白玉が 5 個入っている。袋の中から玉を 1 個取り出し，取り出した玉の色に応じて，以下の操作で座標平面に置いたコインを動かすことを考える。

(操作)　コインが点 (x, y) にあるものとする。赤玉を取り出したときにはコインを点 $(x + 1, y)$ に移動，青玉を取り出したときには点 $(x, y + 1)$ に移動，白玉を取り出したときには点 $(x - 1, y - 1)$ に移動し，取り出した球は袋に戻す。

最初に原点 $(0, 0)$ にコインを置き，この操作を繰り返して行う。指定した回数だけ操作を繰り返した後，コインが置かれている点を到達点と呼ぶことにする。このとき，以下の問いに答えよ。

(1)　操作を n 回繰り返したとき，白玉を 1 度だけ取り出したとする。このとき，到達点となり得る点をすべて求めよ。

(2)　操作を n 回繰り返したとき，到達点となり得る点の個数を求めよ。

(3)　座標平面上の 4 点 $(1, 1)$，$(-1, 1)$，$(-1, -1)$，$(1, -1)$ を頂点とする正方形 D を考える。操作を n 回繰り返したとき，到達点が D の内部または辺上にある確率を P_n とする。P_3 を求めよ。

(4)　自然数 N に対して P_{3N} を求めよ。

4 （配点50点）

この問題の解答は，解答紙 25 の定められた場所に記入しなさい。

問題

理系数学 4 (p.128) に同じ。

2024
2023
2022
2021
2020
2019
2018
2017
2016
2015
2015
2014
2013
2012
2011
2010

2015
年度

数　　学

理系学部　　150分

（注）　この教科は，250点満点です。なお，経済学部経済工学科については，300点満点
に換算します。

1　（配点50点）

この問題の解答は，解答紙 **26** の定められた場所に記入しなさい。

問題

C_1，C_2 をそれぞれ次式で与えられる放物線の一部分とする。

$C_1 : y = -x^2 + 2x,\ 0 \leq x \leq 2$

$C_2 : y = -x^2 - 2x,\ -2 \leq x \leq 0$

また，a を実数とし，直線 $y = a(x + 4)$ を ℓ とする。

(1)　直線 ℓ と C_1 が異なる2つの共有点をもつための a の値の範囲を求めよ。

以下，a が(1)の条件を満たすとする。このとき，ℓ と C_1 で囲まれた領域の面
積を S_1，x 軸と C_2 で囲まれた領域で ℓ の下側にある部分の面積を S_2 とする。

(2)　S_1 を a を用いて表せ。

(3)　$S_1 = S_2$ を満たす実数 a が $0 < a < \dfrac{1}{5}$ の範囲に存在することを示せ。

2 （配点50点）

この問題の解答は，解答紙 27 の定められた場所に記入しなさい。

問題

以下の問いに答えよ。

(1) 関数 $y = \dfrac{1}{x(\log x)^2}$ は $x > 1$ において単調に減少することを示せ。

(2) 不定積分 $\displaystyle \int \dfrac{1}{x(\log x)^2}\,dx$ を求めよ。

(3) n を 3 以上の整数とするとき，不等式

$$\sum_{k=3}^{n} \frac{1}{k(\log k)^2} < \frac{1}{\log 2}$$

が成り立つことを示せ。

$\boxed{3}$　（配点50点）

この問題の解答は，解答紙 $\boxed{28}$ の定められた場所に記入しなさい。

問題

　座標空間内に，原点 O(0, 0, 0) を中心とする半径 1 の球がある。下の概略図のように，y 軸の負の方向から仰角 $\dfrac{\pi}{6}$ で太陽光線が当たっている。この太陽光線はベクトル $(0,\ \sqrt{3},\ -1)$ に平行である。球は光を通さないものとするとき，以下の問いに答えよ。

(1)　球の $z \geqq 0$ の部分が xy 平面上につくる影を考える。k を $-1 < k < 1$ を満たす実数とするとき，xy 平面上の直線 $x = k$ において，球の外で光が当たらない部分の y 座標の範囲を k を用いて表せ。

(2)　xy 平面上において，球の外で光が当たらない部分の面積を求めよ。

(3)　$z \geqq 0$ において，球の外で光が当たらない部分の体積を求めよ。

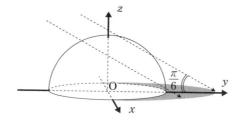

4 （配点50点）

この問題の解答は，解答紙 29 の定められた場所に記入しなさい。

問題

袋の中に最初に赤玉 2 個と青玉 1 個が入っている。次の操作を繰り返し行う。

（操作） 袋から 1 個の玉を取り出し，それが赤玉ならば代わりに青玉 1 個を袋に入れ，青玉ならば代わりに赤玉 1 個を袋に入れる。
袋に入っている 3 個の玉がすべて青玉になるとき，硬貨を 1 枚もらう。

(1) 2 回目の操作で硬貨をもらう確率を求めよ。

(2) 奇数回目の操作で硬貨をもらうことはないことを示せ。

(3) 8 回目の操作ではじめて硬貨をもらう確率を求めよ。

(4) 8 回の操作でもらう硬貨の総数がちょうど 1 枚である確率を求めよ。

5 （配点50点）

この問題の解答は，解答紙 30 の定められた場所に記入しなさい。

問題

以下の問いに答えよ。

(1) n が正の偶数のとき，$2^n - 1$ は 3 の倍数であることを示せ。

(2) n を自然数とする。$2^n + 1$ と $2^n - 1$ は互いに素であることを示せ。

(3) p, q を異なる素数とする。$2^{p-1} - 1 = pq^2$ を満たす p, q の組をすべて求めよ。

文系学部　120分

（注）　この教科は，200点満点です。なお，文学部及び医学部保健学科（看護学専攻）については，100点満点に換算します。

1 （配点 50 点）
　　この問題の解答は，解答紙 22 の定められた場所に記入しなさい。

問題

　座標平面上の 2 つの放物線
$$C_1 : y = x^2$$
$$C_2 : y = -x^2 + ax + b$$
を考える。ただし，a, b は実数とする。

(1) C_1 と C_2 が異なる 2 点で交わるための a, b に関する条件を求めよ。

　以下，a, b が(1)の条件を満たすとし，C_1 と C_2 で囲まれる部分の面積が 9 であるとする。

(2) b を a を用いて表せ。

(3) a がすべての実数値をとって変化するとき，放物線 C_2 の頂点が描く軌跡を座標平面上に図示せよ。

2 （配点50点）

この問題の解答は，解答紙 23 の定められた場所に記入しなさい。

問題

1辺の長さが1である正四面体 OABC を考える。辺 OA の中点を P，辺 OB を 2：1 に内分する点を Q，辺 OC を 1：3 に内分する点を R とする。以下の問いに答えよ。

(1) 線分 PQ の長さと線分 PR の長さを求めよ。

(2) $\overrightarrow{PQ}$ と $\overrightarrow{PR}$ の内積 $\overrightarrow{PQ} \cdot \overrightarrow{PR}$ を求めよ。

(3) 三角形 PQR の面積を求めよ。

3 （配点50点）

この問題の解答は，解答紙 24 の定められた場所に記入しなさい。

問題

袋の中に最初に赤玉2個と青玉1個が入っている。次の操作を考える。
  （操作）　袋から1個の玉を取り出し，それが赤玉ならば代わりに青玉1個を袋に入れ，青玉ならば代わりに赤玉1個を袋に入れる。
　　　　　袋に入っている3個の玉がすべて青玉になるとき，硬貨を1枚もらう。
　この操作を4回繰り返す。もらう硬貨の総数が1枚である確率と，もらう硬貨の総数が2枚である確率をそれぞれ求めよ。

4　（配点50点）

この問題の解答は，解答紙 25 の定められた場所に記入しなさい。

問題

以下の問いに答えよ。

(1) n が正の偶数のとき，$2^n - 1$ は 3 の倍数であることを示せ。

(2) p を素数とし，k を 0 以上の整数とする。$2^{p-1} - 1 = p^k$ を満たす p, k の組をすべて求めよ。

（注）　この教科は，250点満点です。なお，経済学部経済工学科については，300点満点に換算します。

1 （配点50点）

この問題の解答は，解答紙 15 の定められた場所に記入しなさい。

問題

関数 $f(x) = x - \sin x \left(0 \leqq x \leqq \dfrac{\pi}{2}\right)$ を考える。曲線 $y = f(x)$ の接線で傾きが $\dfrac{1}{2}$ となるものを ℓ とする。

(1)　ℓ の方程式と接点の座標 (a, b) を求めよ。

(2)　a は(1)で求めたものとする。曲線 $y = f(x)$，直線 $x = a$，および x 軸で囲まれた領域を，x 軸のまわりに 1 回転してできる回転体の体積 V を求めよ。

2 　（配点50点）

この問題の解答は，解答紙 16 の定められた場所に記入しなさい。

問題

以下の問いに答えよ。

(1) 任意の自然数 a に対し，a^2 を 3 でわった余りは 0 か 1 であることを証明せよ。

(2) 自然数 a, b, c が $a^2 + b^2 = 3c^2$ を満たすと仮定すると，a, b, c はすべて 3 でわり切れなければならないことを証明せよ。

(3) $a^2 + b^2 = 3c^2$ を満たす自然数 a, b, c は存在しないことを証明せよ。

3 　（配点50点）

この問題の解答は，解答紙 17 の定められた場所に記入しなさい。

問題

座標平面上の楕円

$$\frac{(x + 2)^2}{16} + \frac{(y - 1)^2}{4} = 1 \qquad \cdots\cdots\cdots\cdots\cdots\cdots\cdots ①$$

を考える。以下の問いに答えよ。

(1) 楕円①と直線 $y = x + a$ が交点をもつときの a の値の範囲を求めよ。

(2) $|x| + |y| = 1$ を満たす点 (x, y) 全体がなす図形の概形をかけ。

(3) 点 (x, y) が楕円①上を動くとき，$|x| + |y|$ の最大値，最小値とそれを与える (x, y) をそれぞれ求めよ。

4 （配点50点）

この問題の解答は，解答紙 18 の定められた場所に記入しなさい。

問題

　Aさんは5円硬貨を3枚，Bさんは5円硬貨を1枚と10円硬貨を1枚持っている。2人は自分が持っている硬貨すべてを一度に投げる。それぞれが投げた硬貨のうち表が出た硬貨の合計金額が多い方を勝ちとする。勝者は相手の裏が出た硬貨をすべてもらう。なお，表が出た硬貨の合計金額が同じときは引き分けとし，硬貨のやりとりは行わない。このゲームについて，以下の問いに答えよ。

(1)　AさんがBさんに勝つ確率 p，および引き分けとなる確率 q をそれぞれ求めよ。

(2)　ゲーム終了後にAさんが持っている硬貨の合計金額の期待値 E を求めよ。

5 （配点50点）

この問題の解答は，解答紙 19 の定められた場所に記入しなさい。

問題

　2以上の自然数 n に対して，関数 $f_n(x)$ を
$$f_n(x) = (x-1)(2x-1)\cdots(nx-1)$$
と定義する。$k = 1, 2, \cdots, n-1$ に対して，$f_n(x)$ が区間 $\dfrac{1}{k+1} < x < \dfrac{1}{k}$ でただ1つの極値をとることを証明せよ。

文系学部　　*120分*

(注)　この教科は，200点満点です。なお，文学部及び医学部保健学科(看護学専攻)に
　　　ついては，100点満点に換算します。

1 　(配点50点)

この問題の解答は，解答紙 11 の定められた場所に記入しなさい。

問題

　　座標平面上の直線 $y = -1$ を ℓ_1，直線 $y = 1$ を ℓ_2 とし，x 軸上の 2 点 O(0, 0)，A(a, 0) を考える。点 P(x, y) について，次の条件を考える。

$$d(P, \ell_1) \geqq PO \quad \text{かつ} \quad d(P, \ell_2) \geqq PA \qquad \cdots\cdots\cdots\cdots\cdots\cdots ①$$

ただし，$d(P, \ell)$ は点 P と直線 ℓ の距離である。

(1)　条件①を満たす点 P が存在するような a の値の範囲を求めよ。

(2)　条件①を満たす点 P 全体がなす図形の面積 S を a を用いて表せ。ただし，a の値は(1)で求めた範囲にあるとする。

2 　(配点50点)

この問題の解答は，解答紙 12 の定められた場所に記入しなさい。

問題

理系数学 2 (p.139)に同じ。

3 （配点50点）

この問題の解答は，解答紙 13 の定められた場所に記入しなさい。

問題

　鋭角三角形△ABC について，∠A，∠B，∠C の大きさを，それぞれ A，B，C とする。△ABC の重心を G，外心を O とし，外接円の半径を R とする。

(1)　A と O から辺 BC に下ろした垂線を，それぞれ AD，OE とする。このとき，
$$AD = 2R\sin B\sin C, \quad OE = R\cos A$$
を証明せよ。

(2)　G と O が一致するならば△ABC は正三角形であることを証明せよ。

(3)　△ABC が正三角形でないとし，さらに OG が BC と平行であるとする。このとき，
$$AD = 3OE, \quad \tan B\tan C = 3$$
を証明せよ。

4 （配点50点）

この問題の解答は，解答紙 14 の定められた場所に記入しなさい。

問題

理系数学 4 （p.140）に同じ。

2024
2023
2022
2021
2020
2019
2018
2017
2016
2015
2014
2013
2012
2011
2010

2013 年度 数　学

理系学部　　150分

(注)　この教科は，250点満点です。なお，経済学部経済工学科については，300点満点
に換算します。

1　（配点50点）

この問題の解答は，解答紙 15 の定められた場所に記入しなさい。

問題

$a > 1$ とし，2つの曲線

$$y = \sqrt{x} \qquad (x \geqq 0)$$

$$y = \frac{a^3}{x} \qquad (x > 0)$$

を順に C_1，C_2 とする。また，C_1 と C_2 の交点 P における C_1 の接線を ℓ_1 と
する。以下の問いに答えよ。

(1)　曲線 C_1 と y 軸および直線 ℓ_1 で囲まれた部分の面積を a を用いて表せ。

(2)　点 P における C_2 の接線と直線 ℓ_1 のなす角を $\theta(a)$ とする$\left(0 < \theta(a) < \dfrac{\pi}{2} \right)$。
このとき，$\displaystyle \lim_{a \to \infty} a \sin\theta(a)$ を求めよ。

2 （配点50点）

この問題の解答は，解答紙 16 の定められた場所に記入しなさい。

問題

一辺の長さが1の正方形 OABC を底面とし，点 P を頂点とする四角錐 POABC がある。ただし，点 P は内積に関する条件 $\overrightarrow{OA} \cdot \overrightarrow{OP} = \dfrac{1}{4}$，および $\overrightarrow{OC} \cdot \overrightarrow{OP} = \dfrac{1}{2}$ を満たす。辺 AP を 2 : 1 に内分する点を M とし，辺 CP の中点を N とする。さらに，点 P と直線 BC 上の点 Q を通る直線 PQ は，平面 OMN に垂直であるとする。このとき，長さの比 BQ : QC，および線分 OP の長さを求めよ。

3 （配点50点）

この問題の解答は，解答紙 17 の定められた場所に記入しなさい。

問題

横一列に並んだ 6 枚の硬貨に対して，以下の操作 L と操作 R を考える。

    L：さいころを投げて，出た目と同じ枚数だけ左端から順に硬貨の
      表と裏を反転する。
    R：さいころを投げて，出た目と同じ枚数だけ右端から順に硬貨の
      表と裏を反転する。

たとえば，表表裏表裏表　と並んだ状態で操作 L を行うときに，3 の目が出た場合は，裏裏表表裏表　となる。

以下，「最初の状態」とは硬貨が 6 枚とも表であることとする。

(1) 最初の状態から操作 L を 2 回続けて行うとき，表が 1 枚となる確率を求めよ。

(2) 最初の状態から L，R の順に操作を行うとき，表の枚数の期待値を求めよ。

(3) 最初の状態から L，R，L の順に操作を行うとき，すべての硬貨が表となる確率を求めよ。

4 （配点50点）

この問題の解答は，解答紙 **18** の定められた場所に記入しなさい。

問題

原点 O を中心とし，点 A(0, 1) を通る円を S とする。点 B $\left(\dfrac{1}{2}, \dfrac{\sqrt{3}}{2} \right)$ で円 S に内接する円 T が，点 C で y 軸に接しているとき，以下の問いに答えよ。

(1) 円 T の中心 D の座標と半径を求めよ。

(2) 点 D を通り x 軸に平行な直線を ℓ とする。円 S の短い方の弧 $\overset{\frown}{AB}$，円 T の短い方の弧 $\overset{\frown}{BC}$，および線分 AC で囲まれた図形を ℓ のまわりに 1 回転してできる立体の体積を求めよ。

5 （配点50点）

旧課程内容のため割愛します。

```
┌─────────────────────────────────────────┐
│                                         │
│        文系学部      120分               │
│                                         │
└─────────────────────────────────────────┘
```

(注) この教科は，200点満点です。なお，文学部及び医学部保健学科(看護学専攻)に
     ついては，100点満点に換算します。

1 （配点50点）

この問題の解答は，解答紙 11 の定められた場所に記入しなさい。

問題

　一辺の長さが1の正方形 OABC を底面とし，OP = AP = BP = CP を満た
す点 P を頂点とする四角錐 POABC がある。辺 AP を $1:3$ に内分する点を D，
辺 CP の中点を E，辺 BC を $t:(1-t)$ に内分する点を Q とする。このとき，以
下の問いに答えよ。

(1) ベクトル $\overrightarrow{OD}$ と $\overrightarrow{OE}$ を，$\overrightarrow{OA}$，$\overrightarrow{OC}$，$\overrightarrow{OP}$ を用いて表せ。

(2) ベクトル $\overrightarrow{PQ}$ を，$\overrightarrow{OA}$，$\overrightarrow{OC}$，$\overrightarrow{OP}$ と t を用いて表せ。

(3) 内積 $\overrightarrow{OA} \cdot \overrightarrow{OP}$ の値を求めよ。

(4) 直線 PQ が平面 ODE に垂直であるとき，t の値および線分 OP の長さを
    求めよ。

2　（配点50点）

この問題の解答は，解答紙 12 の定められた場所に記入しなさい。

問題

座標平面上で，次の連立不等式の表す領域を D とする。
$$x + 2y \leqq 5, \quad 3x + y \leqq 8, \quad -2x - y \leqq 4, \quad -x - 4y \leqq 7$$

点 $P(x, y)$ が領域 D 内を動くとき，$x + y$ の値が最大となる点を Q とし，最小となる点を R とする。以下の問いに答えよ。

(1) 点 Q および点 R の座標を求めよ。

(2) $a > 0$ かつ $b > 0$ とする。点 $P(x, y)$ が領域 D 内を動くとき，$ax + by$ が点 Q でのみ最大値をとり，点 R でのみ最小値をとるとする。このとき，$\dfrac{a}{b}$ の値の範囲を求めよ。

3　（配点50点）

この問題の解答は，解答紙 13 の定められた場所に記入しなさい。

問題

理系学部3（p.144）に同じ。

4 （配点50点）

この問題の解答は，解答紙 14 の定められた場所に記入しなさい。

問題

座標平面上の円 $(x - 1)^2 + (y - 1)^2 = 2$ を C とする。以下の問いに答えよ。

(1) 直線 $y = x - 2$ は円 C に接することを示せ。また，接点の座標も求めよ。

(2) 円 C と放物線 $y = \dfrac{1}{4}x^2 - 1$ の共有点の座標をすべて求めよ。

(3) 不等式 $y \geqq \dfrac{1}{4}x^2 - 1$ の表す領域を D とする。また不等式 $|x| + |y| \leqq 2$ の
表す領域を A とし，不等式 $(|x| - 1)^2 + (y - 1)^2 \leqq 2$ の表す領域を B とする。
そして，和集合 $A \cup B$，すなわち領域 A と領域 B を合わせた領域を E とす
る。このとき，領域 D と領域 E の共通部分 $D \cap E$ を図示し，さらに，その
面積を求めよ。

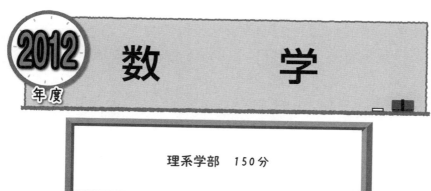

理系学部　150分

（注）　この教科は，250点満点です。なお，経済学部経済工学科については，300点満点に換算します。

1 （配点50点）

この問題の解答は，解答紙 15 の定められた場所に記入しなさい。

問題

円 $x^2 + (y-1)^2 = 4$ で囲まれた図形を x 軸のまわりに1回転してできる立体の体積を求めよ。

2 （配点50点）

旧課程内容のため割愛します。

$\boxed{3}$ （配点50点）

この問題の解答は，解答紙 $\boxed{17}$ の定められた場所に記入しなさい。

問題

実数 a と自然数 n に対して，x の方程式

$$a(x^2 + |x + 1| + n - 1) = \sqrt{n}\,(x + 1)$$

を考える。以下の問いに答えよ。

(1) この方程式が実数解をもつような a の値の範囲を，n を用いて表せ。

(2) この方程式が，すべての自然数 n に対して実数解をもつような a の範囲を求めよ。

$\boxed{4}$ （配点50点）

この問題の解答は，解答紙 $\boxed{18}$ の定められた場所に記入しなさい。

問題

p と q はともに整数であるとする。2次方程式 $x^2 + px + q = 0$ が実数解 α, β をもち，条件 $(|\alpha| - 1)(|\beta| - 1) \neq 0$ を満たしているとする。このとき，数列 $\{a_n\}$ を

$$a_n = (\alpha^n - 1)(\beta^n - 1) \qquad (n = 1, 2, \cdots)$$

によって定義する。以下の問いに答えよ。

(1) a_1, a_2, a_3 は整数であることを示せ。

(2) $(|\alpha| - 1)(|\beta| - 1) > 0$ のとき，極限値 $\displaystyle \lim_{n \to \infty} \left| \frac{a_{n+1}}{a_n} \right|$ は整数であることを示せ。

(3) $\displaystyle \lim_{n \to \infty} \left| \frac{a_{n+1}}{a_n} \right| = \frac{1 + \sqrt{5}}{2}$ となるとき，p と q の値をすべて求めよ。ただし，$\sqrt{5}$ が無理数であることは証明なしに用いてよい。

5 　（配点50点）

この問題の解答は，解答紙 19 の定められた場所に記入しなさい。

問題

　いくつかの玉が入った箱 A と箱 B があるとき，次の試行 T を考える。
　　（試行 T）　箱 A から 2 個の玉を取り出して箱 B に入れ，その後，
　　　　　　　箱 B から 2 個の玉を取り出して箱 A に入れる。
最初に箱 A に黒玉が 3 個，箱 B に白玉が 2 個入っているとき，以下の問いに答
えよ。

(1)　試行 T を 1 回行ったとき，箱 A に黒玉が n 個が入っている確率 p_n($n = 1$, $2, 3$) を求めて既約分数で表せ。

(2)　試行 T を 2 回行ったときに，箱 A に黒玉が n 個入っている確率 q_n($n = 1$, $2, 3$) を求めて既約分数で表せ。

(3)　試行 T を 3 回行ったときに，箱 A の中がすべて黒玉になっている確率を
求めて既約分数で表せ。

> ## 文系学部　　120分

(注)　この教科は，200点満点です。なお，文学部及び医学部保健学科(看護学専攻)に
　　ついては，100点満点に換算します。

1 （配点50点）

この問題の解答は，解答紙 11 の定められた場所に記入しなさい。

問題

　原点を O とする座標空間に，3 点 A(1, 0, 0), B(0, 0, 2), C(−2, 1, 3) がある。
このとき，以下の問いに答えよ。

(1)　△ABC において，∠B は $\dfrac{\pi}{2}$ より大きいことを示せ。

(2)　点 A から直線 BC に下ろした垂線と直線 BC との交点を H とする。
　　点 H の座標を求めよ。

(3)　△OAH の面積を求めよ。

2 （配点50点）

この問題の解答は，解答紙 12 の定められた場所に記入しなさい。

問題

　関数 $f(x) = x^3 + 3x^2 + x - 1$ を考える。曲線 $C : y = f(x)$ について，以下の
問いに答えよ。

(1)　$t \geqq 0$ のとき，曲線 C は傾きが t である接線を 2 本もつことを示せ。

(2)　(1)において，傾きが t である 2 本の接線と曲線 C との接点を，それぞれ
　　$P(p, f(p))$, $Q(q, f(q))$ とする（ただし $p < q$）。このとき，点 P と点 Q は点
　　$A(-1, 0)$ に関して対称の位置にあることを示せ。

(3)　$t \geqq 0$ のとき，2 点 P，Q 間の距離の最小値を求めよ。また，最小値を与
　　えるときの P，Q の x 座標 p，q もそれぞれ求めよ。

3　（配点50点）

この問題の解答は，解答紙 13 の定められた場所に記入しなさい。

問題

100人の団体がある区間を列車で移動する。このとき，乗車券7枚が入った480円のセット A と，乗車券が3枚入った220円のセット B を購入して，利用することにした。以下の問いに答えよ。

(1)　x が0以上の整数であるとき，次のことを示せ。

$\dfrac{1}{3}(100 - 7x)$ は，x を3で割ったときの余りが1の場合に整数であり，

それ以外の場合は整数ではない。

(2)　購入した乗車券は，余らせずすべて利用するものとする。このとき，セット A とセット B の購入の仕方をすべてあげよ。

(3)　購入した乗車券は余ってもよいものとする。このとき，A のみ，あるいは B のみを購入する場合も含めて，購入金額が最も低くなるのは，A，B をそれぞれ何セットずつ購入するときか。またそのときの購入金額はいくらか。

4　（配点50点）

この問題の解答は，解答紙 14 の定められた場所に記入しなさい。

理系学部 5 (p.151) に同じ。

理系学部　150分

（注）　この教科は，250点満点です。なお，経済学部経済工学科については，350点満点
に換算します。

1　（配点50点）

この問題の解答は，解答紙 13 の定められた場所に記入しなさい。

問題

　曲線 $y = \sqrt{x}$ 上の点 $P(t, \sqrt{t})$ から直線 $y = x$ へ垂線を引き，交点を H とする。ただし，$t > 1$ とする。このとき，以下の問いに答えよ。

(1)　H の座標を t を用いて表せ。

(2)　$x \geqq 1$ の範囲において，曲線 $y = \sqrt{x}$ と直線 $y = x$ および線分 PH とで囲まれた図形の面積を S_1 とするとき，S_1 を t を用いて表せ。

(3)　曲線 $y = \sqrt{x}$ と直線 $y = x$ で囲まれた図形の面積を S_2 とする。$S_1 = S_2$ であるとき，t の値を求めよ。

2024
2023
2022
2021
2020
2019
2018
2017
2016
2015
2014
2013
2012
2011
2010

2 （配点50点）

この問題の解答は，解答紙 14 の定められた場所に記入しなさい。

問題

a を正の定数とする。以下の問いに答えよ。

(1) 関数 $f(x) = (x^2 + 2x + 2 - a^2)e^{-x}$ の極大値および極小値を求めよ。

(2) $x \geq 3$ のとき，不等式 $x^3 e^{-x} \leq 27 e^{-3}$ が成り立つことを示せ。さらに，極限値

$$\lim_{x \to \infty} x^2 e^{-x}$$

を求めよ。

(3) k を定数とする。$y = x^2 + 2x + 2$ のグラフと $y = ke^x + a^2$ のグラフが異なる 3 点で交わるための必要十分条件を，a と k を用いて表せ。

3 （配点50点）

この問題の解答は，解答紙 15 の定められた場所に記入しなさい。

問題

数列 $a_1, a_2, \cdots, a_n, \cdots$ は

$$a_{n+1} = \frac{2a_n}{1 - a_n^2}, \qquad n = 1, 2, 3, \cdots$$

を満たしているとする。このとき，以下の問いに答えよ。

(1) $a_1 = \dfrac{1}{\sqrt{3}}$ とするとき，一般項 a_n を求めよ。

(2) $\tan \dfrac{\pi}{12}$ の値を求めよ。

(3) $a_1 = \tan \dfrac{\pi}{20}$ とするとき，

$$a_{n+k} = a_n, \qquad n = 3, 4, 5, \cdots$$

を満たす最小の自然数 k を求めよ。

4 （配点50点）

この問題の解答は，解答紙 **16** の定められた場所に記入しなさい。

問題

空間内の 4 点
$$O(0, 0, 0),\ A(0, 2, 3),\ B(1, 0, 3),\ C(1, 2, 0)$$
を考える。このとき，以下の問いに答えよ。

(1) 4 点 O，A，B，C を通る球面の中心 D の座標を求めよ。

(2) 3 点 A，B，C を通る平面に点 D から垂線を引き，交点を F とする。線分 DF の長さを求めよ。

(3) 四面体 ABCD の体積を求めよ。

5 （配点50点）

この問題の解答は，解答紙 **17** の定められた場所に記入しなさい。

問題

1 から 4 までの数字が 1 つずつ書かれた 4 枚のカードがある。その 4 枚のカードを横一列に並べ，以下の操作を考える。

操作： 1 から 4 までの数字が 1 つずつ書かれた 4 個の球が入っている袋から同時に 2 個の球を取り出す。球に書かれた数字が i と j ならば，i のカードと j のカードを入れかえる。その後，2 個の球は袋に戻す。

初めにカードを左から順に 1，2，3，4 と並べ，上の操作を n 回繰り返した後のカードについて，以下の問いに答えよ。

(1) $n = 2$ のとき，カードが左から順に 1，2，3，4 と並ぶ確率を求めよ。

(2) $n = 2$ のとき，カードが左から順に 4，3，2，1 と並ぶ確率を求めよ。

(3) $n = 2$ のとき，左端のカードの数字が 1 になる確率を求めよ。

(4) $n = 3$ のとき，左端のカードの数字の期待値を求めよ。

```
┌─────────────────────────────────┐
│         文系学部    120分         │
└─────────────────────────────────┘
```

(注)　この教科は，200点満点です。なお，文学部及び医学部保健学科(看護学専攻)に
　　　ついては，100点満点に換算します。

1　(配点50点)

この問題の解答は，解答紙　**9**　の定められた場所に記入しなさい。

問題

　放物線 $y = x^2$ 上の点 $P(t, t^2)$ から直線 $y = x$ へ垂線を引き，交点を H とする。ただし，$t > 1$ とする。このとき，以下の問いに答えよ。

(1)　H の座標を t を用いて表せ。

(2)　P を通り y 軸に平行な直線と直線 $y = x$ との交点を R とするとき，三角形 PRH の面積を t を用いて表せ。

(3)　$x \geq 1$ の範囲において，放物線 $y = x^2$ と直線 $y = x$ および線分 PH とで囲まれた図形の面積を S_1 とするとき，S_1 を t を用いて表せ。

(4)　放物線 $y = x^2$ と直線 $y = x$ で囲まれた図形の面積を S_2 とする。$S_1 = S_2$ であるとき，t の値を求めよ。

2 （配点50点）

この問題の解答は，解答紙 10 の定められた場所に記入しなさい。

問題

数列 $a_1,\ a_2,\ \cdots,\ a_n,\ \cdots$ は

$$a_{n+1} = \frac{2a_n}{1 - a_n{}^2}, \qquad n = 1,\ 2,\ 3,\ \cdots$$

を満たしているとする。このとき，以下の問いに答えよ。

(1) $a_1 = \dfrac{1}{\sqrt{3}}$ とするとき，a_{10} および a_{11} を求めよ。

(2) $\tan \dfrac{\pi}{12}$ の値を求めよ。

(3) $a_1 = \tan \dfrac{\pi}{7}$ とする。$a_k = a_1$ をみたす2以上の自然数 k で最小のものを求めよ。

3 （配点50点）

この問題の解答は，解答紙 11 の定められた場所に記入しなさい。

問題

平面上に直角三角形 ABC があり，その斜辺 BC の長さを2とする。また，点 O は $4\overrightarrow{OA} - \overrightarrow{OB} - \overrightarrow{OC} = \vec{0}$ を満たしているとする。このとき，以下の問いに答えよ。

(1) 辺 BC の中点を M とするとき，点 A は線分 OM の中点となることを示せ。

(2) $|\overrightarrow{OB}|^2 + |\overrightarrow{OC}|^2 = 10$ となることを示せ。

(3) $4|\overrightarrow{PA}|^2 - |\overrightarrow{PB}|^2 - |\overrightarrow{PC}|^2 = -4$ を満たす点を P とするとき，$|\overrightarrow{OP}|$ の値を求めよ。

$\boxed{4}$　（配点50点）

この問題の解答は，解答紙 $\boxed{12}$ の定められた場所に記入しなさい。

問題

　1から4までの数字が1つずつ書かれた4枚のカードがある。その4枚のカードを横一列に並べ，以下の操作を考える。

　　操作：1から4までの数字が1つずつ書かれた4個の球が入っている袋から同時に2個の球を取り出す。球に書かれた数字が i と j ならば，i のカードと j のカードを入れかえる。その後，2個の球は袋に戻す。

初めにカードを左から順に1，2，3，4と並べ，上の操作を2回繰り返した後のカードについて，以下の問いに答えよ。

(1)　カードが左から順に1，2，3，4と並ぶ確率を求めよ。

(2)　カードが左から順に4，3，2，1と並ぶ確率を求めよ。

(3)　左端のカードの数字が1になる確率を求めよ。

(4)　左端のカードの数字の期待値を求めよ。

理系学部　150分

(注)　この教科は，250点満点です。なお，経済学部経済工学科については，350点満点に換算します。

1 （配点50点）

この問題の解答は，解答紙 13 の定められた場所に記入しなさい。

問題

　三角形 ABC の 3 辺の長さを $a = $ BC，$b = $ CA，$c = $ AB とする。実数 $t \geqq 0$ を与えたとき，A を始点とし B を通る半直線上に AP $= tc$ となるように点 P をとる。次の問いに答えよ。

(1)　CP² を a，b，c，t を用いて表せ。

(2)　点 P が CP $= a$ を満たすとき，t を求めよ。

(3)　(2)の条件を満たす点 P が辺 AB 上にちょうど 2 つあるとき，∠A と∠B に関する条件を求めよ。

2024
2023
2022
2021
2020
2019
2018
2017
2016
2015
2014
2013
2012
2011
2010

$\boxed{2}$　（配点50点）

この問題の解答は，解答紙 $\boxed{14}$ の定められた場所に記入しなさい。

問題

　次のような競技を考える。競技者がサイコロを振る。もし，出た目が気に入ればその目を得点とする。そうでなければ，もう1回サイコロを振って，2つの目の合計を得点とすることができる。ただし，合計が7以上になった場合は得点は0点とする。この取り決めによって，2回目を振ると得点が下がることもあることに注意しよう。次の問いに答えよ。

(1) 競技者が常にサイコロを2回振るとすると，得点の期待値はいくらか。

(2) 競技者が最初の目が6のときだけ2回目を振らないとすると，得点の期待値はいくらか。

(3) 得点の期待値を最大にするためには，競技者は最初の目がどの範囲にあるときに2回目を振るとよいか。

$\boxed{3}$　（配点50点）

この問題の解答は，解答紙 $\boxed{15}$ の定められた場所に記入しなさい。

問題

　xy 平面上に曲線 $y = \dfrac{1}{x^2}$ を描き，この曲線の第1象限内の部分を C_1，第2象限内の部分を C_2 と呼ぶ。C_1 上の点 $P_1\left(a,\ \dfrac{1}{a^2}\right)$ から C_2 に向けて接線を引き，C_2 との接点を Q_1 とする。次に点 Q_1 から C_1 に向けて接線を引き，C_1 との接点を P_2 とする。次に点 P_2 から C_2 に向けて接線を引き，接点を Q_2 とする。以下同様に続けて，C_1 上の点列 P_n と C_2 上の点列 Q_n を定める。このとき，次の問いに答えよ。

(1) 点 Q_1 の座標を求めよ。

(2) 三角形 $P_1Q_1P_2$ の面積 S_1 を求めよ。

(3) 三角形 $P_nQ_nP_{n+1}$ $(n = 1,\ 2,\ 3,\ \cdots)$ の面積 S_n を求めよ。

(4) 級数 $\displaystyle\sum_{n=1}^{\infty} S_n$ の和を求めよ。

4 （配点50点）

この問題の解答は，解答紙 16 の定められた場所に記入しなさい。

問題

中心 $(0, a)$，半径 a の円を xy 平面上の x 軸の上を x の正の方向に滑らないように転がす。このとき円上の定点 P が原点 $(0, 0)$ を出発するとする。次の問いに答えよ。

(1) 円が角 t だけ回転したとき，点 P の座標を求めよ。

(2) t が 0 から 2π まで動いて円が一回転したときの点 P の描く曲線を C とする。曲線 C と x 軸とで囲まれる部分の面積を求めよ。

(3) (2)の曲線 C の長さを求めよ。

5 （配点50点）

旧課程内容のため割愛します。

文系学部　120分

（注）　この教科は，200点満点です。なお，文学部及び医学部保健学科(看護学専攻)については，100点満点に換算します。

1　（配点50点）

この問題の解答は，解答紙 **9** の定められた場所に記入しなさい。

理系学部**1**（p.160）に同じ。

2　（配点50点）

この問題の解答は，解答紙 **10** の定められた場所に記入しなさい。

理系学部**2**（p.161）に同じ。

3　（配点50点）

この問題の解答は，解答紙 **11** の定められた場所に記入しなさい。

問題

xy 平面上に原点 O を中心とする半径 1 の円を描き，その上半分を C とし，その両端を A$(-1, 0)$，B$(1, 0)$ とする。C 上の 2 点 N，M を NM = MB となるように取る。ただし，N ≠ B とする。このとき，次の問いに答えよ。

(1)　∠MAB $= \theta$ と置くとき，弦の長さ MB 及び点 M の座標を θ を用いて表せ。

(2)　点 N から x 軸に下ろした垂線を NP としたとき，PB を θ を用いて表せ。

(3)　$t = \sin\theta$ とおく。条件 MB = PB を t を用いて表せ。

(4)　MB = PB となるような点 M がただ一つあることを示せ。

4 （配点50点）

この問題の解答は，解答紙 12 の定められた場所に記入しなさい。

問題

以下の問いに答えよ。答えだけでなく，必ず証明も記せ。

(1) 和 $1 + 2 + \cdots + n$ を n の多項式で表せ。

(2) 和 $1^2 + 2^2 + \cdots + n^2$ を n の多項式で表せ。

(3) 和 $1^3 + 2^3 + \cdots + n^3$ を n の多項式で表せ。

解答・解説編

2024年度～2010年度

理系学部

1 **問題を見てやるべきこと**

(1) 条件が「$a \neq -1$, $a \neq 1$」と否定の形になっているので，与えられた命題の対偶を示しましょう。

すなわち，「3点 P，Q，R が一直線上にあるならば，$a = 1$ または，$a = -1$ である。」ことを示します。

3点 P，Q，R が一直線上に存在するとき，$\overrightarrow{PR} = k\overrightarrow{PQ}$ をみたす実数 k が存在します。

(2) $\overrightarrow{PQ}$ と $\overrightarrow{PR}$ を用いて △PQR の面積を表します。

$\triangle PQR = \dfrac{1}{2}\sqrt{|\overrightarrow{PQ}|^2|\overrightarrow{PR}|^2 - (\overrightarrow{PQ} \cdot \overrightarrow{PR})^2}$ の公式を用いて最大値を求めます。

$|\overrightarrow{PQ}| = 2\sqrt{2}$（一定）に着目して，頂点 R から辺 BC に下ろした垂線 RH の最大値を求めても，△PQR の最大値が求まります。この解法は，**別 解** で紹介します。

$$\triangle ABC = \dfrac{1}{2}\sqrt{|\overrightarrow{AB}|^2|\overrightarrow{AC}|^2 - (\overrightarrow{AB} \cdot \overrightarrow{AC})^2}$$

の公式の証明は，九大で 2000 年に出題されています。

資料編の「**数学重要公式・定義のまとめ⑫**」に紹介しています。確認しておきましょう。

解　答

(1)　与えられた命題の対偶をとり,

　　「3点 P, Q, R が一直線上にあるならば, $a = 1$ または $a = -1$」
を示す。

　　3点 P, Q, R が一直線上に存在するとき, $\overrightarrow{PR} = k\overrightarrow{PQ}$ をみたす実数 k が存
在する。

$$\begin{cases} \overrightarrow{PR} = (a + 1,\ a^2 - 1,\ a^3 + 1) \\ \overrightarrow{PQ} = (2,\ 0,\ 2) \end{cases}$$

$$\begin{cases} a + 1 = 2k & \cdots\cdots① \\ a^2 - 1 = 0 & \cdots\cdots② \\ a^3 + 1 = 2k & \cdots\cdots③ \end{cases}$$

を用いて, ②より $a = \pm 1$ となり, ①, ③より $a = 1$ のとき $k = 1$, $a = -1$ の
とき $k = 0$ より, 対偶が示された。

　　したがって,

　　　$a \neq 1$, $a \neq -1$ のとき, 3点 P, Q, R は一直線上にない。

(2)　$\begin{cases} \overrightarrow{PQ} = 2(1,\ 0,\ 1) \\ \overrightarrow{PR} = (a + 1)(1,\ a - 1,\ a^2 - a + 1) \end{cases}$

　　$|\overrightarrow{PQ}|^2 = 2^2 \cdot 2 = 8$

　　$|\overrightarrow{PR}|^2 = (a + 1)^2 \{1^2 + (a - 1)^2 + (a^2 - a + 1)^2\}$

　　$\overrightarrow{PQ} \cdot \overrightarrow{PR} = 2(a + 1)(1 + a^2 - a + 1)$

となるから,

$$S = \frac{1}{2}\sqrt{|\overrightarrow{PQ}|^2 |\overrightarrow{PR}|^2 - (\overrightarrow{PQ} \cdot \overrightarrow{PR})^2}$$

$$= \frac{1}{2}\sqrt{8(a + 1)^2 (a^4 - 2a^3 + 4a^2 - 4a + 3) - \{2(a + 1)(a^2 - a + 2)\}^2}$$

$$= \sqrt{(a + 1)^2 \{2(a^4 - 2a^3 + 4a^2 - 4a + 3) - (a^4 - 2a^3 + 5a^2 - 4a + 4)\}}$$

$$= \sqrt{(a + 1)^2 (a^4 - 2a^3 + 3a^2 - 4a + 2)}$$

$$= \sqrt{(a + 1)^2 (a - 1)^2 (a^2 + 2)}$$

$$= \sqrt{(a^2 - 1)^2 (a^2 + 2)}$$

　　$a^2 = t$ とおくと, $-1 < a < 1$ より, $0 \leqq t < 1$

$f(t) = (t-1)^2(t+2)$ とおく。

$$f'(t) = 2(t-1)(t+2) + (t-1)^2 = (t-1)(2t+4+t-1)$$
$$= 3(t-1)(t+1)$$

$f(t)$ の増減表を右に示す。

$f(t)$ は $t = 0$ で，最大値 2 をとる。

したがって，△PQR の最大値は $a = 0$ のとき，

$\sqrt{f(0)} = \sqrt{2}$ **答**

t	0	…	(1)
$f'(t)$		−	
$f(t)$	2	↘	(0)

 研 究

(2) **別 解**

(−1, 1, −1) P

R (a, a^2, a^3)

H

Q $(1, 1, 1)$

左図において，$PQ = 2\sqrt{2}$（一定）により，$|\overrightarrow{RH}|$ が最大のときに△PQR は最大となる。

$\overrightarrow{PH} = t\overrightarrow{PQ}$ として，

$$\overrightarrow{OH} = \overrightarrow{OP} + t\overrightarrow{PQ}$$
$$= (-1,\ 1,\ -1) + t(2,\ 0,\ 2)$$
$$= (2t-1,\ 1,\ 2t-1)$$

$\therefore \quad \overrightarrow{RH} = \overrightarrow{OH} - \overrightarrow{OR} = (2t-1-a,\ 1-a^2,\ 2t-1-a^3)$

$\overrightarrow{PQ} \perp \overrightarrow{RH}$ より，

$$\overrightarrow{PQ} \cdot \overrightarrow{RH} = 2(2t-1-a) + 2(2t-1-a^3)$$
$$= 8t - 2a^3 - 2a - 4 = 0$$

$\therefore \quad t = \dfrac{1}{4}(a^3 + a + 2)$

$\overrightarrow{RH} = \left(\dfrac{1}{2}a^3 - \dfrac{1}{2}a,\ 1-a^2,\ -\dfrac{1}{2}a^3 + \dfrac{1}{2}a \right)$

$|\overrightarrow{RH}|^2 = \dfrac{1}{4}(a^3-a)^2 + (1-a^2)^2 + \dfrac{1}{4}(-a^3+a)^2 = \dfrac{1}{2}a^6 - \dfrac{3}{2}a^2 + 1$

$a^2 = t$ とおくと，$-1 < a < 1$ より，$0 \leq t < 1$

$f(t) = \dfrac{1}{2}t^3 - \dfrac{3}{2}t + 1$ とおく。

$$f'(t) = \dfrac{3}{2}t^2 - \dfrac{3}{2} = \dfrac{3}{2}(t-1)(t+1)$$

$f(t)$ の増減表より, $\left|\overrightarrow{\text{RH}}\right|$ の最大値は1となる。

$\triangle$PQR の最大値は, $\dfrac{1}{2}\cdot 2\sqrt{2}\cdot 1 = \underline{\underline{\sqrt{2}}}$ **答**

t	0	$\cdots$	(1)
$f'(t)$		$-$	
$f(t)$	1	$\searrow$	(0)

$\boxed{2}$

問題を見てやるべきこと

(1)　$z^6 + z^4 + z^2 + 1 = 0$ の両辺に $z^2 - 1$ をかけて,

$$(z^2 - 1)(z^6 + z^4 + z^2 + 1) = z^8 - 1 = 0$$

とします。ただし, $z^2 - 1 = 0$ の解, $z = \pm 1$ は $z^6 + z^4 + z^2 + 1 = 0$ を満たしません。よって, $z^8 - 1 = 0$ の解から, $z = \pm 1$ を除いたものが, $f(z) = 0$ の解となります。

解答 では,

$$\begin{aligned}
z^6 + z^4 + z^2 + 1 &= z^4(z^2 + 1) + (z^2 + 1) \\
&= (z^2 + 1)(z^4 + 1) \\
&= (z^2 + 1)(z^2 + i)(z^2 - i) = 0 \quad \cdots\cdots ①
\end{aligned}$$

と変形し, $z^2 = -1,\ \pm i$ $\cdots\cdots$②を導いています。

(2)　①より, $f(wz) = (w^2z^2 + 1)(w^2z^2 + i)(w^2z^2 - i) = 0$ において, ②の $z^2 = -1,\ \pm i$ を各々代入します。

$z^2 = -1,\ i,\ -i$ の各々の場合において, w^2 を求めます。

解答

(1)　$\begin{aligned}[t] f(z) = z^6 + z^4 + z^2 + 1 &= z^4(z^2 + 1) + (z^2 + 1) \\ &= (z^2 + 1)(z^4 + 1) \\ &= (z^2 + 1)(z^2 + i)(z^2 - i) \quad \cdots\cdots ① \end{aligned}$

　$f(z) = 0$ のとき, $z^2 = -1,\ \pm i$ $\cdots\cdots$②

　$|z^2| = |z|^2 = 1$ より, $|z| = 1$

(2)　①より, $f(wz) = (w^2z^2 + 1)(w^2z^2 + i)(w^2z^2 - i)$ $\cdots\cdots$③

　③において, ②より,

- $z^2 = -1$ のとき

$$f(wz) = (-w^2 + 1)(-w^2 + i)(-w^2 - i) = 0$$

$$\therefore \quad w^2 = 1, \ \pm i \quad \cdots\cdots ④$$

- $z^2 = i$ のとき

$$f(wz) = (iw^2 + 1)(iw^2 + i)(iw^2 - i) = 0$$

$$\therefore \quad w^2 = i, \ \pm 1 \quad \cdots\cdots ⑤$$

- $z^2 = -i$ のとき

$$f(wz) = (-iw^2 + 1)(-iw^2 + i)(-iw^2 - i) = 0$$

$$\therefore \quad w^2 = -i, \ \pm 1 \quad \cdots\cdots ⑥$$

	$+1$	-1	$+i$	$-i$
④	○		○	○
⑤	○	○	○	
⑥	○	○		○

④かつ⑤かつ⑥のとき，$w^2 = 1$

$$\therefore \quad w = \pm 1 \quad \text{答}$$

研　究

（z を極形式で表示する別解を示します。）

(1)　$f(z) = (z^2 + 1)(z^4 + 1)$

$$= (z^2 + 1)(z^2 - \sqrt{2}\,z + 1)(z^2 + \sqrt{2}\,z + 1) = 0$$

これを解くと，

$$z = \pm i, \ \frac{\sqrt{2} \pm \sqrt{2}\,i}{2}, \ \frac{-\sqrt{2} \pm \sqrt{2}\,i}{2}$$

これらを極形式で表すと，

$$z = \cos\frac{k}{4}\pi + i\sin\frac{k}{4}\pi \ (k = 1, 2, 3, 5, 6, 7) \quad \cdots\cdots①$$

いずれも $|z| = 1$

(2)　(1)より，$|z| = 1$　さらに，$f(wz) = 0$ より，$|wz| = 1$

よって，$|w| = 1$

ゆえに，$w = \cos\alpha + i\sin\alpha \ (0 \leqq \alpha < 2\pi)$ とおける。

①の各々の z を k の値に対応して，z_1, z_2, z_3, z_5, z_6, z_7 とおく。

$\alpha = \dfrac{l}{4}\pi \ (l = 0, 1, 2, 3, 4, 5, 6, 7)$ とする。

z_1, z_2, z_3 を O の周りに α だけ回転したとき，z_1, z_2, z_3, z_5, z_6, z_7 の
いずれかと重なるか調べる。

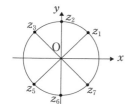

l	0	1	2	3	4	5	6	7
z_1	◯	◯	◯	×	◯	◯	◯	×
z_2	◯	◯	×	◯	◯	◯	×	◯
z_3	◯	×	◯	◯	◯	×	◯	◯

表より，z_1, z_2, z_3 のすべてが条件をみたすのは，$l = 0$，4
つまり，$\alpha = 0$，π のときのみ。

$$\begin{cases} \alpha = 0 \text{ のとき } w = 1 \qquad f(wz) = f(z) = 0 \text{ が成立。} \\ \alpha = \pi \text{ のとき } w = -1 \quad f(wz) = f(-z) = 0 \text{ が成立。} \end{cases}$$

よって，$w = \pm 1$　**答**

[3]

問題を見てやるべきこと

(1)　$a < b$ において，a，b は自然数なので，$a \leqq b - 1$ とします。

これを用いると，$\dfrac{b!}{a!} \geqq \dfrac{b!}{(b-1)!} = b$ と示されます。

(2)　$2 \cdot a! = b!$ より，$\dfrac{b!}{a!} = 2$

これと(1)の $\dfrac{b!}{a!} \geqq b$ $(\underline{a < b})$ より，$2 \geqq b$ を導きます。

$b = 1$，2 となりますが，$a < b$ より，$(a, b) = (1, 2)$ のみです。
他に，$a = b$ のときと，$a > b$ のときも考察します。

・$\underline{a = b}$ のときは，$2a! = b!$ と矛盾します。

・$\underline{a > b}$ のときは，(1)の a と b を入れ替えて，$\dfrac{a!}{b!} \geqq a$ を用います。

(2)の条件より，$\dfrac{a!}{b!} = \dfrac{1}{2}$

$\dfrac{1}{2} \geqq a$ となり，a が自然数という条件に反します。

(3) (2)と同様に，[1] $a < b$，[2] $a > b$，[3] $a = b$ と場合分けをします。

[1] $a < b$ のとき

$$2a! < a! + b! < 2b!$$

与えられた条件式 $a! + b! = 2c!$ ……① より，

$$2a! < 2c! < 2b!$$

$a < c < b$ となり，(1)と同様に $c \leqq b - 1$ を用います。

①の両辺を $c!$ で割ると，

$$2 = \dfrac{a!}{c!} + \dfrac{b!}{c!} \geqq \dfrac{a!}{c!} + \dfrac{b!}{(b-1)!} = \dfrac{a!}{c!} + b > b$$

$2 > b$ より，$b = 1$ となり，$a < b$ をみたす a が存在しません。

[2] $a > b$ のとき

[1] と同様にして，$a = 1$ となります。

[3] $a = b$ のとき

①より $a = c$ となり，$a = b = c$ となります。

解　答

(1) 自然数 a，b が $a < b$ をみたすとき，$a \leqq b - 1$ となる。

よって，$\dfrac{b!}{a!} \geqq \dfrac{b!}{(b-1)!} = b$

$\dfrac{b!}{a!} \geqq b$ が示された。

(2) $\dfrac{b!}{a!} = 2$ ……① において，

[1] $a < b$ のとき

(1)より，$\dfrac{b!}{a!} \geqq b$

①より，$2 \geqq b$　このとき，$b = 1$，2

$a < b$ より，$(a, b) = (1, 2)$

[2] $a = b$ のとき

$\dfrac{b!}{a!} = 1$ より，①に矛盾。

[3] $a > b$ のとき

(1)より，$\dfrac{a!}{b!} \geqq a$　①より，$\dfrac{1}{2} \geqq a$

a は自然数により，不適。

以上より，$(a, b) = \underwave{(1, 2)}$

(3)　$a! + b! = 2c!$　……②において，

[1] $a < b$ のとき

$\qquad 2a! < a! + b! < 2b!$

②より，$2a! < 2c! < 2b!$

$\qquad \therefore \quad a < c < b$

このとき，$c \leqq b - 1$　……③

②の両辺を $c!$ で割ると，

$$2 = \dfrac{a!}{c!} + \dfrac{b!}{c!} \geqq \dfrac{a!}{c!} + \dfrac{b!}{(b-1)!} = \dfrac{a!}{c!} + b > b \quad (\because \quad ③)$$

このとき，$b = 1$ となり，a が自然数とならず，不適。

[2] $a > b$ のとき

[1] と同様に，$a = 1$ となり，b が自然数とならず，不適。

[3] $a = b$ のとき

②より，$a! = c!$　よって，$a = c$

したがって，$a = b = c$ となる。

以上より，$(a, b, c) = \underwave{(m, m, m)}$（$m$ は自然数）

 研　究

別　解

(1)　$\dfrac{b!}{a!} - b = \dfrac{b! - a! \cdot b}{a!} = \dfrac{b\{(b-1)! - a!\}}{a!} \geqq 0$　$(\because \quad b - 1 \geqq a)$

(2)　$2 \cdot a! = b!$　……①とする。

$a! < 2 \cdot a! = b!$ より，$a! < b!$　よって，$a < b$　……②

$a < b$ のとき，(1)より，$\dfrac{b!}{a!} \geqq b$　……③

①より，$\dfrac{b!}{a!} = 2$ ……④

③④より，$b \leqq 2$　これと $a < b$（∵　②）より，

$(a,\ b) = \underline{(1,\ 2)}$ のみ。

(3)　$a \leqq b$ としても一般性を失わない。

$$a! + b! = 2c! \quad \text{……⑤とする。}$$

$$2c! = a! + b! \leqq b! + b! = 2b!$$

$$\therefore \quad 2c! \leqq 2b!$$

$$\therefore \quad c \leqq b \quad \text{……⑥}$$

⑤の両辺を $c!$ で割ると，

$$2 = \frac{a!}{c!} + \frac{b!}{c!} > \frac{b!}{c!}$$

ここで $c \neq b$ と仮定すると，⑥より $c < b$ となり，

$$2 > \frac{b!}{c!} \geqq b$$

つまり，$b = 1$ となる。

このとき，$c < b = 1$ となり，c が自然数とならず矛盾。

よって，$c = b$

このとき，⑤より $a! = b!$　よって，$a = b$

したがって，$a = b = c$ を得る。

以上より，$(a,\ b,\ c) = \underline{(m,\ m,\ m)}$（$m$ は自然数）

4

 ## 問題を見てやるべきこと

(1)　（対称性に注目しましょう。）

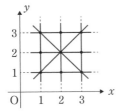

x 軸に平行な直線が 3 個。
y 軸に平行な直線が 3 個。
傾き 1 の直線が 1 個。
傾き -1 の直線が 1 個。
以上，$3 \times 2 + 1 \times 2 = 8$ 個となります。

(2)

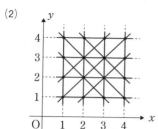

x 軸に平行な直線が 4 個。
y 軸に平行な直線が 4 個。
傾き 1 の直線が 3 個。
傾き -1 の直線が 3 個。
以上，$4 \times 2 + 3 \times 2 = 14$ 個となります。

(3)

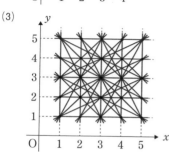

(1)，(2)と同様に，
x 軸，y 軸に平行な直線と，
傾き ± 1 の直線に加え，

傾き ± 2，$\pm \dfrac{1}{2}$ の直線も 3 点を通るもの

があります。

解　答

(1)　3 点を通る直線は，各軸に平行なものが，

$\qquad 3 \times 2 = 6$ 個　……①

$\qquad (x = 1, 2, 3, \ y = 1, 2, 3)$

　傾きが 1 より大きくて，少なくとも 2 点を通るものは，
傾き 2 の直線のみ。

　しかし，傾き 2 の直線で，3 点を通るものは存在しない。

　対称性を考えて，傾きが正かつ 1 未満のとき，

$\qquad\qquad\qquad$ 傾きが負のときも同様。

　傾きが 1 のとき，$y = x$ が条件をみたす。　……②

　傾きが -1 のとき，$y = -x + 4$ が条件をみたす。　……③

　①〜③より，$6 + 2 = \underline{8}$ 個 【答】

(2)　3 点以上を通る直線は，各軸に平行なものが，

$\qquad 4 \times 2 = 8$ 個　……④

$\qquad (x = 1, 2, 3, 4, \ y = 1, 2, 3, 4)$

傾きが1より大きくて，少なくとも2点を通るものは，傾き $= \dfrac{3}{2}$，2，3のいずれか。

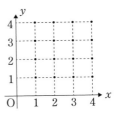

しかし，それらを傾きにもつ直線が3点を通ることはない。

対称性を考えて，傾きが正で1未満のとき，
傾きが負のときも同様。

傾きが1のとき，$y=x$，$y=x+1$，$y=x-1$ の3個　……⑤

傾きが -1 のとき，$y=-x+4$，$y=-x+5$，$y=-x+6$ の3個　……⑥

④～⑥より，$8+3\times2=\underline{14}$ 個 **答**

(3) 3点以上を通る直線は，各軸に平行なものが，

$5\times2=10$ 個　……⑦

$(x=1,\ 2,\ 3,\ 4,\ 5)$

$(y=1,\ 2,\ 3,\ 4,\ 5)$

傾きが1より大きくて，少なくとも2点を通るものは，傾き $= \dfrac{4}{3}$，$\dfrac{3}{2}$，2，3，4のいずれか。

これらの中で3点以上を通るものは，

傾き2の直線のみで，$y=2x-1$，$y=2x-3$，$y=2x-5$　の3個

対称性を考えて，傾きが $\dfrac{1}{2}$ のとき，

傾きが負となる -2，$-\dfrac{1}{2}$ のときも同様。

$3\times4=12$ 個　……⑧

傾きが1のとき，

$y=x$，$y=x+1$，$y=x+2$，$y=x-1$，$y=x-2$ の5個

傾きが -1 のとき，

$y=-x+4$，$y=-x+5$，$y=-x+6$，$y=-x+7$，

$y=-x+8$　の5個。

$5\times2=10$ 個　……⑨

⑦～⑨より，$10+12+10=\underline{32}$ 個 **答**

研　究

　場合が多くはないので，一般化するより，具体的に数え上げた方が簡単です。その際，対称性に注意して数えもれを防ぎましょう。

　本問と同様に，具体的に数えあげる問題が 1992 年，1995 年，1998 年にも九大で出題されています。

　1995 年と 1998 年の問題を紹介します。

問　a，b を自然数とする。右の図のような南北 a m，東西 b m の長方形の部屋 ABCD に 2 辺が 2 m，3 m の長方形の板をすきまなく，また，板が重なりあうことのないように敷き詰めたい。次の各場合に，板の敷き詰め方の総数を求めよ。

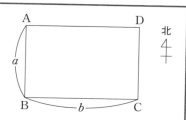

(1)　$a = 6$，$b = 7$ のとき。

(2)　$a = 6$，$b = 18$ のとき。

(3)　$a = 8$，$b = 9$ のとき。

〈1995 年度　九大〉

解

(1)　$\begin{cases} b = 7 = 3 + 2 \times 2 & \cdots\cdots ① \\ a = 6 = 2 \times 3 = 3 \times 2 & \cdots\cdots ② \end{cases}$

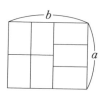

　②より南北方向の配置は，2 m の辺のみまたは，3 m の辺のみ。

　東西の配置が決まれば，南北の配置も決まる。

　したがって，東西方向の配置を考えて，

$$\frac{3!}{2!} = \underline{3 \text{ 通り}} \quad \boxed{答}$$

(2)　$\begin{cases} b = 18 = 3 \times 6 = 3 \times 4 + 2 \times 3 = 3 \times 2 + 2 \times 6 = 2 \times 9 & \cdots\cdots ① \\ a = 6 = 2 \times 3 = 3 \times 2 & \cdots\cdots ② \end{cases}$

　(1)と同様，②より南北方向の配置は，東西方向の配置に対し，一意的なので，東西方向の配置を考えて，

2024
2023
2022
2021
2020
2019
2018
2017
2016
2015
2014
2013
2012
2011
2010

$$\frac{6!}{6!} + \frac{7!}{4!3!} + \frac{8!}{2!6!} + \frac{9!}{9!} = 1 + 35 + 28 + 1 = \underline{65 \text{ 通り}} \quad \boxed{\text{答}}$$

(3) $\begin{cases} b = 9 = 3 \times 3 = 3 \times 1 + 2 \times 3 \\ a = 8 = 3 \times 2 + 2 \times 1 = 2 \times 4 \end{cases}$

(i) $b = 3 \times 3$ と $a = 2 \times 4$ を組み合わせて，

右図の 1 通り。

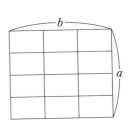

(ii) $b = 3 \times 1 + 2 \times 3$ と，

$\begin{cases} a = 2 \times 4 \\ a = 3 \times 2 + 2 \times 1 \end{cases}$

を組み合わせて，8 通り。

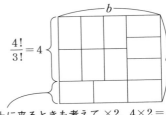

$\dfrac{4!}{3!} = 4$

上に来るときも考えて ×2, 4×2＝8

右図より，2 通り。

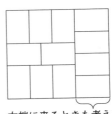

左端に来るときも考えて
×2

以上より，$1 + 8 + 2 = \underline{11 \text{ 通り}}$ $\boxed{\text{答}}$

問 右図のように円周を 12 等分する点 A，
B，C，D，E，F，G，H，I，J，K，L が与
えられている。

これらの中から相異なる 3 点を選んで線分
で結ぶと三角形がえられる。たとえば，A，
D，I を選べば，図のような三角形がえられ
る。このとき，次の問いに答えよ。

(1) 正三角形を与えるような 3 点の選び方の
総数を求めよ。

(2) 2 等辺三角形を与えるような 3 点の選び方の総数を求めよ。

(3) 直角三角形を与えるような 3 点の選び方の総数を求めよ。

(4) 3 点を選んでえられる三角形のうち，互いに合同でないものは全部でい
くつあるか。

〈1998 年度　九大〉

解

(1) {A, E, I}，{B, F, J}，{C, G, K}，{D, H, L} の 4 通り **答**

(2) A を頂点に選ぶと，5 通りの二等辺三角形が作れる。

よって，$5 \times 12 = 60$ 通り

(1)より正三角形は，4 コを $4 \times 3 = 12$ コと数えている。

$$60 - (12 - 4) = 52 \text{ 通り} \quad \text{答}$$

(3) 直径の選び方　6 通り

頂点の選び方　10 通り

よって，$6 \times 10 = 60$ 通り **答**

(4) 和が 12 となる組み合わせは，

(1, 1, 10)，(1, 2, 9)，(1, 3, 8)，

(1, 4, 7)，(1, 5, 6)，(2, 2, 8)，

(2, 3, 7)，(2, 4, 6)，(2, 5, 5)，

(3, 3, 6)，(3, 4, 5)，(4, 4, 4)

の 12 通り。**答**

5

問題を見てやるべきこと

(1)　$I(m+1, n+1) = \displaystyle\int_1^e e^x \cdot x^{m+1}(\log x)^{n+1}dx$ において，

$$e^x\{x^{m+1}(\log x)^{n+1}\} = (e^x)' \cdot \{x^{m+1}(\log x)^{n+1}\}$$

と変形することで，

$$I(m+1, n+1)$$

$$= \Big[e^x\{x^{m+1}(\log x)^{n+1}\}\Big]_1^e - \int_1^e e^x\{x^{m+1}(\log x)^{n+1}\}'dx$$

$$= e^{e+m+1} - (m+1)I(m, n+1) - (n+1)I(m, n)$$

を導けます。

(2)　$1 \leqq x \leqq e$ で，$x^m e^x(\log x)^n \geqq 0$ となります。

よって，

$$\int_1^e x^m e^x(\log x)^n dx \geqq 0 \qquad \therefore \quad I(m, n) \geqq 0$$

同様にして，

$$I(m, n+1) \geqq 0, \quad I(m+1, n+1) \geqq 0$$

となります。

これらを用いて，(1)より，

$$e^{e+m+1} - (m+1)I(m, n+1) - (n+1)I(m, n)$$

$$= I(m+1, n+1) \geqq 0$$

つまり，

$$e^{e+m+1} \geqq (m+1)I(m, n+1) + (n+1)I(m, n)$$

$$\geqq (n+1)I(m, n)$$

これを用いて，

$$0 \leqq I(m, n) \leqq \frac{e^{e+m+1}}{n+1}$$

が得られて，$\displaystyle\lim_{n \to \infty} I(m, n) = 0$ を示せます。

 解　答

(1)　$I(m, n) = \int_1^e x^m \cdot e^x (\log x)^n dx$

$I(m + 1, n + 1) = \int_1^e e^x \cdot x^{m+1} (\log x)^{n+1} dx$

$= \int_1^e (e^x)' \cdot \{x^{m+1} (\log x)^{n+1}\} dx$

$= \left[e^x \{x^{m+1} (\log x)^{n+1}\} \right]_1^e - \int_1^e e^x \{x^{m+1} (\log x)^{n+1}\}' dx$

$= e^e \cdot e^{m+1} - (m + 1) \int_1^e e^x \cdot x^m (\log x)^{n+1} dx$

$\qquad - (n + 1) \int_1^e e^x \cdot x^{m+1} (\log x)^n \cdot \dfrac{1}{x} dx$

$= e^{e+m+1} - (m + 1) \int_1^e e^x x^m (\log x)^{n+1} dx - (n + 1) \int_1^e e^x \cdot x^m (\log x)^n dx$

$= e^{e+m+1} - (m + 1) I(m, n + 1) - (n + 1) I(m, n)$

(2)　$1 \leqq x \leqq e$ で，$x^m e^x (\log x)^n \geqq 0$ より，

$I(m, n) \geqq 0,\ I(m, n + 1) \geqq 0,\ I(m + 1, n + 1) \geqq 0$

(1)より，

$e^{e+m+1} - \{(m + 1) I(m, n + 1) + (n + 1) I(m, n)\}$

$= I(m + 1, n + 1) \geqq 0$

$\therefore\quad e^{e+m+1} \geqq (m + 1) I(m, n + 1) + (n + 1) I(m, n)$

$\qquad\qquad \geqq (n + 1) I(m, n)$

$0 \leqq I(m, n) \leqq \dfrac{e^{e+m+1}}{n + 1}$

$\displaystyle\lim_{n \to \infty} \dfrac{e^{e+m+1}}{n + 1} = 0$ より，はさみうちの原理から，$\displaystyle\lim_{n \to \infty} I(m, n) = 0$

🔔 研　究

1987 年にも，部分積分法を用いた漸化式の出題があります。本問の類題ですので，紹介します。

2024
2023
2022
2021
2020
2019
2018
2017
2016
2015
2014
2013
2012
2011
2010

> **問** n を自然数とする。
>
> (1) $I_n = \displaystyle\int_0^\pi \sin^n\theta\, d\theta$ とおく。$n \geq 3$ のとき，I_n を I_{n-2} で表せ。
>
> (2) $J_n = \displaystyle\int_0^1 x^n(1-x^2)^{\frac{n-1}{2}}dx$ $(n \geq 2)$ とおくとき，J_n を I_n で表せ。
>
> (3) J_6 を求めよ。 〈1987 年度　九大〉

解

(1) $I_n = \displaystyle\int_0^\pi \sin^n\theta\, d\theta = \int_0^\pi (-\cos\theta)'\sin^{n-1}\theta\, d\theta$

$\qquad = \Big[-\cos\theta\cdot\sin^{n-1}\theta\Big]_0^\pi - \displaystyle\int_0^\pi (-\cos\theta)(n-1)\sin^{n-2}\theta\cdot\cos\theta\, d\theta$

$\qquad = (n-1)\displaystyle\int_0^\pi \sin^{n-2}\theta(1-\sin^2\theta)d\theta = (n-1)(I_{n-2} - I_n)$

$\qquad \therefore\quad I_n = \dfrac{n-1}{n}I_{n-2}$ **答**

(2) $J_n = \displaystyle\int_0^1 x^n(1-x^2)^{\frac{n-1}{2}}dx$ で，$x = \sin\dfrac{\theta}{2}$ とおくと，

$\qquad dx = \dfrac{1}{2}\cos\dfrac{\theta}{2}d\theta$

x	0	$\longrightarrow$	1
θ	0	$\longrightarrow$	π

$\qquad \therefore\quad J_n = \displaystyle\int_0^\pi \sin^n\dfrac{\theta}{2}\Big(1-\sin^2\dfrac{\theta}{2}\Big)^{\frac{n-1}{2}}\cdot\dfrac{1}{2}\cos\dfrac{\theta}{2}d\theta$

$\qquad\qquad = \displaystyle\int_0^\pi \dfrac{1}{2}\sin^n\dfrac{\theta}{2}\cdot\cos^n\dfrac{\theta}{2}d\theta = \dfrac{1}{2^{n+1}}\displaystyle\int_0^\pi \sin^n\theta\, d\theta$

$\qquad \therefore\quad J_n = \dfrac{1}{2^{n+1}}I_n$ **答**

(3) (1)(2)を用いて，$J_6 = \dfrac{1}{2^7}I_6 = \dfrac{1}{2^7}\cdot\dfrac{5}{6}I_4 = \dfrac{1}{2^7}\cdot\dfrac{5}{6}\cdot\dfrac{3}{4}I_2$

$\qquad I_2 = \displaystyle\int_0^\pi \sin^2\theta\, d\theta = \int_0^\pi \dfrac{1-\cos 2\theta}{2}d\theta = \Big[\dfrac{\theta}{2} - \dfrac{\sin 2\theta}{4}\Big]_0^\pi = \dfrac{\pi}{2}$

$\qquad \therefore\quad J_6 = \dfrac{1}{2^7}\cdot\dfrac{5}{8}\cdot\dfrac{\pi}{2} = \dfrac{5}{2^{11}}\pi$ **答**

```
文系学部
```

1 問題を見てやるべきこと

　2つの合同な放物線とその共通接線で囲まれる面積を求める，極めて平易な問題です。

(1)　2放物線の共通接線を求める際の方針は「2つの放物線についてそれぞれの接線の方程式を求め，係数を比較する」，「一方の接線の方程式を求め，他方と連立する」，「共通接線を $y = mx + n$ とおいてそれぞれと連立する」の3つあります。本問では計算が楽な2番目の方針をとるのがベストでしょう。他の方針でも手間はそれほど変わりません。

(2)　接点と2放物線の交点を求めた上で，面積を定積分で求めます。普通に計算すればよいのですが，数学Ⅲ範囲の積分公式

$$\int (x+p)^n dx = \frac{1}{n+1}(x+p)^{n+1} + C \quad (C は積分定数)$$

を用いると早いです。必ず完答したい問題です。

 解　答

(1)　$y = 2x^2$, $y' = 4x$ より，C_1 上の点 $(t, 2t^2)$ における接線の方程式は，

$$y = 4t(x-t) + 2t^2 \qquad \therefore \quad y = 4tx - 2t^2 \quad \cdots\cdots①$$

　C_2 と①を連立すると，

$$2x^2 - 8x + 16 = 4tx - 2t^2 \qquad \therefore \quad 2x^2 - (4t+8)x + 2t^2 + 16 = 0$$

$$\therefore \quad x^2 - 2(t+2)x + t^2 + 8 = 0 \quad \cdots\cdots②$$

　C_2 と①が接するので，②の判別式を D とすると，$D = 0$ である。

$$\frac{D}{4} = (t+2)^2 - (t^2+8) = 0 \qquad \therefore \quad 4t - 4 = 0 \qquad \therefore \quad t = 1$$

　これを①に代入すると，　$\ell : y = 4x - 2$ **答**

(2)　C_2 と ℓ の接点の x 座標は②の解より，

$$x^2 - 6x + 9 = 0 \qquad \therefore \quad (x-3)^2 = 0 \qquad \therefore \quad x = 3$$

C_1, C_2 の交点の x 座標を求める。これらを連立すると，

$$2x^2 = 2x^2 - 8x + 16 \qquad \therefore \quad 8x = 16 \qquad \therefore \quad x = 2$$

よって，求める図形は図の斜線部分である。

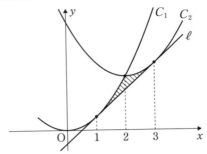

この面積を S とおくと，

$$S = \int_1^2 \{2x^2 - (4x - 2)\} dx + \int_2^3 \{(2x^2 - 8x + 16) - (4x - 2)\} dx$$

$$= \int_1^2 (2x^2 - 4x + 2) dx + \int_2^3 (2x^2 - 12x + 18) dx$$

$$= \left[\frac{2}{3} x^3 - 2x^2 + 2x \right]_1^2 + \left[\frac{2}{3} x^3 - 6x^2 + 18x \right]_2^3$$

$$= \left(\frac{16}{3} - 8 + 4 \right) - \left(\frac{2}{3} - 2 + 2 \right) + (18 - 54 + 54) - \left(\frac{16}{3} - 24 + 36 \right)$$

$$= \frac{4}{3} \quad \boxed{答}$$

研　究

(2)　数学Ⅲ範囲の不定積分の公式を用いると，

$$S = \int_1^2 \{2x^2 - (4x - 2)\} dx + \int_2^3 \{(2x^2 - 8x + 16) - (4x - 2)\} dx$$

$$= 2 \int_1^2 (x - 1)^2 dx + 2 \int_2^3 (x - 3)^2 dx = 2 \left[\frac{1}{3} (x - 1)^3 \right]_1^2 + 2 \left[\frac{1}{3} (x - 3)^3 \right]_2^3$$

$$= \frac{2}{3} \{(2 - 1)^3 - (1 - 1)^3\} + \frac{2}{3} \{(3 - 3)^3 - (2 - 3)^3\} = \frac{4}{3}$$

のように非常に簡単に計算できます。資料編の「**数学重要公式・定義のまとめ ⑨**」の公式を確認しておきましょう。

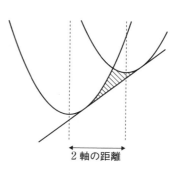

2 軸の距離

・証明なしでは使えませんが，2 つの合同な放物線と共通接線で囲まれる部分の面積は，放物線の 2 次の係数を a とすると，

$$S = \frac{|a|}{12} \cdot (2\,\text{放物線の軸の距離})^3$$

で計算できます。本問ならば，

$$C_1 : y = 2x^2, \quad C_2 : y = 2(x-2)^2 + 8$$

より，軸はそれぞれ $x = 0$，$x = 2$ であり，

$$S = \frac{|2|}{12} \cdot |2 - 0|^3 = \frac{4}{3}$$

のように計算できます。検算に用いるとよいでしょう。

$\boxed{2}$

 ## 問題を見てやるべきこと

　平面ベクトルに関する平易な問題です。いろいろな方針が考えられます。

(1)　点 B の座標を (x, y) のようにおき，内積計算をするだけです。なお，平面ベクトルにおける法線ベクトルの求め方を知っていればほぼ計算なしで求められます。

(2)　(1)から $\overrightarrow{OC} = s\overrightarrow{OA} + t\overrightarrow{OB} = (2s + t,\ s + 3t)$ と表せるので，$\triangle$OAC，$\triangle$OBC の面積を面積公式 $\frac{1}{2}|x_1 y_2 - x_2 y_1|$ を用いて求めることで s，t の関係式を導出し，その後 $|\overrightarrow{OC}| = 4$ に代入します。ベクトルにおける三角形の面積公式 $\frac{1}{2}\sqrt{|\overrightarrow{OA}|^2 |\overrightarrow{OB}|^2 - (\overrightarrow{OA} \cdot \overrightarrow{OB})^2}$ を用いてもよいですが，計算が面倒になるだけで出てくる s，t の関係式は全く同じです。なお，図形的な性質を用いれば $s = t$ であることが簡単に示せるので，やはりほぼ計算なしで求められます。

　なるべく発想を要さず，計算量の少ないものを選択したいところです。解答では発想が平易なものを掲載しています。計算量の少ないものは **研　究** で紹介します。

解　答

(1) $\overrightarrow{OB} = (x, y)$ とおく。$|\overrightarrow{OB}| = \sqrt{10}$ より，

$$\sqrt{x^2 + y^2} = \sqrt{10} \qquad \therefore \quad x^2 + y^2 = 10 \quad \cdots\cdots ①$$

$\overrightarrow{OA} \perp \overrightarrow{AB}$ より $\overrightarrow{OA} \cdot \overrightarrow{AB} = 0$ であるから，

$$\overrightarrow{OA} \cdot (\overrightarrow{OB} - \overrightarrow{OA}) = 0 \qquad \therefore \quad \overrightarrow{OA} \cdot \overrightarrow{OB} = |\overrightarrow{OA}|^2$$

$$\therefore \quad 2x + y = 5 \qquad \therefore \quad y = -2x + 5 \quad \cdots\cdots ②$$

①に②を代入すると，

$$x^2 + (-2x + 5)^2 = 10 \qquad \therefore \quad 5x^2 - 20x + 15 = 0$$

$$\therefore \quad x^2 - 4x + 3 = 0 \qquad \therefore \quad (x - 1)(x - 3) = 0 \qquad \therefore \quad x = 1, \ 3$$

②に代入すると，

$$(x, \ y) = (1, \ 3), \ (3, \ -1)$$

点 B は第 1 象限の点より，$x, \ y > 0$ であるから，$\underline{B(1, \ 3)}$ 答

(2) (1)の結果より，

$$\overrightarrow{OC} = s\overrightarrow{OA} + t\overrightarrow{OB} = s(2, \ 1) + t(1, \ 3) = (2s + t, \ s + 3t) \quad \cdots\cdots ③$$

三角形の面積公式より，$s, \ t > 0$ に留意すると，

$$\triangle OAC = \frac{1}{2} |2 \cdot (s + 3t) - (2s + t) \cdot 1| = \frac{1}{2} |5t| = \frac{5}{2} t$$

$$\triangle OBC = \frac{1}{2} |1 \cdot (s + 3t) - (2s + t) \cdot 3| = \frac{1}{2} |-5s| = \frac{5}{2} s$$

$\triangle OAC = \triangle OBC$ より，

$$\frac{5}{2} t = \frac{5}{2} s \qquad \therefore \quad s = t$$

③に代入すると，$\overrightarrow{OC} = (3s, \ 4s) = s(3, \ 4)$ となり，$|\overrightarrow{OC}| = 4$ から，

$$s|(3, \ 4)| = 4 \qquad \therefore \quad s\sqrt{3^2 + 4^2} = 4 \qquad \therefore \quad 5s = 4 \qquad \therefore \quad s = \frac{4}{5}$$

$s = t$ より，$\underline{s = t = \dfrac{4}{5}}$ 答

 研　究

図形的な性質とベクトルの知識を最大限利用すると，本問は暗算で解けます。
九大もそのあたり配慮して作問したものと思われます。

(1)　$|\overrightarrow{OA}| = \sqrt{5}$，$|\overrightarrow{OB}| = \sqrt{10}$，$\overrightarrow{OA} \perp \overrightarrow{AB}$ より，△OAB

が ∠OAB ＝ 90° の直角二等辺三角形であることが容易にわか

ります。（辺の長さの比 $1 : 1 : \sqrt{2}$ ）

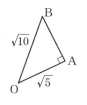

　よって，$\overrightarrow{AB}$ は $\overrightarrow{OA}$ と垂直かつ大きさが等しいベクトル

です。

　また，平面において $\vec{0}$ でないベクトル (x, y) と垂直

かつ大きさが等しいベクトルは $(-y, x)$ と $(y, -x)$，

つまり，x 成分と y 成分を入れ替えて一方の符号を変

えるだけで簡単に求められます。これは，

- $|(x, y)| = |(-y, x)| = |(y, -x)| = \sqrt{x^2 + y^2}$
- $(x, y) \cdot (-y, x) = -xy + yx = 0$
- $(x, y) \cdot (y, -x) = xy - yx = 0$

から明らかでしょう（複素数平面履修者なら，$x + yi$ に $\pm i$ を掛けて $\pm 90°$

回転させたものととらえることができます）。

　これを利用すると，$\overrightarrow{OA} = (2, 1)$ より，

$$\overrightarrow{AB} = (-1, 2)，(1, -2) = \pm(-1, 2)$$

$$\therefore \quad \overrightarrow{OB} = \overrightarrow{OA} + \overrightarrow{AB} = (2, 1) \pm (-1, 2) = (1, 3)，(3, -1)$$

点 B は第一象限の点より，B(1, 3) です。　**答**

(2)　$s，t > 0$ より，点 C は半直線 OA，OB の間に

存在します。これは，D，E を

$$\overrightarrow{OD} = s\overrightarrow{OA}，\quad \overrightarrow{OE} = t\overrightarrow{OB}$$

を満たす点とすると，点 C は図の平行四辺形 ODCE

の頂点であることからわかります。

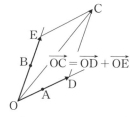

　やや発展的ですが，一般に，$\overrightarrow{OP} = s\overrightarrow{OA} + t\overrightarrow{OB}$

で定められる点の存在範囲は，直線 OA，OB に

よって図のような 4 つの部分に分けられます。

　これらは $\overrightarrow{OA}$，$\overrightarrow{OB}$ の張る斜交座標系の第 1

象限〜第 4 象限に対応しています。

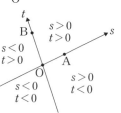

また $|\overrightarrow{OA}| = \sqrt{5}$, $|\overrightarrow{OB}| = \sqrt{10}$, $|\overrightarrow{OC}| = 4$ より, $|\overrightarrow{OA}| < |\overrightarrow{OC}|$, $|\overrightarrow{OB}| < |\overrightarrow{OC}|$ なので, 点 C は △OAB の外部に存在します。よって, 線分 AB と線分 OC は交点 M をもちます。

以上より, 座標平面上での点 C の位置は右のようになります。△OAC, △OBC について, 共通の底辺として OC をとると, 高さの比は AM : BM より, △OAC = △OBC のとき M は AB の中点です。つまり,

$$\overrightarrow{OM} = \frac{\overrightarrow{OA} + \overrightarrow{OB}}{2}$$

となります。

3 点 O, M, C はこの順で一直線上より, (正の)実数 k を用いて,

$$\overrightarrow{OC} = k\overrightarrow{OM} = \frac{k}{2}\overrightarrow{OA} + \frac{k}{2}\overrightarrow{OB}$$

と表せますので, あとは $\overrightarrow{OC} = s\overrightarrow{OA} + t\overrightarrow{OB}$ と比較して $s = t$ が求められます。

最後に, $\overrightarrow{OC} = (3s, 4s) = s(3, 4)$ については, 辺の長さの比が 3 : 4 : 5 の直角三角形なので, $|\overrightarrow{OC}| = 5s = 4$ のように計算なしに求められます。

- 九大ではベクトルにおける三角形の面積公式が頻出です。
資料編の「**数学重要公式・定義のまとめ⑫**」の公式を確認しておきましょう。

3

 問題を見てやるべきこと

解　答 ▶

理系数学 ③（p.171）に同じ。

4

 問題を見てやるべきこと

解　答 ▶

理系数学 ④（p.174）に同じ。

2024 2023 2022 2021 2020 2019 2018 2017 2016 2015 2014 2013 2012 2011 2010

理系学部

 問題を見てやるべきこと

(1) $x^4 - 2x^3 + 3x^2 - 2x + 1 = 0$ は、x^2 の項を中心に、各項の係数が左右対称となっています。つまり、相反方程式です。

両辺を x^2 で割ることで $x + \dfrac{1}{x}$ についての 2 次方程式にします。

その際、$x \neq 0$ でないことをしっかり断りましょう。

(2) $\triangle ABC$ の形状を考えるにあたり、α を始点とし、$\beta - \alpha$ と $\gamma - \alpha$ の関係を調べます。

$(\alpha - \beta)^4 + (\beta - \gamma)^4 + (\gamma - \alpha)^4 = 0$ を $\beta - \alpha$ と $\gamma - \alpha$ で表すように変形します。

変形後、(1)を利用することで、$\dfrac{\gamma - \alpha}{\beta - \alpha}$ が求まり、

$\triangle ABC$ の形状が示されます。

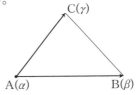

解　答

(1) $x^4 - 2x^3 + 3x^2 - 2x + 1 = 0$ ……①

において、$x = 0$ は①の解ではないので、$x \neq 0$ のもとで、両辺を x^2 で割ると、

$$x^2 - 2x + 3 - \frac{2}{x} + \frac{1}{x^2} = 0$$

$$\Leftrightarrow \left(x + \frac{1}{x}\right)^2 - 2\left(x + \frac{1}{x}\right) + 1 = 0$$

$$\Leftrightarrow \left\{\left(x + \frac{1}{x}\right) - 1\right\}^2 = 0$$

$$\Leftrightarrow x + \frac{1}{x} - 1 = 0$$

$$\therefore \quad x^2 - x + 1 = 0$$

$$\therefore \quad \underline{x = \frac{1 \pm \sqrt{3}\,i}{2}} \quad \boxed{答}$$

(2)　$(\alpha - \beta)^4 + (\beta - \gamma)^4 + (\gamma - \alpha)^4 = 0$　……②

　　（②を $\beta - \alpha$ と $\gamma - \alpha$ で表す。）

　②より，$(\beta - \alpha)^4 + \{(\beta - \alpha) - (\gamma - \alpha)\}^4 + (\gamma - \alpha)^4 = 0$

　α, β, γ は△ABC の頂点を表すので，$\alpha \neq \beta$ のもとで，

両辺を $(\beta - \alpha)^4$ で割ると，

$$1 + \left\{1 - \frac{\gamma - \alpha}{\beta - \alpha}\right\}^4 + \left(\frac{\gamma - \alpha}{\beta - \alpha}\right)^4 = 0 \quad ……③$$

$\dfrac{\gamma - \alpha}{\beta - \alpha} = z$ とおくと，③は，

$$1 + (1 - z)^4 + z^4 = 0$$

$$\Leftrightarrow 1 + (1 - 4z + 6z^2 - 4z^3 + z^4) + z^4 = 0$$

$$\Leftrightarrow z^4 - 2z^3 + 3z^2 - 2z + 1 = 0$$

(1)より，$z = \dfrac{1 \pm \sqrt{3}\,i}{2}$

よって，$\dfrac{\gamma - \alpha}{\beta - \alpha} = \dfrac{1 \pm \sqrt{3}\,i}{2} = \cos\left(\pm\dfrac{\pi}{3}\right) + i\sin\left(\pm\dfrac{\pi}{3}\right)$　（複号同順）

つまり，$\overrightarrow{AC}$ は $\overrightarrow{AB}$ を $\pm\dfrac{\pi}{3}$ 回転したものである。

したがって，△ABC は<u>正三角形</u>となる。　$\boxed{答}$

2024
2023
2022
2021
2020
2019
2018
2017
2016
2015
2014
2013
2012
2011
2010

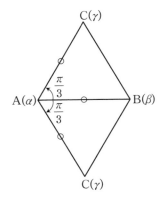

研　究

(1)を用いない(2)の別解を紹介します。

$\alpha - \beta = x$，$\beta - \gamma = y$，$\gamma - \alpha = z$ とおく。

このとき，$x + y + z = 0$　……☆

$$(\alpha - \beta)^4 + (\beta - \gamma)^4 + (\gamma - \alpha)^4$$
$$= x^4 + y^4 + z^4$$
$$= \underset{Ⓐ}{\underline{(x^2 + y^2 + z^2)^2}} - 2\underset{Ⓑ}{\underline{(x^2 y^2 + y^2 z^2 + z^2 x^2)}} = 0$$

$$\therefore \quad \underset{Ⓐ}{\underline{\{(x + y + z)^2 - 2(xy + yz + zx)\}^2}}$$

$$-2\underset{Ⓑ}{\underline{\{(xy + yz + zx)^2 - 2xyz(x + y + z)\}}} = 0$$

☆より，

$$4(xy + yz + zx)^2 - 2(xy + yz + zx)^2 = 0$$

$$\therefore \quad xy + yz + zx = 0$$

$xy + z(x + y) = 0$ に $z = -(x + y)$ を代入して，

$$x^2 + xy + y^2 = 0$$

$x(= \alpha - \beta) \neq 0$ より，両辺を x^2 で割ると，

$$1 + \frac{y}{x} + \left(\frac{y}{x}\right)^2 = 0$$

$$\frac{y}{x} = \frac{-1 \pm \sqrt{3}\,i}{2}$$

よって,

$$\frac{\beta - \gamma}{\alpha - \beta} = \frac{-1 \pm \sqrt{3}\,i}{2}$$

$$\therefore \quad \frac{\gamma - \beta}{\alpha - \beta} = \frac{1 \mp \sqrt{3}\,i}{2} = \cos\left(\mp \frac{\pi}{3}\right) + i\sin\left(\mp \frac{\pi}{3}\right) \quad (\text{複号同順})$$

2

問題を見てやるべきこと

まずは与えられた漸化式の絶対値をはずしましょう.

$f(x) = |x - 1| + x - 1$ とおいて,

$$f(x) = \begin{cases} (x - 1) + x - 1 = 2(x - 1) & (x \geq 1) \\ (1 - x) + x - 1 = 0 & (x < 1) \end{cases} \quad \cdots\cdots①$$

$a_1 = \alpha$, $a_{n+1} = f(a_n)$ $(n = 1,\ 2,\ \cdots\cdots)$ で定められる数列 $\{a_n\}$ につき,

(1) $\alpha \leq 1$, (2) $\alpha > 2$, (3) $1 < \alpha < \dfrac{3}{2}$, (4) $\dfrac{3}{2} \leq \alpha < 2$ の収束, 発散を調べます.

その際, $y = f(x)$ と $y = x$ のグラフを図示して, α の値の範囲に応じて, 極限値の予測をしましょう.

(1) $\alpha \leq 1$ のとき, ①より $a_2 = f(a_1) = 0$ となります.

(2) $\alpha > 2$ のとき, $a_n > 2$ となり, ①より,

$$a_{n+1} = f(a_n) = 2(a_n - 1)$$

$$\Leftrightarrow a_{n+1} - 2 = 2(a_n - 2) = 2^{n-1}(a_1 - 2)$$

となります.

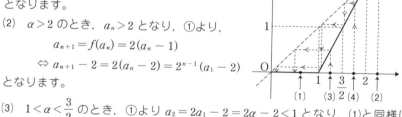

(3) $1 < \alpha < \dfrac{3}{2}$ のとき, ①より $a_2 = 2a_1 - 2 = 2\alpha - 2 < 1$ となり, (1)と同様になります.

(4) グラフより, n が十分に大きくなると, $a_n \leq 1$ となることが分かります. これを背理法で示します. つまり, すべての自然数 n で $a_n > 1$ と仮定します. (2)と同様のプロセスで矛盾を示します.

これにより, ある自然数 n で $a_n \leq 1$ が示され, (1)を用いることができます.

解 答

$f(x) = |x-1| + x - 1$ とおくと,

$$f(x) = \begin{cases} (x-1) + x - 1 = 2(x-1) & (x \geqq 1) \\ (1-x) + x - 1 = 0 & (x < 1) \end{cases} \quad \cdots\cdots ①$$

$a_1 = \alpha$, $a_{n+1} = f(a_n)$ $(n = 1, 2, \cdots\cdots)$ で表される数列 $\{a_n\}$ を考える。

(1) $\alpha \leqq 1$ のとき $a_1 \leqq 1$

①より, $a_2 = f(a_1) = 0$

2以上の自然数 k に対し, $a_k = 0$ と仮定すると, ①より,

$$a_{k+1} = f(a_k) = 0$$

よって, $n = k + 1$ のときも成立。

数学的帰納法により, $a_n = 0$ $(n \geqq 2)$ が成立する。

$$\lim_{n \to \infty} a_n = 0 \quad \text{(収束)} \quad \boxed{\text{答}}$$

(2) $\alpha > 2$ のとき, $a_n > 2$ $(n = 1, 2, \cdots\cdots)$ となることを示す。

[1] $n = 1$ のとき

$a_1 = \alpha > 2$

[2] $n = k$ $(k = 1, 2, \cdots\cdots)$ で $a_k > 2$ と仮定する。

①より,

$$a_{k+1} = f(a_k) = 2(a_k - 1) > 2 \cdot 1 = 2$$

$n = k + 1$ のときも成立する。

数学的帰納法より, $a_n > 2$ $(n = 1, 2, \cdots\cdots)$

このとき①より,

$$a_{n+1} = f(a_n) = 2(a_n - 1)$$
$$\Leftrightarrow a_{n+1} - 2 = 2(a_n - 2)$$
$$a_n - 2 = 2^{n-1}(a_1 - 2)$$
$$\therefore \quad a_n = 2^{n-1}(\alpha - 2) + 2$$

$\alpha > 2$ より,

$$\lim_{n \to \infty} a_n = \infty \quad \text{(発散)} \quad \boxed{\text{答}}$$

(3)　$1<\alpha<\dfrac{3}{2}$ のとき，①より，

$$a_2=2a_1-2=2\alpha-2$$

$$2\cdot1-2<a_2<2\cdot\dfrac{3}{2}-2$$

$$\therefore\quad 0<a_2<1$$

よって，a_2 を初項とすると，(1)と同様に $a_n=0\ (n=3,\ 4,\ \cdots\cdots)$

$$\lim_{n\to\infty}a_n=0\quad (収束)\quad$$

(4)　$\dfrac{3}{2}\leqq\alpha<2$ のとき，「ある自然数 n で $a_n\leqq1$」となることを背理法で示す。

「すべての自然数 n で $a_n>1$」と仮定する。

このとき①より，$a_{n+1}=2(a_n-1)$ が成立するので，(2)と同様にして，

$$a_n=(\alpha-2)\cdot2^{n-1}+2$$

ここで，$\dfrac{3}{2}\leqq\alpha<2$ のとき，$\alpha-2<0$ より，$\displaystyle\lim_{n\to\infty}a_n=-\infty$ となり，$a_n>1$ に

矛盾する。

よって，ある自然数で $a_n\leqq1$ となる。

この n を $n=N$ とおくと，(1)と同様にして，$n\geqq N+1$ で常に $a_n=0$ となる。

$$\lim_{n\to\infty}a_n=0\quad (収束)\quad$$ 答

　研　究

　1999 年と 1988 年に本問の類題が出題されています。1988 年に出題された漸化式と極限の問題を紹介します。

> **問** α, β は定数で，$0<\alpha<\beta<1$ をみたすとし，$f(x)=x+(x-\alpha)(x-\beta)$
> とする。数列 $\{x_n\}$ を $x_1=\alpha\beta$，$x_n=f(x_{n-1})$ $(n\geqq2)$ で定める。
> (1) $0<x<\alpha$ のとき，次の不等式が成り立つことを示せ。
> 1. $x<f(x)<\alpha$
> 2. $\dfrac{\alpha-f(x)}{\alpha-x}<1+\alpha-\beta$
> (2) すべての自然数 n に対し，$0<x_n<\alpha$ であることを示せ。
> (3) $\displaystyle\lim_{n\to\infty}(\alpha-x_n)=0$ を示せ。 〈1988 年度 九大〉

解

(1) 1. $f(x)-x=(x-\alpha)(x-\beta)$

$0<x<\alpha<\beta$ より，$x-\alpha<0$，$x-\beta<0$

よって，$f(x)-x>0$ ……①

また，
$$\alpha-f(x)=\alpha-\{x+(x-\alpha)(x-\beta)\}$$
$$=\alpha-x+(\alpha-x)(x-\beta)$$
$$=(\alpha-x)(1+x-\beta)$$

$0<x<\alpha<\beta<1$ より，$\alpha-x>0$，$x+1-\beta>0$

よって，$\alpha-f(x)>0$ ……②

①②より，$x<f(x)<\alpha$

2. $\dfrac{\alpha-f(x)}{\alpha-x}=\dfrac{(\alpha-x)(1+x-\beta)}{(\alpha-x)}=1+x-\beta<1+\alpha-\beta$ $(\because\quad x<\alpha)$

(2) $0<x_n<\alpha$ $(n\geqq1)$ を数学的帰納法により証明する。

[1] $n=1$ のとき

$0<\alpha<\beta<1$ より，$x_1=\alpha\beta$ は $0<x_1<\alpha$ をみたす。

[2] $n=k$ のとき

$0<x_k<\alpha$ が成立すると，(1)1. より $x_k<f(x_k)<\alpha$ が成立し，

$x_{k+1}=f(x_k)$ より，$0<x_k<x_{k+1}<\alpha$ が成立する。

したがって，$n=k+1$ のときも成立する。

[1][2]より，すべての自然数 n につき，$0<x_n<\alpha$ が成立。

(3) (1)2. より,

$$\alpha - x_n = \alpha - f(x_{n-1}) < (\alpha - x_{n-1})(1 + \alpha - \beta) \quad (\because \quad x_{n-1} < \alpha)$$

$0 < \alpha < \beta < 1$ より, $0 < 1 + \alpha - \beta < 1$

$$\therefore \quad 0 < \alpha - x_n < (1 + \alpha - \beta)^{n-1}(\alpha - x_1)$$

ここで, $\displaystyle\lim_{n \to \infty}(1 + \alpha - \beta)^{n-1}(\alpha - x_1) = 0$ より, はさみうちの原理から,

$$\lim_{n \to \infty}(\alpha - x_n) = 0$$

参　考

(3) 右図より, $\displaystyle\lim_{n \to \infty}x_n = \alpha$ がわかる。

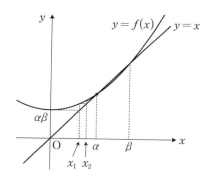

3

問題を見てやるべきこと

(1) 「$D \neq 0$」と示すべきものが否定の形になっているので,「$D = 0$」と仮定して矛盾を導きます。(背理法)

$D = 0$ とすると, $ad - bc = 0$ より,

$\vec{m} = (a, c)$ と $\vec{n} = (b, d)$ は $\vec{m} \parallel \vec{n}$ となり, $\vec{q} = r\vec{m} + s\vec{n}$ は $\vec{m}$ に平行なベクトルしか表せません。すなわち,

「条件 I がすべての $\vec{q}$ に対して成り立つ」に矛盾します。

$\vec{q} = (q_1, q_2)$ と成分表示して導く解法を **別　解** で紹介します。

(2) $\vec{n} \cdot \vec{v} = 0$, $\vec{m} \cdot \vec{w} = 0$ より, t_1, t_2 を実数として,

$$\begin{cases} \vec{v} = t_1(-d, b) \\ \vec{w} = t_2(-c, a) \end{cases} \quad \text{と表します。}$$

さらに, $\vec{m} \cdot \vec{v} = 1$ と $\vec{n} \cdot \vec{w} = 1$ を用いて, t_1, t_2 の値を求めます。

(3) $\vec{q} = (q_1, q_2)$ $(q_1, q_2$ は整数）とおいて，$\vec{q} = r\vec{m} + s\vec{n}$ と(2)の $\vec{v}$，$\vec{w}$ との内積をとります。

これより，

$$r = \frac{dq_1 - bq_2}{D}, \quad s = \frac{-cq_1 + aq_2}{D}$$

が得られます。

すべての整数成分のベクトル $\vec{q} = (q_1, q_2)$ に対し，条件Ⅱが成立することから，$(q_1, q_2) = (1, 0)$，$(0, 1)$ を代入して r，s がすべて整数となる条件を考えます。

> **解 答**

(1) $\vec{m}(a, c)$，$\vec{n} = (b, d)$，において

$D = ad - bc = 0$ と仮定すると，$\vec{m} \neq \vec{0}$，$\vec{n} \neq \vec{0}$ より，$\vec{m} \,/\!/\, \vec{n}$

つまり，実数 k を用いて，$\vec{n} = k\vec{m}$ と表すことができる。

このとき，$\vec{q} = r\vec{m} + s\vec{n} = (r + ks)\vec{m}$

よって，$\vec{q}$ は $\vec{m}$ に平行なベクトルしか表すことができない。

これは，「条件Ⅰがすべての $\vec{q}$ に対して成り立つとする。」に矛盾する。

したがって，$D \neq 0$

(2) $\begin{cases} \vec{n} \cdot \vec{v} = 0 \\ \vec{m} \cdot \vec{w} = 0 \end{cases}$ より，$\begin{cases} \vec{v} = t_1(-d, b) \\ \vec{w} = t_2(-c, a) \end{cases}$ $(t_1, t_2$ は実数) ……①

と表すことができる。

$\begin{cases} \vec{m} \cdot \vec{v} = 1 \\ \vec{n} \cdot \vec{w} = 1 \end{cases}$ より，$\begin{cases} t_1(-ad + bc) = -t_1 D = 1 \\ t_2(ad - bc) = t_2 D = 1 \end{cases}$

となるから，

$$\begin{cases} t_1 = -\dfrac{1}{D} \\ t_2 = \dfrac{1}{D} \end{cases}$$

①に代入して，

$$\begin{cases} \vec{v} = \dfrac{1}{D}(d, \ -b) \\ \vec{w} = \dfrac{1}{D}(-c, \ a) \end{cases} \quad \cdots\cdots \text{②} \quad \boxed{答}$$

(3)　$\vec{q} = r\vec{m} + s\vec{n}$ と(2)の $\vec{v}$，$\vec{w}$ との内積をとる。

$\vec{q} = (q_1, \ q_2)$（q_1，q_2 は整数）とする。

$$\begin{cases} \vec{v} \cdot \vec{q} = r\underset{(\ 1)}{\underbrace{\vec{m} \cdot \vec{v}}} + s\underset{(\ 0)}{\underbrace{\vec{n} \cdot \vec{v}}} = r \\ \vec{w} \cdot \vec{q} = r\underset{(\ 0)}{\underbrace{\vec{m} \cdot \vec{w}}} + s\underset{(\ 1)}{\underbrace{\vec{n} \cdot \vec{w}}} = s \end{cases}$$

②を用いて，

$$\begin{cases} r = \vec{v} \cdot \vec{q} = \dfrac{dq_1 - bq_2}{D} \\ s = \vec{w} \cdot \vec{q} = \dfrac{-cq_1 + aq_2}{D} \end{cases} \quad \cdots\cdots \text{③}$$

③において，すべての整数成分の $\vec{q} = (q_1, \ q_2)$ に対して，条件Ⅱが成立するので，

$$\begin{cases} \vec{q} = (1, \ 0) \text{ のとき，③より，} \ r = \dfrac{d}{D}, \ s = -\dfrac{c}{D} \\ \vec{q} = (0, \ 1) \text{ のとき，③より，} \ r = -\dfrac{b}{D}, \ s = \dfrac{a}{D} \end{cases}$$

r，s はすべて整数なので，$\dfrac{a}{D}$，$\dfrac{b}{D}$，$\dfrac{c}{D}$，$\dfrac{d}{D}$ はすべて整数となる。

したがって，

$$\frac{a}{D} \cdot \frac{d}{D} - \frac{b}{D} \cdot \frac{c}{D} = \frac{ad - bc}{D^2} = \frac{D}{D^2} = \frac{1}{D}$$

も整数。

よって，$D = \pm 1$

逆に $D = \pm 1$ のとき，任意の整数 q_1，q_2 に対し，③より，

$r = \pm(dq_1 - bq_2)$，$s = \pm(-cq_1 + aq_2)$ はともに整数なので，すべての整数成分のベクトル $\vec{q} = (q_1, \ q_2)$ に対し，条件Ⅱが成立する。

ゆえに，$D = \pm 1$　$\boxed{答}$

 **研　　究**

(1) 別　解

$\vec{q} = (q_1, q_2)$ （q_1, q_2 は実数）とする。$D = 0$ と仮定する。

$\vec{q} = r\vec{m} + s\vec{n}$ （条件Ⅰ）より，

$$(q_1, q_2) = r(a, c) + s(b, d)$$

$$\Leftrightarrow \begin{cases} ra + sb = q_1 & \cdots\cdots① \\ rc + sd = q_2 & \cdots\cdots② \end{cases}$$

①$\times d -$②$\times b$ より，s を消去すると，

$$r(ad - bc) = q_1 d - q_2 b = 0 \quad \cdots\cdots③ \quad (\because\ D = ad - bc = 0)$$

$(q_1, q_2) = (1, 0)$，$(0, -1)$ のときも③は成立するので，$d = b = 0$ が成立。

これは $\vec{n} \neq \vec{0}$ に矛盾。よって，$D \neq 0$

(3) 別　解

（(3)で「$\dfrac{a}{D}$，$\dfrac{b}{D}$，$\dfrac{c}{D}$，$\dfrac{d}{D}$ がすべて整数となる。」を示した以降の別解）

$\dfrac{a}{D}$，$\dfrac{b}{D}$，$\dfrac{c}{D}$，$\dfrac{d}{D}$ がすべて整数となるとき，$D = ad - bc$ は a, b, c, d の

約数となるので，

$$a = g_1(ad - bc), \quad b = g_2(ad - bc), \quad c = g_3(ad - bc),$$

$$d = g_4(ad - bc) \quad (g_1 \sim g_4 \text{ は整数})$$

と表すことができる。

$$ad - bc = (g_1 g_4 - g_2 g_3)(ad - bc)^2$$

$ad - bc \neq 0$ より，

$$(g_1 g_4 - g_2 g_3)(ad - bc) = 1$$

よって，$ad - bc = D = \underline{\pm 1}$ 答

4

 問題を見てやるべきこと

　加法定理を題材にした問題であり，微分の定義の理解も問われています。このような長文で条件がたくさん与えられた問題は，前半は易しいことが多いので，大問をすべて捨てることなく，落ち着いて取り組むことが重要です。

(1)　(A), (B)の等式で $x = y = 0$ を代入しましょう。

$$\begin{cases} f(0) = \{f(0)\}^2 - \{g(0)\}^2 & \cdots\cdots(\mathrm{I}) \\ g(0) = 2f(0) \cdot g(0) & \cdots\cdots(\mathrm{II}) \end{cases}$$

が得られます。

　まず, (II)より $g(0)$ が求まります。

(2)　微分法の定義に従い, $\dfrac{f(x + h) - f(x)}{h}$ を計算します。

　(A)を用いて, $\dfrac{f(x)f(h) - g(x)g(h) - f(x)}{h}$ と変形します。

条件(D)の $f'(0) = 0$, $g'(0) = 1$ を用いるために, $\dfrac{f(h) - 1}{h}$ と $\dfrac{g(h) - 0}{h}$ を取り出します。

(3)　$\{f(x) + ig(x)\}(\cos x - i\sin x)$

　$= \underline{f(x)\cos x + g(x)\sin x}_{R(x)} + i\underline{\{-f(x)\sin x + g(x)\cos x\}}_{I(x)}$

　この実部を $R(x)$, 虚部を $I(x)$ として, ①②を用いることで, $R'(x) = 0$, $I'(x) = 0$ が得られます。

　$R(x)$, $I(x)$ は定数関数となり, $R(0) = f(0) = 1$ と $I(0) = g(0) = 0$ を用いて, $R(x) = 1$, $I(x) = 0$ を得ます。

(4)　(2)と同様に, 条件(B)と微分の定義に従うことで, 下線部④の(B)(D)を示すことができます。

解　答

(1)　条件(A), (B)で, $x = y = 0$ とおくと,

$$\begin{cases} f(0) = \{f(0)\}^2 - \{g(0)\}^2 & \cdots\cdots(\mathrm{I}) \\ g(0) = 2f(0) \cdot g(0) & \cdots\cdots(\mathrm{II}) \end{cases}$$

　(II)より, $g(0) \cdot \{1 - 2f(0)\} = 0$

　[1]　$g(0) = 0$ のとき

　　(I)より, $f(0) = \{f(0)\}^2$

　　(C)より, $f(0) \neq 0$ から,

　　　$f(0) = 1$

[2] $g(0) \neq 0$ のとき

(Ⅱ)より，$f(0) = \dfrac{1}{2}$

このとき(Ⅰ)より，$\{g(0)\}^2 = -\dfrac{1}{4}$

$g(x)$ は実数値関数であることに矛盾。

以上，**[1][2]** より，$f(0) = 1$，$g(0) = 0$

(2) $h \neq 0$ として，

$$\frac{f(x+h) - f(x)}{h}$$

$$= \frac{f(x)f(h) - g(x)g(h) - f(x)}{h} \quad \text{(A)}$$

$$= f(x) \cdot \frac{f(h) - 1}{h} - g(x) \cdot \frac{g(h) - 0}{h}$$

$$= f(x) \cdot \frac{f(h) - f(0)}{h} - g(x) \cdot \frac{g(h) - g(0)}{h} \quad \text{①}$$

$$= f(x) \cdot \frac{f(0+h) - f(0)}{h} - g(x) \cdot \frac{g(0+h) - g(0)}{h}$$

$$\xrightarrow{h \to 0} f(x) \cdot f'(0) - g(x) \cdot g'(0) \quad \text{(D)}$$

$$= -g(x)$$

以上より，$f(x)$ はすべての実数 x に対し，微分可能な関数であり，

$f'(x) = -g(x)$

(3) $\{f(x) + ig(x)\}(\cos x - i\sin x)$

$= f(x)\cos x + g(x)\sin x + i\{-f(x)\sin x + g(x)\cos x\}$

この実部を $R(x)$，虚部を $I(x)$ とおく。②を用いて，

$R'(x)$

$= f'(x)\cos x - f(x)\sin x + g'(x)\sin x + g(x)\cos x$

$= -g(x)\cos x - f(x)\sin x + f(x)\sin x + g(x)\cos x = 0 \quad \text{②}$

$I'(x)$

$= -f'(x)\sin x - f(x)\cos x + g'(x)\cos x - g(x)\sin x$

$= g(x)\sin x - f(x)\cos x + f(x)\cos x - g(x)\sin x = 0 \quad \text{②}$

以上より，$R'(x) = 0$，$I'(x) = 0$ となり，$R(x)$，$I(x)$ はどちらも定数関数

となる。

①を用いると，$R(0) = f(0) = 1$，$I(0) = g(0) = 0$ より，
$R(x) = 1$，$I(x) = 0$ となる。

したがって，

$$\{f(x) + ig(x)\}(\cos x - i\sin x)$$
$$= R(x) + iI(x) = 1 + i \cdot 0 = 1$$

となる。

(4)　$p(x) = e^{-\frac{a}{b}x} \cdot f\left(\frac{x}{b}\right)$，$q(x) = e^{-\frac{a}{b}x} \cdot g\left(\frac{x}{b}\right)$ において，

● 条件(B)について，

$$q(x+y) = e^{-\frac{a}{b}(x+y)} \cdot g\left(\frac{x+y}{b}\right) = e^{-\frac{a}{b}x} \cdot e^{-\frac{a}{b}y} \cdot g\left(\frac{x}{b} + \frac{y}{b}\right)$$

$$= e^{-\frac{a}{b}x} \cdot e^{-\frac{a}{b}y} \left\{f\left(\frac{x}{b}\right) \cdot g\left(\frac{y}{b}\right) + g\left(\frac{x}{b}\right) \cdot f\left(\frac{y}{b}\right)\right\}$$

$$= e^{-\frac{a}{b}x} \cdot f\left(\frac{x}{b}\right) \cdot e^{-\frac{a}{b}y} \cdot g\left(\frac{y}{b}\right) + e^{-\frac{a}{b}x} \cdot g\left(\frac{x}{b}\right) \cdot e^{-\frac{a}{b}y} \cdot f\left(\frac{y}{b}\right)$$

$$= p(x) \cdot q(y) + q(x) \cdot p(y)$$

よって，(B)をみたす。

● 条件(D)について，

$h \neq 0$ として，$p(0) = f(0) = 1$，$f'(0) = a$ を用いて，

$$\frac{p(h) - p(0)}{h}$$

$$= \frac{e^{-\frac{a}{b}h} \cdot f\left(\frac{h}{b}\right) - f(0)}{h}$$

$$= \frac{e^{-\frac{a}{b}h}\left\{f\left(\frac{h}{b}\right) - f(0)\right\} + e^{-\frac{a}{b}h} \cdot f(0) - f(0)}{h}$$

$$= e^{-\frac{a}{b}h}\frac{f\left(\frac{h}{b}\right) - f(0)}{\frac{h}{b}} \cdot \frac{1}{b} + \frac{e^{-\frac{a}{b}h} - 1}{-\frac{a}{b}h}\left(-\frac{a}{b}\right)$$

$$\xrightarrow{h \to 0} 1 \cdot f'(0) \cdot \frac{1}{b} + 1 \cdot \left(-\frac{a}{b}\right) = \frac{a}{b} - \frac{a}{b} = 0$$

2024
2023
2022
2021
2020
2019
2018
2017
2016
2015
2014
2013
2012
2011
2010

$h \neq 0$ として，$q(0) = g(0) = 0$，$g'(0) = b$ を用いて，

$$\frac{q(h) - q(0)}{h}$$

$$= \frac{e^{-\frac{a}{b}h} \cdot g\left(\frac{h}{b}\right) - g(0)}{h}$$

$$= \frac{e^{-\frac{a}{b}h}\left\{g\left(\frac{h}{b}\right) - g(0)\right\} + e^{-\frac{a}{b}h} \cdot g(0) - g(0)}{h}$$

$$= e^{-\frac{a}{b}h}\frac{g\left(\frac{h}{b}\right) - g(0)}{\frac{h}{b}} \cdot \frac{1}{b}$$

$$\xrightarrow{h \to 0} 1 \cdot g'(0) \cdot \frac{1}{b} = b \cdot \frac{1}{b} = 1$$

以上より，$p(x)$，$q(x)$ は $x = 0$ で微分可能で，$p'(0) = 0$，$q'(0) = 1$ を満たす。
よって，(D)をみたす。

④と前半の議論より，$p(x) = \cos x$，$q(x) = \sin x$ が得られる。

$$\begin{cases} p(x) = e^{-\frac{a}{b}x} \cdot f\left(\frac{x}{b}\right) = \cos x \\ q(x) = e^{-\frac{a}{b}x} \cdot g\left(\frac{x}{b}\right) = \sin x \end{cases}$$

$$\therefore \quad \begin{cases} f\left(\frac{x}{b}\right) = e^{\frac{a}{b}x}\cos x \\ g\left(\frac{x}{b}\right) = e^{\frac{a}{b}x}\sin x \end{cases}$$

x を bx におきかえて，

$$f(x) = \underline{e^{ax}\cos bx}, \quad g(x) = \underline{e^{ax}\sin bx} \quad \boxed{答}$$
$$\qquad\quad\;\; \underset{(ア)}{\phantom{e^{ax}\cos bx}} \qquad\qquad \underset{(イ)}{\phantom{e^{ax}\sin bx}}$$

 **研　究**

(2)　下線部②について，$g'(x) = f(x)$ が成立することも示します。

　$h \neq 0$ として，

$$\frac{g(x+h)-g(x)}{h}$$

$$=\frac{f(x)g(h)+g(x)f(h)-g(x)}{h}$$ （B）

$$=g(x)\frac{f(h)-1}{h}+f(x)\frac{g(h)-0}{h}$$

$$=g(x)\frac{f(h)-f(0)}{h}+f(x)\frac{g(h)-g(0)}{h}$$ ①

$$=g(x)\frac{f(0+h)-f(0)}{h}+f(x)\frac{g(0+h)-g(0)}{h}$$

$$\xrightarrow{h\to0}g(x)\cdot f'(0)+f(x)\cdot g'(0)=f(x)\quad(\because\ \ (D))$$

以上より，$g'(x)=f(x)$

(4) (A)　$p(x+y)=p(x)p(y)-q(x)q(y)$ が成立することも示します。

$$p(x+y)=e^{-\frac{a}{b}(x+y)}\cdot f\left(\frac{x+y}{b}\right)=e^{-\frac{a}{b}x}\cdot e^{-\frac{a}{b}y}\cdot f\left(\frac{x}{b}+\frac{y}{b}\right)$$

$$=e^{-\frac{a}{b}x}\cdot e^{-\frac{a}{b}y}\left\{f\left(\frac{x}{b}\right)\cdot f\left(\frac{y}{b}\right)-g\left(\frac{x}{b}\right)\cdot g\left(\frac{y}{b}\right)\right\}$$

$$=e^{-\frac{a}{b}x}\cdot f\left(\frac{x}{b}\right)\cdot e^{-\frac{a}{b}y}\cdot f\left(\frac{y}{b}\right)-e^{-\frac{a}{b}x}\cdot g\left(\frac{x}{b}\right)\cdot e^{-\frac{a}{b}y}\cdot g\left(\frac{y}{b}\right)$$

$$=p(x)\cdot p(y)-q(x)\cdot q(y)$$

5

問題を見てやるべきこと

(1)　曲線 C の接線が y 軸に平行となるとき，$\dfrac{dx}{dy}=0$ と

なります。$x=x(t)$，$y=y(t)$ とするとき，

$0<t<\pi$ で，$y'(t)=1+\cos t>0$ より，

$$\frac{dx}{dy}=\frac{\dfrac{dx}{dt}}{\dfrac{dy}{dt}}=\frac{x'(t)}{y'(t)}=0$$

なので，$x'(t)=0$ が求める条件です。

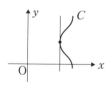

$t = \dfrac{7}{12}\pi$, $\dfrac{11}{12}\pi$ が得られますが，接線が 2 本となることを示すためには各々

の t の値において，$(x(t),\, y(t))$ が異なることを示す必要があります。

(2) $y \leqq x$ より，$t + \sin t \leqq t + 2\sin^2 t$ を解きます。

これより，$\dfrac{\pi}{6} \leqq t \leqq \dfrac{5}{6}\pi$ が得られ

ます。

(1)で得られた $t = \dfrac{7}{12}\pi$, $\dfrac{11}{12}\pi$ の

前後に注意して，増減表をかきます。

グラフの概形を描く際は，$y = x$

より得られた $t = \dfrac{\pi}{6}$, $\dfrac{5}{6}\pi$ に対応す

る点 $(x,\, y)$ も重要です。

面積 S の計算は，

$$S = \int_{\frac{\pi}{6}+\frac{1}{2}}^{\frac{5}{6}\pi+\frac{1}{2}} x\,dy - (\text{台形 ABCD}) \quad \text{とし，} y \text{軸方向に計算します。}$$

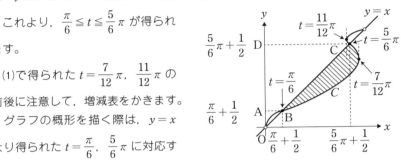

解 答

$x(t) = t + 2\sin^2 t$, $y(t) = t + \sin t$ $(0 < t < \pi)$ とおく。

(1)
$$\begin{cases} \dfrac{dx}{dt} = 1 + 4\sin t \cdot \cos t = 1 + 2\sin 2t = x'(t) \\[2mm] \dfrac{dy}{dt} = 1 + \cos t \qquad\qquad\qquad\qquad = y'(t) \end{cases}$$

$0 < t < \pi$ において，$y'(t) > 0$ となる。

曲線 C の接線が y 軸に平行になるとき，

$$\frac{dx}{dy} = \frac{\dfrac{dx}{dt}}{\dfrac{dy}{dt}} = \frac{x'(t)}{y'(t)} = 0$$

となる。つまり，$x'(t) = 0$

$$x'(t) = 1 + 2\sin 2t = 0 \qquad \therefore \quad \sin 2t = -\frac{1}{2}$$

$0 < 2t < 2\pi$ より，

$$2t = \frac{7}{6}\pi,\ \frac{11}{6}\pi \qquad \therefore\quad t = \frac{7}{12}\pi,\ \frac{11}{12}\pi$$

$\dfrac{7}{12}\pi < t < \dfrac{11}{12}\pi$ で $x'(t) < 0$ となり，$x(t)$ は単調減少となる。

$$\begin{cases} x\left(\dfrac{7}{12}\pi\right) = \dfrac{7}{12}\pi + 2\sin^2\dfrac{7}{12}\pi = \dfrac{7}{12}\pi + 1 - \cos\dfrac{7}{6}\pi = \dfrac{7}{12}\pi + 1 + \dfrac{\sqrt{3}}{2} \\[2mm] x\left(\dfrac{11}{12}\pi\right) = \dfrac{11}{12}\pi + 2\sin^2\dfrac{11}{12}\pi = \dfrac{11}{12}\pi + 1 - \cos\dfrac{11}{6}\pi = \dfrac{11}{12}\pi + 1 - \dfrac{\sqrt{3}}{2} \end{cases}$$

以上より，$x\left(\dfrac{7}{12}\pi\right) \neq x\left(\dfrac{11}{12}\pi\right)$ なので，$t = \dfrac{7}{12}\pi,\ \dfrac{11}{12}\pi$ における y 軸に平行な接線は一致しない。

よって，求める接線の本数は $\underline{2\,本}$。

(2)　$y \le x$ より，

$$t + \sin t \le t + 2\sin^2 t$$

$$\sin t(2\sin t - 1) \ge 0$$

$0 < t < \pi$ において，$\sin t > 0$ より，$\sin t \ge \dfrac{1}{2}$ 　$\dfrac{x}{6} \le t \le \dfrac{5}{6}\pi$

$t = \dfrac{\pi}{6}$ のとき，$(x,\ y) = \left(\dfrac{\pi}{6} + \dfrac{1}{2},\ \dfrac{\pi}{6} + \dfrac{1}{2}\right)$

$t = \dfrac{5}{6}\pi$ のとき，$(x,\ y) = \left(\dfrac{5}{6}\pi + \dfrac{1}{2},\ \dfrac{5}{6}\pi + \dfrac{1}{2}\right)$

よって，増減表は次の通り。

t	(0)		$\dfrac{7}{12}\pi$		$\dfrac{11}{12}\pi$		(π)
$\dfrac{dx}{dt}$		$+$	0	$-$	0	$+$	
$\dfrac{dy}{dt}$		$+$	$+$	$+$	$+$	$+$	
$\binom{x}{y}$	$\binom{0}{0}$	↗		↖		↗	$\binom{\pi}{\pi}$

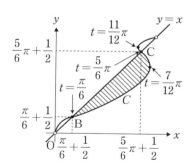

求める面積を S として，

$$S = \int_{\frac{\pi}{6}+\frac{1}{2}}^{\frac{5}{6}\pi+\frac{1}{2}} x\,dy - \frac{1}{2}\left\{\left(\frac{5}{6}\pi + \frac{1}{2}\right) - \left(\frac{\pi}{6} + \frac{1}{2}\right)\right\}\left\{\left(\frac{5}{6}\pi + \frac{1}{2}\right) + \left(\frac{\pi}{6} + \frac{1}{2}\right)\right\}$$

$$= \int_{\frac{\pi}{6}}^{\frac{5}{6}\pi} x \frac{dy}{dt} dt - \frac{\pi}{3}(\pi + 1) \quad \cdots\cdots ①$$

ここで,

$$\int_{\frac{\pi}{6}}^{\frac{5}{6}\pi} x \frac{dy}{dt} dt = \int_{\frac{\pi}{6}}^{\frac{5}{6}\pi} (t + 2\sin^2 t)(1 + \cos t)dt$$

$$= \int_{\frac{\pi}{6}}^{\frac{5}{6}\pi} (t + t\cos t + 2\sin^2 t + 2\sin^2 t\cos t)dt$$

$$= \int_{\frac{\pi}{6}}^{\frac{5}{6}\pi} (t + t\cos t + 1 - \cos 2t + 2\sin^2 t \cdot \cos t)dt$$

$$= \int_{\frac{\pi}{6}}^{\frac{5}{6}\pi} \{(t + 1) + (t\sin t + \cos t)' - \cos 2t + 2\sin^2 t(\sin t)'\}dt$$

$$= \left[\frac{1}{2}t^2 + t + t\sin t + \cos t - \frac{1}{2}\sin 2t + \frac{2}{3}\sin^3 t \right]_{\frac{\pi}{6}}^{\frac{5}{6}\pi}$$

$$= \frac{1}{2} \cdot \frac{24}{36}\pi^2 + \frac{4}{6}\pi + \frac{4}{6}\pi \cdot \frac{1}{2} - \sqrt{3} - \frac{1}{2} \cdot (-\sqrt{3}) + \frac{2}{3} \cdot 0$$

$$= \frac{\pi^2}{3} + \pi - \frac{\sqrt{3}}{2}$$

これを①に代入して,

$$S = \underline{\underline{\frac{2}{3}\pi - \frac{\sqrt{3}}{2}}} \quad \boxed{答}$$

 **研　究**

　2022 年に引きつづき，媒介変数表示された関数のグラフについて面積が問われています。

　パラメータで表される曲線については，2010 年，2009 年にも出題されています。各々曲線の長さ，速度ベクトル，加速度ベクトルについても問われています。復習をしておきましょう。

(2)　y 軸方向に積分して面積を求めます。2008 年 ④ (3)，2013 年 ① (1) も y 軸方向に積分したほうが計算が楽です。

2024
2023
2022
2021
2020
2019
2018
2017
2016
2015
2014
2013
2012
2011
2010

文系学部

1

 ## 問題を見てやるべきこと

　絶対値付きの2次関数と x 軸に平行な直線で囲まれる2つの部分の面積に関する典型問題です。このタイプの問題では,「共通な図形を補填して $\dfrac{1}{6}$ 公式が使える形にする」のがポイントです。「$y \leqq a$ かつ $y \leqq -x^2 + 9$ かつ $y \geqq x^2 - 9$」の領域の面積を S_3 とすると,

「$S_1 = S_2 \Leftrightarrow S_1 + S_3 = S_2 + S_3$」となり,これらは $\dfrac{1}{6}$ 公式を用いて容易に計算できます。

　なお,本問では直接 S_1,S_2 を求めてもさほど計算量は多くありません。そちらの解法は ◀ 研　究 で紹介します。丁寧に計算してなんとか完答したい問題です。

解　答 ▶

$$|(x - 3)(x + 3)| = \begin{cases} x^2 - 9 & (x \leqq -3,\ 3 \leqq x) \\ -x^2 + 9 & (-3 < x < 3) \end{cases}$$

$y = x^2 - 9$ と $y = a$ を連立すると,

$\quad x^2 - 9 = a \quad \therefore \quad x^2 = 9 + a \quad \therefore \quad x = \pm\sqrt{9 + a}$

$0 < a < 9$ よりこれらは $x \leqq -3,\ 3 \leqq x$ を満たす。

以下,$\alpha = \sqrt{9 + a}$ とおき,図の斜線部の面積を S_3 とする。

$S_1 + S_3 = S_2 + S_3$ となる a の値を求めればよい。

$$S_1 + S_3 = -2\int_{-3}^{3}(x+3)(x-3)dx$$

$$= -2 \cdot \left(-\frac{1}{6}\right)\{3-(-3)\}^3$$

$$= 72$$

$$S_2 + S_3 = \int_{-\alpha}^{\alpha}\{a-(x^2-9)\}dx$$

$$= -\int_{-\alpha}^{\alpha}(x+\alpha)(x-\alpha)dx$$

$$= \frac{1}{6}\{\alpha-(-\alpha)\}^3 = \frac{4}{3}\alpha^3$$

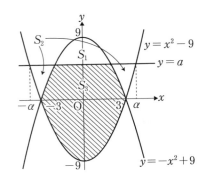

$$\left(\begin{array}{l}\text{いずれの計算も } \dfrac{1}{6} \text{ 公式} \displaystyle\int_{\alpha}^{\beta}(x-\alpha)(x-\beta)dx = -\dfrac{1}{6}(\beta-\alpha)^3 \text{ を用いました。}\\[2mm]\textbf{資料編の「数学重要公式・定義のまとめ⑨」の公式を確認しておきましょう。}\\[1mm]\text{もちろん,普通に計算してもかまいません。}\end{array}\right)$$

$S_1 + S_3 = S_2 + S_3$ より,

$$\frac{4}{3}\alpha^3 = 72 \quad \therefore \quad \alpha^3 = 54 = 2\cdot 3^3 \quad \therefore \quad \alpha = 3\sqrt[3]{2}$$

$\alpha = \sqrt{9+a}$ より,

$$\sqrt{9+a} = 3\sqrt[3]{2} \quad \therefore \quad 9+a = 9\sqrt[3]{4} \quad \therefore \quad \underline{\underline{a = 9\sqrt[3]{4}-9}} \quad \boxed{答}$$

研　究

S_3 を使わずに直接 S_1,S_2 を求めて a の値を求めることも可能です。近年の出題傾向を見る限り,大学側としては「やや複雑な定積分の計算をミスなく丁寧に計算できるかを試したい」のだと思われます。入試本番で下記の「地に足のついた解答」が書けるような基本的な計算力をしっかり身に着けましょう。

別　解

$y = x^2-9$ と $y = a$ を連立すると,

$$x^2-9 = a \quad \therefore \quad x^2 = 9+a$$

$$\therefore \quad x = \pm\sqrt{9+a}$$

$0 < a < 9$ より,これらは $x \leqq -3$,

$3 \leqq x$ を満たす。

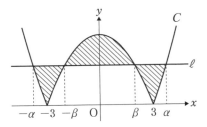

$y = -x^2 + 9$ と $y = a$ を連立すると,

$$-x^2 + 9 = a \quad \therefore \quad x^2 = 9 - a \quad \therefore \quad x = \pm\sqrt{9 - a}$$

$0 < a < 9$ より, これらは $-3 < x < 3$ を満たす.

以下, $\alpha = \sqrt{9 + a}$, $\beta = \sqrt{9 - a}$ とおくと, 求める 2 つの部分は図のようになる。

C と $y = a$ はいずれも y 軸対称より, 適宜 $\alpha^2 = 9 + a$, $\beta^2 = 9 - a$ を用いると,

$$S_1 = 2\int_0^\beta (-x^2 + 9 - a)dx = 2\left[-\frac{x^3}{3} + \beta^2 x\right]_0^\beta = \frac{4}{3}\beta^3$$

$$S_2 = 2\left[\int_\beta^3 \{a - (-x^2 + 9)\}dx + \int_3^\alpha \{a - (x^2 - 9)\}dx\right]$$

$$= 2\left[\frac{x^3}{3} - (9 - a)x\right]_\beta^3 + 2\left[-\frac{x^3}{3} + (9 + a)x\right]_3^\alpha$$

$$= 2\left\{9 - 3(9 - a) - \frac{1}{3}\beta^3 + \beta^3\right\} + 2\left\{-\frac{1}{3}\alpha^3 + \alpha^3 + 9 - 3(9 + a)\right\}$$

$$= \frac{4}{3}\alpha^3 + \frac{4}{3}\beta^3 - 72$$

$S_1 = S_2$ より,

$$\frac{4}{3}\beta^3 = \frac{4}{3}\alpha^3 + \frac{4}{3}\beta^3 - 72 \quad \therefore \quad \alpha^3 = 54 = 2 \cdot 3^3 \quad \therefore \quad \alpha = 3\sqrt[3]{2}$$

（以下省略）

2

 ## 問題を見てやるべきこと

3 次関数の接線と定直線のなす角を求める典型問題です。

(1) 点 A における接線の方程式を求め, 直線 $y = -x$ と連立するだけです。

(2) x 軸の正の方向と各直線のなす角を設定して傾きを $\tan$ で表し, $\tan$ の加法定理を用いることで求めます。ただし, $\tan\theta$ は $\theta = \dfrac{\pi}{2}$ において定義できないので, 場合分けが必要です。

(3) 外接円の半径 OP は正弦定理を用いて表すことができるので, これと(2)の

結果から t の値を求めます。なお，$f(t)$ を t の関数として表す必要は一切ありません。

　九大では本問のような「角度によって場合分けが必要な問題」がよく出題されます。特に tan が出てくる場合は「$\theta = \dfrac{\pi}{2}$ の場合にどうなるか？」を必ず検討しましょう。なお，(1)で点 B の座標を求めさせていることから，(2)はベクトルで解くのが正着でしょう。それについては別解として ◀■ **研　究** で紹介します。

解　答

(1)　$y = x^3 - x$，$y' = 3x^2 - 1$ より，点 A $(t,\ t^3 - t)$ における接線 ℓ の方程式は，
$$y = (3t^2 - 1)(x - t) + t^3 - t \qquad \therefore \quad y = (3t^2 - 1)x - 2t^3$$
これと $y = -x$ を連立すると，
$$(3t^2 - 1)x - 2t^3 = -x \qquad \therefore \quad 3t^2 x = 2t^3 \qquad \therefore \quad x = \frac{2}{3}t \quad (\because \quad t \neq 0)$$
これを $y = -x$ に代入すると，$y = -\dfrac{2}{3}t$ より，点 B の座標は，
$$\mathrm{B}\left(\frac{2}{3}t,\ -\frac{2}{3}t\right) \ 答$$

(2)

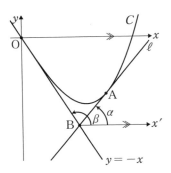

　x 軸の正の方向と直線 ℓ，直線 $y = -x$ のなす角をそれぞれ α，β とすると，
$$\tan\alpha = 3t^2 - 1, \quad \tan\beta = -1$$
よって，$\beta = \dfrac{3}{4}\pi$ とする。また，$3t^2 - 1 > -1$ より，$-\dfrac{\pi}{4} < \alpha < \dfrac{\pi}{2}$ とする。

このとき，$\theta = \beta - \alpha$ $(0 < \theta < \pi)$ である。$\theta \neq \dfrac{\pi}{2}$，$\theta = \dfrac{\pi}{2}$ で場合分けする。

(i) $\theta \neq \dfrac{\pi}{2}$ のとき，つまり，$\alpha \neq \dfrac{\pi}{4}$ のとき，

$$\therefore \quad \tan\alpha \neq \tan\dfrac{\pi}{4} \qquad \therefore \quad 3t^2 - 1 \neq 1 \qquad \therefore \quad t^2 \neq \dfrac{2}{3}$$

$$\therefore \quad t \neq \dfrac{\sqrt{6}}{3} \quad (\because \quad t > 0)$$

であり，加法定理より，

$$\tan\theta = \tan(\beta - \alpha) = \frac{\tan\beta - \tan\alpha}{1 + \tan\beta\tan\alpha} = \frac{(-1) - (3t^2 - 1)}{1 + (-1)(3t^2 - 1)} = \frac{3t^2}{3t^2 - 2}$$

このとき，$s = \sin\theta$ とすると，

$$\tan^2\theta = \frac{\sin^2\theta}{\cos^2\theta} = \frac{s^2}{1 - s^2} \qquad \therefore \quad \tan^2\theta - s^2\tan^2\theta = s^2$$

$$\therefore \quad (1 + \tan^2\theta)s^2 = \tan^2\theta \qquad \therefore \quad s^2 = \frac{\tan^2\theta}{1 + \tan^2\theta}$$

より，

$$\sin^2\theta = \frac{\left(\dfrac{3t^2}{3t^2 - 2}\right)^2}{1 + \left(\dfrac{3t^2}{3t^2 - 2}\right)^2} = \frac{(3t^2)^2}{(3t^2 - 2)^2 + (3t^2)^2} = \frac{9t^4}{18t^4 - 12t^2 + 4} \quad \cdots\cdots①$$

(ii) $\theta = \dfrac{\pi}{2}$ のとき，つまり，$\alpha = \dfrac{\pi}{4}$，$t = \dfrac{\sqrt{6}}{3}$ のとき，

$$\sin^2\theta = \sin^2\dfrac{\pi}{2} = 1$$

また，①に $t = \dfrac{\sqrt{6}}{3}$ を代入すると，$3t^2 = 2$ より，

$$\sin^2\theta = \frac{(3t^2)^2}{(3t^2 - 2)^2 + (3t^2)^2} = \frac{2^2}{0^2 + 2^2} = 1$$

より，このときも①で表せる。

（ i ），（ ii ）より，

$$\sin^2\theta = \frac{9t^4}{18t^4 - 12t^2 + 4} \quad \boxed{答}$$

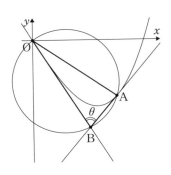

(3) P は △OAB の外心より，OP は外接円の半径。

△OAB に正弦定理を用いると，

$$2OP = \frac{OA}{\sin\theta} \quad \therefore \quad \frac{OP}{OA} = \frac{1}{2\sin\theta}$$

よって，$f(t)$ は $\theta = \dfrac{\pi}{2}$ のとき，つまり，

$t = \dfrac{\sqrt{6}}{3}$ のとき最小値 $\dfrac{1}{2}$ をとる。 $\boxed{答}$

 研 究

θ は 2 つのベクトル $\overrightarrow{BO}$，$\overrightarrow{BA}$ のなす角です。(1)にて B の座標を求めていることから，九大はこれを用いて解くよう誘導していると思われます。sin は三角形の面積との関連が強いので，三角形の面積公式を用いて直接 $\sin\theta$ を求めてみましょう。

一般に，2 つのベクトル $\vec{a} = (x_1, y_1)$，$\vec{b} = (x_2, y_2)$ が張る三角形の面積 S は，なす角を θ とすると，以下の 2 通りで表せます。

$$S = \frac{1}{2}|\vec{a}||\vec{b}|\sin\theta, \qquad S = \frac{1}{2}|x_1 y_2 - x_2 y_1|$$

ここから S を消去すると，

$$\sin\theta = \frac{|x_1 y_2 - x_2 y_1|}{|\vec{a}||\vec{b}|} = \frac{|x_1 y_2 - x_2 y_1|}{\sqrt{x_1^2 + y_1^2}\sqrt{x_2^2 + y_2^2}}$$

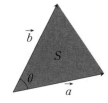

となり，$\sin\theta$ を求めることができます。

(2)の別解

$$\overrightarrow{OB} = \left(\frac{2}{3}t, -\frac{2}{3}t\right) = \frac{2}{3}t(1, -1)$$

$$\overrightarrow{BA} = \overrightarrow{OA} - \overrightarrow{OB} = (t, t^3 - t) - \left(\frac{2}{3}t, -\frac{2}{3}t\right) = \left(\frac{1}{3}t, t^3 - \frac{1}{3}t\right)$$

$$= \frac{1}{3}t(1, 3t^2 - 1)$$

より，$\vec{a} = (1, -1)$，$\vec{b} = (1, 3t^2 - 1)$ とする。

> $\vec{a}$，$\vec{b}$ はそれぞれ直線 $y = -x$，$y = (3t^2 - 1)x - 2t^3$ の方向ベクトルです。

この 2 つのベクトルの張る三角形の面積を S とすると，S は，

$$S = \frac{1}{2}|\vec{a}||\vec{b}|\sin\theta, \qquad S = \frac{1}{2}|1 \cdot (3t^2 - 1) - 1 \cdot (-1)|$$

の 2 通りで表せる。これらから S を消去して整理すると，

$$\sin\theta = \frac{|1 \cdot (3t^2 - 1) - 1 \cdot (-1)|}{\sqrt{1^2 + (-1)^2}\sqrt{1^2 + (3t^2 - 1)^2}} = \frac{3t^2}{\sqrt{18t^4 - 12t^2 + 4}}$$

$$\therefore \quad \sin^2\theta = \frac{9t^4}{18t^4 - 12t^2 + 4} \quad \boxed{\text{答}}$$

- 内積の定義から $\cos\theta$ を計算し，$\sin^2\theta = 1 - \cos^2\theta$ から求めることもできます。

3

問題を見てやるべきこと

　ベクトルの内積に関するやや難しい問題です。(1)は数式の論証，(2)，(3)はベクトルの内積計算に関する根本的な理解を問う問題であり，ただ 1 問で数学力を量れる良問です。

(1)　$\vec{0}$ でない 2 つのベクトル $\vec{m}$，$\vec{n}$ について，「$\vec{m}$ と $\vec{n}$ が平行である」ことは「$\vec{n} = k\vec{m}$ を満たす実数 k が存在する」ことと同値（必要十分）であるのを覚えましょう。必要十分条件であることを直接示すのが難しい場合は，「必要性と十分性を分けて示す」とよいでしょう。

(2)　$\vec{v} = (e, f)$，$\vec{w} = (g, h)$ のように成分表示した上で代入し，連立方程式を解きます。

(3)　r，s は実数（スカラー），$\vec{v}$，$\vec{w}$，$\vec{q}$ はベクトルなので，実数 r，s を「$\vec{v}$，$\vec{w}$，$\vec{q}$ の内積」を用いて表さなければならないことに気づきましょう。ここから，$r\vec{m} + s\vec{n} = \vec{q}$ に $\vec{v}$，$\vec{w}$ を掛ける発想が浮かぶでしょう。あとは(2)の結果を代入し，連立方程式を解くだけです。

2024
2023
2022
2021
2020
2019
2018
2017
2016
2015
2014
2013
2012
2011
2010

解　答

(1) **証　明**

$\overrightarrow{m}$ と $\overrightarrow{n}$ が平行であることは $\overrightarrow{n}=k\overrightarrow{m}$ を満たす実数 k が存在すること，つまり，

$$(b,\ d)=(ka,\ kc) \qquad \therefore\quad b=ka \text{ かつ } d=kc$$

を満たす実数 k が存在することと同値である。このとき，

$$D=ad-bc=a\cdot kc-ka\cdot c=0$$

より，$D=0$ は $\overrightarrow{m}$ と $\overrightarrow{n}$ が平行であるための必要条件である。

また，$D=0$ のとき，

$$ad-bc=0 \qquad \therefore\quad ad=bc \quad\cdots\cdots①$$

ここで，$\overrightarrow{m}\neq\overrightarrow{0}$ より，「$a\neq0$ または $c\neq0$」である。

- $a\neq0$ のとき，①より，$d=\dfrac{bc}{a}$ であり，

$$\overrightarrow{n}=\left(b,\ \frac{bc}{a}\right)=\frac{b}{a}(a,\ c)=\frac{b}{a}\overrightarrow{m}$$

よって，$\overrightarrow{n}=k\overrightarrow{m}$ を満たす実数 $k=\dfrac{b}{a}$ が存在する。

- $c\neq0$ のとき，①より，$b=\dfrac{ad}{c}$ であり，

$$\overrightarrow{n}=\left(\frac{ad}{c},\ d\right)=\frac{d}{c}(a,\ c)=\frac{d}{c}\overrightarrow{m}$$

よって，$\overrightarrow{n}=k\overrightarrow{m}$ を満たす実数 $k=\dfrac{d}{c}$ が存在する。

これらより，$D=0$ は $\overrightarrow{m}$ と $\overrightarrow{n}$ が平行であるための十分条件である。

以上より，$D=0$ は $\overrightarrow{m}$ と $\overrightarrow{n}$ が平行であるための必要十分条件であることが示された。

(2) $\overrightarrow{v}=(e,\ f)$，$\overrightarrow{w}=(g,\ h)$ とする。与式より，

$$\overrightarrow{m}\cdot\overrightarrow{v}=(a,\ c)\cdot(e,\ f)=ae+cf=1 \quad\cdots\cdots②$$

$$\overrightarrow{n}\cdot\overrightarrow{v}=(b,\ d)\cdot(e,\ f)=be+df=0 \quad\cdots\cdots③$$

$$\overrightarrow{m}\cdot\overrightarrow{w}=(a,\ c)\cdot(g,\ h)=ag+ch=0 \quad\cdots\cdots④$$

$$\overrightarrow{n}\cdot\overrightarrow{w}=(b,\ d)\cdot(g,\ h)=bg+dh=1 \quad\cdots\cdots⑤$$

$D \neq 0$，つまり $ad - bc \neq 0$ のとき，

- ② $\times d$ − ③ $\times c$ より，

$$(ad - bc)e = d \qquad \therefore \quad e = \frac{d}{ad - bc}$$

- ② $\times b$ − ③ $\times a$ より，

$$(bc - ad)f = b \qquad \therefore \quad f = -\frac{b}{ad - bc}$$

- ④ $\times d$ − ⑤ $\times c$ より，

$$(ad - bc)g = -c \qquad \therefore \quad g = -\frac{c}{ad - bc}$$

- ④ $\times b$ − ⑤ $\times a$ より，

$$(bc - ad)h = -a \qquad \therefore \quad h = \frac{a}{ad - bc}$$

以上より，

$$\vec{v} = \frac{1}{ad - bc}(d,\ -b), \quad \vec{w} = \frac{1}{ad - bc}(-c,\ a) \quad \boxed{答}$$

(3)　$r\vec{m} + s\vec{n} = \vec{q}$ の両辺に $\vec{v}$ を掛けると，

$$r\vec{m} \cdot \vec{v} + s\vec{n} \cdot \vec{v} = \vec{q} \cdot \vec{v}$$

$\vec{m} \cdot \vec{v} = 1$，$\vec{n} \cdot \vec{v} = 0$ を代入すると，

$$r = \vec{q} \cdot \vec{v} \quad \boxed{答}$$

$r\vec{m} + s\vec{n} = \vec{q}$ の両辺に $\vec{w}$ を掛けると，

$$r\vec{m} \cdot \vec{w} + s\vec{n} \cdot \vec{w} = \vec{q} \cdot \vec{w}$$

$\vec{m} \cdot \vec{w} = 0$，$\vec{n} \cdot \vec{w} = 1$ を代入すると，

$$s = \vec{q} \cdot \vec{w} \quad \boxed{答}$$

 研　究

(1)は，平行条件を比の形「$a : c = b : d$」で表すといきなり同値が示せます。

(1)の別解

$\vec{m} = (a,\ c)$ と $\vec{n} = (b,\ d)$ が平行であるための必要十分条件は，$a : c = b : d$ である。

$$a : c = b : d \Leftrightarrow ad = bc \Leftrightarrow ad - bc = 0$$

より、これは $D = 0$ と同値である。示された。

(3) ベクトルでは，掛け算（内積）はできますが，<u>割り算はできません</u>。つまり，

> • $\vec{m} \cdot \vec{v} = 1$ より $\vec{m} = \dfrac{1}{\vec{v}}$，$\vec{n} \cdot \vec{v} = 0$ より $\vec{n} = \dfrac{0}{\vec{v}} = 0$ であるから，
>
> $r\vec{m} + s\vec{n} = \vec{q}$ に代入すると，
>
> $r \cdot \dfrac{1}{\vec{v}} + s \cdot 0 = \vec{q}$ $\therefore$ $r = \vec{q} \cdot \vec{v}$

等と計算することはできません。上のような記述を書いていた場合，答えがあっていても 0 点です。部分点すら与えられません。(3)はこの点を理解できているかを試す意図で出題された問題だと予想されます。

4 問題を見てやるべきこと

数学 II「複素数と方程式」の内容である「$x^2 + x + 1 = 0$ の解 ω（1 の虚立方根）の性質」と確率漸化式の融合問題です。文系数学とは思えないほど本格的な確率漸化式の問題であり，多くの受験生は(1)しか解けなかったのではないかと思われます。とはいえ，誘導が非常に丁寧であり，(3)が(4)のヒントになっていることに気づけば完答も可能です。

(1) 共役複素数の定義を覚えていれば ω^2 の計算結果と比較するだけです。$\omega^2 + \omega + 1 = 0$ を利用すれば 2 乗の計算も不要です。

(2) 情報量が多いので，まずは z_k と t の値に応じて z_{k+1} がどうなるかを表にまとめましょう。z_{k+1} の計算の際，ω の性質である「$\omega^3 = 1$」，「$\overline{\omega} = \omega^2$」，「$\overline{\omega^2} = \omega$」等を利用します。その後求める確率を p_n とおいて漸化式を立てて解きます。z_n は 0，1，ω，ω^2 のいずれかなので，これらの確率の和が 1 になる点に注意しましょう。

(3) (2)で表を作っていれば，それを利用して漸化式を作り，計算するだけです。

(4) (3)の結果から「z_n が 1，ω，ω^2 である確率は等しい」と予想できます。それを示したうえで $\dfrac{1}{3}(1 - p_n)$ で求めればよいでしょう。(3)が誘導であることに

気づけない場合は少し面倒な漸化式を解くはめになります。

解　答

(1)　**証　明**

$x^3 = 1$ を解く。式変形すると，

$$x^3 - 1 = 0 \qquad \therefore \ (x-1)(x^2+x+1) = 0 \qquad \therefore \ x = 1, \ \frac{-1 \pm \sqrt{3}\,i}{2}$$

ω の虚部は正より，$\omega = \dfrac{-1 + \sqrt{3}\,i}{2}$ である。

- $\omega^2 = \left(\dfrac{-1 + \sqrt{3}\,i}{2}\right)^2 = \dfrac{(-1)^2 + (\sqrt{3}\,i)^2 + 2 \cdot (-1) \cdot (\sqrt{3}\,i)}{4} = \dfrac{-1 - \sqrt{3}\,i}{2}$

- $\overline{\omega} = \overline{\left(\dfrac{-1 + \sqrt{3}\,i}{2}\right)} = \dfrac{-1 - \sqrt{3}\,i}{2}$

より，$\omega^2 = \overline{\omega}$ である。示された。

(1)の別解　ω は方程式 $x^2 + x + 1 = 0$ の解より，

$$\omega^2 + \omega + 1 = 0 \qquad \omega^2 = -\omega - 1 = -\frac{-1 + \sqrt{3}\,i}{2} - 1 = \frac{-1 - \sqrt{3}\,i}{2}$$

（以下省略）

(2)　z_k と t の値に対応した z_{k+1} の値は下記の通りである。

計算の際，適宜 $\omega^3 = 1$，$\overline{\omega} = \omega^2$，$\overline{\omega^2} = \omega$ であることを用いている。

$\Bigg($
- ω に関する有名性質です。証明は下記の通り。
- ω は方程式 $x^3 = 1$ の解の１つより，$\omega^3 = 1$ が成り立つ。
- $\omega^2 = \overline{\omega}$ と $\overline{\overline{\omega}} = \omega$ より，$\overline{\omega^2} = \overline{\overline{\omega}} = \omega$
$\Bigg)$

z_k ＼ t	1	2	3	4	5	6
0	ω	ω^2	1	ω	ω^2	1
1	0	0	ω	ω^2	1	1
ω	0	0	ω^2	ω	ω	ω^2
ω^2	0	0	1	1	ω^2	ω

問題文の規則にしたがって表を完成させます。手を動かしましょう。

- $z_k = 0$ のとき $z_{k+1} = \omega^t$ より，1 行目に

  $\omega,\ \omega^2,\ \omega^3 = 1,\ \omega^4 = \omega^3 \cdot \omega = \omega,\ \omega^5 = \omega^3 \cdot \omega^2 = \omega^2,$

  $\omega^6 = \omega^3 \cdot \omega^3 = 1$

  を書き込みます。

- $z_k \neq 0$ のときは t の値で場合分けします。

  - $t = 1, 2$ のとき $z_{k+1} = 0$ より，1，2 列目の残りのセルに 0 を書き込みます。

  - $t = 3$ のとき $z_{k+1} = \omega z_k$ より，3 列目の残りのセルに（縦に）

    $\omega \cdot 1 = \omega,\ \omega \cdot \omega = \omega^2,\ \omega \cdot \omega^2 = \omega^3 = 1$

    を書き込みます。

  - $t = 4$ のとき $z_{k+1} = \overline{\omega z_k}$ より，3 列目を参考にして 4 列目に

    $\overline{\omega} = \omega^2,\ \overline{\omega^2} = \omega,\ \overline{1} = 1$

    を書き込みます。

  - $t = 5$ のとき $z_{k+1} = z_k$ より，5 列目に 1，ω，ω^2 を書き込みます。

  - $t = 6$ のとき $z_{k+1} = \overline{z_k}$ より，5 列目を参考にして 6 列目に

    $\overline{1} = 1,\ \overline{\omega} = \omega^2,\ \overline{\omega^2} = \omega$

    を書き込みます。

$z_n = 0,\ z_n = 1,\ z_n = \omega,\ z_n = \omega^2$ である確率を
それぞれ $p_n,\ q_n,\ r_n,\ s_n$ とおくと，表より，

$$p_{n+1} = \frac{1}{3} q_n + \frac{1}{3} r_n + \frac{1}{3} s_n \quad \cdots\cdots ①$$

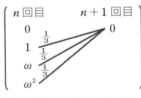

（右の推移図を参照）

ここで，z_n は 0，1，ω，ω^2 のいずれかであり，それ以外の値を取らないので，

$$p_n + q_n + r_n + s_n = 1 \quad \therefore\quad q_n + r_n + s_n = 1 - p_n$$

これを①に代入すると，

$$p_{n+1} = \frac{1}{3}(q_n + r_n + s_n) = \frac{1}{3}(1 - p_n) = -\frac{1}{3} p_n + \frac{1}{3}$$

式変形すると，

$$p_{n+1} - \frac{1}{4} = -\frac{1}{3}\left(p_n - \frac{1}{4}\right) \quad \left(\alpha = -\frac{1}{3}\alpha + \frac{1}{3} \quad \therefore\quad \alpha = \frac{1}{4}\right)$$

数列 $\left\{ p_n - \dfrac{1}{4} \right\}$ は初項

$$p_1 - \frac{1}{4} = 1 - \frac{1}{4} = \frac{3}{4}, \qquad \left(z_1 = 0 \text{ より } p_1 = 1 \text{ です。} \right)$$

公比 $-\dfrac{1}{3}$ の等比数列より，

$$p_n - \frac{1}{4} = \frac{3}{4}\left(-\frac{1}{3}\right)^{n-1} \qquad p_n = \frac{1}{4} + \frac{3}{4}\left(-\frac{1}{3}\right)^{n-1} \quad \text{答}$$

(3) (2)の表より，

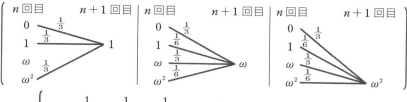

$$\begin{cases} q_{n+1} = \dfrac{1}{3} p_n + \dfrac{1}{3} q_n + \dfrac{1}{3} s_n \quad \cdots\cdots ② \\[2mm] r_{n+1} = \dfrac{1}{3} p_n + \dfrac{1}{6} q_n + \dfrac{1}{3} r_n + \dfrac{1}{6} s_n \quad \cdots\cdots ③ \\[2mm] s_{n+1} = \dfrac{1}{3} p_n + \dfrac{1}{6} q_n + \dfrac{1}{3} r_n + \dfrac{1}{6} s_n \quad \cdots\cdots ④ \end{cases}$$

①，②，③，④に $n=1$ を代入すると，$p_1 = 1$, $q_1 = r_1 = s_1 = 0$ より，

$$p_2 = \frac{1}{3} q_1 + \frac{1}{3} r_1 + \frac{1}{3} s_1 = \frac{1}{3}\cdot 0 + \frac{1}{3}\cdot 0 + \frac{1}{3}\cdot 0 = 0 \quad \left(\begin{array}{l}\text{この辺りは}\\\text{好きに計算}\\\text{してください。}\end{array}\right)$$

$$q_2 = \frac{1}{3} p_1 + \frac{1}{3} q_1 + \frac{1}{3} s_1 = \frac{1}{3}\cdot 1 + \frac{1}{3}\cdot 0 + \frac{1}{3}\cdot 0 = \frac{1}{3}$$

$$r_2 = s_2 = \frac{1}{3} p_1 + \frac{1}{6} q_1 + \frac{1}{3} r_1 + \frac{1}{6} s_1 = \frac{1}{3}\cdot 1 + \frac{1}{6}\cdot 0 + \frac{1}{3}\cdot 0 + \frac{1}{6}\cdot 0 = \frac{1}{3}$$

同様に②，③，④に $n=2$ を代入すると，

$$q_3 = \frac{1}{3} p_2 + \frac{1}{3} q_2 + \frac{1}{3} s_2 = \frac{1}{3}\cdot 0 + \frac{1}{3}\cdot\frac{1}{3} + \frac{1}{3}\cdot\frac{1}{3} = \frac{2}{9}$$

$$r_3 = s_3 = \frac{1}{3} p_2 + \frac{1}{6} q_2 + \frac{1}{3} r_2 + \frac{1}{6} s_2 = \frac{1}{3}\cdot 0 + \frac{1}{6}\cdot\frac{1}{3} + \frac{1}{3}\cdot\frac{1}{3} + \frac{1}{6}\cdot\frac{1}{3} = \frac{2}{9}$$

よって，$z_3 = 1$, $z_3 = \omega$, $z_3 = \omega^2$ となる確率はそれぞれ $\dfrac{2}{9}$, $\dfrac{2}{9}$, $\dfrac{2}{9}$

(4) (3)より，すべての自然数 n について，$q_n = r_n = s_n$ と予想できる。
これを数学的帰納法を用いて示す。

2024

2023

2022

2021

2020

2019

2018

2017

2016

2015

2014

2013

2012

2011

2010

(i) $n=1$ のとき, $q_1=r_1=s_1=0$ より成り立つ。

(ii) $n=k$ （k：自然数）で成り立つと仮定すると,

$$q_k=r_k=s_k$$

②, ③, ④に $n=k$ を代入すると, 仮定より,

$$q_{k+1}=\frac{1}{3}p_k+\frac{1}{3}q_k+\frac{1}{3}s_k=\frac{1}{3}p_k+\frac{2}{3}q_k$$

$$r_{k+1}=\frac{1}{3}p_k+\frac{1}{6}q_k+\frac{1}{3}r_k+\frac{1}{6}s_k=\frac{1}{3}p_k+\frac{2}{3}q_k$$

$$s_{k+1}=\frac{1}{3}p_k+\frac{1}{6}q_k+\frac{1}{3}r_k+\frac{1}{6}s_k=\frac{1}{3}p_k+\frac{2}{3}q_k$$

$q_{k+1}=r_{k+1}=s_{k+1}$ となり, $n=k+1$ のときも成り立つ。

(i), (ii)より, すべての自然数 n について, $q_n=r_n=s_n$ が成り立つ。

これより, $p_n+q_n+r_n+s_n=1$ に $q_n=r_n=s_n$ を代入すると,

$$p_n+3q_n=1 \qquad q_n=\frac{1}{3}(1-p_n)$$

(2)の結果を代入すると,

$$q_n=\frac{1}{3}\left\{1-\frac{1}{4}-\frac{3}{4}\left(-\frac{1}{3}\right)^{n-1}\right\}=\frac{1}{3}\left\{\frac{3}{4}-\frac{3}{4}\left(-\frac{1}{3}\right)^{n-1}\right\}$$

$$=\underline{\underline{\frac{1}{4}-\frac{1}{4}\left(-\frac{1}{3}\right)^{n-1}}} \quad \boxed{答}$$

(4)別解 （$q_n=r_n=s_n$ の証明は以下のようにもできます。）

③, ④の右辺が等しいことと $r_1=s_1=0$ より, $r_n=s_n$ である。

これを②, ③に代入すると,

$$q_{n+1}=\frac{1}{3}p_n+\frac{1}{3}q_n+\frac{1}{3}r_n \quad \cdots\cdots⑤$$

$$r_{n+1}=\frac{1}{3}p_n+\frac{1}{6}q_n+\frac{1}{2}r_n \quad \cdots\cdots⑥$$

⑤－⑥と $q_1=r_1=0$ より,

$$\left(\begin{array}{l}q_n=r_n \Leftrightarrow q_n-r_n=0 \ を\\ 示すために辺々引きます。\end{array}\right)$$

$$q_{n+1}-r_{n+1}=\frac{1}{6}(q_n-r_n) \qquad \therefore \quad q_n-r_n=(q_1-r_1)\cdot\left(\frac{1}{6}\right)^{n-1}=0$$

よって, すべての自然数 n について, $q_n=r_n=s_n$ が成り立つ。

（以下省略）

2024
2023
2022
2021
2020
2019
2018
2017
2016
2015
2014
2013
2012
2011
2010

◀━ **研　究**

(3)が(4)のヒントであることに気づけなかった場合は，(2)の結果と $r_n = s_n$ から強引に②の漸化式を解くことになります。ただし，この方針は明らかに文系受験者には難しすぎるので，誘導に気づけなかった場合は飛ばして他の大問に取り組む方がよいでしょう。

(4)別解1　③，④の右辺が等しいことと $r_1 = s_1 = 0$ より，$r_n = s_n$ である。

これを $p_n + q_n + r_n + s_n = 1$ に代入すると，

$$p_n + q_n + 2r_n = 1 \qquad \therefore \quad r_n = \frac{1}{2}(1 - p_n - q_n)$$

これを②に代入すると，

$$q_{n+1} = \frac{1}{3}p_n + \frac{1}{3}q_n + \frac{1}{6}(1 - p_n - q_n) = \frac{1}{6}p_n + \frac{1}{6}q_n + \frac{1}{6}$$

(2)の結果を代入すると，

$$q_{n+1} = \frac{1}{6}\left\{\frac{1}{4} + \frac{3}{4}\left(-\frac{1}{3}\right)^{n-1}\right\} + \frac{1}{6}q_n + \frac{1}{6} = \frac{1}{6}q_n + \frac{5}{24} + \frac{1}{8}\left(-\frac{1}{3}\right)^{n-1} \quad \cdots\cdots⑦$$

> 漸化式の解法の基本は「有名解法の模倣」です。今回は，一旦右辺の最後の項を無視して $a_{n+1} = pa_n + q$ 型の解法を模倣します。
>
> $q_{n+1} = \frac{1}{6}q_n + \frac{5}{24}$ について，$\alpha = \frac{1}{6}\alpha + \frac{5}{24}$ を解くと $\alpha = \frac{1}{4}$ なので，これを利用します。

⑦を式変形して整理すると，

$$q_{n+1} - \frac{1}{4} = \frac{1}{6}\left(q_n - \frac{1}{4}\right) + \frac{1}{8}\left(-\frac{1}{3}\right)^{n-1}$$

ここで，$t_n = q_n - \frac{1}{4}$ とおくと，$t_1 = q_1 - \frac{1}{4} = -\frac{1}{4}$ であり，

$$t_{n+1} = \frac{1}{6}t_n + \frac{1}{8}\left(-\frac{1}{3}\right)^{n-1}$$

両辺に $(-3)^{n+1}$ を掛けると，

$$(-3)^{n+1}t_{n+1} = -\frac{1}{2}(-3)^n t_n + \frac{9}{8}$$

> $a_{n+1} = pa_n + q^n$ 型の漸化式の解法の初手は両辺 q^{n+1} で割ることです。

ここで，$u_n = (-3)^n t_n$ とおくと，$u_1 = (-3)^1 t_1 = \frac{3}{4}$ であり，

$$u_{n+1} = -\frac{1}{2}u_n + \frac{9}{8}$$

式変形すると,

$$u_{n+1} - \frac{3}{4} = -\frac{1}{2}\left(u_n - \frac{3}{4}\right) \qquad \left(\alpha = -\frac{1}{2}\alpha + \frac{9}{8} \text{ を解くと, } \alpha = \frac{3}{4}\right)$$

数列 $\left\{u_n - \dfrac{3}{4}\right\}$ は,初項 $u_1 - \dfrac{3}{4} = 0$,公比 $-\dfrac{1}{2}$ の等比数列より,

$$u_n - \frac{3}{4} = 0 \cdot \left(-\frac{1}{2}\right)^{n-1} = 0 \qquad \therefore \quad u_n = \frac{3}{4}$$

$u_n = (-3)^n t_n$ より,$t_n = \dfrac{u_n}{(-3)^n} = \dfrac{3}{4}\left(-\dfrac{1}{3}\right)^n$

$t_n = q_n - \dfrac{1}{4}$ より,$q_n = t_n + \dfrac{1}{4} = \underline{\underline{\dfrac{1}{4} + \dfrac{3}{4}\left(-\dfrac{1}{3}\right)^n}}$ 答

(4) 別解2 （⑦までは **別解1** と同じ）

> 両辺に 6^{n+1} をかけて $a_{n+1} = a_n + f(n)$ 型（階差数列型）にしてもよいです。
> その場合は「$n=1$ でも成り立つ」ことを確認する必要があります。

⑦の両辺に 6^{n+1} をかけると,

$$6^{n+1}q_{n+1} = 6^n q_n + \frac{15}{2} \cdot 6^{n-1} + \frac{9}{2} \cdot (-2)^{n-1}$$

よって,$n \geqq 2$ のとき,

$$6^n q_n = 6q_1 + \sum_{k=1}^{n-1}\left\{\frac{15}{2} \cdot 6^{k-1} + \frac{9}{2} \cdot (-2)^{k-1}\right\} \qquad \left(\begin{array}{l}\text{シグマの上の添え字が}\\ n-1 \text{ であることに}\\ \text{注意しましょう。}\end{array}\right)$$

$$= 6 \cdot 0 + \frac{15}{2}\sum_{k=1}^{n-1}6^{k-1} + \frac{9}{2}\sum_{k=1}^{n-1}(-2)^{k-1}$$

$$= \frac{15}{2} \cdot \frac{6^{n-1} - 1}{6 - 1} + \frac{9}{2} \cdot \frac{(-2)^{n-1} - 1}{-2 - 1}$$

$$= \frac{3}{2}(6^{n-1} - 1) - \frac{3}{2}\{(-2)^{n-1} - 1\}$$

$$= \frac{3}{2}\{6^{n-1} - (-2)^{n-1}\}$$

両辺を 6^n で割ると,

$$q_n = \frac{3}{2 \cdot 6}\left\{1 - \left(-\frac{1}{3}\right)^{n-1}\right\} = \underline{\underline{\frac{1}{4}\left\{1 - \left(-\frac{1}{3}\right)^{n-1}\right\}}}$$ 答

これは,$n = 1$ でも成り立つ。

2022 年度　数　学　解答・解説

理系学部

1

問題を見てやるべきこと

(1) $\vec{n} = (x, y, z)$ $(x > 0)$ とおくと,

条件より, $\vec{n} \cdot \vec{a} = 0$, $\vec{n} \cdot \vec{b} = 0$, $|\vec{n}| = 1$

を用いて連立方程式を解くことで,

$$\vec{n} = \left(\frac{2}{3}, -\frac{2}{3}, -\frac{1}{3} \right) \text{ を導きます。}$$

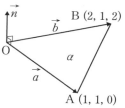

(2) (1)で求めた $\vec{n}$ を用いて計算します。

$\vec{n'} = 3\vec{n} = (2, -2, -1)$ として各成分を整数にし,

シンプルにします。

　点 P から平面 α に下ろした垂線の足を H とすると,

$\overrightarrow{PH} /\!/ \vec{n}$ より $\overrightarrow{PH} = k\vec{n}$ (k は実数) と表すことが

できます。

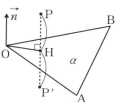

　$\overrightarrow{OH} = \overrightarrow{OP} + \overrightarrow{PH}$ を k で表し, $\overrightarrow{OH} \cdot \vec{n} = 0$ を計算

して, k が定まり, H の座標を求めることができます。

最後は $\overrightarrow{OP'} = \overrightarrow{OP} + 2\overrightarrow{PH}$ です。

(3) 平面 α 上の任意の点を R′, 題意をみたす点を R

とします。

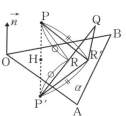

　右図より, (2)の P′ を用いて,

$$|\overrightarrow{PR'}| + |\overrightarrow{R'Q}| = |\overrightarrow{P'R'}| + |\overrightarrow{R'Q}| \geqq |\overrightarrow{P'Q}|$$

等号成立は，3点 P′，R′，Q が一直線上に存在するときですので，$\overrightarrow{OR} = \overrightarrow{OP'} + t\,\overrightarrow{P'Q}$（$t$ は実数）を計算し，(2)と同様に，$\overrightarrow{OR} \perp \vec{n}$ が重要なポイントになります。

すなわち，$\overrightarrow{OR} \cdot \vec{n} = 0$ より t を求めます。

しかし，<u>重要な大前提として</u>，この議論を進める前に確認すべきことがあります。P と Q が平面 α に関し，同じ側にあるのか否かです。ここをしっかりと記述しておく必要があります。

解答

(1) $\vec{n} = (x, y, z)$ $(x > 0)$ とおくと，
$\vec{a} = (1, 1, 0)$，$\vec{b} = (2, 1, 2)$
$\vec{n} \cdot \vec{a} = 0$，$\vec{n} \cdot \vec{b} = 0$，$|\vec{n}| = 1$ より，

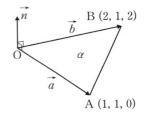

$$\begin{cases} x + y = 0 & \cdots\cdots① \\ 2x + y + 2z = 0 & \cdots\cdots② \\ x^2 + y^2 + z^2 = 1 & \cdots\cdots③ \end{cases}$$

①より，$y = -x$

これを②に代入して，$z = -\dfrac{x}{2}$

これらを③に代入して，$x^2 + x^2 + \dfrac{x^2}{4} = 1$

$$x^2 = \frac{4}{9} \qquad \therefore \quad x = \frac{2}{3}\ (>0) \qquad \therefore \quad y = -\frac{2}{3},\ z = -\frac{1}{3}$$

したがって，$\vec{n} = \left(\dfrac{2}{3},\ -\dfrac{2}{3},\ -\dfrac{1}{3}\right)$ 答

(2) 点 P から平面 α に下ろした垂線の足を H とする。

$\overrightarrow{PH} /\!/ \vec{n}$ より，$\overrightarrow{PH} = k(2, -2, -1)$（$k$ は実数）とおくことができる。

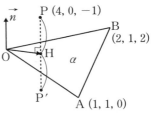

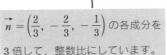

$\vec{n} = \left(\dfrac{2}{3},\ -\dfrac{2}{3},\ -\dfrac{1}{3}\right)$ の各成分を 3 倍して，整数比にしています。

$$\overrightarrow{\mathrm{OH}} = \overrightarrow{\mathrm{OP}} + \overrightarrow{\mathrm{PH}} = (4,\ 0,\ -1) + k(2,\ -2,\ -1)$$
$$= (4 + 2k,\ -2k,\ -1 - k)\ \ \cdots\cdots \text{④}$$

また，点 H は平面 α 上にあるので，$\overrightarrow{\mathrm{OH}} \perp \vec{n}$ となる。

よって，$\overrightarrow{\mathrm{OH}} \cdot \vec{n} = \dfrac{2}{3}(4 + 2k) - \dfrac{2}{3}(-2k) - \dfrac{1}{3}(-1 - k) = 0$

$k = -1$。これを④に代入して，$\overrightarrow{\mathrm{OH}} = (2,\ 2,\ 0)$

線分 PP′ の中点が H より，

$$\overrightarrow{\mathrm{OP'}} = \overrightarrow{\mathrm{OP}} + 2\overrightarrow{\mathrm{PH}} = (4,\ 0,\ -1) + 2(-2,\ 2,\ 1) = (0,\ 4,\ 1)$$

よって，<u>P′$(0,\ 4,\ 1)$</u> **答**

(3) $\overrightarrow{\mathrm{OP}} \cdot \vec{n} = 4 \cdot \dfrac{2}{3} + 0 \cdot \left(-\dfrac{2}{3}\right) + (-1) \cdot \left(-\dfrac{1}{3}\right) = 3 > 0\ \ \cdots\cdots \text{⑤}$

$\overrightarrow{\mathrm{OQ}} \cdot \vec{n} = 4 \cdot \dfrac{2}{3} + 0 \cdot \left(-\dfrac{2}{3}\right) + 5 \cdot \left(-\dfrac{1}{3}\right) = 1 > 0\ \ \cdots\cdots \text{⑥}$

⑤⑥より，$\overrightarrow{\mathrm{OP}}$，$\overrightarrow{\mathrm{OQ}}$ はともに $\vec{n}$ とのなす角が鋭角となり，2 点 P，Q は平面 α と同じ側に存在する。

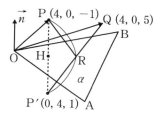

$$\left|\overrightarrow{\mathrm{PR}}\right| + \left|\overrightarrow{\mathrm{RQ}}\right| = \left|\overrightarrow{\mathrm{P'R}}\right| + \left|\overrightarrow{\mathrm{RQ}}\right| \geqq \left|\overrightarrow{\mathrm{P'Q}}\right|$$

等号成立は，3 点 P′，R，Q が一直線上に存在するとき

このとき，点 R は，線分 P′Q と平面 α との交点となる。

$$\overrightarrow{\mathrm{P'Q}} = \overrightarrow{\mathrm{OQ}} - \overrightarrow{\mathrm{OP'}} = (4,\ 0,\ 5) - (0,\ 4,\ 1) = (4,\ -4,\ 4)$$

点 R は線分 P′Q 上の点なので，実数 $t\ (0 \leqq t \leqq 1)$ を用いて

$$\overrightarrow{\mathrm{OR}} = \overrightarrow{\mathrm{OP'}} + t\,\overrightarrow{\mathrm{P'Q}} = (0,\ 4,\ 1) + t(4,\ -4,\ 4)$$
$$= (4t,\ 4 - 4t,\ 1 + 4t)\ \text{と表すことができる。}$$

点 R は平面 α 上に存在するので，$\overrightarrow{\mathrm{OR}} \perp \vec{n}$

よって，$\overrightarrow{\mathrm{OR}} \cdot \vec{n} = 4t \cdot \dfrac{2}{3} + (4 - 4t) \cdot \left(-\dfrac{2}{3}\right) + (1 + 4t) \cdot \left(-\dfrac{1}{3}\right)$

$$= 0 \qquad \therefore\quad t = \dfrac{3}{4}\ (0 \leqq t \leqq 1)$$

$\therefore\quad \overrightarrow{\mathrm{OR}} = (3,\ 1,\ 4)$　　したがって，<u>R$(3,\ 1,\ 4)$</u> **答**

 研 究

本問は九大に頻出の座標空間における垂線がらみの出題です。九大受験生であれば，落とすわけにはいきません。

2021 年度①，2017 年度②，2011 年度④，2007 年度③，2004 年度④などを用いて，完全マスターしましょう。いずれも正射影を用いると，速やかに解けます。

(2)（正射影を用いる）

点 P から平面 α に下ろした垂線の足を H とします。

$\overrightarrow{\mathrm{PH}} /\!/ \vec{n}$ より，$\overrightarrow{\mathrm{PO}}$ の $\vec{n}$ への正射影ベクトルが $\overrightarrow{\mathrm{PH}}$ となります。

$\overrightarrow{\mathrm{PO}}$ と $\vec{n}$ のなす角を $\theta(0° \leqq \theta \leqq 180°)$ とします。

$$\overrightarrow{\mathrm{PH}} = |\overrightarrow{\mathrm{PO}}|\cos\theta \cdot \vec{n}$$

$$= \frac{|\overrightarrow{\mathrm{PO}}||\vec{n}|\cos\theta}{|\vec{n}|} \cdot \vec{n} = (\overrightarrow{\mathrm{PO}} \cdot \vec{n})\vec{n} \ (\because \ |\vec{n}| = 1)$$

$$= \left(-\frac{8}{3} + 0 - \frac{1}{3}\right) \cdot \left(\frac{2}{3}, \ -\frac{2}{3}, \ -\frac{1}{3}\right)$$

$$= (-2, \ 2, \ 1)$$

$$\begin{cases} \overrightarrow{\mathrm{PO}} = (-4, \ 0, \ 1) \\ \vec{n} = \left(\dfrac{2}{3}, \ -\dfrac{2}{3}, \ -\dfrac{1}{3}\right) \end{cases}$$

正射影ベクトルを用いると，

$$\overrightarrow{\mathrm{PH}} = \frac{\overrightarrow{\mathrm{PO}} \cdot \vec{n}}{|\vec{n}|^2}\vec{n}$$

$$\therefore \quad \overrightarrow{\mathrm{OP'}} = \overrightarrow{\mathrm{OP}} + \overrightarrow{\mathrm{PP'}} = \overrightarrow{\mathrm{OP}} + 2\overrightarrow{\mathrm{PH}}$$

$$= (4, \ 0, \ -1) + 2(-2, \ 2, \ 1) = (0, \ 4, \ 1)$$

よって P′(0, 4, 1) 答

(3) **別 解**

（2 点 P，Q が平面 α に関し，同じ側にあることを示すまで）

2 点 P(4, 0, -1) と Q(4, 0, 5) の x 座標と y 座標は一致しているので，直線 PQ 上の点を S(4, 0, s)（s は実数）とおくことができる。

点 S が平面 α 上に存在するとき，$\overrightarrow{\mathrm{OS}} \perp \vec{n}$

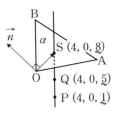

よって，$\overrightarrow{\mathrm{OS}} \cdot \vec{n} = 4 \cdot \dfrac{2}{3} + 0 \cdot \left(-\dfrac{2}{3}\right) + s \cdot \left(-\dfrac{1}{3}\right) = 0$　　$\therefore$　$s = 8$

　3点 P，Q，S の z 座標は順に -1，5，8 となるので，3点 P，Q，S は，この順に一直線上に並ぶ。よって，2点 P，Q は平面 α に関して同じ側に存在する。

2

 ## 問題を見てやるべきこと

(1)　$x^n = (x - \alpha)(x - \beta)^2 Q(x) + A(x - \alpha)(x - \beta) + B(x - \alpha) + C$　……①

　x^n を①のように表すことができることを示します。

　①の右辺の1次式 $x - \alpha$，2次式 $(x - \alpha)(x - \beta)$，3次式 $(x - \alpha)(x - \beta)^2$ に着目します。

　x^n を $x - \alpha$ で割ったときのあまりが C となり，その商を，

　　　$x - \beta$ で割ったときのあまりが B となり，さらにその商を，

　　　$x - \beta$ で割ったときのあまりが A となります。

　式で表すと，

$$x^n = (x - \alpha)\{\underline{(x - \beta)^2 Q(x) + A(x - \beta) + B}\} + C$$
$$(x - \beta)^2 Q(x) + A(x - \beta) + B = (x - \beta)\{\underline{(x - \beta)Q(x) + A}\} + B$$
$$\underline{(x - \beta)Q(x) + A}$$

となります。

　このことを考慮して，答案をつくりましょう。

(2)　①の式に $x = \alpha$ を代入して，C を求め，さらに，

　　　$x = \beta$ を代入して，B を求めます。

　さらに①を微分した式に，

　　　$x = \beta$ を代入して，A を求めます。

(3)　(2)で得られた，$A = \dfrac{1}{\beta - \alpha}\left\{n\beta^{n-1} - \dfrac{\beta^n - \alpha^n}{\beta - \alpha}\right\}$ の形に注目します。

　$\lim\limits_{\beta \to \alpha} A$ を問われています。A の右辺のかっこの部分をある多項式 $f(x)$ を用いて $f(\beta) - f(\alpha)$ の形で表すことができれば，$\lim\limits_{\beta \to \alpha} A = \lim\limits_{\beta \to \alpha} \dfrac{f(\beta) - f(\alpha)}{\beta - \alpha} = f'(\alpha)$ となり，$f'(\alpha)$ を求めればよいことになります。

解　答

(1) $\left\{\begin{array}{l} x^n = (x-\alpha)(x-\beta)^2 Q(x) + A(x-\alpha)(x-\beta) + B(x-\alpha) + C \quad \cdots\cdots① \\ ①を示すために, x^n を x-\alpha, x-\beta, x-\beta と順に割ることを検討する。 \end{array}\right.$

　n は 3 以上の自然数なので, x^n を $x-\alpha$ で割ったときの商を $f(x)$, 余りを C とすると,

$$x^n = (x-\alpha)f(x) + C \quad \cdots\cdots②$$

が成立する（$f(x)$ の次数は 2 以上）。さらに,

$f(x)$ を $(x-\beta)$ で割ったときの商を $g(x)$, 余りを B とすると,

$$f(x) = (x-\beta)g(x) + B \quad \cdots\cdots③$$

が成立する（$g(x)$ の次数は 1 以上）。②③より, $f(x)$ を消去すると,

$$x^n = (x-\alpha)\{(x-\beta)g(x) + B\} + C$$

$$\therefore \quad x^n = (x-\alpha)(x-\beta)g(x) + B(x-\alpha) + C \quad \cdots\cdots④$$

さらに, $g(x)$ を $(x-\beta)$ で割ったときの商を $Q(x)$, 余りを A とすると,

$$g(x) = (x-\beta)Q(x) + A \quad \cdots\cdots⑤$$

　④⑤より, $g(x)$ を消去すると,

$$x^n = (x-\alpha)(x-\beta)\{(x-\beta)Q(x) + A\} + B(x-\alpha) + C$$

$$\therefore \quad x^n = (x-\alpha)(x-\beta)^2 Q(x) + A(x-\alpha)(x-\beta) + B(x-\alpha) + C$$

以上より, ①をみたす実数 A, B, C と整式 $Q(x)$ が存在する。

(2) $x^n = (x-\alpha)(x-\beta)^2 Q(x) + A(x-\alpha)(x-\beta) + B(x-\alpha) + C \quad \cdots\cdots①$

　①の両辺を x で微分すると,

$$nx^{n-1} = (x-\beta)^2 Q(x) + (x-\alpha)2(x-\beta)Q(x) + (x-\alpha)(x-\beta)^2 Q'(x)$$
$$+ A(2x-\alpha-\beta) + B \quad \cdots\cdots①'$$

　①に $x=\alpha$ を代入して, $\underline{C=\alpha^n}$ 答

　①に $x=\beta$ を代入して, $\beta^n = B(\beta-\alpha) + C$

　$\alpha \neq \beta$ より, $B = \dfrac{\beta^n - C}{\beta-\alpha}$ $\quad \therefore \quad \underline{B = \dfrac{\beta^n - \alpha^n}{\beta-\alpha}}$ 答

　①′ に $x=\beta$ を代入して, $n\beta^{n-1} = A(\beta-\alpha) + B$

　$\alpha \neq \beta$ より, $A = \dfrac{n\beta^{n-1}}{\beta-\alpha} - \dfrac{B}{\beta-\alpha}$ $\quad \therefore \quad \underline{A = \dfrac{n\beta^{n-1}}{\beta-\alpha} - \dfrac{\beta^n - \alpha^n}{(\beta-\alpha)^2}}$ 答

(3)　(2)より，

$$A = \frac{1}{\beta - \alpha}\left\{ n \cdot \beta^{n-1} - \frac{\beta^n - \alpha^n}{\beta - \alpha} \right\}$$

$$= \frac{1}{\beta - \alpha}\{ n \cdot \beta^{n-1} - (\beta^{n-1} + \beta^{n-2} \cdot \alpha + \cdots\cdots + \beta\alpha^{n-2} + \alpha^{n-1}) \} \ (n \geq 3)$$

$$= \frac{1}{\beta - \alpha}\left\{ n \cdot \beta^{n-1} - \sum_{k=0}^{n-1} \alpha^{n-1-k} \cdot \beta^k \right\} \quad \cdots\cdots ⑥$$

⑥ $\leftarrow \displaystyle\lim_{\beta \to \alpha} \frac{f(\beta) - f(\alpha)}{\beta - \alpha} = f'(\alpha)$ を想定しています。

(⑥の分子) $= h(\beta) = n \cdot \beta^{n-1} - \displaystyle\sum_{k=0}^{n-1} \alpha^{n-1-k} \cdot \beta^k \quad \cdots\cdots ⑦$ とおくと，

β に α を代入

$$h(\alpha) = n \cdot \alpha^{n-1} - \sum_{k=0}^{n-1} \alpha^{n-1} = n \cdot \alpha^{n-1} - n\alpha^{n-1} = 0$$

⑥，⑦と $h(\alpha) = 0$ より，

$$\lim_{\beta \to \alpha} A = \lim_{\beta \to \alpha} \frac{h(\beta)}{\beta - \alpha} = \lim_{\beta \to \alpha} \frac{h(\beta) - h(\alpha)}{\beta - \alpha} = h'(\alpha)$$

これより $h'(\alpha)$ を求めます。

⑦より，

$$h'(\beta) = n(n-1) \cdot \beta^{n-2} - \sum_{k=1}^{n-1} k \cdot \alpha^{n-1-k} \cdot \beta^{k-1}$$

$\displaystyle\sum_{k=0}^{n-1}$ を $\displaystyle\sum_{k=1}^{n-1}$ としています

よって，

$$h'(\alpha) = n(n-1) \cdot \alpha^{n-2} - \sum_{k=1}^{n-1} k \cdot \alpha^{n-2}$$

$$= \left\{ n(n-1) - \frac{1}{2} n(n-1) \right\}\alpha^{n-2} = \frac{1}{2} n(n-1) \cdot \alpha^{n-2}$$

したがって，$\underline{\displaystyle\lim_{\beta \to \alpha} A = \frac{1}{2} n(n-1)\alpha^{n-2}}$ 【答】

 研　究

(1)は直接，割り算をしても，示すことができます。

(1)別解

　x^n を $(x - \alpha)(x - \beta)^2$ で割ったときの商を $Q(x)$，余りを $px^2 + qx + r$ とおくと，

$$x^n = (x - \alpha)(x - \beta)^2 Q(x) + \underline{px^2 + qx + r}$$

$$
\begin{array}{r}
p \\
x^2-(\alpha+\beta)x+\alpha\beta \overline{\smash{\big)}\,px^2 \qquad +qx \qquad +r} \\
\underline{px^2-p(\alpha+\beta)x \qquad +p\alpha\beta} \\
\{p(\alpha+\beta)+q\}x-p\alpha\beta+r
\end{array}
$$

右の筆算より,

$$\underwave{px^2+qx+r}=\{x^2-(\alpha+\beta)x+\alpha\beta\}\cdot p+\{p(\alpha+\beta)+q\}x-p\alpha\beta+r$$

$$=p(x-\alpha)(x-\beta)+\underbrace{(p\alpha+p\beta+q)}(x-\alpha)+\underbrace{p\alpha^2+q\alpha+r}$$

$$\qquad\qquad\qquad\quad\overset{\downarrow}{A}\qquad\qquad\qquad\overset{\downarrow}{B}\qquad\qquad\qquad\qquad\overset{\downarrow}{C}$$

$A=p$, $B=p\alpha+p\beta+q$, $C=p\alpha^2+q\alpha+r$ として,実数 A, B, C と整式 $Q(x)$ が存在することが示された。

3 問題を見てやるべきこと

(1) $n^4=1+210m^2$ ……① において,右辺は奇数です。

よって,n^4 は奇数となり,n も奇数となります。

したがって,$\dfrac{n^2+1}{2}$,$\dfrac{n^2-1}{2}$ はともに整数となり,

さらに,$\dfrac{n^2+1}{2}-\dfrac{n^2-1}{2}=1$ より互いに素であることが示されます。

(2) (1)の $\dfrac{n^2+1}{2}$ と $\dfrac{n^2-1}{2}$ を用いましょう。

①より,$\dfrac{n^2+1}{2}\cdot\dfrac{n^2-1}{2}=\dfrac{105}{2}m^2$ ……①′

①′ において,両辺は整数により,m^2 は偶数,よって m も偶数となります。

$m=2M$ (Mは自然数)とおいて,①′ に代入して,

$$(n^2+1)(n^2-1)=2^3\cdot3\cdot5\cdot7M^2 \quad\text{……②}$$

$n^2-1=(n-1)(n+1)$ において,$n-1$ と $n+1$ は連続する2つの偶数ですので,その積は8の倍数となります。

$168=2^3\cdot3\cdot7$ より,②の右辺の3と7が,②の左辺の n^2+1 の約数でないことを示せば,n^2-1 が,$2^3\cdot3\cdot7=168$ の倍数であると,示せます。

(3) (2)より,$n^2-1=168N$ (Nは自然数)と表します。これを①に代入して,

$$(168N + 2) \cdot 168N = 210m^2$$

「$m^2 =$」の形にして，平方数となる条件を考えましょう。

解　答

(1)　$n^4 = 1 + 210m^2$　……①

①の右辺は奇数なので，①の左辺の n^4 も奇数となる。つまり，n は奇数。このとき，$n^2 + 1$，$n^2 - 1$ はともに偶数。

よって，$\dfrac{n^2 + 1}{2}$，$\dfrac{n^2 - 1}{2}$ はともに整数となる。

$$\dfrac{n^2 + 1}{2} - \dfrac{n^2 - 1}{2} = 1 \quad \cdots\cdots②$$

②より「連続2整数により互いに素である」でも可です。

ここで，m は自然数なので，①より，$n^4 \geqq 211$　　∴　$n \geqq 4$

∴　$\dfrac{n^2 + 1}{2}$，$\dfrac{n^2 - 1}{2}$ はともに自然数。

$\dfrac{n^2 + 1}{2}$，$\dfrac{n^2 - 1}{2}$ の最大公約数を g とすると，互いに素な自然数 a，b $(a > b)$ を用いて，$\dfrac{n^2 + 1}{2} = ga$，$\dfrac{n^2 - 1}{2} = gb$ と表される。

②に代入して，$ga - gb = 1$　　∴　$g(a - b) = 1$ と変形できるので，$g = 1$，$a - b = 1$ となる。

よって，$\dfrac{n^2 + 1}{2}$ と $\dfrac{n^2 - 1}{2}$ は互いに素な整数である。

(2)　①より $n^4 - 1 = 210m^2$

$$\dfrac{n^2 + 1}{2} \cdot \dfrac{n^2 - 1}{2} = \dfrac{105}{2} m^2 \quad \cdots\cdots①'$$

①′ の左辺は自然数により，右辺も自然数となる。

したがって，m^2 は偶数となり，m も偶数となる。

$m = 2M$ （M は自然数）を①′ に代入して，

$$(n^2 + 1)(n^2 - 1) = 210 \cdot (2M)^2$$

$$(n^2 + 1)(n^2 - 1) = 2^3 \cdot 3 \cdot 5 \cdot 7 \cdot M^2 \quad \cdots\cdots③$$

③において，$n^2 + 1$ が，3でも7でも割り切れないことを示す。

> $168 = 2^3 \cdot 3 \cdot 7$ より素数3と7が $n^2 - 1$ の約数であることを示す。

[1] mod 3 のとき（3 を法とする）

$n \equiv 0$ または ± 1

$n \equiv 0$ のとき $n^2 + 1 \equiv 1$, $n \equiv \pm 1$ のとき $n^2 + 1 \equiv 2$

[2] mod 7 のとき（7 を法とする）

$n \equiv 0$, または ± 1, または ± 2, または ± 3

$n \equiv 0$ のとき $n^2 + 1 \equiv 1$, $n \equiv \pm 1$ のとき $n^2 + 1 \equiv 2$

$n \equiv \pm 2$ のとき $n^2 + 1 \equiv 5$, $n \equiv \pm 3$ のとき $n^2 + 1 \equiv 3$

[1][2] より, $n^2 + 1$ は 3 の倍数でも, 7 の倍数でもない。

よって, ③より $n^2 - 1$ は $3 \cdot 7$ の倍数となる。 ……④

さらに, n は奇数なので, $n = 2k - 1$ （k は自然数）とおくと,

$$n^2 - 1 = (2k - 1)^2 - 1 = 4k(k - 1)$$

$k(k - 1)$ は連続 2 整数により偶数となり, $n^2 - 1$ は 8 の倍数となる ……⑤

④⑤より, $n^2 - 1$ は, $3 \cdot 7 \cdot 8$ の倍数となり, 168 の倍数である。

(3) (2)より, $n^2 - 1 = 168N$ （N は自然数） ……⑥

と表すことができる。

①から, $(n^2 + 1)(n^2 - 1) = 210m^2$, これに⑥を代入して,

$$(168N + 2) \cdot 168N = 210m^2$$

$$m^2 = \frac{2^3 N(84N + 1)}{5}$$

> 「$m^2 =$」の形にして, 両辺が平方数
> となるように, N の条件を考えます

$N = 10$ のとき, $\begin{cases} m^2 = 2^4 \cdot 841 = 2^4 \cdot 29^2 = 116^2 \\ n^2 = 168 \cdot 10 + 1 = 1681 = 41^2 \end{cases}$

$\therefore \quad \underset{\sim\sim\sim\sim\sim\sim\sim\sim}{(m, n) = (116, 41)}$ 答

 研　究

(3)で $n^2 - 1 = 168N$ を①に代入すると,

$$(168N + 2) \cdot 168N = 210m^2$$

$$(84N + 1) \cdot 2^4 \cdot 3 \cdot 7N = 2 \cdot 3 \cdot 5 \cdot 7m^2$$

$$2^3 \cdot N(84N + 1) = 5m^2 \quad ……Ⓐ$$

と変形すると, 左辺が素因数 2 を 3 個以上もつことより $m = 2^2 M'$ （M' は自然数）とおきます。

Ⓐに代入して,

$$N(84N + 1) = 2 \cdot 5M'^{2}$$

右辺は偶数で，$84N + 1$ は奇数より，N は偶数となります。$N = 2K$（K は自然数）を代入すると，

$$K(168K + 1) = 5M'^{2}$$

$K = 5$ とすると，$M'^{2} = 841 = 29^{2}$

このとき，$\underline{m = 2^{2}M' = 4 \cdot 29 = \underline{116}}$ 　**答**

$$n^{2} = 168N + 1 = 168 \cdot 2 \cdot 5 + 1 = 1681 = 41^{2}$$

$\underline{\underline{n = 41}}$ 　**答**

[4]   **問題を見てやるべきこと**

(1)　$\{F(x) + G(x)\}' = F'(x) + G'(x)$ を示すにあたり，設問の指示通り，導関数の定義に従います。

$H(x) = F(x) + G(x)$ とおいて，$H'(x) = \displaystyle\lim_{h \to 0} \dfrac{H(x + h) - H(x)}{h}$ から始めましょう。

(2)　$\displaystyle\int_{a}^{b} g(x)dx = G(b) - G(a) > 0$ を示します。　$(G'(x) = g(x))$

平均値の定理より，$G(b) - G(a) = (b - a)G'(c)$ かつ，$a < c < b$

条件より，$b - a > 0$，$G'(c) > 0$ となり，$G(b) - G(a) > 0$ が示されます。

(3)　$f(x)$ は $0 \leqq x \leqq 1$ で増加関数により，$i = 1, 2, \cdots\cdots, n$ において，

$0 \leqq \dfrac{i - 1}{n} \leqq x \leqq \dfrac{i}{n} \leqq 1$ の範囲で，$f\left(\dfrac{i - 1}{n}\right) \leqq f(x) \leqq f\left(\dfrac{i}{n}\right)$ が成立します。

ここで性質(C)を用いることで，$\dfrac{1}{n}f\left(\dfrac{i - 1}{n}\right) \leqq \displaystyle\int_{\frac{i-1}{n}}^{\frac{i}{n}} f(x)dx \leqq \dfrac{1}{n}f\left(\dfrac{i}{n}\right)$ 　……②

を示すことができます。

(4)　不等式②において，性質(B)を繰り返し用いることにより，

$$\underbrace{\dfrac{1}{n}\sum_{i=1}^{n} f\left(\dfrac{i - 1}{n}\right)}_{ⓟ} \leqq \underbrace{\sum_{i=1}^{n} \int_{\frac{i-1}{n}}^{\frac{i}{n}} f(x)dx}_{ⓠ} \leqq \underbrace{\dfrac{1}{n}\sum_{i=1}^{n} f\left(\dfrac{i}{n}\right)}_{ⓡ}$$

が導かれます。 あとは，ⓟ $= S_n$，ⓠ $= \displaystyle\int_0^1 f(x)dx$，ⓡ $= S_n + \dfrac{f(1)-f(0)}{n}$ を示すだけです。

解　答

(1)　$H(x) = F(x) + G(x)$ とおく。

$$H'(x) = \lim_{h \to 0} \frac{H(x+h) - H(x)}{h} = \lim_{h \to 0} \frac{\{F(x+h)+G(x+h)\} - \{F(x)+G(x)\}}{h}$$

導関数
の定義

$$= \lim_{h \to 0}\left\{\frac{F(x+h)-F(x)}{h} + \frac{G(x+h)-G(x)}{h}\right\}$$

$$(F(x),\ G(x)\ \text{は微分可能})$$

$$= F'(x) + G'(x)$$

以上より，$\underline{\{F(x)+G(x)\}' = F'(x) + G'(x)}$　……ⓐが成立する。

$F'(x) = f(x)$，$G'(x) = g(x)$ とする。

$$\underline{\int_a^b \{f(x)+g(x)\}dx} = \int_a^b \{F'(x)+G'(x)\}dx \overset{ⓐ}{=} \int_a^b \{F(x)+G(x)\}' dx$$

$$\left(\int_a^b f(x)dx = F(b) - F(a)\quad ……①\right)$$

$$= \{F(b)+G(b)\} - \{F(a)+G(a)\}$$

$$= \{F(b)-F(a)\} + \{G(b)-G(a)\} \overset{①}{=} \underline{\int_a^b f(x)dx + \int_a^b g(x)dx}$$

(2)　$G'(x) = g(x)$ となる関数 $G(x)$ に対し，

$$\int_a^b g(x)dx \overset{①}{=} G(b) - G(a)\quad ……ⓑ$$

$G(x)$ は区間 $[a, b]$ で連続，(a, b) で微分可能なので，平均値の定理より，

$$\frac{G(b)-G(a)}{b-a} = G'(c)(= g(c)) \Leftrightarrow G(b) - G(a) = g(c)\cdot(b-a)\quad ……ⓒ$$

をみたす実数 c が $a < c < b$ に存在する。

$a \le x \le b$ で $g(x) > 0$ より，$g(c) > 0$

これと $b - a > 0$ から，ⓒの右辺は正となり，$G(b) - G(a) > 0$

⑧より，$\displaystyle\int_a^b g(x)dx > 0$ が成立する。

(3)　$\underline{ア = (C)}$ 【答】

$0 \leq x \leq 1$ で，$f(x)$ が増加関数なので，$i = 1, 2, \cdots\cdots, n$ において，

$0 \leq \dfrac{i-1}{n} \leq x \leq \dfrac{i}{n} \leq 1$ の範囲で，$f\left(\dfrac{i-1}{n}\right) \leq f(x) \leq f\left(\dfrac{i}{n}\right)$ が成立する。

性質 (C) より $\displaystyle\int_{\frac{i-1}{n}}^{\frac{i}{n}} f\left(\dfrac{i-1}{n}\right)dx \leq \int_{\frac{i-1}{n}}^{\frac{i}{n}} f(x)dx \leq \int_{\frac{i-1}{n}}^{\frac{i}{n}} f\left(\dfrac{i}{n}\right)dx$　……⑧

⑧において，$f\left(\dfrac{i-1}{n}\right)$，$f\left(\dfrac{i}{n}\right)$ は定数で，$\displaystyle\int_{\frac{i-1}{n}}^{\frac{i}{n}} dx = \dfrac{i}{n} - \dfrac{i-1}{n} = \dfrac{1}{n}$ より，

$\displaystyle⑧ \Leftrightarrow \dfrac{1}{n}f\left(\dfrac{i-1}{n}\right) \leq \int_{\frac{i-1}{n}}^{\frac{i}{n}} f(x)dx \leq \dfrac{1}{n}f\left(\dfrac{i}{n}\right)$ $(i = 1, 2, \cdots\cdots, n)$　……②

(4)　$\underline{イ = (B)}$ 【答】

②を $i = 1, 2, \cdots\cdots, n$ で辺々加えると（性質 (B) より）

$$\underbrace{\dfrac{1}{n}\sum_{i=1}^n f\left(\dfrac{i-1}{n}\right)}_{ⓟ} \leq \underbrace{\sum_{i=1}^n \int_{\frac{i-1}{n}}^{\frac{i}{n}} f(x)dx}_{ⓠ} \leq \underbrace{\dfrac{1}{n}\sum_{i=1}^n f\left(\dfrac{i}{n}\right)}_{ⓡ}　\cdots\cdots ⊛$$

$ⓟ = S_n$

$\displaystyle ⓠ = \sum_{i=1}^n \int_{\frac{i-1}{n}}^{\frac{i}{n}} f(x)dx = \int_0^{\frac{1}{n}} f(x)dx + \int_{\frac{1}{n}}^{\frac{2}{n}} f(x)dx + \cdots\cdots + \int_{\frac{n-1}{n}}^{\frac{n}{n}} f(x)dx = \int_0^1 f(x)dx$

（性質 (B)）

$\displaystyle ⓡ = \dfrac{1}{n}\sum_{i=1}^n f\left(\dfrac{i}{n}\right) = \dfrac{1}{n}\left\{f\left(\dfrac{1}{n}\right) + f\left(\dfrac{2}{n}\right) + \cdots\cdots + f\left(\dfrac{n}{n}\right)\right\}$

$\displaystyle = \dfrac{1}{n}\left\{f(0) + f\left(\dfrac{1}{n}\right) + \cdots\cdots + f\left(\dfrac{n-1}{n}\right)\right\} - \dfrac{1}{n}f(0) + \dfrac{1}{n}f(1)$

$\displaystyle = \dfrac{1}{n}\sum_{i=1}^n f\left(\dfrac{i-1}{n}\right) + \dfrac{f(1) - f(0)}{n} = S_n + \dfrac{f(1) - f(0)}{n}$

これを ⊛ に代入して，

$\displaystyle S_n \leq \int_0^1 f(x)dx \leq S_n + \dfrac{f(1) - f(0)}{n}$

$\displaystyle \Leftrightarrow 0 \leq \int_0^1 f(x)dx - S_n \leq \dfrac{f(1) - f(0)}{n}$　……③

 **研　究**

　本問は難問ではありませんが，定義や与えられた性質に沿って考える必要があり，受験生の多くが苦手としています。

　しかし，公式の証明も含めて，九大では頻出事項ですので，しっかりと復習しておきましょう。

　1997 年の九大文系の出題を一部紹介します。

　関数　$f(x) = ax^2 + bx + c \ (a \neq 0)$ について，

（1）x が p から q まで変化するとき，関数 $f(x)$ の平均変化率を求めよ。

（2）$f(x)$ の $x = r$ における微分係数 $f'(r)$ を定義に従って求めよ。

　略解は資料編の「数学重要公式・定義のまとめ⑧」に記載しています。

 ## 5 問題を見てやるべきこと

（1）$\begin{cases} x(t) = 5\cos t + \cos 5t \\ y(t) = 5\sin t - \sin 5t \end{cases}$ $(-\pi \leqq t < \pi)$ とおきましょう。

　　$0 < t < \dfrac{\pi}{6}$ において，$\dfrac{dx}{dt} < 0$，$\dfrac{dy}{dt} > 0$ より，$\dfrac{dy}{dx} = \dfrac{\dfrac{dy}{dt}}{\dfrac{dx}{dt}} < 0$ が示されます。

（2）(1)の結果と，

$t = 0$ のとき $(x, y) = (6, 0)$，

$t = \dfrac{\pi}{6}$ のとき $(x, y) = (2\sqrt{3}, 2)$ より，

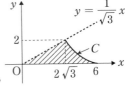

曲線 C の概形を描き，右図の斜線部の面積を求めます。

　求める面積を S とすると，

$$S = \frac{1}{2} \cdot 2\sqrt{3} \cdot 2 + \int_{2\sqrt{3}}^{6} y\,dx$$

となり，これを計算していきます。

（3）$x(-t) = x(t)$，$y(-t) = -y(t)$ を確認することで，曲線 C は x 軸に関して対称であることを示せます。

さらに，$\{x(t) + iy(t)\}\left(\cos\dfrac{\pi}{3} + i\sin\dfrac{\pi}{3}\right) = x\left(t + \dfrac{\pi}{3}\right) + i \cdot y\left(t + \dfrac{\pi}{3}\right)$ を示します。

(4)　(2)の段階では，$\dfrac{d^2y}{dx^2}$ を求めていませんので，ここで，計算します。

$\dfrac{d^2y}{dx^2} = \dfrac{d}{dt}\left(\dfrac{dy}{dx}\right) \cdot \dfrac{dt}{dx}$ の符号は正となりますので，下に凸であることが確認されます。

あとは(3)の結果より，対称性を用いて，曲線 C の概形を図示します。

解　答

$\begin{cases} x(t) = 5\cos t + \cos 5t \\ y(t) = 5\sin t - \sin 5t \end{cases}$ $(-\pi \leqq t < \pi)$ とおく。

(1)　$\dfrac{dx}{dt} = -5\sin t - 5\sin 5t = -5(\sin t + \sin 5t)$

$0 < t < \dfrac{\pi}{6}$ より，$0 < 5t < \dfrac{5}{6}\pi$

よって，$\sin t > 0$，$\sin 5t > 0$ より，$\dfrac{dx}{dt} < 0$　……①　答

$\begin{aligned} \dfrac{dy}{dt} &= 5\cos t - 5\cos 5t = -5(\cos 5t - \cos t) \\ &= -5\{\cos(3t + 2t) - \cos(3t - 2t)\} \\ &= (-5)(-2)\sin 3t \cdot \sin 2t \quad\leftarrow \text{符号を調べる} \\ &= 10\sin 3t \cdot \sin 2t \qquad\qquad\quad\, \text{ために差→積} \end{aligned}$

$0 < t < \dfrac{\pi}{6}$ より，$0 < 2t < \dfrac{\pi}{3}$，$0 < 3t < \dfrac{\pi}{2}$

よって，$\sin 3t > 0$，$\sin 2t > 0$ より，$\dfrac{dy}{dt} > 0$　……②

$\dfrac{dy}{dx} = \dfrac{\dfrac{dy}{dt}}{\dfrac{dx}{dt}} < 0$　（①，②より）　答

(2)　$0 \leqq t \leqq \dfrac{\pi}{6}$ において，

(1)の結果より，右に増減表と曲
線 C の概形を示す。

$2\sqrt{3} \leqq x \leqq 6$ において，$y \geqq 0$

点 $(2\sqrt{3},\ 2)$ は $y = \dfrac{1}{\sqrt{3}}\, x$ 上

にある。

t	0	$\cdots$	$\dfrac{\pi}{6}$
$\dfrac{dx}{dt}$		$-$	
x	6	$\searrow$	$2\sqrt{3}$
$\dfrac{dy}{dt}$		$+$	
y	0	$\nearrow$	2

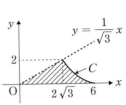

　求める面積を S とすると，

$$S = \frac{1}{2} \cdot 2\sqrt{3} \cdot 2 + \int_{2\sqrt{3}}^{6} y\, dx = 2\sqrt{3} + \int_{\frac{\pi}{6}}^{0} y \cdot \frac{dx}{dt} \cdot dt$$

$$= 2\sqrt{3} + \int_{\frac{\pi}{6}}^{0} (5\sin t - \sin 5t)(-5\sin t - 5\sin 5t)\, dt$$

$$= 2\sqrt{3} + \int_{0}^{\frac{\pi}{6}} 5(5\sin^2 t + 4\sin 5t \cdot \sin t - \sin^2 5t)\, dt$$

$$= 2\sqrt{3} + \int_{0}^{\frac{\pi}{6}} 5\left[5 \cdot \frac{1 - \cos 2t}{2} - 2\{\cos(5t + t) - \cos(5t - t)\} - \frac{1 - \cos 10t}{2}\right] dt$$

$$= 2\sqrt{3} + 5\int_{0}^{\frac{\pi}{6}} \left(2 - \frac{5}{2}\cos 2t + \frac{1}{2}\cos 10t - 2\cos 6t + 2\cos 4t\right) dt$$

$$= 2\sqrt{3} + 5\left[2t - \frac{5}{4}\sin 2t + \frac{1}{20}\sin 10t - \frac{1}{3}\sin 6t + \frac{1}{2}\sin 4t\right]_{0}^{\frac{\pi}{6}}$$

$$= 2\sqrt{3} + 5\left(\frac{\pi}{3} - \frac{5}{8}\sqrt{3} - \frac{\sqrt{3}}{40} + \frac{\sqrt{3}}{4}\right) = \frac{5}{3}\pi \quad \boxed{答}$$

(3) $\begin{cases} x(-t) = 5\cos(-t) + \cos 5(-t) = 5\cos t + \cos 5t = x(t) \\ y(-t) = 5\sin(-t) - \sin 5(-t) = -5\sin t + \sin 5t = -y(t) \end{cases}$

より，$-\pi < t < \pi$ において，C 上の点 $(x(t),\ y(t))$ と点 $(x(-t),\ y(-t))$ は x 軸
に関し，対称であり，$t = -\pi$ のとき $(x(-\pi),\ y(-\pi)) = (-6,\ 0)$ は x 軸上である。

　以上より，$-\pi \leqq x < \pi$ において，曲線 C は x 軸に関して対称となる。

　さらに，C 上の点 $(x(t),\ y(t))$ を原点を中心として反時計回りに，$\dfrac{\pi}{3}$ 回転し

た点を $(X,\ Y)$ とおく。

$$X + Yi = \{x(t) + iy(t)\}\left(\cos\frac{\pi}{3} + i\sin\frac{\pi}{3}\right)$$

$$= \left\{x(t)\cos\frac{\pi}{3} - y(t)\sin\frac{\pi}{3}\right\} + i\left\{x(t)\sin\frac{\pi}{3} + y(t)\cos\frac{\pi}{3}\right\}$$

$$X = (右辺の実部) = (5\cos t + \cos 5t)\cos\frac{\pi}{3} - (5\sin t - \sin 5t)\sin\frac{\pi}{3}$$

$$= 5\left(\cos t\cos\frac{\pi}{3} - \sin t\sin\frac{\pi}{3}\right) + \left(\cos 5t\cos\frac{\pi}{3} + \sin 5t\sin\frac{\pi}{3}\right)$$

$$= 5\cos\left(t + \frac{\pi}{3}\right) + \cos\left(5t - \frac{\pi}{3}\right) = 5\cos\left(t + \frac{\pi}{3}\right) + \cos\left(5t - \frac{\pi}{3} + \underset{\raise1pt{\sim}}{2\pi}\right)$$

$$= 5\cos\left(t + \frac{\pi}{3}\right) + \cos 5\left(t + \frac{\pi}{3}\right) = x\left(t + \frac{\pi}{3}\right)$$

$$Y = (右辺の虚部) = (5\cos t + \cos 5t)\cdot\sin\frac{\pi}{3} + (5\sin t - \sin 5t)\cos\frac{\pi}{3}$$

$$= 5\left(\sin t\cos\frac{\pi}{3} + \cos t\sin\frac{\pi}{3}\right) - \left(\sin 5t\cos\frac{\pi}{3} - \cos 5t\sin\frac{\pi}{3}\right)$$

$$= 5\sin\left(t + \frac{\pi}{3}\right) - \sin\left(5t - \frac{\pi}{3}\right) = 5\sin\left(t + \frac{\pi}{3}\right) - \sin\left(5t - \frac{\pi}{3} + \underset{\raise1pt{\sim}}{2\pi}\right)$$

$$= 5\sin\left(t + \frac{\pi}{3}\right) - \sin 5\left(t + \frac{\pi}{3}\right) = y\left(t + \frac{\pi}{3}\right)$$

以上より，$(X,\ Y) = \left(x\left(t + \frac{\pi}{3}\right),\ y\left(t + \frac{\pi}{3}\right)\right)$ が成立し，点 $(X,\ Y)$ は C 上に存在する。

(4)　$0 < t < \dfrac{\pi}{6}$ において，

$$\frac{dx}{dt} = -5(\sin t + \sin 5t) = -5\{\sin(3t - 2t) + \sin(3t + 2t)\}$$

$$= -10\sin 3t\cdot\cos 2t \quad\cdots\cdots③$$

(1)で示したように，

$$\frac{dy}{dt} = 10\sin 3t\cdot\sin 2t \quad\cdots\cdots④$$

③④より，

$$\frac{dy}{dx} = \frac{10\sin 3t\cdot\sin 2t}{-10\sin 3t\cdot\cos 2t} = -\tan 2t$$

$$\frac{d^2y}{dx^2} = \frac{d}{dt}\left(\frac{dy}{dx}\right)\cdot\frac{dt}{dx} = -\frac{2}{\cos^2 2t}\cdot\frac{1}{\dfrac{dx}{dt}} > 0 \quad\left(\because\ \text{(1)より}\ \frac{dx}{dt} < 0\right)$$

よって，$0 < t < \dfrac{\pi}{6}$ において，曲線 C は下に凸となる。

(3)より曲線 C の $0 \leq t \leq \dfrac{\pi}{6}$ の部分を x 軸に関して

対称に折り返す。

さらに，原点を中心として反時計回

りに $\dfrac{\pi}{3}$ ずつ回転させて C の概形を図

示すると，右図のようになる。

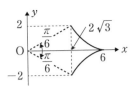

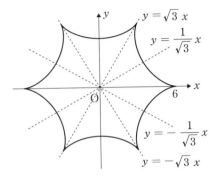

![研究]

研　究

C は半径 6 の円の内部を，半径 1 の円が滑らずに回転したときの，半径 1 の
円の円周上の定点の軌跡となります。

本問の $\begin{cases} x(t) = 5\cos t + \cos 5t \\ y(t) = 5\sin t - \sin 5t \end{cases}$

に相当する座標表示を問う出題が 2006
年度後期にあります。

また，円の外部を回転したときの出題
が 2000 年度後期，x 軸上を回転したと
きの出題が 2010 年度にあります。是非
トライしてみてください（2010 年度 ④
研究参照）。

それ以外にも，パラメータ表示された
曲線に関する出題が，かつては頻出でし
た。2004，2003，1998，1997 年度に出題
があります。今後，再び出題が増える可
能性があり，要注意です。

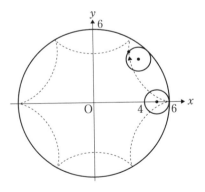

文系学部

1

問題を見てやるべきこと

(1) 曲線 C の右辺の絶対値を外すために，絶対値の中身の関数の符号を調べることから始めましょう。その後 C と ℓ の図を描き，図から C と ℓ の位置関係が読み取れれば，2次関数と直線が接する条件を (判別式) $= 0$ で求めるだけです。

(2) (1)で求めた図から指定された部分を把握し，面積を定積分で求めます。$x = a$ の前後で C のグラフが変化する点に注意しましょう。定積分の計算は，数学Ⅲの積分公式

$$\int (x + p)^n dx = \frac{1}{n + 1}(x + p)^{n+1} + C \quad (C \text{ は積分定数})$$

を用いると早いですが，普通に計算してもそう手間はかかりません。完答したい問題です。

解　答

(1) $f(x) = x^2 + (3 - a)x - 3a$, $g(x) = -x + 13$ とおく。$-3 < a < 13$ と，
$$f(x) = (x + 3)(x - a)$$
より，

$$|f(x)| = \begin{cases} f(x) & (x \leq -3, a \leq x) \\ -f(x) & (-3 \leq x \leq a) \end{cases}$$

よって，C と ℓ が接するときの位置関係は右図のようになる。

$-3 \leq x \leq a$ の範囲で接する条件は，この範囲において C と ℓ を連立して得られる，

$$|f(x)| = g(x)$$
$$-f(x) = g(x)$$
$$f(x) + g(x) = 0$$

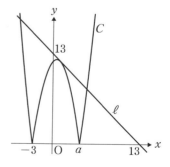

$$x^2 + (2 - a)x - 3a + 13 = 0 \quad \cdots\cdots ①$$

について，(判別式) $= 0$ となることおよび，重解が $-3 \leqq x \leqq a$ の範囲に存在することなので，

$$(\text{判別式}) = (2 - a)^2 - 4(-3a + 13) = 0$$
$$a^2 + 8a - 48 = 0$$
$$(a + 12)(a - 4) = 0$$
$$a = -12, 4$$

$-3 < a < 13$ より，求める a の値は，$\underline{a = 4}$ **答**

このとき，①の重解は，

$$x = -\frac{2 - a}{2} = 1$$

となり，接する条件に適する。

> 2次方程式 $ax^2 + bx + c = 0$ が重解をもつとき，その重解は $x = -\dfrac{b}{2a}$ です。もちろん，①に $a = 4$ を代入した方程式を改めて解いてもかまいません。

(2) (1)より $a = 4$ であるから，

$$f(x) = (x + 3)(x - 4) = x^2 - x - 12$$

また，C と ℓ の $x > 4$ における交点の x 座標は，

$$f(x) = g(x)$$
$$f(x) - g(x) = 0$$
$$x^2 - 25 = 0$$
$$x = 5 \quad (\because \quad x > 4)$$

求める面積を S とおくと，S は右図斜線部で，

$$S = \int_1^4 [g(x) - \{-f(x)\}]dx + \int_4^5 \{g(x) - f(x)\}dx$$
$$= \int_1^4 (x^2 - 2x + 1)dx + \int_4^5 (-x^2 + 25)dx$$
$$= \left[\frac{1}{3}x^3 - x^2 + x\right]_1^4 + \left[-\frac{1}{3}x^3 + 25x\right]_4^5$$
$$= \left(\frac{64}{3} - 16 + 4\right) - \left(\frac{1}{3} - 1 + 1\right)$$
$$\quad + \left(-\frac{125}{3} + 125\right) - \left(-\frac{64}{3} + 100\right)$$

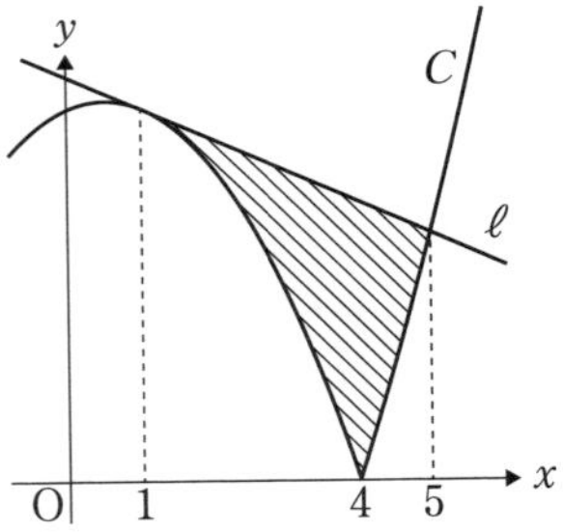

$$= \frac{41}{3}$$ 答

 **研　　究**

(2)　やや発展的ですが，数学Ⅲ範囲の不定積分の公式

$$\int (x+p)^n dx = \frac{1}{n+1}(x+p)^{n+1} + C \quad (C \text{ は積分定数})$$

を用いることで計算を簡略化できます。定積分の前半部分は，

$$\int_1^4 (x^2 - 2x + 1)dx = \int_1^4 (x-1)^2 dx = \left[\frac{1}{3}(x-1)^3 \right]_1^4 = \frac{1}{3}(4-1)^3 - \frac{1}{3}(1-1)^3 = 9$$

後半部分は，

$$\int_4^5 (-x^2 + 25)dx = -\int_4^5 (x-5)\{(x-5)+10\}dx$$

$$= -\int_4^5 \{(x-5)^2 + 10(x-5)\}dx = -\left[\frac{1}{3}(x-5)^3 + 5(x-5)^2 \right]_4^5$$

$$= 0 + \left\{ \frac{1}{3}(4-5)^3 + 5(4-5)^2 \right\} = \frac{14}{3}$$

のようになります。積分区間の上端または下端を代入したときに 0 になるように式変形するわけです。本問ではこれを用いずともさほど手間はかかりませんが，積分区間に文字が入るなど，式が複雑になった場合に効果を発揮します。資料編の「**数学重要公式・定義のまとめ⑨**」の公式も確認しておきましょう。

2 **問題を見てやるべきこと**

　空間において平面は「平面に垂直なベクトル（法線ベクトル）」と「平面が通る 1 点」で捉えるとよいです。

(1)　そのうちの 1 つである法線ベクトルを聞かれています。平面に垂直なベクトルとは「平面上の 1 次独立な 2 つのベクトルの両方と垂直なベクトル」と同義ですので，これを利用します。

(2)　線分 PQ の長さは $\overrightarrow{PQ}$ の大きさと等しいので，まずは $\overrightarrow{PQ}$ を求めます。Q は P から α に下ろした垂線の足なので，$\overrightarrow{PQ}$ は α の法線ベクトルの 1 つです。

よって，「(1)の $\vec{n}$ と $\overrightarrow{PQ}$ は平行より，$\overrightarrow{PQ}$ は $\vec{n}$ の実数倍で表せる」という方針で考えればよいでしょう。

(3) (2)で得られる点 Q の座標を用いて，点 P の平面 α に関する対称点を求めます。ポイントは，対称面 α が線分 PP′ を垂直に「二等分する」ということです。つまり点 Q は線分 PP′ の中点なので，$\overrightarrow{PP'} = 2\overrightarrow{PQ}$，あるいは $\overrightarrow{OQ} = \dfrac{\overrightarrow{OP} + \overrightarrow{OP'}}{2}$ が成り立ちます。

　誘導が大変丁寧な良問です。本問で空間ベクトルの扱いに慣れましょう。なお，本問は応用的な解答が多数存在します。そのうち文系受験者にも有用なものを ◀ **研　究** で紹介します。

解　答

(1)　$\vec{n} = (a, b, c)$ $(a, b, c$ は実数かつ $a > 0)$ とおく。

　$\vec{a} = (1, 1, 0)$，$\vec{b} = (2, 1, 2)$ は平面 α 上の 1 次独立な 2 つのベクトルより，

$$\vec{n} \perp \alpha \iff \vec{n} \perp \vec{a} \text{ かつ } \vec{n} \perp \vec{b}$$

である。$\vec{a} \neq \vec{0}$，$\vec{b} \neq \vec{0}$ であるため，

$$\vec{n} \perp \vec{a} \text{ かつ } \vec{n} \perp \vec{b} \iff \vec{n} \cdot \vec{a} = 0 \text{ かつ } \vec{n} \cdot \vec{b} = 0$$

なので，これらより，

$$\begin{cases} (a, b, c) \cdot (1, 1, 0) = 0 \\ (a, b, c) \cdot (2, 1, 2) = 0 \end{cases}$$

$$\therefore \begin{cases} a + b = 0 \\ 2a + b + 2c = 0 \end{cases}$$

$$\therefore \begin{cases} b = -a \\ c = -\dfrac{1}{2}a \end{cases}$$

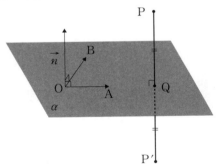

が得られ，

$$\vec{n} = \left(a, -a, -\dfrac{1}{2}a\right) \quad \cdots\cdots①$$

となる。条件より，$|\vec{n}| = 1$，$a > 0$ であるから，

$$a^2 + (-a)^2 + \left(-\frac{1}{2}a\right)^2 = 1 \qquad \therefore \quad \frac{9}{4}a^2 = 1$$

$$a^2 = \frac{4}{9} \qquad \therefore \quad a = \frac{2}{3}$$

これを①に代入して，

$$\vec{n} = \underline{\underline{\left(\frac{2}{3},\ -\frac{2}{3},\ -\frac{1}{3}\right)}} \quad \boxed{答}$$

(2)　点 Q は平面 α 上の点より，実数 s，t を用いて，

$$\overrightarrow{OQ} = s\vec{a} + t\vec{b}$$
$$= s(1,\ 1,\ 0) + t(2,\ 1,\ 2)$$
$$= (s + 2t,\ s + t,\ 2t) \quad \cdots\cdots②$$

と表せる。これより，

$$\overrightarrow{PQ} = \overrightarrow{OQ} - \overrightarrow{OP}$$
$$= (s + 2t,\ s + t,\ 2t) - (4,\ 0,\ -1)$$
$$= (s + 2t - 4,\ s + t,\ 2t + 1) \quad \cdots\cdots③$$

一方，$\overrightarrow{PQ}$ は平面 α の法線ベクトルの1つであるから，$\vec{n}$ と平行である。

よって，実数 k を用いて，

$$\overrightarrow{PQ} = k\vec{n} = \left(\frac{2}{3}k,\ -\frac{2}{3}k,\ -\frac{1}{3}k\right) \quad \cdots\cdots④$$

とも表せる。③，④の成分を比較すると，

$$\begin{cases} s + 2t - 4 = \dfrac{2}{3}k \\[2mm] s + t = -\dfrac{2}{3}k \\[2mm] 2t + 1 = -\dfrac{1}{3}k \end{cases} \qquad \therefore \quad \begin{cases} s = 2 \\ t = 0 \\ k = -3 \end{cases}$$

これより，

$$\left|\overrightarrow{PQ}\right| = \left|-3\vec{n}\right| = 3\left|\vec{n}\right| = 3$$

であるため，線分 PQ の長さは，$\underline{3}$ $\boxed{答}$

(3)　④に $k = -3$ を代入すると，

$$\overrightarrow{PQ} = (-2,\ 2,\ 1)$$

3点 P，Q，P′ は同一直線上にあり，点 Q は線分 PP′ の中点より，

$$\overrightarrow{PP'} = 2\overrightarrow{PQ} = (-4,\ 4,\ 2)$$

これより,
$$\overrightarrow{\text{OP}'} = \overrightarrow{\text{OP}} + \overrightarrow{\text{PP}'}$$
$$= (4,\ 0,\ -1) + (-4,\ 4,\ 2)$$
$$= (0,\ 4,\ 1)$$

点 P′ の座標は, <u>(0, 4, 1)</u> **答**

 研　究

(1)の $\vec{n}$ を用いずに $\overrightarrow{\text{PQ}}$ を求めることもできます。通常の出題では, (1)の誘導はないのが普通ですので, こちらも覚えておきましょう。

(2)の別解

$\vec{p} = \overrightarrow{\text{OP}}$ とする。$\vec{a} = (1,\ 1,\ 0)$, $\vec{b} = (2,\ 1,\ 2)$, $\vec{p} = (4,\ 0,\ -1)$ について, あらかじめ内積計算をしておくことにする。

$$|\vec{a}|^2 = 2,\ |\vec{b}|^2 = 9,\ |\vec{p}|^2 = 17,\ \vec{a} \cdot \vec{b} = 3,\ \vec{p} \cdot \vec{a} = 4,\ \vec{p} \cdot \vec{b} = 6$$

$$\left(\begin{array}{l}\text{成分表示がなされている場合は, 内積計算を伴う場合がほとんどです。}\\\text{どうせ必要になるので, あらかじめ計算しておくとよいでしょう。}\end{array}\right)$$

点 Q は平面 α 上の点より, 実数 s, t を用いて,
$$\overrightarrow{\text{OQ}} = s\vec{a} + t\vec{b}$$
とおける。このとき,
$$\overrightarrow{\text{PQ}} = \overrightarrow{\text{OQ}} - \overrightarrow{\text{OP}} = s\vec{a} + t\vec{b} - \vec{p}$$
で, $\overrightarrow{\text{PQ}} \perp \alpha$ より, $\overrightarrow{\text{PQ}} \perp \vec{a}$ かつ $\overrightarrow{\text{PQ}} \perp \vec{b}$ であるから,

$$\begin{cases}\overrightarrow{\text{PQ}} \cdot \vec{a} = 0 \\ \overrightarrow{\text{PQ}} \cdot \vec{b} = 0\end{cases} \quad \therefore \begin{cases}(s\vec{a} + t\vec{b} - \vec{p}) \cdot \vec{a} = 0 \\ (s\vec{a} + t\vec{b} - \vec{p}) \cdot \vec{b} = 0\end{cases}$$

$$\therefore \begin{cases}s|\vec{a}|^2 + t\vec{a} \cdot \vec{b} - \vec{p} \cdot \vec{a} = 0 \\ s\vec{a} \cdot \vec{b} + t|\vec{b}|^2 - \vec{p} \cdot \vec{b} = 0\end{cases}$$

$$\therefore \begin{cases}2s + 3t - 4 = 0 \\ 3s + 9t - 6 = 0\end{cases} \quad \therefore \begin{cases}s = 2 \\ t = 0\end{cases}$$

よって, 前述の $\overrightarrow{\text{PQ}}$ の式にこれらを代入することで,
$$\overrightarrow{\text{PQ}} = 2\vec{a} - \vec{p} = (-2,\ 2,\ 1)$$

(以下省略)

2024
2023
2022
2021
2020
2019
2018
2017
2016
2015
2014
2013
2012
2011
2010

(2)の別解　正射影ベクトルを知っているならば，代入するだけで求められます。

$\overrightarrow{\mathrm{PQ}}$ は，$\overrightarrow{\mathrm{PO}}$ の $\vec{n}$ 上への正射影ベクトルより，

$$\overrightarrow{\mathrm{PQ}} = \left(\frac{\vec{n} \cdot \overrightarrow{\mathrm{PO}}}{|\vec{n}|^2} \right) \vec{n}$$

$$= \left\{ \left(\frac{2}{3},\ -\frac{2}{3},\ -\frac{1}{3} \right) \cdot (-4,\ 0,\ 1) \right\} \vec{n}$$

$$= (-2,\ 2,\ 1)$$

（以下省略）

(3)の別解　点 Q は線分 PP′ の中点より，

$$\overrightarrow{\mathrm{OQ}} = \frac{\overrightarrow{\mathrm{OP}} + \overrightarrow{\mathrm{OP'}}}{2} \qquad \therefore \quad 2\overrightarrow{\mathrm{OQ}} = \overrightarrow{\mathrm{OP}} + \overrightarrow{\mathrm{OP'}}$$

$$\overrightarrow{\mathrm{OP'}} = 2\overrightarrow{\mathrm{OQ}} - \overrightarrow{\mathrm{OP}}$$

$$= 2(2,\ 2,\ 0) - (4,\ 0,\ -1)$$

$$= (0,\ 4,\ 1)$$

点 P′ の座標は，$\underline{(0,\ 4,\ 1)}$　**答**

3

問題を見てやるべきこと

実数係数の高次方程式の虚数解に関するやや難しい問題です。

(1)　因数定理を用いるだけですので，解いておきたいところです。

(2)　共役複素数解と，3 次方程式の解と係数の関係を用いて示します。一般に
3 次方程式の解は因数分解等で具体的な解が求められる場合を除けば，解と係
数の関係で考察します。3 次方程式の解についての議論は，すべて解と係数の
関係の議論に置き換えることができることを覚えておきましょう。

(3)　(2)の解と係数の関係から (整数) × (整数) = (整数) の形を作り，候補を絞
り込みます。

解　答

(1) **証　明**
$$f(2) = 16 + 48 - 4k + 4k - 64 = 0$$
整式 $f(x)$ について，$f(2) = 0$ より，$f(x)$ は $x - 2$ を因数にもつ。

よって，$f(x)$ は $x - 2$ で割り切れる。

(2) **証　明**　(1)より $f(x)$ は $x - 2$ を因数にもつから，割り算を実行することで，
$$f(x) = (x - 2)\{x^3 + 8x^2 + (-k + 16)x + 32\}$$
の形に因数分解できることがわかる。

$$\left(\begin{array}{l}
\text{割り算の計算は，通常の筆算または組立除法により求めましょう。} \\[4pt]
\begin{array}{ccccc|c}
1 & 6 & -k & 2k & -64 & \underline{\;2} \\
 & 2 & 16 & -2k + 32 & 64 & \\
\hline
1 & 8 & -k + 16 & 32 & \multicolumn{1}{|c}{0} &
\end{array}
\end{array}\right)$$

ここで，$g(x) = x^3 + 8x^2 + (-k + 16)x + 32$ とすると，
$$f(x) = (x - 2) \cdot g(x) = 0$$
$$\therefore \quad x = 2 \text{ または } g(x) = 0$$
方程式 $f(x) = 0$ の虚数解は方程式 $g(x) = 0$ の解の1つである。

また，2は正の実数より，負の実数解をもつならば，それは方程式 $g(x) = 0$ の解である。以下，方程式 $g(x) = 0$ の解について考察する。

ここで，$g(x) = 0$ の虚数解の1つを
$$\alpha = a + bi \quad (a, \ b \text{ は実数で，} b \neq 0)$$
とおくと，$g(x) = 0$ は実数係数の3次方程式より，α の共役複素数
$$\overline{\alpha} = a - bi$$
もまた，$g(x) = 0$ の解の1つである。

3次方程式の解は(k 重解を k 個の解と数えれば)3個あり，残りの1解を β とする。β が負の実数解であることを示せばよい。

3次方程式 $g(x) = 0$ の解と係数の関係より，

$$\begin{cases} \alpha + \overline{\alpha} + \beta = -8 \\ \alpha\overline{\alpha} + \overline{\alpha}\beta + \beta\alpha = -k + 16 \\ \alpha\overline{\alpha}\beta = -32 \end{cases} \quad \therefore \quad \begin{cases} \alpha + \overline{\alpha} + \beta = -8 \\ \alpha\overline{\alpha} + \beta(\alpha + \overline{\alpha}) = 16 - k \\ \alpha\overline{\alpha}\beta = -32 \end{cases}$$

ここで，$\alpha = a + bi$，$\overline{\alpha} = a - bi$ より，

$$\alpha + \overline{\alpha} = a + bi + a - bi = 2a$$

$$\alpha\overline{\alpha} = (a + bi)(a - bi) = a^2 - b^2 i^2 = a^2 + b^2$$

であるから，これらを代入すると，

$$\therefore \quad \begin{cases} 2a + \beta = -8 & \cdots\cdots① \\ a^2 + b^2 + 2a\beta = 16 - k & \cdots\cdots② \\ (a^2 + b^2)\beta = -32 & \cdots\cdots③ \end{cases}$$

③において，$b \neq 0$ より，$a^2 + b^2 > 0$ であるから，両辺をこれで割ると，

$$\beta = -\frac{32}{a^2 + b^2} < 0$$

よって，β は負の実数である。

これより，方程式 $f(x) = 0$ が負の実数解をもつことが示せた。

(3)　問題文の条件より，β は負の整数，a，b は整数である。$b > 0$ とする。

$$\begin{cases} b \neq 0 \text{ で，} \alpha = a + bi，\overline{\alpha} = a - bi \text{ の両方ともが解なので，虚部が正の} \\ \text{方を} \alpha \text{ として} b > 0 \text{ のときだけ考えれば十分です。たとえば，} a = 1， \\ b = -2 \text{ のとき，} 1 - 2i，1 + 2i \text{ が虚数解となりますが，これは} a = 1， \\ b = 2 \text{ のときにできる虚数解の組と同じです。} \end{cases}$$

①，②，③を連立方程式としてみる。①より，

$$\beta = -2a - 8 = -2(a + 4) \quad \cdots\cdots④$$

β は負の整数より，

$$-2(a + 4) < 0 \quad \therefore \quad a > -4$$

③に $\beta = -2(a + 4)$ を代入すると，

$$-2(a + 4)(a^2 + b^2) = -32$$

$$(a + 4)(a^2 + b^2) = 16$$

b は正の整数であるから，$a^2 + b^2 \geq 1$ である。

これをみたす自然数の組 $(a + 4, a^2 + b^2)$ は，

$$(a + 4, a^2 + b^2) = (1, 16), (2, 8), (4, 4), (8, 2), (16, 1)$$

$a + 4$ の値から a を求め，

$$(a, a^2 + b^2) = (-3, 16), (-2, 8), (0, 4), (4, 2), (12, 1)$$

a の値から a^2 を求め，$a^2 + b^2$ から引いて，

$$(a, b^2) = (-3, 7), (-2, 4), (0, 4), (4, -14), (12, -143)$$

このうち，b^2 の値が自然数の平方となっているものは，

$$(a, b^2) = (-2, 4), (0, 4)$$

b は自然数より，b を求めて，

$$(a, b) = (-2, 2), (0, 2)$$

これらを④に代入して (a, b, β) の組を求めると，

$$(a, b, \beta) = (-2, 2, -4), (0, 2, -8)$$

②を式変形した，

$$k = 16 - (a^2 + b^2 + 2a\beta)$$

に代入すると，求める k の値は，<u>　$k = -8, 12$　</u>

(2)　「実数係数の n 次方程式が虚数解 $\alpha = a + bi$ をもつとき，共役複素数 $\overline{\alpha}$ も解である」という性質があります。本問の方程式 $g(x) = 0$ について考えてみましょう。α が解ならば，

$$g(\alpha) = \alpha^3 + 8\alpha^2 + (-k + 16)\alpha + 32 = 0$$

が成り立ちますが，この両辺について共役複素数をとると，

$$\overline{\alpha^3 + 8\alpha^2 + (-k + 16)\alpha + 32} = 0$$

共役複素数の性質より，

- $\overline{\alpha + \beta} = \overline{\alpha} + \overline{\beta}$ 　　- $\overline{\alpha - \beta} = \overline{\alpha} - \overline{\beta}$

- $\overline{\alpha\beta} = \overline{\alpha} \cdot \overline{\beta}$ 　　- $\overline{\left(\dfrac{\alpha}{\beta}\right)} = \dfrac{\overline{\alpha}}{\overline{\beta}}$ 　（ただし，$\beta \neq 0$）

が成り立つので，

$$\overline{\alpha}^3 + 8\overline{\alpha}^2 + (-\overline{k} + 16)\overline{\alpha} + 32 = 0$$

k は実数なので，

$$\overline{\alpha}^3 + 8\overline{\alpha}^2 + (-k + 16)\overline{\alpha} + 32 = 0$$

これは，$g(\overline{\alpha}) = 0$ を意味するので，$\overline{\alpha}$ も $g(x) = 0$ の解になります。

　以上は実数係数のときのみに成り立つことであり，係数に虚数を含む場合は成り立ちません。

(3)　③を「2 つの整数 $a^2 + b^2$，β の積が -32 だから，積が -32 となるこれらの組を考える。」という方法で考えれば，本解答のように，先に β を消去せずとも答えを求めることは可能です。重要なのは，整数問題では，「(整数) × (整数) = (整数) の形が得られれば，有限個のペアが得られる」という点です。

4

問題を見てやるべきこと

　数学Ⅲの積分法における「区分求積法」の考え方を，数学Ⅱ範囲の知識で求めさせようという意欲的な問題です。内容として文系数学の範囲を逸脱しているため，難度が非常に高くなっています。また，本文中に解答する上での重要な指針が"数式以外の形"でちりばめられているため，読解力も必要であり，それがまた難度を上げています。(1)が解ければ十分。(2)まで解ければ他の受験者に差がつけられるでしょう。

(1)　正しいことが保証された2式を使って，別の公式が成り立つことを示す問題で，示し方に戸惑うでしょう。

(2)　問題文の「関数の増減と導関数の関係」を正しく捉え，定義①における右辺が正であることを示します。

(3)　下線部「定数関数に対する定積分の計算を行う」から，②の式の中にその計算結果が含まれていることに気づけば，最左辺と最右辺がそれに該当することがわかります。

(4)　②に対して $i = 1$, 2, ……, n を代入し，辺々和をとる(シグマ計算)ことで示すことができますが，区分求積法についての予備知識がなければ，試験中に答えを出すのは難しいでしょう。

解　答

(1)　**証　明**　$F(x)$, $G(x)$ をそれぞれ $F'(x) = f(x)$, $G'(x) = g(x)$ をみたす関数であるとする。問題文1行目の式の右辺にこれらを代入すると，

　　　$\{F(x) + G(x)\}' = f(x) + g(x)$

　これを本文中の1行目から3行目までで書かれている定積分の定義の $f(x)$ の部分に当てはめると，次のようになる。

$\{F(x) + G(x)\}' = f(x) + g(x)$ となる関数 $F(x) + G(x)$ を1つ選び，
$f(x) + g(x)$ の a から b までの定積分を

$$\int_a^b \{f(x) + g(x)\}dx = \{F(b) + G(b)\} - \{F(a) + G(a)\} \quad \cdots\cdots①'$$

で定義する。

---

①′ 式を変形すると，

$$\int_a^b \{f(x) + g(x)\}dx = F(b) + G(b) - F(a) - G(a)$$
$$= \{F(b) - F(a)\} + \{G(b) - G(a)\}$$

定積分の定義①より，

$$\int_a^b f(x)dx = F(b) - F(a), \quad \int_a^b g(x)dx = G(b) - G(a)$$

であるから，これらを代入することで，

$$\int_a^b \{f(x) + g(x)\}dx = \int_a^b f(x)dx + \int_a^b g(x)dx$$

が得られる。

(2) **証 明**

問題文の「関数の増減と導関数の関係」とは，以下のことを示しています。

$a \leqq x \leqq b$ の区間で微分可能な関数 $g(x)$ について，導関数を $g'(x)$ とする。

- $a \leqq x \leqq b$ の区間で常に $g'(x) > 0$ であるなら，$g(x)$ はこの区間で単調増加。
- $a \leqq x \leqq b$ の区間で常に $g'(x) < 0$ であるなら，$g(x)$ はこの区間で単調減少。
- $a \leqq x \leqq b$ の区間で常に $g'(x) = 0$ であるなら，$g(x)$ はこの区間で定数関数。

皆さんが増減表を書く際にいつも使っているものです。

$G'(x) = g(x)$ より，区間 $a \leqq x \leqq b$ において $G(x)$ の導関数 $g(x)$ が $g(x) > 0$ であるとき，$G(x)$ はこの区間で単調に増加する。

これより，$a < b$ のとき $G(a) < G(b)$ が成り立つ。式変形し，

$$G(b) - G(a) > 0$$

定積分の定義①より，$\displaystyle\int_a^b g(x)dx = G(b) - G(a)$ であるから，上の不等式と合わせて，

$$\int_a^b g(x)dx = G(b) - G(a) > 0$$

が得られる。

(3) **証　明**

> 説明文下線部の「定数関数に対する定積分の計算」の部分に注目すると，②の最左辺，最右辺は定積分の計算結果であると考えられます。
>
> また，積分区間は中央の定積分の式のそれである $\dfrac{i-1}{n} \le x \le \dfrac{i}{n}$ と推測できます。

$f(x)$ は $0 \le x \le 1$ で増加関数であるから，区間 $\dfrac{i-1}{n} \le x \le \dfrac{i}{n}$ $(i = 1, 2, \cdots\cdots, n)$

においても増加関数である。これより，

区間 $\dfrac{i-1}{n} \le x \le \dfrac{i}{n}$ において，$f\left(\dfrac{i-1}{n}\right) \le f(x) \le f\left(\dfrac{i}{n}\right)$

が成り立つ。性質(C)より，これらを定積分した

$$\int_{\frac{i-1}{n}}^{\frac{i}{n}} f\left(\frac{i-1}{n}\right)dx \le \int_{\frac{i-1}{n}}^{\frac{i}{n}} f(x)dx \le \int_{\frac{i-1}{n}}^{\frac{i}{n}} f\left(\frac{i}{n}\right)dx$$

も成り立つ。

最左辺，最右辺において，被積分関数 $f\left(\dfrac{i-1}{n}\right)$，$f\left(\dfrac{i}{n}\right)$ は定数(関数)より，

$$\int_{\frac{i-1}{n}}^{\frac{i}{n}} f\left(\frac{i-1}{n}\right)dx = f\left(\frac{i-1}{n}\right)\int_{\frac{i-1}{n}}^{\frac{i}{n}} dx = f\left(\frac{i-1}{n}\right)[x]_{\frac{i-1}{n}}^{\frac{i}{n}} = \frac{1}{n}f\left(\frac{i-1}{n}\right)$$

$$\int_{\frac{i-1}{n}}^{\frac{i}{n}} f\left(\frac{i}{n}\right)dx = f\left(\frac{i}{n}\right)\int_{\frac{i-1}{n}}^{\frac{i}{n}} dx = f\left(\frac{i}{n}\right)[x]_{\frac{i-1}{n}}^{\frac{i}{n}} = \frac{1}{n}f\left(\frac{i}{n}\right)$$

と計算できる。これらの結果を上の不等式に代入することで，

$$\frac{1}{n}f\left(\frac{i-1}{n}\right) \le \int_{\frac{i-1}{n}}^{\frac{i}{n}} f(x)dx \le \frac{1}{n}f\left(\frac{i}{n}\right) \quad \cdots\cdots②$$

が得られる。　　ア　　に当てはまるのは，性質(C)　**答**

(4) **証　明**

②の i に，$i = 1, 2, \cdots\cdots, n$ を代入し，辺々和をとる。最左辺について計算すると，

2024
2023
2022
2021
2020
2019
2018
2017
2016
2015
2014
2013
2012
2011
2010

$$\frac{1}{n}f\left(\frac{0}{n}\right) + \frac{1}{n}f\left(\frac{1}{n}\right) + \cdots + \frac{1}{n}f\left(\frac{n-1}{n}\right)$$

$$= \frac{1}{n}\left\{f\left(\frac{0}{n}\right) + f\left(\frac{1}{n}\right) + \cdots + f\left(\frac{n-1}{n}\right)\right\}$$

$$= \frac{1}{n}\sum_{i=1}^{n}f\left(\frac{i-1}{n}\right)$$

$$= S_n$$

最右辺について計算すると，

$$\frac{1}{n}f\left(\frac{1}{n}\right) + \frac{1}{n}f\left(\frac{2}{n}\right) + \cdots + \frac{1}{n}f\left(\frac{n}{n}\right)$$

$$= \frac{1}{n}\left\{f\left(\frac{1}{n}\right) + f\left(\frac{2}{n}\right) + \cdots + f\left(\frac{n}{n}\right)\right\}$$

$$= \frac{1}{n}\left\{f\left(\frac{0}{n}\right) + f\left(\frac{1}{n}\right) + f\left(\frac{2}{n}\right) + \cdots + f\left(\frac{n-1}{n}\right)\right\} + \frac{1}{n}\left\{f\left(\frac{n}{n}\right) - f\left(\frac{0}{n}\right)\right\}$$

$$= S_n + \frac{f(1) - f(0)}{n}$$

中央の辺について計算する。性質(B)を用いると，

$$\boxed{\int_{\frac{0}{n}}^{\frac{1}{n}} f(x)dx + \int_{\frac{1}{n}}^{\frac{2}{n}} f(x)dx} + \int_{\frac{2}{n}}^{\frac{3}{n}} f(x)dx + \cdots + \int_{\frac{n-1}{n}}^{\frac{n}{n}} f(x)dx$$

$$= \boxed{\int_{\frac{0}{n}}^{\frac{2}{n}} f(x)dx} + \int_{\frac{2}{n}}^{\frac{3}{n}} f(x)dx + \cdots + \int_{\frac{n-1}{n}}^{\frac{n}{n}} f(x)dx$$

$$= \cdots$$

$$= \int_{\frac{0}{n}}^{\frac{n-1}{n}} f(x)dx + \int_{\frac{n-1}{n}}^{\frac{n}{n}} f(x)dx$$

$$= \int_{\frac{0}{n}}^{\frac{n}{n}} f(x)dx = \int_{0}^{1} f(x)dx$$

となる。以上をまとめて，

$$S_n \leqq \int_{0}^{1} f(x)dx \leqq S_n + \frac{f(1) - f(0)}{n}$$

$$0 \leqq \int_{0}^{1} f(x)dx - S_n \leqq \frac{f(1) - f(0)}{n}$$

を得る。 イ に当てはまるのは，性質(B)

 研　究

②の不等式は区分求積法の考え方の根幹に当たる部分です。数式で示そうとすると本問のように難しくなりますが，面積でイメージすると理解しやすいです。以下，簡便のため $f(x) > 0$ としましょう。

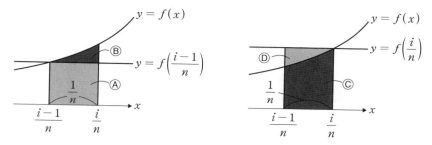

上の左図において，$\dfrac{1}{n}f\left(\dfrac{i-1}{n}\right)$ はうすい灰色の長方形Ⓐの面積を表し，

$\displaystyle\int_{\frac{i-1}{n}}^{\frac{i}{n}} f(x)dx$ はそれに濃い灰色の図形Ⓑを足した面積となります。同様に，上

の右図において $\displaystyle\int_{\frac{i-1}{n}}^{\frac{i}{n}} f(x)dx$ は濃い灰色の図形Ⓒの面積を表し，$\dfrac{1}{n}f\left(\dfrac{i}{n}\right)$ はそ

れにうすい灰色の図形Ⓓを足した長方形の面積になります。$f(x)$ は単調増加なので，大小関係は明らかでしょう。

1 ## 問題を見てやるべきこと

(1) 球が xy 平面，yz 平面，zx 平面に接することから，中心を P，半径を r とすると，P(r, r, r) と表すことができます。平面 ABC に垂直なベクトルの1つを $\vec{n} = (a, b, c)$ とすると $\vec{n} \cdot \overrightarrow{AB} = 0$，$\vec{n} \cdot \overrightarrow{AC} = 0$ より，$a = b = 2c$ が得られます。

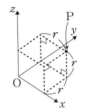

P から平面 ABC に下ろした垂線の足を H とし，$\vec{n} = (2, 2, 1)$ とします。

あとは，$\overrightarrow{PH} = t\vec{n}$ （t は実数）とし，$\overrightarrow{OH} = \overrightarrow{OP} + \overrightarrow{PH}$ から $\overrightarrow{AH} = \overrightarrow{OH} - \overrightarrow{OA}$ を求めます。

$\overrightarrow{AH} \perp \vec{n}$ より $\overrightarrow{AH} \cdot \vec{n} = 0$ となりますから，t が定まり，これを $\overrightarrow{PH} = t\vec{n}$ に代入し $|\overrightarrow{PH}| = |t||\vec{n}|$ を r で表します。

$|\overrightarrow{PH}| = r$ が球が平面 ABC に接する条件です。

(1)は，他にもさまざまな重要な解法があり，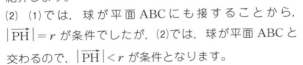 研 究 で紹介します。

(2) (1)では，球が平面 ABC にも接することから，$|\overrightarrow{PH}| = r$ が条件でしたが，(2)では，球が平面 ABC と交わるので，$|\overrightarrow{PH}| < r$ が条件となります。

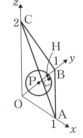

この条件のもと，$R^2 = r^2 - |\overrightarrow{PH}|^2$ （R は円の半径）

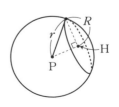

より，πR^2 の最大値を求めます。

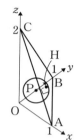

解答

(1)　平面 ABC に垂直なベクトルの 1 つを $\vec{n} = (a, b, c)$ とおく。

$\overrightarrow{AB} = (-1, 1, 0)$，$\overrightarrow{AC} = (-1, 0, 2)$ と $\vec{n}$ は垂直なので，

$$\begin{cases} \vec{n} \cdot \overrightarrow{AB} = 0 \\ \vec{n} \cdot \overrightarrow{AC} = 0 \end{cases} \text{より} \quad \begin{cases} -a + b = 0 \\ -a + 2c = 0 \end{cases}$$

$a = b = 2c$　$\vec{n} = (2, 2, 1)$ とおく。

　　　　　　　　　　$c = 1$ としています

球の半径を r とすると，球は xy 平面，yz 平面，zx 平面に接するので中心を P(r, r, r) とおくことができる。

P から平面 ABC に下ろした垂線の足を H とする。

$\overrightarrow{PH} /\!/ \vec{n}$ より，t を実数として，$\overrightarrow{PH} = t\vec{n} = t(2, 2, 1)$　……①と表される。

$$\overrightarrow{OH} = \overrightarrow{OP} + \overrightarrow{PH} = (r, r, r) + t(2, 2, 1) = (r + 2t, r + 2t, r + t)$$

$$\overrightarrow{AH} = \overrightarrow{OH} - \overrightarrow{OA} = (r + 2t, r + 2t, r + t) - (1, 0, 0)$$

$$= (r + 2t - 1, r + 2t, r + t)$$

$\vec{n} \perp \overrightarrow{AH}$ より，$\vec{n} \cdot \overrightarrow{AH} = 0$

$$2(r + 2t - 1) + 2(r + 2t) + 1(r + t) = 0 \qquad \therefore \quad t = \frac{2 - 5r}{9}$$

①より，$|\overrightarrow{PH}| = |t|\sqrt{2^2 + 2^2 + 1^2} = \frac{|2 - 5r|}{9} \cdot 3 = \frac{|2 - 5r|}{3}$　……②

球が，平面 ABC に接するとき，$|\overrightarrow{PH}| = r$ となるので，

$$\frac{|2 - 5r|}{3} = r \Leftrightarrow |2 - 5r| = 3r$$

$$2 - 5r = \pm 3r \qquad \therefore \quad r = \frac{1}{4}, \ 1$$

$r = 1$ のとき，P$(1, 1, 1)$ となり，P は四面体 OABC の外部になるので不適。

$$r = \frac{1}{4}$$

よって，球の中心の座標は，$\left(\dfrac{1}{4}, \dfrac{1}{4}, \dfrac{1}{4} \right)$　**答**

(2) 球の半径を r' とすると，(1)と同様に，中心を $P'(r', r', r')$ とおくことができる。

> 球は xy 平面，yz 平面，zx 平面に接する。

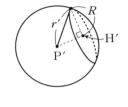

P' から平面 ABC に下ろした垂線の足を H' とする。

(1)の②より，$\left|\overrightarrow{P'H'}\right| = \dfrac{|2 - 5r'|}{3} < r'$　……③

③が球と平面 ABC が交わる条件となる。

$$③ \Leftrightarrow -r' < \frac{2 - 5r'}{3} < r'$$

$$\Leftrightarrow -3r' < 2 - 5r' < 3r'$$

$$\Leftrightarrow \frac{1}{4} < r' < 1$$

交わりとしてできる円の半径を R とすると，円の面積は，

$$\pi R^2 = \pi\left\{r'^2 - \left|\overrightarrow{P'H'}\right|^2\right\} = \pi\left\{r'^2 - \frac{(2 - 5r')^2}{9}\right\}$$

$$= \frac{16}{9}\pi\left\{-\left(r' - \frac{5}{8}\right)^2 + \frac{9}{64}\right\}$$

$\dfrac{1}{4} < r' < 1$ より，

$r' = \dfrac{5}{8}$ のとき，円の面積は最大値 $\dfrac{\pi}{4}$ をとる。　答

 研　究

(1) 内接球の半径を求める方法として，

❶四面体の体積の利用，❷平面の方程式の利用，❸正射影の利用など，色々な方法があります。いずれの方法も，空間図形が頻出である九大受験生にとって重要ですので，紹介します。

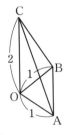

❶　四面体 OABC を内接球の中心 P を頂点とし，四つの各面を底面とする四つの四面体に分割し，体積を計算する。
（四面体 OABC を O－ABC と表記する。）

　　　　(O－ABC の体積) = (P－OAB の体積) + (P－OBC の体積)
　　　　　　　　　　　　　 + (P－OCA の体積) + (P－ABC の体積)

より，

$$\frac{1}{3} \cdot \frac{1}{2} \cdot 2 = \frac{1}{3} \cdot r \cdot \left(\frac{1}{2} + 1 + 1 + \frac{3}{2}\right)$$

（r は球の半径）

$$\frac{1}{3} = \frac{4}{3} r$$

$$\therefore \quad r = \frac{1}{4}$$

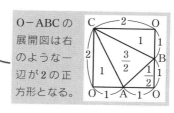

O−ABC の展開図は右のような一辺が 2 の正方形となる。

❷　平面 ABC の方程式は，x 切片，y 切片，z 切片が各々，$(1, 0, 0)$，$(0, 1, 0)$，$(0, 0, 2)$ より，

$$\frac{x}{1} + \frac{y}{1} + \frac{z}{2} = 1 \Leftrightarrow 2x + 2y + z - 2 = 0 \quad \cdots\cdots ①$$

球の半径を r とすると，球の中心 $P(r, r, r)$ と①との距離は公式より，

$$\frac{|2r + 2r + r - 2|}{\sqrt{2^2 + 2^2 + 1^2}} = \frac{|5r - 2|}{3}$$

$$\frac{|5r - 2|}{3} = r \text{ のとき，球は平面 ABC に接する。}$$

$$\therefore \quad r = \frac{1}{4} \text{（解答と同様）}$$

❸　球の中心を P，半径を r，P から平面 ABC に下ろした垂線の足を H とし，平面 ABC に垂直なベクトルの 1 つを解答と同様に $\vec{n} = (2, 2, 1)$ とする。

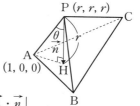

$$\left|\overrightarrow{\text{PH}}\right| = \left|\overrightarrow{\text{PA}}\right| |\cos\theta| = \frac{\left|\overrightarrow{\text{PA}}\right|\left|\vec{n}\right| |\cos\theta|}{\left|\vec{n}\right|} = \frac{\left|\overrightarrow{\text{PA}} \cdot \vec{n}\right|}{\left|\vec{n}\right|} \quad \left(\overrightarrow{\text{PH}} \parallel \vec{n}\right)$$

$\overrightarrow{\text{PA}}$ の $\vec{n}$ への正射影

$$= \frac{|(1 - r, \, -r, \, -r) \cdot (2, 2, 1)|}{\sqrt{2^2 + 2^2 + 1^2}} = \frac{|2 - 5r|}{3} = r$$

2

問題を見てやるべきこと

$$x^2 - (4\cos\theta)x + \frac{1}{\tan\theta} = 0 \quad \cdots\cdots (*) \quad \left(0 < \theta < \frac{\pi}{4}\right)$$

(1) （＊）の判別式を D として $D/4 < 0$ より　θ の範囲を求めます。$0 < \theta < \dfrac{\pi}{4}$ を忘れないようにしましょう。

(2) （＊）は実数係数なので，虚数解 α をもつとき共役な複素数 $\overline{\alpha}$ も解にもちます。

　よって，解と係数の関係より，

$$\begin{cases} \alpha + \overline{\alpha} = 4\cos\theta \\ \alpha\,\overline{\alpha} = \dfrac{1}{\tan\theta} \end{cases} \quad \cdots\cdots Ⓐ$$

　また，$C(\gamma)$ は弦 AB の垂直二等分線上，つまり，x 軸上に存在します。

$$\therefore \quad \gamma = \overline{\gamma} \quad \cdots\cdots①$$

CO ＝ CA から，

$$|\gamma - 0| = |\gamma - \alpha| \quad \cdots\cdots②$$

　①②より，γ を α で表し，さらにⒶを用いて α を消去すると，γ を θ で表すことができます。

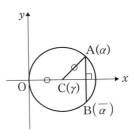

(3)　$\triangle$OAC が直角三角形となるとき，CO＝CA より $\angle$OCA＝90° となります。

　右図より，α の実部と γ は一致します。

$$\therefore \quad \gamma = \frac{\alpha + \overline{\alpha}}{2}$$

　ここから，$\alpha + \overline{\alpha} = 4\cos\theta$ （$\because$Ⓐ）と $\gamma = \dfrac{1}{4\sin\theta}$ （$\because$(2)）を用いて，α，γ を消去し，θ のみの方程式を導き $\tan\theta$ の値を求めます。

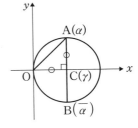

解　答　➤

(1)　$x^2 - (4\cos\theta)x + \dfrac{1}{\tan\theta} = 0 \quad \cdots\cdots(＊)$

の判別式を D とすると，

$$D/4 = (-2\cos\theta)^2 - \frac{1}{\tan\theta} < 0$$

が求める条件となる。

$4\cos^2\theta - \dfrac{1}{\tan\theta} < 0$ の両辺に $\tan\theta\ (>0)$ をかけて $\left(0<\theta<\dfrac{\pi}{4}\ \text{より}\ \tan\theta>0\right)$

$$4\cos\theta\cdot\sin\theta - 1 < 0$$

$$2\sin 2\theta < 1 \qquad \therefore\quad \sin 2\theta < \dfrac{1}{2} \quad \cdots\cdots①$$

$0<\theta<\dfrac{\pi}{4}$ より，$0<2\theta<\dfrac{\pi}{2}$

この下で①から，$0<2\theta<\dfrac{\pi}{6}$ となるので，

$$\therefore\quad 0<\theta<\dfrac{\pi}{12} \quad \cdots\cdots② \quad \boxed{答}$$

(2)　(＊)は実数係数の方程式により，虚数解 α をもつとき，その共役な複素数 $\overline{\alpha}$ も解にもつ。$\beta=\overline{\alpha}$ となるので，解と係数の関係より，

$$\begin{cases} \alpha+\overline{\alpha}=4\cos\theta \\[2mm] \alpha\,\overline{\alpha}=\dfrac{1}{\tan\theta} \end{cases} \quad \cdots\cdots Ⓐ$$

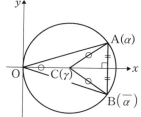

A と B は実軸について対称なので，線分 AB の垂直二等分線は x 軸となり，γ は実数である。

CO ＝ CA より，

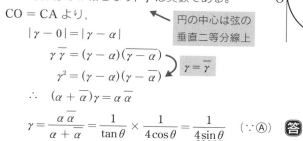

$$|\gamma-0|=|\gamma-\alpha|$$

円の中心は弦の垂直二等分線上

$$\gamma\,\overline{\gamma}=(\gamma-\alpha)(\overline{\gamma-\alpha})$$

$$\gamma^2=(\gamma-\alpha)(\gamma-\overline{\alpha})$$

$\gamma=\overline{\gamma}$

$$\therefore\quad (\alpha+\overline{\alpha})\gamma=\alpha\,\overline{\alpha}$$

$$\gamma=\dfrac{\alpha\,\overline{\alpha}}{\alpha+\overline{\alpha}}=\dfrac{1}{\tan\theta}\times\dfrac{1}{4\cos\theta}=\dfrac{1}{4\sin\theta} \quad (\because Ⓐ) \quad \boxed{答}$$

(3)　OC ＝ AC の二等辺三角形 OAC が直角三角形となるとき，$\angle$OCA＝90° となる。

右図より，線分 AB の中点が C に一致する。

α の実部と γ が一致するので

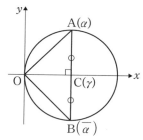

$$\gamma=\dfrac{\alpha+\overline{\alpha}}{2}=2\cos\theta \quad (\because\ Ⓐ)$$

(2)より，$\gamma=\dfrac{1}{4\sin\theta}$

γ を消去して，

$$2\cos\theta = \frac{1}{4\sin\theta} \quad \Leftrightarrow \quad 2\sin\theta \cdot \cos\theta = \frac{1}{4}$$

$$\therefore \quad \sin 2\theta = \frac{1}{4} \quad \cdots\cdots ③$$

$\tan\theta = t$ とおくと

$$\sin 2\theta = \frac{2t}{1+t^2}$$

$$\cdots\cdots ④$$

> $$\cos^2\theta = \frac{1}{1+t^2}, \quad \cos 2\theta = 2 \times \frac{1}{1+t^2} - 1 = \frac{1-t^2}{1+t^2}$$
> $$\tan 2\theta = \frac{2t}{1-t^2}, \quad \underline{\sin 2\theta = \cos 2\theta \cdot \tan 2\theta = \frac{2t}{1+t^2}}$$

③④より，$\dfrac{2t}{1+t^2} = \dfrac{1}{4}$ $\quad t^2 - 8t + 1 = 0$ より，$t = 4 \pm \sqrt{15}$

(1)②より，$0 < \theta < \dfrac{\pi}{12}$，$\tan\dfrac{\pi}{12} = \tan\left(\dfrac{\pi}{3} - \dfrac{\pi}{4}\right) = \dfrac{\sqrt{3}-1}{1+\sqrt{3}\cdot 1} = 2 - \sqrt{3}$

よって，$0 < \tan\theta < 2 - \sqrt{3}$ $\quad \therefore \quad \underline{\tan\theta = 4 - \sqrt{15}}$ **答**

$$\left[\begin{array}{l} 180 < 196 \\ 6\sqrt{5} < 14 \\ 4 < 18 - 6\sqrt{5} \\ 2 < \sqrt{15} - \sqrt{3} \\ \therefore \quad 4 - \sqrt{15} < 2 - \sqrt{3} \end{array} \right.$$

> $2 - \sqrt{3}$ と $4 - \sqrt{15}$ の大小関係
> を確かめましょう。

研　究

(3) $2\cos\theta = \dfrac{1}{4\sin\theta}$ の後の別の計算方法を紹介します。

$$8\sin\theta \cdot \cos\theta = 1$$

$$8\frac{\sin\theta}{\cos\theta} \cdot \cos^2\theta = 1$$

$$8\tan\theta \cdot \cos^2\theta = 1$$

$$8\tan\theta \cdot \frac{1}{1+\tan^2\theta} = 1$$

$$\tan^2\theta - 8\tan\theta + 1 = 0 \qquad \tan\theta = 4 \pm \sqrt{15} \quad \text{以下省略}$$

$$\therefore \quad \underline{\tan\theta = 4 - \sqrt{15}}$$

（$\theta < \dfrac{\pi}{12}$ の確認は解答を参照）

> ②より，$0 < \theta < \dfrac{\pi}{12} < \dfrac{\pi}{4}$
> $$0 < \tan\theta < \tan\frac{\pi}{12} = 1$$

2024
2023
2022
2021
2020
2019
2018
2017
2016
2015
2014
2013
2012
2011
2010

③

問題を見てやるべきこと

(1) $y \leqq e^t - xt$ がすべての実数 t について成立しますので，

$f(t) = e^t - xt - y$ とおいて，すべての実数 t に対し，$f(t) \geqq 0$ が成立する定数 x, y の条件を考えます。

$f'(t) = e^t - x$ より，❶ $x<0$，❷ $x=0$，❸ $x>0$ で場合分けします。

(2) (1)で得られた条件（＊）をみたす点 (x, y) 全体の集合は，右図の斜線部のようになります。

このうち，$x \geqq 1$ かつ $y \geqq 0$ をみたす部分は右図の太線で囲まれた部分です。

$\pi \int_1^e y^2 dx = \pi \int_1^e (x - x\log x)^2 dx$ の計算をします。

部分積分を用います。

$y = x - x\log x$

解　答

条件：すべての実数 t に対して，$y \leqq e^t - xt$ が成立する。　……（＊）

(1) $f(t) = e^t - xt - y$ とおくと，

$f'(t) = e^t - x$

すべての実数 t に対し，$f(t) \geqq 0$ となる条件を考える。

❶ $x<0$ のとき

$f'(t) = e^t - x > 0$ より，$f(t)$ は単調に増加する。

$\displaystyle \lim_{t \to -\infty} f(t) = \lim_{t \to -\infty} (e^t - xt - y) = -\infty$ より，　◀── 忘れないように

（＊）をみたす y は存在しない。

❷ $x=0$ のとき

$f'(t) = e^t > 0$ より，$f(t)$ は単調に増加する。

$\displaystyle \lim_{t \to -\infty} f(t) = \lim_{t \to -\infty} (e^t - y) = -y \geqq 0$ より，$y \leqq 0$ が（＊）をみたす条件である。

❸ $x>0$ のとき

$f'(t) = e^t - x = 0$ となる t は，

$t = \log x$

$f(t)$ の増減表を右に示す。

f	$\cdots$	$\log x$	$\cdots$
$f'(t)$	$-$	0	$+$
$f(t)$	$\searrow$		$\nearrow$

$$f(\log x) = e^{\log x} - x\log x - y$$
$$= x - x\log x - y$$

（＊）をみたす条件は $x - x\log x - y \geqq 0$　　∴　$y \leqq x - x\log x$　……①

①の右辺を $g(x)$ として，増減表を右下に示す。

$$\begin{cases} g(x) = x - x\log x \\ g'(x) = 1 - \left(1 \cdot \log x + x \cdot \dfrac{1}{x}\right) = -\log x \\ g''(x) = -\dfrac{1}{x} \end{cases}$$

x	0	$\cdots$	1	$\cdots$
$g'(x)$		$+$	0	$-$
$g''(x)$		$-$	$-$	$-$
$g(x)$		$\curvearrowright$	1	$\curvearrowright$

$\lim\limits_{x \to +0} x\log x = 0$ より，$\lim\limits_{x \to +0} g(x) = 0$，$\lim\limits_{x \to +\infty} g(x) = x(1 - \log x) = -\infty$

❶〜❸より，条件（＊）をみたす点 (x, y) 全体
の集合は，

「$x = 0$ かつ $y \leqq 0$」

または，

「$x > 0$ かつ $y \leqq x - x\log x$」

であり，図示すると，右図の斜線部となる。（境
界線上の点は全て含む。）

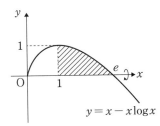

(2)　(1)より集合 S は右図の斜線部のようになる。

求める体積を V とすると，

$$V = \pi \int_1^e y^2 dx = \pi \int_1^e (x - x\log x)^2 dx$$
$$= \pi \int_1^e x^2 dx - 2\pi \int_1^e x^2 \log x\, dx$$
$$+ \pi \int_1^e x^2 (\log x)^2 dx \quad \cdots\cdots Ⓐ$$

$$\int_1^e x^2 dx = \frac{e^3 - 1}{3} \quad \cdots\cdots ②$$

$$\underline{\int_1^e x^2 \cdot \log x\, dx} = \int_1^e \left(\frac{x^3}{3}\right)' \cdot \log x\, dx = \left[\frac{x^3}{3}\log x\right]_1^e - \int_1^e \frac{x^2}{3}\, dx = \frac{e^3}{3} - \frac{e^3 - 1}{9}$$

$$= \frac{2e^3 + 1}{9} \quad \cdots\cdots ③$$

$$\int_1^e x^2 (\log x)^2 dx = \int_1^e \left(\frac{x^3}{3}\right)'(\log x)^2 dx = \left[\frac{x^3}{3}(\log x)^2\right]_1^e - \frac{2}{3}\underline{\int_1^e x^2 \cdot \log x dx}$$

$$= \frac{e^3}{3} - \frac{2}{3}\underbrace{\left(\frac{2e^3+1}{9}\right)} = \frac{5e^3-2}{27} \quad \cdots\cdots ④$$

③を代入

②③④を⒜に代入して，

$$V = \pi \cdot \frac{e^3-1}{3} - 2\pi \cdot \frac{2e^3+1}{9} + \pi \cdot \frac{5e^3-2}{27} = \underline{\underline{\frac{2e^3-17}{27}\pi}} \quad \boxed{答}$$

 研　究

(1)のグラフや増減表から解の存在条件を考える問題および，(2)の回転体に関する問題は，ともに九大で頻出です。

(1)(2)ともに典型問題の部類に入り，難易度も高くないので，確実にマスターしましょう。

 4

問題を見てやるべきこと

「平均値の性質」をもつ条件を問題が与えています。

(1)　$n=2$ のとき

$$\begin{cases} f(x) = a_2 x^2 + a_1 x + a_0 \\ f'(x) = 2a_2 x + a_1 \end{cases}$$

$$\frac{f(\beta) - f(\alpha)}{\beta - \alpha} = f'(\gamma)$$

を具体的に計算することで，$\gamma = \dfrac{\alpha+\beta}{2}$，つまり点 γ が 2 点 α，β を結ぶ線分の中点であることが示されます。

(2)　(1)と同様に，与えられた α，β，$f(x)$ を用いて，

$$\frac{f(\beta) - f(\alpha)}{\beta - \alpha} = f'(\gamma)$$

を計算します。γ と α との関係式が導かれますので，それをもとに，点 γ が 2 点 α，β を結ぶ線分上に存在する条件を考察します。

その際❶ γ が実数のとき

    ❷ γ が虚数のとき

で場合分けをしましょう。

(3) (1)(2)と同様に、与えられた α, β, $f(x)$ を用いて、

$$\frac{f(\beta)-f(\alpha)}{\beta-\alpha}=f'(\gamma) \text{ を計算します。}$$

α^7 と β^7 の計算は、

$$\alpha=\frac{1-i}{\sqrt{2}}=\cos\left(-\frac{\pi}{4}\right)+i\sin\left(-\frac{\pi}{4}\right), \quad \beta=\frac{1+i}{\sqrt{2}}=\cos\frac{\pi}{4}+i\sin\frac{\pi}{4}$$

より、$\alpha^7=\beta$, $\beta^7=\alpha$ が成立することを利用します。

解答

(1) $n=2$ のとき

$$\begin{cases} f(x)=a_2 x^2+a_1 x+a_0 \\ f'(x)=2a_2 x+a_1 \end{cases}$$

$$\frac{f(\beta)-f(\alpha)}{\beta-\alpha}=\frac{a_2(\beta^2-\alpha^2)+a_1(\beta-\alpha)}{\beta-\alpha}=a_2(\beta+\alpha)+a_1 \quad \cdots\cdots①$$

$$f'(\gamma)=2a_2\gamma+a_1 \quad \cdots\cdots②$$

①②において、$\gamma=\dfrac{\alpha+\beta}{2}$ とおくと、① ＝ ②となり、点 γ は 2 点 α, β を結ぶ線分上にあり（γ は α, β を結ぶ線分の中点）、どのような α, β, $f(x)$ も平均値の性質をもつ。

(2) $\begin{cases} f(x)=x^3+ax^2+bx+c, \quad \alpha=1-i, \quad \beta=1+i \\ f'(x)=3x^2+2ax+b \end{cases}$

$$\begin{aligned} \frac{f(\beta)-f(\alpha)}{\beta-\alpha}&=\frac{(\beta^3-\alpha^3)+a(\beta^2-\alpha^2)+b(\beta-\alpha)}{\beta-\alpha} \\ &=(\alpha^2+\alpha\beta+\beta^2)+a(\beta+\alpha)+b \\ &=\{(\alpha+\beta)^2-\alpha\beta\}+a(\alpha+\beta)+b \\ &=2+2a+b \quad \cdots\cdots③ \end{aligned}$$

$\alpha+\beta=2$, $\alpha\beta=2$ を代入

$$f'(\gamma)=3\gamma^2+2a\gamma+b \quad \cdots\cdots④$$

③ ＝ ④のとき、

$$2+2a+b=3\gamma^2+2a\gamma+b$$

$3\gamma^2 + 2a\gamma - 2(a+1) = 0 \quad \cdots\cdots\text{⑤}$

⑤をみたす γ が α, β を結ぶ線分上にある条件を考察する。

❶　γ が実数のとき

$\gamma = 1$ を⑤に代入して，$3 + 2a - 2(a+1) = 0$

（左辺）$= 1$，（右辺）$= 0$ となり不適。

❷　γ が虚数のとき

γ は実数係数方程式⑤の解により共役な複素数 $\overline{\gamma}$

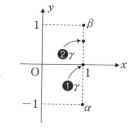

も⑤の解である。解と係数の関係より，

$$\gamma + \overline{\gamma} = -\frac{2}{3}a \qquad \therefore \quad \frac{\gamma + \overline{\gamma}}{2} = -\frac{a}{3}$$

γ の実部は $-\dfrac{a}{3}$ となる。また γ は α, β を結ぶ線分上より，実部は1である。

$-\dfrac{a}{3} = 1$ より，$a = -3$

⑤に代入して，$3\gamma^2 - 6\gamma + 4 = 0 \qquad \therefore \quad \gamma = 1 \pm \dfrac{i}{\sqrt{3}}$

確かに γ は α, β を結ぶ線分上に存在する。

以上より，求める条件は <u>$a = -3$，b と c は任意の実数である。</u> 答

(3)　$\alpha = \dfrac{1-i}{\sqrt{2}} = \cos\left(-\dfrac{\pi}{4}\right) + i\sin\left(-\dfrac{\pi}{4}\right)$ より，

$$\alpha^7 = \cos\left(-\frac{7}{4}\pi\right) + i\sin\left(-\frac{7}{4}\pi\right) = \frac{1+i}{\sqrt{2}} = \beta$$

$\beta = \cos\dfrac{\pi}{4} + i\sin\dfrac{\pi}{4}$ より，

$$\beta^7 = \cos\frac{7}{4}\pi + i\sin\frac{7}{4}\pi = \frac{1-i}{\sqrt{2}} = \alpha$$

$\begin{cases} f(x) = x^7 \\ f'(x) = 7x^6 \end{cases}$ より，

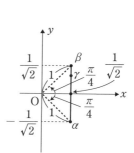

$$\frac{f(\beta) - f(\alpha)}{\beta - \alpha} = \frac{\beta^7 - \alpha^7}{\beta - \alpha} = \frac{\alpha - \beta}{\beta - \alpha} = -1 \quad \cdots\cdots\text{⑥}$$

$f'(\gamma) = 7\gamma^6 \quad \cdots\cdots\text{⑦}$

$\gamma = r(\cos\theta + i\sin\theta)$ とおくと，

$$\frac{1}{\sqrt{2}} \leq r \leq 1, \quad -\frac{\pi}{4} \leq \theta \leq \frac{\pi}{4} \quad (\text{左下図参照})$$

⑦＝⑥が成立するとき，

$$-\frac{3}{2}\pi \leq 6\theta \leq \frac{3}{2}\pi$$

$$7\gamma^6 = -1$$

$$7r^6(\cos 6\theta + i\sin 6\theta) = \cos(\pm\pi) + i\sin(\pm\pi) \quad (\text{複号同順})$$

$$7r^6 = 1 \quad \text{かつ} \quad 6\theta = \pm\pi$$

$$\therefore \quad r = \frac{1}{\sqrt[6]{7}}, \quad \theta = \pm\frac{\pi}{6}$$

このとき，$\gamma = \dfrac{1}{\sqrt[6]{7}}\left\{\cos\left(\pm\dfrac{\pi}{6}\right) + i\sin\left(\pm\dfrac{\pi}{6}\right)\right\} = \dfrac{1}{\sqrt[6]{7}}\left(\dfrac{\sqrt{3}}{2} \pm \dfrac{i}{2}\right)$

γ の実部 $\dfrac{1}{\sqrt[6]{7}} \cdot \dfrac{\sqrt{3}}{2}$ は $\dfrac{1}{\sqrt{2}}$ と一致しない。

以上より，γ は 2 点 α，β を結ぶ線分上に存在せず，α，β，$f(x)$ は平均値の性質をもたない。

📣 研　究

(2)で 2 点 α，β を結ぶ線分上の点 γ を $\gamma = 1 + ti$ （t は実数，$-1 \leq t \leq 1$）と表し，(2)の④に代入すると，

$$f'(\gamma) = 3\gamma^2 + 2a\gamma + b = 3(1 - t^2 + 2ti) + 2a(1 + ti) + b$$
$$= (3 - 3t^2 + 2a + b) + 2t(3 + a)i \quad \cdots\cdots Ⓐ$$

(2)の③より，

$$\frac{f(\beta) - f(\alpha)}{\beta - \alpha} = 2 + 2a + b \quad \cdots\cdots Ⓑ$$

Ⓐ＝Ⓑのとき，a，b，t は実数により，複素数の相等から，

$$\begin{cases} 3 - 3t^2 + 2a + b = 2 + 2a + b \quad \Leftrightarrow \quad 1 = 3t^2 \\ 2t(3 + a) = 0 \end{cases}$$

$$\therefore \quad t = \pm\frac{1}{\sqrt{3}} \quad (-1 \leq t \leq 1 \text{ をみたす})$$

$$\therefore \quad \underline{a = -3} \quad 答$$

5

問題を見てやるべきこと

まず，(1)(2)で問われている内容を具体的に把握するために，パスカルの三角形を書きましょう。

(1)　$2 \leq k \leq n-2$ のとき，$_nC_k > n$

は，右の図において，の内部を見ます。たしかに，$_nC_1 = _nC_{n-1} = n$ の値より，$_nC_k$ $(2 \leq k \leq n-2)$ の値は大きくなっています。

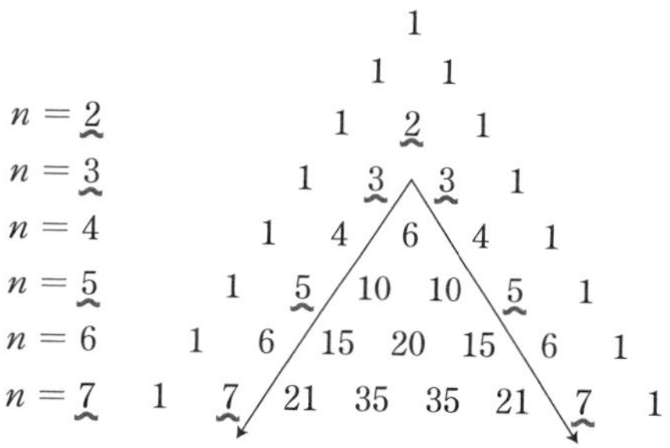

```
                    1
                  1   1
n = 2           1   2   1
n = 3         1   3   3   1
n = 4       1   4   6   4   1
n = 5     1   5  10  10   5   1
n = 6   1   6  15  20  15   6   1
n = 7  1  7  21 35  35  21  7  1
```

実際に，$_nC_k > n$ を示す際，

❶ $\dfrac{_nC_k}{n} > 1$　　❷ $_nC_k - n > 0$　のいずれかを計算することになります。

❶を解答で，❷を別解として 研究 で紹介します。

(2)　パスカルの三角形を見ると，$_nC_k$ が素数となるのは，n が素数かつ，$_nC_1 = _nC_{n-1}$ に限ることがわかります（図で　をつけています）。

❶　$k = n$ のとき $_nC_n = 1$ となり不適

❷　$k = 1, n-1$ のとき　$_nC_1 = _nC_{n-1} = n$（素数）

❸　$2 \leq k \leq n-2$ のとき　$_nC_k$ は素数とならない。

以上❶〜❸の場合分けをします。

解答

(1)　$_nC_k > n$ の両辺を n で割り，$\dfrac{_nC_k}{n} > 1$ を以下で示す。

$$\frac{_nC_k}{n} = \frac{1}{n} \cdot \frac{n!}{(n-k)!k!}$$

$$= \frac{(n-1)!}{(n-k)!k!}$$

$$= \frac{(n-1)(n-2)\cdots\cdots(n-k+1)}{k!}$$

$\dfrac{1}{n}$ と $n!$ で約分

分母・分子から $(n-k)!$ を消去

$$= \frac{n-1}{k} \cdot \frac{n-2}{k-1} \cdot \cdots \cdots \cdot \frac{n-k+1}{2} \cdot \frac{1}{1} \quad \cdots\cdots Ⓐ$$

$k-1$ 個の分数はいずれも，分母と分子の差が $n-1-k$

条件より，$n-2-k \geqq 0$ ∴ $n-1-k>0$

Ⓐにおいて，$\dfrac{n-1}{k}$，$\dfrac{n-2}{k-1}$，$\cdots\cdots \dfrac{n-k+1}{2}$ は，いずれも分母より分子が大きく，1 より大となる。

よって，$\dfrac{{}_nC_k}{n}>1$ が成立し，${}_nC_k>n$ が示された。

(2) $k \leqq n$ において ${}_nC_k = p$（素数）が成立するか，以下の❶〜❸の場合に分けて調べる。

❶ $k=n$ のとき

　　${}_nC_n = 1$ となり，不適。

❷ $k=1$，$n-1$ のとき

　　${}_nC_1 = {}_nC_{n-1} = n$　　$n = p$（素数）となるとき，題意をみたす。このとき，

　　　${}_nC_1 = {}_pC_1$　……①，　${}_nC_{n-1} = {}_pC_{p-1}$　……②

　①②より，$(n, k) = \underset{\sim\sim\sim}{(p, 1)}$，$\underset{\sim\sim\sim\sim\sim}{(p, p-1)}$

❸ $2 \leqq k \leqq n-2$ のとき

　　${}_nC_k = \dfrac{n!}{(n-k)!\,k!} = p$（素数）とすると，

　　　$n! = p \cdot (n-k)! \cdot k!$　……③

　　$p = {}_nC_k > n$　　（∵(1)）から，③の左辺 $n!$ は p より小さい整数の積となり，素数 p で割り切れない。

　　③の右辺は，素数 p で割り切れる。

　　これは矛盾するので，${}_nC_k = p$ をみたす (n, k) は存在しない。

以上，❶〜❸より $\underline{(n, k) = (p, 1), (p, p-1)}$ 　[答]

📣 **研　究**

(1) ${}_nC_k - n > 0$ を示します。

別　解

$${}_nC_k - n = \frac{n(n-1)\cdots\cdots(n-k+1)}{k!} - n$$

$$= n\left\{\frac{(n-1)(n-2)\cdots\cdots(n-k+1)}{k!} - 1\right\}$$

$$= n\underbrace{\left\{\frac{n-1}{k} \cdot \frac{n-2}{k-1} \cdot \cdots\cdots \cdot \frac{n-k+1}{2} - 1\right\}}_{k-1\text{個の分数はいずれも分母と分子の差が } n-1-k} \quad \cdots\cdots Ⓐ$$

条件より $n-2-k \geqq 0$　　∴　$n-1-k > 0$

　∴　$\dfrac{n-1}{k} > 1$, $\dfrac{n-2}{k-1} > 1$, $\cdots\cdots$, $\dfrac{n-k+1}{2} > 1$

よって，Ⓐ > 0 が成立し，${}_n C_k - n > 0$ つまり，${}_n C_k > n$ が示された。

本問(2)の結論は重要です。頭に入れておきましょう。

「二項係数 ${}_n C_k\,(1 \leqq k \leqq n-1)$ が素数となるのは，$n = p$（素数）のときで，

　${}_n C_1 = {}_n C_{n-1} = p$」

これと関連して，次の事実も入試頻出です。

「$n = p$（素数）のとき，${}_n C_k\,(1 \leqq k \leqq n-1)$ は全て ${}_n C_1\,(= p)$ の倍数。」

$$\left[\begin{array}{l} \text{（略証）} \\[2mm] \qquad {}_p C_k = \dfrac{p!}{(p-k)! \cdot k!} \quad \text{において} \quad p-k < p, \; k < p \text{ より，} \\[3mm] \qquad \text{右辺の分子の } p \text{ は約分されずに残る。} \end{array}\right]$$

2009 年東大，2000 年京大，1995 年京大他，出題が多数あります。

余裕のある方は是非トライして下さい。

2024
2023
2022
2021
2020
2019
2018
2017
2016
2015
2014
2013
2012
2011
2010

文系学部

1

問題を見てやるべきこと

　円と直線の位置関係や共有点に関する問題は，大別して「点と直線の距離の公式を用いる方法」，「方程式を連立して共有点の座標を求める方法」の2つの方法があります。ただし，後者は式が煩雑になることが多く，共有点の座標自体を求めたい場合を除いて前者を用いるのが一般的です。計算を楽にするために，図形的な情報を活用しましょう。

解　答

(1) 2点 A(1, 0)，B(0, 2) を通るので，直線 AB の方程式は，

$$\frac{x}{1} + \frac{y}{2} = 1 \qquad \therefore \quad 2x + y - 2 = 0$$

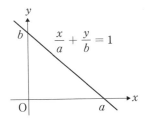

$a \neq 0$ かつ $b \neq 0$ のとき，異なる2点 $(a, 0)$，$(0, b)$ を通る直線は，

$$\frac{x}{a} + \frac{y}{b} = 1$$

の形で表すことができます。これを切片形といいます。

　円の中心を点 C とする。中心を第1象限にもち，x 軸と y 軸に接する円の半径を r $(r > 0)$ とすると，中心の座標は (r, r) である。

　以下，中心を点 C とし，三角形 OAB の内接円について考える。

　この円が直線 AB にも接することより，点 C と直線 AB の間の距離を d とおくと，$d = r$ である。

　点と直線の距離の公式を用いて，

$$d = \frac{|2r + r - 2|}{\sqrt{2^2 + 1^2}} = \frac{|3r - 2|}{\sqrt{5}} \quad \cdots\cdots ①$$

①を $d = r$ に代入すると,

$$\frac{|3r - 2|}{\sqrt{5}} = r \qquad \therefore \quad |3r - 2| = \sqrt{5}\,r$$

$$3r - 2 = \pm\sqrt{5}\,r \qquad \therefore \quad (3 \pm \sqrt{5})r = 2$$

$$r = \frac{2}{3 \pm \sqrt{5}} = \frac{3 \mp \sqrt{5}}{2}$$

これらは, $r > 0$ をみたす.

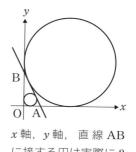

x 軸, y 軸, 直線 AB に接する円は実際に 2 つあります.

右図より, 内接円の直径は線分 OA の長さより小さいので,

$$2r < 1 \qquad \therefore \quad r < \frac{1}{2}$$

$2^2 < 5$ より, $2 < \sqrt{5}$ であるから,

$$\frac{3 - \sqrt{5}}{2} < \frac{3 - 2}{2} = \frac{1}{2} < \frac{3 + \sqrt{5}}{2}$$

よって $r = \dfrac{3 - \sqrt{5}}{2}$ のみが条件をみたす.

中心の座標は,

$$\left(\frac{3 - \sqrt{5}}{2}, \frac{3 - \sqrt{5}}{2} \right)$$

(2) (1)と同様に中心 $C(r, r)$, 半径 r の円を考える.

円と直線 AB が異なる 2 つの交点をもつことから, $d < r$ が成り立つ.

$$\frac{|3r - 2|}{\sqrt{5}} < r \qquad \therefore \quad |3r - 2| < \sqrt{5}\,r$$

$$-\sqrt{5}\,r < 3r - 2 < \sqrt{5}\,r$$

$$\frac{3 - \sqrt{5}}{2} < r < \frac{3 + \sqrt{5}}{2} \quad \cdots\cdots ②$$

線分 PQ の長さを L, 線分 PQ の中点を M とすると, 直角三角形 CQM に関する三平方の定理より,

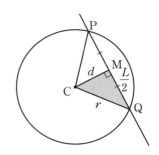

$$\left(\frac{L}{2}\right)^2 = r^2 - d^2 = r^2 - \left(\frac{|3r-2|}{\sqrt{5}}\right)^2$$

$$= r^2 - \frac{(3r-2)^2}{5}$$

$$= -\frac{4}{5}(r^2 - 3r + 1)$$

$$= -\frac{4}{5}\left(r - \frac{3}{2}\right)^2 + 1$$

両辺を4倍すると,

$$L^2 = -\frac{16}{5}\left(r - \frac{3}{2}\right)^2 + 4$$

L^2 は②の範囲において, $r = \dfrac{3}{2}$ のときに最大値4をとる。

よって, 求める線分 PQ の長さ L の最大値は $\underline{2}$ 答

🔊 研 究

(1) (1)だけ解けばよいのであれば, △ABC の面積が1, 3辺の長さの和が $3 + \sqrt{5}$ であることを用いて, $\dfrac{1}{2}(3 + \sqrt{5})r = 1$ を解けばよいでしょう。また, 発展的な内容ですが「正領域・負領域」の考え方を用いると, ①の分子の絶対値をいきなり外すことも可能です。

(1)①以降の別解

点 $C(r, r)$ は $2x + y - 2 < 0$ の領域に存在するから,

$$d = \frac{|2r + r - 2|}{\sqrt{2^2 + 1^2}} = \frac{-(2r + r - 2)}{\sqrt{2^2 + 1^2}} = \frac{-3r + 2}{\sqrt{5}}$$

これを, $d = r$ に代入すると,

$$\frac{-3r + 2}{\sqrt{5}} = r \qquad r = \frac{3 - \sqrt{5}}{2} \quad 答$$

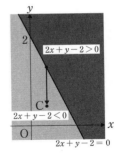

2 問題を見てやるべきこと

　領域に関する問題です。ある不等式を満たす点の集合は座標平面上の領域を表し，直線 $y = tx - 2t^2$ 上またはそれよりも上にある領域は t（パラメータ）の値に応じて変化しますが，t の値ごとに逐一調べていても埒があきません。本問は「t についての 2 次不等式として解く」ことで容易に求めることができます（このような手法を「逆像法」といいます）。

　仮に，本問(1)が，「x，y をそれぞれ a，b に，t を x に」置き換えた，

　　"すべての実数 x について $b \geq ax - 2x^2$，つまり，$2x^2 - ax + b \geq 0$ が

　　成り立つための a，b の条件を求めよ。"

という形で出題されていたならば，正答率はもっと高くなっていたでしょう。置き換えただけで，本質的には全く同じです。

解　答

(1)　条件 A の不等式を式変形すると，

　　　$y \geq xt - 2t^2$　　　$2t^2 - xt + y \geq 0$　……①

　①の左辺を $f(t)$ とおく。すべての実数 t について①が成り立つための条件は，$f(t) = 0$ の判別式について，（判別式）≤ 0 が成り立つことである。

　　　（判別式）$= x^2 - 4 \cdot 2 \cdot y \leq 0$

　　　$y \geq \dfrac{1}{8} x^2$

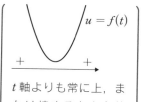

t 軸よりも常に上，または接するとき条件をみたします。

　よって，求める領域は下図斜線部である。ただし，境界線を含む。

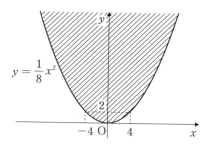

(2)　(1)の $f(t)$ について平方完成すると，

$$f(t) = 2\left(t - \frac{x}{4}\right)^2 - \frac{1}{8}x^2 + y$$

$|t| \leq 1$，つまり，$-1 \leq t \leq 1$ をみたすすべての実数 t について $f(t) \geq 0$ が成立することは，$-1 \leq t \leq 1$ における $f(t)$ の最小値が 0 以上であることと等しい。

以下，$-1 \leq t \leq 1$ における $f(t)$ の最小値を考える。軸 $t = \frac{x}{4}$ と定義域 $-1 \leq t \leq 1$ の位置関係で場合分けする。

(i) $\frac{x}{4} \leq -1$，つまり，$x \leq -4$ のとき，

$t = -1$ で最小で，最小値は，

$$f(-1) = 2 + x + y$$

これが 0 以上であればよいので，

$$2 + x + y \geq 0 \qquad y \geq -x - 2$$

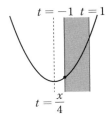

(ii) $-1 \leq \frac{x}{4} \leq 1$，つまり，$-4 \leq x \leq 4$ のとき，

$t = \frac{x}{4}$ で最小で，最小値は，

$$f\left(\frac{x}{4}\right) = -\frac{1}{8}x^2 + y$$

これが 0 以上であればよいので，

$$-\frac{1}{8}x^2 + y \geq 0 \qquad y \geq \frac{1}{8}x^2$$

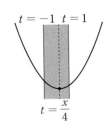

(iii) $1 \leq \frac{x}{4}$，つまり，$4 \leq x$ のとき，

$t = 1$ で最小で，最小値は

$$f(1) = 2 - x + y$$

これが 0 以上であればよいので，

$$2 - x + y \geq 0 \qquad y \geq x - 2$$

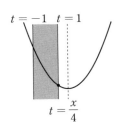

(i)，(ii)，(iii)より，求める領域は次ページの図斜線部である。ただし，境界線を含む。

2024
2023
2022
2021
2020
2019
2018
2017
2016
2015
2014
2013
2012
2011
2010

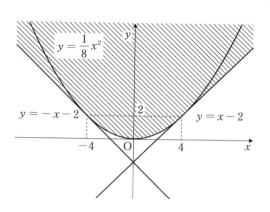

 研　究

　本問における逆像法とは，「ある点 (x, y) が条件をみたす領域に存在するか
を，t の（存在）条件として考える」方法です。本問において，たとえば，座
標平面上の点 $(1, 1)$ が条件 A をみたす点の集合に含まれるかを調べてみまし
ょう。実際に $y \geqq tx - 2t^2$ に $(1, 1)$ を代入すると，

$$1 \geqq t - 2t^2 \qquad \therefore \quad 2t^2 - t + 1 \geqq 0$$

という t についての不等式が出てきます。このとき，条件 A は「すべての実数
t について $2t^2 - t + 1 \geqq 0$ が成立する。」となるので，左辺の t に関する 2 次
関数について，判別式が 0 以下ならば条件を満たします。調べると，

$$（判別式）= (-1)^2 - 4 \cdot 2 \cdot 1 < 0$$

より，すべての実数 t について左辺は正となるので，点 $(1, 1)$ は求める集合に
含まれます。

　「では，ある点 (x, y) が条件を満たすのか？」と，点の座標を文字 x, y のま
ま考えれば，条件 A をみたす点の x, y 座標の関係式が得られます。x, y を変
数としてではなく，点の座標としてみるのがポイントです。

[3]

　　問題を見てやるべきこと
　　────────

　2 次関数と直線で囲まれた部分の面積に関する非常に平易な問題です。
(1)　2 式を連立し，接する条件を（判別式）= 0 で求めればよいでしょう。

(2) 位置関係に気をつけつつ，定積分によって面積を計算すればよいです。定積分の計算における $\dfrac{1}{3}$ 公式を知っていれば多少計算は楽になりますが，使うまでもないでしょう。

　本問において差がつくのは，本問のテーマではなくむしろ 3 次方程式の解を求める部分でしょうか？　九大では因数定理を用いて高次式を因数分解しなければならないことがよくあります。◀🔊 **研　究** に一部紹介しますので，練習してみてください。

解　答 ▶

(1)　$f(x) = -x^2 - 2ax - a^3 + 10a$, $g(x) = 8x + 6$ とする。

　　放物線 C と直線 ℓ が接するための条件は，これらを連立して得た，

$$f(x) = g(x) \quad \therefore \quad g(x) - f(x) = 0$$
$$8x + 6 - (-x^2 - 2ax - a^3 + 10a) = 0$$
$$x^2 + 2(a + 4)x + a^3 - 10a + 6 = 0 \quad \cdots\cdots①$$

について，(判別式) $= 0$ となることである。

$$(判別式)/4 = (a + 4)^2 - (a^3 - 10a + 6) = 0$$
$$-a^3 + a^2 + 18a + 10 = 0$$
$$a^3 - a^2 - 18a - 10 = 0$$

$$\left(\begin{array}{l} 上式に a = 5 を代入すると， \\ \quad 125 - 25 - 90 - 10 = 0 \\ 因数定理より左辺は a - 5 を因数にもつ。 \end{array}\right)$$

$$(a - 5)(a^2 + 4a + 2) = 0$$
$$a = 5, \ -2 \pm \sqrt{2}$$

　$a > 0$ より，$\underline{a = 5}$ **答**

(2)　$a = 5$ を①に代入すると，

$$x^2 + 18x + 81 = 0$$
$$(x + 9)^2 = 0$$
$$x = -9$$

放物線 C，直線 ℓ，y 軸で囲まれる図形は右図斜線部である。

求める面積を S とすると，

$$S = \int_{-9}^{0} \{g(x) - f(x)\}\,dx$$

$$= \int_{-9}^{0} (x^2 + 18x + 81)\,dx$$

$$= \left[\frac{1}{3}x^3 + 9x^2 + 81x \right]_{-9}^{0}$$

$$= 0 - (-243 + 729 - 729)$$

$$= 243$$

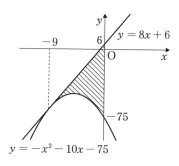

求める面積は　$\underset{\sim\sim}{243}$　**答**

📢 **研　究**

(1)　近年の九大数学において，解く過程で必要だった高次式の因数分解を一部紹介します。

（因数分解の結果については，該当年度，大問の解答を参照してください。）

- $t^3 - 6t^2 + 9t + 50$ 　　（2012 年度　文系②）
- $x^4 - 32x + 48$ 　　（2013 年度　文系④）
- $t^3 - 3a^2 t + 2a^3$ 　　（2010 年度　理系③）
- $-\dfrac{2}{3}\alpha^3 - \alpha^2\beta - \dfrac{1}{6}\beta^3$ 　（2016 年度　文系①）

(2)の積分は，数学Ⅲの合成関数の積分を用いると楽に計算できます。

②の別解

$$S = \int_{-9}^{0} \{g(x) - f(x)\}\,dx = \int_{-9}^{0} (x+9)^2\,dx$$

$$= \left[\frac{1}{3}(x+9)^3 \right]_{-9}^{0} = \frac{1}{3} \cdot 9^3 - 0 = 243$$

（以下省略）

4

問題を見てやるべきこと

2021年度の問題の中では最も解きづらい高難度の数列の問題です。

(1) いわゆる「(等差)×(等比)型の数列の和」の問題であり，公比をかけて「ずらして差をとる」ことで計算します。

(2) (1)で用いた「ずらして差をとる」を2回行うことで漸化式として解くことが可能ですが，解いた経験がなければ難しいでしょう。その場合は本解答のように「推測して数学的帰納法で示す」ことになります。ただ，その場合も通常の「$n = k$ で成り立つと仮定する」のではなく，「$n = 2, 3, \cdots\cdots, k$ のすべてで成り立つと仮定する」必要があるため，こちらも解いた経験がなければ難しいでしょう。

解答

(1) $S_n = \displaystyle\sum_{k=1}^{n} k\,2^{k-1}$ とおくと，

$$S_n = 1 + 2 \cdot 2 + 3 \cdot 2^2 + \cdots\cdots + (n-1) \cdot 2^{n-2} + n \cdot 2^{n-1} \quad \cdots\cdots①$$

①の両辺を2倍すると，

$$2S_n = 1 \cdot 2 + 2 \cdot 2^2 + \cdots\cdots + (n-2) \cdot 2^{n-2} + (n-1) \cdot 2^{n-1} + n \cdot 2^n \quad \cdots\cdots②$$

①，②の辺々差をとると，

$$
\begin{array}{l}
S_n = 1 + \boxed{2} \cdot 2 + \boxed{3} \cdot 2^2 + \cdots\cdots + \boxed{(n-1)} \cdot 2^{n-2} + \boxed{n} \cdot 2^{n-1} \\
-)\,2S_n = \boxed{1} \cdot 2 + \boxed{2} \cdot 2^2 + \cdots\cdots + \boxed{(n-2)} \cdot 2^{n-2} + \boxed{(n-1)} \cdot 2^{n-1} + n \cdot 2^n \\
\hline
-S_n = 1 + 1 \cdot 2 + 1 \cdot 2^2 + \cdots\cdots \phantom{+ 1 \cdot 2^{n-2}} + 1 \cdot 2^{n-2} + 1 \cdot 2^{n-1} - n \cdot 2^n
\end{array}
$$

$$= 1 + 2 + 2^2 + \cdots\cdots + 2^{n-1} - n \cdot 2^n$$

初項1，公比2，項数 n の等比数列の和

$$= \frac{2^n - 1}{2 - 1} - n \cdot 2^n$$

$$= -(n-1)2^n - 1$$

$$\therefore \quad S_n = (n-1)2^n + 1$$

以上より，$\displaystyle\sum_{k=1}^{n} k\,2^{k-1} = \underline{(n-1)2^n + 1}$ **答**

(2) $a_1 = 2$ と問題文の漸化式

$$a_{n+1} = 1 + \frac{1}{2}\sum_{k=1}^{n}(n+1-k)a_k$$

$$= 1 + \frac{na_1 + (n-1)a_2 + \cdots\cdots + 2a_{n-1} + a_n}{2}$$

より，漸化式に $n = 1, 2, 3, \cdots$ を代入して値を調べてみると，

$$a_2 = 1 + \frac{a_1}{2} = 2$$

$$a_3 = 1 + \frac{2a_1 + a_2}{2} = 1 + \frac{4+2}{2} = 4$$

$$a_4 = 1 + \frac{3a_1 + 2a_2 + a_3}{2} = 1 + \frac{6+4+4}{2} = 8$$

$$a_5 = 1 + \frac{4a_1 + 3a_2 + 2a_3 + a_4}{2} = 1 + \frac{8+6+8+8}{2} = 16$$

$$a_6 = 1 + \frac{5a_1 + 4a_2 + 3a_3 + 2a_4 + a_5}{2} = 1 + \frac{10+8+12+16+16}{2} = 32$$

数列 $\{a_n\}$ の一般項について，$n \geqq 2$ のとき，

$$a_n = 2^{n-1} \quad \cdots\cdots\text{③}$$

であると推測できる。これを数学的帰納法を用いて示す。

（ⅰ）　$n = 2$ のとき，先の計算より $a_2 = 2 = 2^{2-1}$ は成り立つ。

（ⅱ）　l を 2 以上の自然数とする。$n = 2, 3, 4, \cdots\cdots, l$ で③が成り立つと仮定すると，

$$a_{l+1} = 1 + \frac{1}{2}\sum_{k=1}^{l}(l+1-k)a_k = 1 + \frac{1}{2}\sum_{k=1}^{l}(l+1)a_k - \frac{1}{2}\sum_{k=1}^{l}ka_k$$

$$= 1 + \frac{1}{2}(l+1)\sum_{k=1}^{l}a_k - \frac{1}{2}\sum_{k=1}^{l}ka_k$$

$a_1 = 2$, $a_k = 2^{k-1}$ $(k = 2, 3, 4, \cdots\cdots, l)$ であるから，上式の和の計算について，

$$\sum_{k=1}^{l}a_k = 2 + 2 + 2^2 + \cdots\cdots + 2^{l-1}$$

$$= 1 + \{1 + 2 + 2^2 + \cdots\cdots + 2^{l-1}\}$$

$$= 1 + \frac{2^l - 1}{2 - 1} = 2^l$$

$$\sum_{k=1}^{l}ka_k = 1\cdot2 + 2\cdot2 + 3\cdot2^2 + \cdots\cdots + l2^{l-1}$$

$$= 1 + 1 \cdot 2^0 + 2 \cdot 2^1 + 3 \cdot 2^2 + \cdots\cdots + l2^{l-1}$$

$$= 1 + \sum_{k=1}^{l} k2^{k-1} = 1 + (l-1)2^l + 1 = (l-1)2^l + 2$$

(1)の式

これらを代入すると，

$$a_{l+1} = 1 + \frac{1}{2}(l+1)2^l - \frac{1}{2}\{(l-1)2^l + 2\}$$

$$= 1 + \frac{1}{2}(l+1)2^l - \frac{1}{2}(l-1)2^l - 1 = 2^l$$

よって，③は $n = l + 1$ のときも成り立つ。

(i), (ii)より， $n \geqq 2$ のとき③が成り立つことが示せた。

数列 $\{a_n\}$ の一般項は，

$$a_1 = 2, \quad a_n = 2^{n-1} \ (n \geqq 2) \quad \boxed{答}$$

🔈 研　究

(2)　(ii)において，「$n = l$ で③が成り立つと仮定する」だけでは，

$$\sum_{k=1}^{l} a_k = a_1 + a_2 + \cdots\cdots + a_{l-1} + a_l$$

$$= 2 + a_2 + \cdots\cdots + a_{l-1} + 2^{l-1}$$

となり，a_1, a_l 以外の項の値が定まらず，和の計算ができません。$\displaystyle\sum_{k=1}^{l} ka_k$ について

も同様です。式に「数列の項の和」が含まれるタイプの問題では，このように仮定を広くとらなければならないことが多々ありますので，覚えておきましょう。

　なお，数学的帰納法を用いず直接解くことも可能です。

(2)の別解

$$a_{n+1} = 1 + \frac{1}{2}\sum_{k=1}^{n}(n+1-k)a_k$$

$$= 1 + \frac{na_1 + (n-1)a_2 + \cdots\cdots + 2a_{n-1} + a_n}{2}$$

上式において，n を $n + 1$ に置き換えると，

$$a_{n+2} = 1 + \frac{(n+1)a_1 + na_2 + \cdots\cdots + 2a_n + a_{n+1}}{2}$$

辺々差をとると，

$$a_{n+2} - a_{n+1} = \frac{a_1 + a_2 + \cdots\cdots + a_n + a_{n+1}}{2}$$

$$2a_{n+2} - 2a_{n+1} = a_1 + a_2 + \cdots\cdots + a_n + a_{n+1}$$

$$2a_{n+2} - 3a_{n+1} = a_1 + a_2 + \cdots\cdots + a_n$$

上式において，n を $n+1$ に置き換えると，

$$2a_{n+3} - 3a_{n+2} = a_1 + a_2 + \cdots\cdots + a_{n+1}$$

上 2 式について，辺々差をとると，

$$2a_{n+3} - 5a_{n+2} + 3a_{n+1} = a_{n+1}$$

$$2a_{n+3} - 5a_{n+2} + 2a_{n+1} = 0$$

$n \geqq 1$ において上の漸化式は成り立つ。

（以下省略）

2024 2023 2022 2021 2020 2019 2018 2017 2016 2015 2014 2013 2012 2011 2010

理系学部

1

 問題を見てやるべきこと

典型問題ですので，確実にものにしましょう。

$f(x) = e^{-x} - e^{-2x}$　……①　とおきます。

$$f'(x) = -e^{-x} + 2e^{-2x}$$

①の $x = t$ における接線の方程式を求めます。

$$y = (-e^{-t} + 2e^{-2t})(x - t) + e^{-t} - e^{-2t}$$

に $(a, 0)$ を代入し，

$$0 = e^{-2t}(-e^t + 2)(a - t) + e^{-2t}(e^t - 1)$$

を導きます。

両辺を e^{-2t} で割ると，

$$e^t - 1 = (e^t - 2)(a - t)$$

$e^t - 2 \neq 0$ を断った上で，$a = t + \dfrac{e^t - 1}{e^t - 2}$ を導きます。

$y = a$ のグラフと $y = t + \dfrac{e^t - 1}{e^t - 2}$ のグラフが交点をもつ条件から a の範囲を

求めます。

解　答

$f(x) = e^{-x} - e^{-2x}$　……①　とおく。

$$f'(x) = -e^{-x} + 2e^{-2x}$$

①の $x = t$ における接線の方程式は

$$y = (-e^{-t} + 2e^{-2t})(x - t) + e^{-t} - e^{-2t} \quad \cdots\cdots②$$

②が点 $(a, 0)$ を通るので，

$$0 = (-e^{-t} + 2e^{-2t})(a - t) + e^{-t} - e^{-2t}$$

$$= e^{-2t}(-e^{t} + 2)(a - t) + e^{-2t}(e^{t} - 1)$$

各項を e^{-2t} でくくる

両辺を $e^{-2t} (\neq 0)$ で割って整理すると，

$$e^{t} - 1 = (e^{t} - 2)(a - t) \quad \cdots\cdots③$$

③は，$e^{t} - 2 = 0$ のとき，$1 = 0$ となり，不成立。よって，$e^{t} - 2 \neq 0$

よって，③の両辺を $e^{t} - 2$ で割って，

$$a = t + \frac{e^{t} - 1}{e^{t} - 2} \quad \cdots\cdots④$$

④をみたす実数 a の範囲を考える。④の右辺を $g(t)$ とおく。

$$g(t) = t + \frac{e^{t} - 1}{e^{t} - 2} = t + \frac{(e^{t} - 2) + 1}{e^{t} - 2} = t + 1 + \frac{1}{e^{t} - 2} \quad (t \neq \log 2)$$

$$g'(t) = 1 - \frac{e^{t}}{(e^{t} - 2)^2} = \frac{e^{2t} - 5e^{t} + 4}{(e^{t} - 2)^2} = \frac{(e^{t} - 1)(e^{t} - 4)}{(e^{t} - 2)^2}$$

$g'(t) = 0$ のとき，$e^{t} = 1, 4$　$\therefore$　$t = 0, 2\log 2$

t	$\cdots$	0	$\cdots$	$\log 2$	$\cdots$	$2\log 2$	$\cdots$
$g'(t)$	+	0	−		−	0	+
$g(t)$	↗	0	↘		↘	$2\log 2 + \dfrac{3}{2}$	↗

$$\lim_{t \to \pm\infty} g(t) = \pm\infty \text{（複号同順）},$$

$$\lim_{t \to \log 2 \pm 0} g(t) = \pm\infty \text{（複号同順）}$$

④を満たす実数 a が存在するために
は，$y = g(t)$ と $y = a$ のグラフが共有
点をもてばよいので，右のグラフより，

$$a \le 0 \text{ または } 2\log 2 + \frac{3}{2} \le a \quad \text{答} \quad [a \le 0]$$

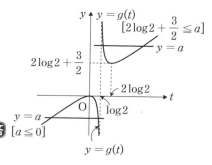

 研　究

2012 年度 ③と 2011 年度 ②に本問の類題が出題されています。

　定数を分離し，グラフの共有点と方程式の解を対応させます。2012 年度 ③ は難度が高く，2011 年度 ② は標準レベルです。2011 年度 ② は典型問題ですので，是非学習して下さい。数学が得意な方は，2012 年度 ③ にも挑戦しましょう。

② **問題を見てやるべきこと**

　整数係数の 4 次方程式の解を求める問題です。

(1)　$\alpha = \dfrac{1 + \sqrt{3}\,i}{2}$ とおいて，$(2\alpha - 1)^2 = (\sqrt{3}\,i)^2 \Leftrightarrow \alpha^2 - \alpha + 1 = 0$　……①

を得ます。

　　$f(\alpha) = \alpha^4 + a\alpha^3 + b\alpha^2 + c\alpha + d$ を①を用いて次数下げします。

　　$\alpha^2 = \underset{\sim}{\alpha - 1}$，$\alpha^3 = \alpha \cdot \alpha^2 = \alpha(\alpha - 1) = \alpha^2 - \alpha = \underset{\sim}{-1}$，$\alpha^4 = \alpha \cdot \alpha^3 = \underset{\sim}{-\alpha}$

を $f(\alpha)$ に代入してもよいですが，$f(\alpha)$ を $\alpha^2 - \alpha + 1$ で直接割り算しても，計算量は同程度です。

(2)　(1)で得られた $c = -b + 1$ と $d = a + b$ を $f(x)$ に代入すると，

　　$f(x) = x^4 + ax^3 + bx^2 + (1 - b)x + a + b$

となります。

$$\begin{cases} f(1) = 2a + b + 2 \\ f(-1) = 3b \end{cases}$$

　ここで，右辺に a を含まない，$f(-1) = 3b$ の条件を先に用いて，b の値を求めた後，$f(1) = 2a + b + 2$ の条件を考えます。

　不定方程式の問題になりますが，合同式を用いると，簡潔に処理できます。

解　答

(1)　$\alpha = \dfrac{1 + \sqrt{3}\,i}{2}$ とおくと，

　　$(2\alpha - 1)^2 = (\sqrt{3}\,i)^2$　　$\therefore$　$\alpha^2 - \alpha + 1 = 0$　……①

　①より，$\underset{\sim}{\alpha^2} = \underset{\sim}{\alpha - 1}$，$\underset{\sim}{\alpha^3} = \alpha \cdot \alpha^2 = \alpha\underset{\sim}{(\alpha - 1)} = \alpha^2 - \alpha = \underset{\sim}{-1}$，

$\alpha^4 = \alpha \cdot \alpha^3 = \alpha \cdot \underset{\sim}{(-1)} = -\alpha$

　これらを用いて，

$$f(\alpha) = \alpha^4 + a\alpha^3 + b\alpha^2 + c\alpha + d$$
$$= -\alpha + a \cdot (-1) + b(\alpha - 1) + c\alpha + d$$
$$= (b + c - 1)\alpha - a - b + d = 0 \quad \cdots\cdots ②$$

②において，α は虚数，$b + c - 1$ と $-a - b + d$ は実数により，

$b + c - 1 = 0$ かつ $-a - b + d = 0$

$\therefore \quad \underline{c = -b + 1, \quad d = a + b} \quad$ **答**

(2)　(1)より，c, d を消去して，

$$f(x) = x^4 + ax^3 + bx^2 + (1 - b)x + a + b$$

$$\begin{cases} f(1) = 1 + a + b + 1 - b + a + b = 2a + b + 2 \quad \cdots\cdots ③ \\ f(-1) = 1 - a + b - 1 + b + a + b = 3b \quad\quad\quad \cdots\cdots ④ \end{cases}$$

$f(-1)$ についての条件と④より，

$$\begin{cases} 3b \equiv 3 \pmod{7} \quad \cdots\cdots ⑤ \\ 3b \equiv 10 \equiv 21 \pmod{11} \quad \cdots\cdots ⑥ \end{cases} \quad \longleftarrow \quad \boxed{10 + 11 = 21 \text{とすることで，} \\ 3 \text{の倍数にする}}$$

<u>3 は各々の法 7，11 と互いに素</u>により，⑤⑥の両辺を 3 で割る。

$$b \equiv 1 \pmod{7} \quad \cdots\cdots ⑦ \quad \text{かつ} \quad b \equiv 7 \pmod{11} \quad \cdots\cdots ⑧$$

⑦より，$b = 1, 8, 15, 22, \overset{7}{\textcircled{29}}, 36, \cdots\cdots$

⑧より，$b = \quad 7, \quad\quad 18, \quad\quad \underset{11}{\textcircled{29}}, \quad 40, \cdots\cdots$

⑦かつ⑧をみたす b は 29 である。

これ以降は，7 と 11 の最小公倍数である 77 ごとに出現する。

よって，$|b| \leqq 40$ をみたすのは，$b = 29$ のみ。

$f(1)$ についての条件と，③，⑦，⑧より，

$$\begin{cases} 2a + b + 2 \equiv 2a + 1 + 2 \equiv 2a + 3 \equiv 1 \pmod{7} \\ \therefore \quad 2a \equiv -2 \pmod{7} \quad \cdots\cdots ⑨ \\ 2a + b + 2 \equiv 2a + 7 + 2 \equiv 2a + 9 \equiv 10 \pmod{11} \\ \therefore \quad 2a \equiv 1 \equiv 12 \pmod{11} \quad \cdots\cdots ⑩ \end{cases}$$

$\boxed{1 + 11 = 12 \text{として，2 の倍数にする}}$

<u>2 は各々の法 7，11 と互いに素</u>により，⑨，⑩の両辺を 2 で割る。

$$a \equiv -1 \equiv 6 \pmod{7} \quad \cdots\cdots ⑪ \quad \text{かつ} \quad a \equiv 6 \pmod{11} \quad \cdots\cdots ⑫$$

⑪かつ⑫をみたす a は 6 以降は，77 ごとに出現する。

よって，$|a| \leqq 40$ をみたすのは $a = 6$ のみ。

$$f(x) = x^4 + 6x^3 + 29x^2 - 28x + 35 = (x^2 - x + 1)(x^2 + 7x + 35)$$

$f(x) = 0$ の解は， $x = \dfrac{1 \pm \sqrt{3}\,i}{2}$, $\dfrac{-7 \pm \sqrt{91}\,i}{2}$ **答**

 研　究

合同式では，和・差・積については通常の「＝」の計算と同様ですが，商については，「互いに素」という条件が必要です。

不定方程式を解く際，合同式の割り算は非常に有効ですので，② (2)を通じて，しっかりマスターしましょう。

☆合同式の割り算

a, b, c, n を整数とする。

<u>a と n が互いに素であるとき</u>，

$ab \equiv ac \pmod{n}$ ならば $b \equiv c \pmod{n}$

（略証）

$$ab \equiv ac \pmod{n}$$
$$\iff ab - ac \equiv 0 \pmod{n}$$
$$\iff a(b - c) \equiv 0 \pmod{n}$$

よって， $a(b - c)$ は n の倍数である。

a と n は互いに素であるから，

$$b - c \equiv 0 \pmod{n}$$
$$\iff b \equiv c \pmod{n}$$

参考 2022 年の共通テストで出題された不定方程式です。

> $11^5 x - 2^5 y = 1$ の整数解のうち，x が正の整数で最小となるもの。

解

32 を法として，合同式を用いる。

$11^5 x - 2^5 y = 1$　より，$11^5 x \equiv 1$　……①

$11^2 \equiv 121 \equiv -7$　より，

$\qquad 11^5 \equiv (11^2)^2 \cdot 11 \equiv (-7)^2 \cdot 11 \equiv 49 \cdot 11 \equiv 17 \cdot 11 \equiv 187 \equiv 27$

①から，

$$27x \equiv 1 \equiv 1 + 32 \equiv 33$$

$$9x \equiv 11$$

　　　3と32は互いに素

$$9x \equiv 11 + 32 \cdot 2 \equiv 75$$

$$3x \equiv 25$$

　　　3と32は互いに素

$$3x \equiv 25 + 32 \equiv 57$$

$$x \equiv 19$$

　　　3と32は互いに素

$\underline{x = 19}$ のとき $\underline{y = 95624}$ **答**

3

 問題を見てやるべきこと

$\overrightarrow{OA} = \vec{a}$, $\overrightarrow{OB} = \vec{b}$, $\overrightarrow{OC} = \vec{c}$ とおいて, $\ell \perp m$,
$m \perp n$, $n \perp \ell$ をベクトルを用いて表しましょう。

(1)　$\ell \perp m$ より,

$$\left(\frac{\vec{b} + \vec{c}}{2} - \frac{\vec{a}}{2}\right) \cdot \left(\frac{\vec{c} + \vec{a}}{2} - \frac{\vec{b}}{2}\right) = 0$$

$$\{\vec{c} + (\vec{b} - \vec{a})\} \cdot \{\vec{c} - (\vec{b} - \vec{a})\} = 0 \quad \text{より,}$$

$$|\vec{c}|^2 = |\vec{b} - \vec{a}|^2 \quad \therefore \quad |\overrightarrow{OC}| = |\overrightarrow{AB}| = \sqrt{5} \quad \cdots\cdots ①$$

同様にして,

$$m \perp n \text{ より, } |\overrightarrow{OA}| = |\overrightarrow{BC}| = \sqrt{3} \quad \cdots\cdots ②$$

$$n \perp \ell \text{ より, } |\overrightarrow{OB}| = |\overrightarrow{CA}| = 2 \quad \cdots\cdots ③$$

①②③より, $\vec{a} \cdot \vec{b} = 1$, $\vec{b} \cdot \vec{c} = 3$, $\vec{c} \cdot \vec{a} = 2$ が導かれ,

$$|\cos\theta| = \frac{|\overrightarrow{OB} \cdot \overrightarrow{CA}|}{|\overrightarrow{OB}||\overrightarrow{CA}|} = \frac{|\vec{b} \cdot (\vec{a} - \vec{c})|}{2 \cdot 2}$$

を計算して θ を求めます。

(2)　辺 OA, BC, OB, CA, OC, AB の中点を, 各々, P, Q, R, S, T, U
とします。

$$\frac{1}{2}(\overrightarrow{OP} + \overrightarrow{OQ}) = \frac{1}{2}(\overrightarrow{OR} + \overrightarrow{OS}) = \frac{1}{2}(\overrightarrow{OT} + \overrightarrow{OU}) = \frac{1}{4}(\vec{a} + \vec{b} + \vec{c})$$

となります。

　つまり, 線分 PQ, RS, TU は各々の中点で交わり, この点を G とすると,

G が求める球の中心となります。

解　答

(1) 辺 OA の中点を P, 辺 BC の中点を Q,
辺 OB の中点を R, 辺 CA の中点を S,
辺 OC の中点を T, 辺 AB の中点を U,
$\overrightarrow{OA} = \vec{a}$, $\overrightarrow{OB} = \vec{b}$, $\overrightarrow{OC} = \vec{c}$ とおく。

$l \perp m$ より, $\overrightarrow{PQ} \cdot \overrightarrow{RS} = 0$

$$\left(\overrightarrow{OQ} - \overrightarrow{OP}\right) \cdot \left(\overrightarrow{OS} - \overrightarrow{OR}\right) = 0$$

$$\left(\frac{\vec{b} + \vec{c}}{2} - \frac{\vec{a}}{2}\right) \cdot \left(\frac{\vec{c} + \vec{a}}{2} - \frac{\vec{b}}{2}\right) = 0$$

$$\therefore \quad \{\vec{c} + (\vec{b} - \vec{a})\} \cdot \{\vec{c} - (\vec{b} - \vec{a})\} = 0$$

$$\therefore \quad |\vec{c}|^2 = |\vec{b} - \vec{a}|^2$$

$$\therefore \quad |\overrightarrow{OC}| = |\overrightarrow{AB}| = \sqrt{5} \quad \cdots\cdots①$$

以下, 同様にして,

$m \perp n$ より, $\overrightarrow{RS} \cdot \overrightarrow{TU} = 0$ $\quad \therefore \quad |\overrightarrow{OA}| = |\overrightarrow{BC}| = \sqrt{3} \quad \cdots\cdots②$

$n \perp l$ より, $\overrightarrow{TU} \cdot \overrightarrow{PQ} = 0$ $\quad \therefore \quad |\overrightarrow{OB}| = |\overrightarrow{CA}| = 2 \quad \cdots\cdots③$

①より, $|\vec{b} - \vec{a}|^2 = |\vec{a}|^2 - 2\vec{a} \cdot \vec{b} + |\vec{b}|^2 = 7 - 2\vec{a} \cdot \vec{b} = 5 \ (\because ②③)$

$\quad \therefore \quad \vec{a} \cdot \vec{b} = 1$

②より, $|\vec{c} - \vec{b}|^2 = |\vec{b}|^2 - 2\vec{b} \cdot \vec{c} + |\vec{c}|^2 = 9 - 2\vec{b} \cdot \vec{c} = 3 \ (\because ①③)$

$\quad \therefore \quad \vec{b} \cdot \vec{c} = 3$

③より, $|\vec{a} - \vec{c}|^2 = |\vec{c}|^2 - 2\vec{c} \cdot \vec{a} + |\vec{a}|^2 = 8 - 2\vec{c} \cdot \vec{a} = 4 \ (\because ①②)$

$\quad \therefore \quad \vec{c} \cdot \vec{a} = 2$

なす角 θ は $0 \leqq \theta \leqq \dfrac{\pi}{2}$ なので,

$$\cos\theta = \frac{|\overrightarrow{OB} \cdot \overrightarrow{CA}|}{|\overrightarrow{OB}||\overrightarrow{CA}|} = \frac{|\vec{b} \cdot (\vec{a} - \vec{c})|}{2 \cdot 2} = \frac{|\vec{a} \cdot \vec{b} - \vec{b} \cdot \vec{c}|}{4} = \frac{1}{2}$$

$$\therefore \quad \theta = \frac{\pi}{3} \quad 答$$

2024
2023
2022
2021
2020
2019
2018
2017
2016
2015
2014
2013
2012
2011
2010

(2)　$\dfrac{1}{2}(\overrightarrow{OP}+\overrightarrow{OQ})=\dfrac{1}{4}(\vec{a}+\vec{b}+\vec{c})$,　$\dfrac{1}{2}(\overrightarrow{OR}+\overrightarrow{OS})=\dfrac{1}{4}(\vec{a}+\vec{b}+\vec{c})$,

$\dfrac{1}{2}(\overrightarrow{OT}+\overrightarrow{OU})=\dfrac{1}{4}(\vec{a}+\vec{b}+\vec{c})$　より,

$$\dfrac{1}{2}(\overrightarrow{OP}+\overrightarrow{OQ})=\dfrac{1}{2}(\overrightarrow{OR}+\overrightarrow{OS})=\dfrac{1}{2}(\overrightarrow{OT}+\overrightarrow{OU})$$

となり, 3線分 PQ, RS, TU は各々の中点で交わる。この点を G とする。

$$\overrightarrow{OG}=\dfrac{1}{4}(\vec{a}+\vec{b}+\vec{c})$$

$$\overrightarrow{OA}\cdot\overrightarrow{PG}=\overrightarrow{OA}\cdot\left(\dfrac{1}{2}\overrightarrow{PQ}\right)=\vec{a}\cdot\dfrac{1}{2}\left(\dfrac{\vec{b}+\vec{c}}{2}-\dfrac{\vec{a}}{2}\right)$$

$$=\dfrac{1}{4}(\vec{a}\cdot\vec{b}+\vec{c}\cdot\vec{a}-|\vec{a}|^2)$$

$$=\dfrac{1}{4}(1+2-3)=0$$

同様にして, $\overrightarrow{OB}\cdot\overrightarrow{RG}=0$,　$\overrightarrow{OC}\cdot\overrightarrow{TG}=0$

$\begin{cases}\overrightarrow{OA}\perp\overrightarrow{PG}\ \text{より},\ \triangle\text{GOA は GA}=\text{GO の二等辺三角形となる。}\\ \overrightarrow{OB}\perp\overrightarrow{RG}\ \text{より},\ \triangle\text{GOB は GB}=\text{GO の二等辺三角形となる。}\\ \overrightarrow{OC}\perp\overrightarrow{TG}\ \text{より},\ \triangle\text{GOC は GC}=\text{GO の二等辺三角形となる。}\end{cases}$

以上より GO = GA = GB = GC

点 G は四面体 OABC の 4 つの頂点 O, A, B, C から等距離に存在し, 球の中心となる。

$$|\overrightarrow{OG}|=\dfrac{1}{4}\sqrt{|\vec{a}+\vec{b}+\vec{c}|^2}$$

$$=\dfrac{1}{4}\sqrt{(|\vec{a}|^2+|\vec{b}|^2+|\vec{c}|^2+2\vec{a}\cdot\vec{b}+2\vec{b}\cdot\vec{c}+2\vec{c}\cdot\vec{a})}$$

$$=\dfrac{1}{4}\sqrt{3+4+5+2+6+4}$$

$$=\dfrac{\sqrt{6}}{2}\ \ \boxed{答}$$

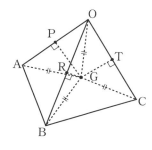

研　究

(2)　(1)より，OA = BC = $\sqrt{3}$，OB = CA = 2，OC = AB = $\sqrt{5}$

　このことから四面体 OABC の各面は合同な鋭角三角形となり，直方体に埋め込むことができます（等面四面体）。

　直方体の各辺の長さを右図のように，x, y, z とおくと，

$$\begin{cases} OA = \sqrt{3} \Rightarrow x^2 + z^2 = 3 \\ OB = 2 \Rightarrow y^2 + z^2 = 4 \\ OC = \sqrt{5} \Rightarrow x^2 + y^2 = 5 \end{cases}$$

$$x = \sqrt{2}, \quad y = \sqrt{3}, \quad z = 1$$

となります。

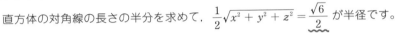

　直方体の対角線の長さの半分を求めて，$\dfrac{1}{2}\sqrt{x^2 + y^2 + z^2} = \dfrac{\sqrt{6}}{2}$ が半径です。

(1)　直方体の「⇐」の方向から見て，

$$\theta = \frac{\pi}{3}$$

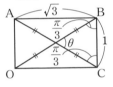

- 等面四面体は東大で 1993 年，1996 年（後期），京大で 1999 年（後期）に出題されています。
- 四面体の 4 つの頂点を通る球の中心を求める出題は，2011 年度 4 にも見られます。こちらも直方体に埋め込んで考えることができます。

---

4 **問題を見てやるべきこと**

(1)　余事象を考えましょう。
　❶　X が 5 の倍数でない
　❷　X が 5 の倍数だが，25 の倍数ではない
の場合分けを考えます。

(2)　余事象を考えましょう。
　❶　X が奇数
　❷　X が 4 の倍数でない偶数

の場合分けを考えます。

(3) 少なくとも 2 個の目が 5 となりますが，4 個の目が 5 だと，X は奇数となり，不適です。

- ❶　2 個の目が 5
- ❷　3 個の目が 5

の場合分けをします。

解答

(1) 余事象を考えると，

X が 25 の倍数にならないのは，

- ❶　X が 5 の倍数でないとき
- ❷　X が 5 の倍数だが，25 の倍数でないとき
  - ❶　4 個の目が全て 5 以外なので，その確率は，
    $$\left(\frac{5}{6}\right)^4 \quad \cdots\cdots ①$$
  - ❷　1 個の目だけが 5 で，残りの目は 5 以外なので，その確率は，
    $${}_4\mathrm{C}_1 \cdot \frac{1}{6}\left(\frac{5}{6}\right)^3 \quad \cdots\cdots ②$$

①②より，求める確率は，

$$1 - \left\{\left(\frac{5}{6}\right)^4 + {}_4\mathrm{C}_1 \cdot \frac{1}{6} \cdot \left(\frac{5}{6}\right)^3\right\} = \frac{19}{144} \quad 答$$

(2) 余事象を考えると，

X が 4 の倍数とならないのは，

- ❶　X が奇数となるとき
- ❷　X が 4 の倍数でない偶数となるとき
  - ❶　4 個の目が全て奇数なので，その確率は，
    $$\left(\frac{3}{6}\right)^4 \quad \cdots\cdots ③$$
  - ❷　3 個の目が奇数で，残り 1 個の目が 2 または 6 となるので，その確率は，
    $${}_4\mathrm{C}_3 \cdot \left(\frac{3}{6}\right)^3 \cdot \frac{2}{6} \quad \cdots\cdots ④$$

③④より，求める確率は，

$$1 - \left\{\left(\frac{3}{6}\right)^4 + {}_4\mathrm{C}_3 \cdot \left(\frac{3}{6}\right)^3 \cdot \frac{2}{6}\right\} = \frac{37}{48}$$ 答

(3) X が 100 の倍数となるとき，少なくとも 2 個の目は 5。しかし，4 個の目が 5 だと，X は奇数となり，不適。

したがって，X が 100 の倍数となるのは，

❶ 2 個の目が 5 のとき

❷ 3 個の目が 5 のとき

  ❶ 4 個のうち，目が 5 となる 2 個の選び方は ${}_4\mathrm{C}_2$ 通り，残り 2 個の目の積が 4 の倍数となるのは，

    (ア) 2 個とも偶数となるとき，その確率は，$\left(\frac{3}{6}\right)^2$ ……⑤

    (イ) 1 個の目が 4 で，残りの 1 個の目が 1 または 3 となるとき，その確率は，

      ${}_2\mathrm{C}_1 \cdot \frac{1}{6} \cdot \frac{2}{6}$ ……⑥

    ⑤⑥より，❶の場合の確率は，

$${}_4\mathrm{C}_2 \times \left(\frac{1}{6}\right)^2 \times \left\{\left(\frac{3}{6}\right)^2 + {}_2\mathrm{C}_1 \cdot \frac{1}{6} \cdot \frac{2}{6}\right\} = \frac{78}{6^4} \quad ……⑦$$

  ❷ 4 個のうち，目が 5 となる 3 個の選び方は ${}_4\mathrm{C}_3$ 通り，残り 1 個の目は 4 となる。

    その確率は，

$${}_4\mathrm{C}_3 \times \left(\frac{1}{6}\right)^3 \times \frac{1}{6} = \frac{4}{6^4} \quad ……⑧$$

  ⑦⑧より，求める確率は，$\dfrac{78 + 4}{6^4} = \dfrac{41}{648}$ 答

 研 究

(3) ❶の計算において，5 でない 2 個の目の積が 4 の倍数となる確率は，表を用いると確実です。

右の表より，その確率は，$\dfrac{13}{6^2}$

よって，(3)❶の確率は，残り 2 個の目が 5 となることを考慮して，

	1	2	3	4	5	6
1				○		
2		○		○		○
3				○		
4	○	○	○	○		○
5						
6		○		○		○

$$_4C_2 \cdot \left(\frac{1}{6}\right)^2 \cdot \frac{13}{6^2} = \frac{78}{6^4}$$

⑤

 問題を見てやるべきこと

(1)　直円柱 E を表す式は，

$$\begin{cases} x^2 + (y-2)^2 \leqq 1 \\ 0 \leqq z \leqq 3 \end{cases}$$

点 $(0, 2, 2)$ と x 軸を含む平面は $z = y$

T はこの平面より下側なので，$z \leqq y$ の部分です。

$x = t$ で切ると，

$$\begin{cases} 2 - \sqrt{1-t^2} \leqq y \leqq 2 + \sqrt{1-t^2} \\ 0 \leqq z \leqq 3 \\ z \leqq y \end{cases}$$

平面 $x = t$ 上に図示すると台形に

なります。

この台形の面積が $S(t)$ であり，

T の体積 $V = \displaystyle\int_{-1}^{1} S(t)dt$

となります。

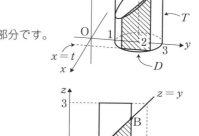

平面 $x = t$ と x 軸との交点　$2 - \sqrt{1-t^2}$　　$2 + \sqrt{1-t^2}$

(2)　(1)の図で，斜線部上の点で x 軸から一番近い点を A，一番遠い点を B と

すると，$x = t$ で切った断面積 $U(t)$ は，

$$U(t) = \pi\{O'B^2 - O'A^2\}$$

で表すことができます。

　求める立体の体積は，$\displaystyle\int_{-1}^{1} U(t)dt$ です。

解　答

(1)　直円柱 E を表す式は，

$$\begin{cases} x^2 + (y-2)^2 \leqq 1 \\ 0 \leqq z \leqq 3 \end{cases}$$

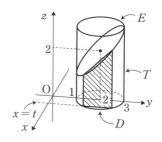

T はこの円柱の $z \leqq y$ の部分となる。

$x = t$ で切ると，

$$\begin{cases} 2 - \sqrt{1 - t^2} \leqq y \leqq 2 + \sqrt{1 - t^2} \\ 0 \leqq z \leqq 3 \\ z \leqq y \end{cases}$$

切断面を平面 $x = t$ 上に図示すると，
右図の斜線部となる。

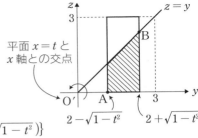

平面 $x = t$ と
x 軸との交点

$$S(t) = \frac{1}{2}\left\{\left(2 - \sqrt{1 - t^2}\right) + \left(2 + \sqrt{1 - t^2}\right)\right\}$$

$$\times \left\{\left(2 + \sqrt{1 - t^2}\right) - \left(2 - \sqrt{1 - t^2}\right)\right\}$$

$$= \underline{4\sqrt{1 - t^2}}$$

T の体積 $V = \displaystyle\int_{-1}^{1} S(t)\,dt = 8\int_{0}^{1} \sqrt{1 - t^2}\,dt$

$$= 8 \times \frac{\pi}{4} = \underline{2\pi} \quad \boxed{答}$$

四分円の面積

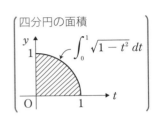

$\displaystyle\int_{0}^{1} \sqrt{1 - t^2}\,dt$

(2) (1)の切断面の図で，$\mathrm{O'}(t, 0, 0)$ を中心に回転するとき，切断面の中で，$\mathrm{O'}$ から一番近い点を A，一番遠い点を B とする。

$\mathrm{A}\left(t, 2 - \sqrt{1 - t^2}, 0\right)$，

$\mathrm{B}\left(t, 2 + \sqrt{1 - t^2}, 2 + \sqrt{1 - t^2}\right)$

T の断面を x 軸のまわりに 1 回転させてできる
ドーナツ型の図形の面積を $U(t)$ とする。

$U(t) = \pi\{\mathrm{O'B}^2 - \mathrm{O'A}^2\}$ より，

$\boxed{\mathrm{O'B} = (\mathrm{B} \, の \, y \, 座標) \times \sqrt{2}}$

$$U(t) = \pi\left[\left\{\sqrt{2}\left(2 + \sqrt{1 - t^2}\right)\right\}^2 - \left(2 - \sqrt{1 - t^2}\right)^2\right]$$

$$= \pi\left\{2\left(4 + 4\sqrt{1 - t^2} + 1 - t^2\right) - \left(4 - 4\sqrt{1 - t^2} + 1 - t^2\right)\right\}$$

$$= \pi\left(5 - t^2 + 12\sqrt{1 - t^2}\right)$$

求める体積は，

$$\int_{-1}^{1} U(t)\,dt = 2\pi\int_{0}^{1}\left(5 - t^2 + 12\sqrt{1 - t^2}\right)dt = 2\pi\left(5 - \frac{1}{3} + 12 \times \frac{\pi}{4}\right)$$

$$= \underline{2\pi\left(\frac{14}{3} + 3\pi\right)} \quad \boxed{答}$$

 研　　究

(1)　$V = \displaystyle\int_{-1}^{1} S(t)dt = 8\int_{0}^{1} \sqrt{1 - t^2}\, dt$ の積分計算は，九大で頻出です。

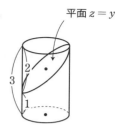

平面 $z = y$

2016 年度 ③，2013 年度 ④，2012 年度 ①，1995 年度 ③，1993 年度 ⑤，1990 年度 ④と出題が見られます。いずれも置換積分を用いるよりも，四分円の面積を利用したほうが簡単です。2012 年度 ① 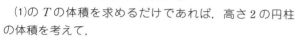 研　究 で 紹介していますので，チェックをしてください。

(1)の T の体積を求めるだけであれば，高さ 2 の円柱の体積を考えて，

　　$\pi \cdot 1^2 \cdot 2 = 2\pi$

で計算ができます。

> 文系学部

1

 問題を見てやるべきこと

　2つの放物線に囲まれた図形の面積を求める平易な問題です。

(1)　連立して判別式が正となる a の範囲を求めるだけですが，a に関する3次式の処理に戸惑うかもしれません。高校数学における高次式，高次方程式は「因数定理を利用して因数分解する」のが基本であり，その練習を怠っていると「方針は分かるのに解けない」という事態に陥ります。教科書レベルの演習をしっかりしておきましょう。

(2)　定積分で面積を求める部分を工夫しないと時間内に解くことは難しいでしょう。ここでは定積分の $\dfrac{1}{6}$ 公式を利用します。

解　答

(1)　放物線 C_1，C_2 が異なる2点で交わる条件は，これらを連立して得られる，
$$x^2 = 3(x - a)^2 + a^3 - 40$$
$$2x^2 - 6ax + a^3 + 3a^2 - 40 = 0 \quad \cdots\cdots①$$
について，判別式が正となることである。①の判別式を D とすると，
$$D/4 = (-3a)^2 - 2(a^3 + 3a^2 - 40)$$
$$= -2a^3 + 3a^2 + 80 \quad \cdots\cdots②$$
D が正より，
$$-2a^3 + 3a^2 + 80 > 0 \qquad \therefore\quad 2a^3 - 3a^2 - 80 < 0$$

$$\left(\begin{array}{l} 2a^3 - 3a^2 - 80 \text{ に } a = 4 \text{ を代入すると，} \\ \quad 128 - 48 - 80 = 0 \\ \text{因数定理より } 2a^3 - 3a^2 - 80 \text{ は } a - 4 \text{ を因数にもつ。} \end{array}\right)$$

$$(a - 4)(2a^2 + 5a + 20) < 0$$
ここで，

$$2a^2 + 5a + 20 = 2\left(a + \frac{5}{4}\right)^2 + \frac{135}{8} > 0$$

であるから，両辺 $2a^2 + 5a + 20$ で割ると，

$$a - 4 < 0 \quad \therefore \quad a < 4$$

問題文より $a \geqq 0$ であるから，求める a の値の範囲は，

$$\underline{0 \leqq a < 4} \quad \boxed{答}$$

(2) $0 \leqq a < 4$ のとき，①の異なる 2 つの実数解を $\alpha,\ \beta\ (\alpha < \beta)$ とおくと，α，β は C_1，C_2 の異なる 2 交点の x 座標である。

また，①の左辺は，

$$2x^2 - 6ax + a^3 + 3a^2 - 40 = 2(x - \alpha)(x - \beta)$$

と因数分解できる。

放物線 C_1，C_2 で囲まれる図形は右図斜線部である。

S を計算すると，

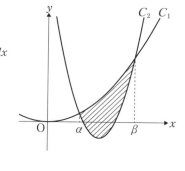

$$S = \int_\alpha^\beta [x^2 - \{3(x - a)^2 + a^3 - 40\}]dx$$

$$= -\int_\alpha^\beta (2x^2 - 6ax + a^3 + 3a^2 - 40)dx$$

$$= -2\int_\alpha^\beta (x - \alpha)(x - \beta)dx$$

$$= -2\left\{-\frac{1}{6}(\beta - \alpha)^3\right\}$$

$$\left(\frac{1}{6}\ 公式\right)$$

$$= \frac{1}{3}(\beta - \alpha)^3 \quad \cdots\cdots ③$$

③の $\beta - \alpha$ を求める。$\alpha,\ \beta$ は①の解より，①に 2 次方程式の解の公式を用いて，

$$x = \frac{3a \pm \sqrt{D/4}}{2} \quad (D\ は①の判別式)$$

$\alpha < \beta$ より，

$$\alpha = \frac{3a - \sqrt{D/4}}{2}, \quad \beta = \frac{3a + \sqrt{D/4}}{2}$$

$$\beta - \alpha = \frac{3a + \sqrt{D/4}}{2} - \frac{3a - \sqrt{D/4}}{2} = \sqrt{D/4}$$

これを③に代入すると,

$$S = \frac{1}{3}\left(\sqrt{D/4}\right)^3 = \frac{1}{3}\left(\sqrt{-2a^3 + 3a^2 + 80}\right)^3$$

ここで, $f(a) = -2a^3 + 3a^2 + 80$ とおく. $f(a)$ が最大となるとき, S も最大となるので, $0 \leqq a < 4$ の範囲における $f(a)$ の増減を調べる.

a	0	$\cdots$	1	$\cdots$	(4)
$f'(a)$		$+$	0	$-$	
$f(a)$	80	$\nearrow$	81	$\searrow$	(0)

$$f'(a) = -6a^2 + 6a = -6a(a - 1)$$

これより, $f(a)$ の増減は次のようになる.

$f(a)$ は $a = 1$ のとき, 最大値 81 をとる. 求める S の最大値は,

$$S = \frac{1}{3}\left(\sqrt{81}\right)^3 = \underline{\underset{\sim\sim\sim}{243}} \quad \boxed{答}$$

 研 究

(2) 定積分の $\frac{1}{6}$ 公式については, **資料編**の「**数学重要公式・定義のまとめ⑨**」を確認しましょう.

今回, 解の公式を用いて直接 α, β を求めましたが, この際,

"2次方程式 $ax^2 + 2bx + c = 0$ の2解 $\dfrac{-b \pm \sqrt{b^2 - ac}}{a}$ におけるルート内

の式 $b^2 - ac$ は, (この方程式の判別式を D としたときの) $D/4$ である."
を念頭においています. これら2解の差をとると,

$$\frac{-b + \sqrt{D/4}}{a} - \frac{-b - \sqrt{D/4}}{a} = \frac{\sqrt{D}}{a}$$

$\alpha < \beta$ のとき, 差は正となるので,

$$\left|\frac{\sqrt{D}}{a}\right| = \frac{\sqrt{D}}{|a|}$$

のようになります.

$\beta - \alpha$ については解と係数の関係から求める方法もあるので, そちらも紹介します.

(2)の別解

①において，2次方程式の解と係数の関係より，

$$\alpha + \beta = 3a, \quad \alpha\beta = \frac{1}{2}(a^3 + 3a^2 - 40)$$

これを利用すると，$(\beta - \alpha)^2$ の値について，

$$(\beta - \alpha)^2 = (\alpha + \beta)^2 - 4\alpha\beta = (3a)^2 - 4 \cdot \frac{1}{2}(a^3 + 3a^2 - 40)$$

$$= -2a^3 + 3a^2 + 80$$

$\alpha < \beta$ より，$\beta - \alpha > 0$ なので，

$$\beta - \alpha = \sqrt{-2a^3 + 3a^2 + 80}$$

（以下省略）

2

 問題を見てやるべきこと

　座標空間内の正四面体の頂点と，ある平面で切ったときの断面積を求める問題です。

(1)　いろいろな方針が考えられますが，「正四面体のすべての辺の長さは等しい」ことに注目し，（空間座標における）2点間の距離の公式を用いればよいでしょう。

(2)　z 軸に垂直な平面を $z = t \ (0 < t < 1)$ のようにおいた上で，正四面体とこの平面の交点の座標を調べていきます。交点の座標が分かれば，あとはベクトルを使って四角形（長方形）の面積を求めればよいでしょう。ベクトルを使わなくても4辺と対角線の長さを計算すれば，余弦定理（三平方の定理）を用いて計算することができます。

　なお，本問は「正四面体の立方体への埋め込み」を背景にもつ問題です。（これをさらに拡張した「等面四面体の直方体への埋め込み」が2020年度理系③で出題されています。）

　(2)はこれを知っていると断面のイメージが明確になり，解きやすくなります。

解　答

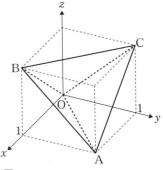

(1)　四面体 OABC の 1 辺の長さは，

$$OA = \sqrt{1^2 + 1^2 + 0^2} = \sqrt{2}$$

である。正四面体のすべての辺の長さは
等しいので，

$$OB = \sqrt{1^2 + 0^2 + p^2} = \sqrt{1 + p^2} = \sqrt{2}$$

$$\therefore \quad p^2 = 1$$

問題文より $p > 0$ であるから，$p = 1$

このとき，

$$AB = \sqrt{(1-1)^2 + (0-1)^2 + (1-0)^2} = \sqrt{2}$$

より，辺 AB の長さも $\sqrt{2}$ となる。

同様にして，残りの 3 辺についても，

$$\begin{cases} OC = \sqrt{q^2 + r^2 + s^2} = \sqrt{2} \\ AC = \sqrt{(q-1)^2 + (r-1)^2 + (s-0)^2} = \sqrt{2} \\ BC = \sqrt{(q-1)^2 + (r-0)^2 + (s-1)^2} = \sqrt{2} \end{cases}$$

これらはすべて正より，2 乗すると，

$$\begin{cases} q^2 + r^2 + s^2 = 2 & \cdots\cdots① \\ (q-1)^2 + (r-1)^2 + s^2 = 2 & \cdots\cdots② \\ (q-1)^2 + r^2 + (s-1)^2 = 2 & \cdots\cdots③ \end{cases}$$

② − ①より，

$$-2q - 2r + 2 = 0 \quad \therefore \quad r = 1 - q \quad \cdots\cdots④$$

③ − ①より，

$$-2q - 2s + 2 = 0 \quad \therefore \quad s = 1 - q \quad \cdots\cdots⑤$$

①に④と⑤を代入すると，

$$q^2 + (1-q)^2 + (1-q)^2 = 2$$

$$3q^2 - 4q + 2 = 2$$

$$q(3q - 4) = 0 \quad \therefore \quad q = 0, \frac{4}{3}$$

$q = \dfrac{4}{3}$ とすると，④，⑤より $r = s = -\dfrac{1}{3}$ となり，$s > 0$ をみたさず，不適。

$q = 0$ のとき，④，⑤より $r = s = 1$ となり条件をみたす。

このとき，O(0, 0, 0)，A(1, 1, 0)，B(1, 0, 1)，C(0, 1, 1) は座標空間上の同

一平面上にない異なる 4 点であり，四面体 OABC は確かに成立する。

　　よって，$\underset{\sim}{p=1}$，$\underset{\sim}{q=0}$，$\underset{\sim}{r=s=1}$

(2)　z 軸 に 垂 直 な 平 面 を $z=t$ $(0<t<1)$ とし，この平面と辺 AB，AC，OC，OB との交点をそれぞれ P，Q，R，S とする。

　断面積を $S(t)$ とすると，$S(t)$ は四角形 PQRS の面積である。

　図 よ り，P，Q，R，S は 辺 AB，AC，OC，OB をそれぞれ $t:1-t$ に内分する点である。

　内分点の公式より，

$$\overrightarrow{OP} = (1-t)\overrightarrow{OA} + t\overrightarrow{OB}$$
$$= (1-t,\ 1-t,\ 0) + (t,\ 0,\ t)$$
$$= (1,\ 1-t,\ t)$$

同様に計算すると，

$$\overrightarrow{OQ} = (1-t,\ 1,\ t),\ \ \overrightarrow{OR} = (0,\ t,\ t),\ \ \overrightarrow{OS} = (t,\ 0,\ t)$$

が得られる。これらから，

$$\overrightarrow{SP} = \overrightarrow{OP} - \overrightarrow{OS} = (1,\ 1-t,\ t) - (t,\ 0,\ t) = (1-t,\ 1-t,\ 0) = (1-t)(1,\ 1,\ 0)$$
$$\overrightarrow{SQ} = \overrightarrow{OQ} - \overrightarrow{OS} = (1-t,\ 1,\ t) - (t,\ 0,\ t) = (1-2t,\ 1,\ 0)$$
$$\overrightarrow{SR} = \overrightarrow{OR} - \overrightarrow{OS} = (0,\ t,\ t) - (t,\ 0,\ t) = (-t,\ t,\ 0) = t(-1,\ 1,\ 0)$$

> 　この段階で $\overrightarrow{SP}\cdot\overrightarrow{SR}=0$，$\overrightarrow{SP}+\overrightarrow{SR}=\overrightarrow{SQ}$ に気づくことができれば，四角形 PQRS が長方形だとわかり，面積計算は楽になります。
>
> 　気づけない場合は，四角形 PQRS を三角形 SPQ と三角形 SQR に分割して三角形の面積公式から求めます（**資料編**の「**数学重要公式・定義のまとめ⑫**」を参照）。
>
> 　多角形の面積は三角形に分割して求めるのが基本です。

これらの大きさの 2 乗と内積を計算すると，

$$\left|\,\overrightarrow{SP}\,\right|^2 = (1-t)^2(1^2+1^2+0^2) = 2(1-t)^2$$
$$\left|\,\overrightarrow{SQ}\,\right|^2 = (1-2t)^2+1^2+0^2 = 2(2t^2-2t+1)$$

$$|\overrightarrow{\mathrm{SR}}|^2 = t^2\{(-1)^2 + 1^2 + 0^2\} = 2t^2$$

$$\overrightarrow{\mathrm{SP}} \cdot \overrightarrow{\mathrm{SQ}} = (1 - t)\{1 \cdot (1 - 2t) + 1 \cdot 1 + 0 \cdot 0\} = 2(1 - t)^2$$

$$\overrightarrow{\mathrm{SQ}} \cdot \overrightarrow{\mathrm{SR}} = t\{(1 - 2t) \cdot (-1) + 1 \cdot 1 + 0 \cdot 0\} = 2t^2$$

これらを用いて，三角形 SPQ，三角形 SQR の面積を求める。

$0 < t < 1$ から，$t > 0$，$1 - t > 0$ であることに留意して計算すると，

$$\triangle\mathrm{SPQ} = \frac{1}{2}\sqrt{|\overrightarrow{\mathrm{SP}}|^2|\overrightarrow{\mathrm{SQ}}|^2 - (\overrightarrow{\mathrm{SP}} \cdot \overrightarrow{\mathrm{SQ}})^2}$$

$$= \frac{1}{2}\sqrt{2(1-t)^2 \cdot 2(2t^2 - 2t + 1) - \{2(1-t)^2\}^2}$$

$$= \frac{1}{2}\sqrt{4(1-t)^2\{2t^2 - 2t + 1 - (1-t)^2\}}$$

$$= \frac{1}{2}\sqrt{4(1-t)^2 t^2} = \frac{1}{2} \cdot 2(1-t)t = t(1-t)$$

$$\triangle\mathrm{SQR} = \frac{1}{2}\sqrt{|\overrightarrow{\mathrm{SQ}}|^2|\overrightarrow{\mathrm{SR}}|^2 - (\overrightarrow{\mathrm{SQ}} \cdot \overrightarrow{\mathrm{SR}})^2}$$

$$= \frac{1}{2}\sqrt{2t^2 \cdot 2(2t^2 - 2t + 1) - (2t^2)^2}$$

$$= \frac{1}{2}\sqrt{4t^2(2t^2 - 2t + 1 - t^2)}$$

$$= \frac{1}{2}\sqrt{4t^2(1-t)^2} = \frac{1}{2} \cdot 2t(1-t) = t(1-t)$$

四角形 PQRS の面積はこれらの和より，

$$S(t) = t(1 - t) + t(1 - t)$$

$$= 2t(1 - t)$$

$$= -2\left(t - \frac{1}{2}\right)^2 + \frac{1}{2}$$

$0 < t < 1$ の範囲において，$t = \dfrac{1}{2}$ のとき最大であり，

$$S\left(\frac{1}{2}\right) = \frac{1}{2} \quad \boxed{答}$$

 研 究

(2) 本問の正四面体 OABC は 8 点 O(0, 0, 0)，(1, 0, 0)，A(1, 1, 0)，(0, 1, 0)，

(0, 0, 1)，B(1, 0, 1)，(1, 1, 1)，C(0, 1, 1) を頂点にもつ立方体の，各面の対角線を結んでできる正四面体となっています。このように正四面体が埋め込まれた立方体のイメージをもっていれば，立方体ごと正四面体を切った断面を考えることで，断面が長方形になることが直感的にわかるでしょう。

⑵の別解

　四角形 PQRS は右図のような長方形になる。

　$S(t)$ は 1 辺の長さ 1 の正方形から，1 辺の長さ t の直角二等辺三角形 2 つと 1 辺の長さ $1 - t$ の直角二等辺三角形 2 つを引いたものであるから

$$S(t) = 1 - \frac{1}{2}t^2 \cdot 2 - \frac{1}{2}(1-t)^2 \cdot 2$$
$$= -2t^2 + 2t$$

（以下省略）

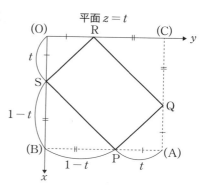

3

問題を見てやるべきこと

　3 次方程式の複素数解と，整数の融合問題です。
⑴　共役複素数解についての知識があれば，整式の割り算または解と係数の関係を用いて求められます。実際に値を代入して複素数の相等を用いてもさほど計算量は多くありません。ただし，高次方程式の虚数解の問題は多くの大学で出題されているので，共役複素数解については覚えておきたいです。
⑵　連立して式さえ作ることができれば，あとは平易な 1 次不定方程式の問題です。

解　答

⑴　$f\left(\dfrac{1 + \sqrt{3}\,i}{2}\right) = 0$ より，$x = \dfrac{1 + \sqrt{3}\,i}{2}$ は $f(x) = 0$ の解の 1 つである。

$f(x) = 0$ は実数係数の 3 次方程式より，$\dfrac{1 + \sqrt{3}\,i}{2}$ が解ならば，その共役複

素数である $\dfrac{1 - \sqrt{3}\,i}{2}$ も解である。つまり，$f\!\left(\dfrac{1 - \sqrt{3}\,i}{2}\right) = 0$ である。

因数定理より，$f(x)$ は，

$$\left(x - \dfrac{1 + \sqrt{3}\,i}{2}\right)\!\left(x - \dfrac{1 - \sqrt{3}\,i}{2}\right) = x^2 - x + 1$$

を因数にもつ。つまり，$f(x)$ は $x^2 - x + 1$ で割り切れる。

実際に割り算を実行すると，

$$
\begin{aligned}
f(x) &= (x^2 - x + 1)(x + a + 1) \\
&\quad + (a + b)x + (-a + c - 1)
\end{aligned}
$$

……①

〈係数で考える〉

$$
\begin{array}{r}
1 \quad a+1 \\
1\,{-}1\,1\,\overline{\smash)\,1 \quad a \quad\ b \quad\ c} \\
-)\,\underline{1 \ {-}1 \quad 1} \\
a+1 \quad b-1 \quad\ c \\
-)\,\underline{a+1 \ {-}a{-}1 \quad a+1} \\
a+b \quad {-}a+c-1
\end{array}
$$

割り切れることより，

$$\begin{cases} a + b = 0 \\ -a + c - 1 = 0 \end{cases} \quad \therefore \quad \begin{cases} b = -a \\ a = c - 1 \end{cases}$$

よって，$\underline{a = c - 1}$，$\underline{b = -c + 1}$ **答**

(2) (1) の結果を①に代入すると，

$$f(x) = (x^2 - x + 1)(x + c)$$

$f(x) = 0$ の解は，$\dfrac{1 + \sqrt{3}\,i}{2}$，$\dfrac{1 - \sqrt{3}\,i}{2}$，$-c$ である。

$f(x)$ に $x = 1, -1$ を代入すると，

$$\begin{cases} f(1) = (1^2 - 1 + 1)(1 + c) = c + 1 \\ f(-1) = \{(-1)^2 - (-1) + 1\}(-1 + c) = 3c - 3 \end{cases}$$

$f(1)$ を 7 で割ると 4 余り，$f(-1)$ を 11 で割ると 2 余ることから，これらは
整数 p, q を用いて，

$$\begin{cases} c + 1 = 7p + 4 \\ 3c - 3 = 11q + 2 \end{cases} \quad \therefore \quad \begin{cases} c = 7p + 3 & \cdots\cdots② \\ 3c = 11q + 5 & \cdots\cdots③ \end{cases}$$

と表せる。② × 3 － ③より，c を消去すると，

$$21p + 9 = 11q + 5 \quad \therefore \quad 21p - 11q = -4 \quad \cdots\cdots④$$

④は $(p, q) = (4, 8)$ を解にもつので，

$$21 \cdot 4 - 11 \cdot 8 = -4 \quad \cdots\cdots⑤$$

④ － ⑤より，

$$21(p - 4) - 11(q - 8) = 0 \quad \therefore \quad 21(p - 4) = 11(q - 8) \quad \cdots\cdots⑥$$

　21 と 11 は互いに素な自然数より，$p-4$ は 11 の倍数であるから，整数 k を用いて，

$$p-4=11k \qquad \therefore \quad p=11k+4$$

⑥に代入すると，

$$21 \cdot 11k = 11(q-8) \qquad \therefore \quad q=21k+8$$

となり，$(p, q)=(11k+4, 21k+8)$ は確かに④の解である。

　$p=11k+4$ を②に代入すると，

$$c=7(11k+4)+3=77k+31 \quad \cdots\cdots ⑦$$

　問題文より，$|c|<40$ であるから，

$$-40 < 77k+31 < 40 \qquad \therefore \quad -\frac{71}{77} < k < \frac{9}{77}$$

k は整数より，$k=0$ である。

　⑦に代入すると，$c=31$ であるから，$f(x)=0$ の解は，

$$\underline{\underline{\frac{1+\sqrt{3}\,i}{2}}}, \quad \underline{\underline{\frac{1-\sqrt{3}\,i}{2}}}, \quad \underline{\underline{-31}} \quad 答$$

 研　究

⑴　3 次方程式の解と係数の関係を用いるのが自然です。3 次方程式の解についての議論は解と係数の関係についての議論と同じであり，同じであるならば後者の方が計算が楽なのは自明です。

⑴の別解 1

　$\alpha = \dfrac{1+\sqrt{3}\,i}{2}$ とおく。

　$f(\alpha)=0$ より α の共役複素数である $\overline{\alpha} = \dfrac{1-\sqrt{3}\,i}{2}$ も $f(x)=0$ の解である。

残りの 1 解を β とすると，3 次方程式の解と係数の関係より，

$$\begin{cases} \alpha + \overline{\alpha} + \beta = -a \\ \alpha\overline{\alpha} + \overline{\alpha}\beta + \beta\alpha = b \\ \alpha\overline{\alpha}\beta = -c \end{cases} \qquad \therefore \quad \begin{cases} \alpha + \overline{\alpha} + \beta = -a \\ \alpha\overline{\alpha} + \beta(\alpha + \overline{\alpha}) = b \\ \alpha\overline{\alpha}\beta = -c \end{cases}$$

ここで，

$$\begin{cases} \alpha + \overline{\alpha} = \dfrac{1+\sqrt{3}\,i}{2} + \dfrac{1-\sqrt{3}\,i}{2} = 1 \\[3mm] \alpha\,\overline{\alpha} = \dfrac{1+\sqrt{3}\,i}{2} \cdot \dfrac{1-\sqrt{3}\,i}{2} = \dfrac{1^{2}-\left(\sqrt{3}\,i\right)^{2}}{4} = 1 \end{cases}$$

より，これらを代入することで，

$$\begin{cases} 1 + \beta = -a \\ 1 + \beta \cdot 1 = b \\ 1 \cdot \beta = -c \end{cases} \quad \therefore \quad \begin{cases} a = c - 1 \\ b = -c + 1 \\ \beta = -c \end{cases} \quad \text{答}$$

念のため，複素数の相等を用いた解答も載せておきます。

(1)の別解 2

$f\!\left(\dfrac{1+\sqrt{3}\,i}{2}\right)$ を実際に計算する。

$$\left(\frac{1+\sqrt{3}\,i}{2}\right)^{2} = \frac{1+2\sqrt{3}\,i-3}{4} = \frac{-1+\sqrt{3}\,i}{2}$$

$$\left(\frac{1+\sqrt{3}\,i}{2}\right)^{3} = \frac{1+\sqrt{3}\,i}{2} \cdot \left(\frac{1+\sqrt{3}\,i}{2}\right)^{2} = \frac{1+\sqrt{3}\,i}{2} \cdot \frac{-1+\sqrt{3}\,i}{2}$$

$$= \frac{\sqrt{3}\,i+1}{2} \cdot \frac{\sqrt{3}\,i-1}{2} = \frac{\left(\sqrt{3}\,i\right)^{2}-1^{2}}{4} = -1$$

より，

$$f\!\left(\frac{1+\sqrt{3}\,i}{2}\right) = -1 + a \cdot \frac{-1+\sqrt{3}\,i}{2} + b \cdot \frac{1+\sqrt{3}\,i}{2} + c = 0$$

$$(-2 - a + b + 2c) + \sqrt{3}\,(a+b)i = 0 \ (= 0 + 0 \cdot i)$$

複素数の相等より，

$$\begin{cases} -2 - a + b + 2c = 0 \\ \sqrt{3}\,(a+b) = 0 \end{cases} \quad \therefore \quad \begin{cases} a = c - 1 \\ b = -c + 1 \end{cases} \quad \text{答}$$

4

  問題を見てやるべきこと

解　答

理系数学 **4**（p.294）に同じ。

数　　学　解答・解説

2024
2023
2022
2021
2020
2019
2018
2017
2016
2015
2014
2013
2012
2011
2010

理系学部

$\boxed{1}$

 ### 問題を見てやるべきこと

積分変数が t であるため，計算結果が x, y の2次式であると見てとれます。

I_n を求めるにあたり，$\displaystyle\int_0^1 \{\sin(2n\pi t) - xt - y\}^2 dt$ の $\{\quad\}^2$ の展開の仕方として，

$\begin{cases} \text{Ⓐ} & \sin^2(2n\pi t) - 2(xt + y)\sin(2n\pi t) + (xt + y)^2 \\ \text{Ⓑ} & \sin^2(2n\pi t) + x^2 t^2 + y^2 - 2xt \cdot \sin(2n\pi t) - 2y\sin(2n\pi t) + 2xyt \end{cases}$

つまり，$\begin{cases} \text{Ⓐのように3つの部分に分ける} \\ \text{Ⓑのように6つの部分に分ける} \end{cases}$

の2つの方針が考えられます。

Ⓐを **解答** で，Ⓑを **研　究** で **別　　解** として紹介します。

 ### 解　答

$F(x, y) = \displaystyle\int_0^1 \{\sin(2n\pi t) - xt - y\}^2 dt$ とおく。

$\{\sin(2n\pi t) - xt - y\}^2 = \sin^2(2n\pi t) - 2(xt + y)\sin(2n\pi t) + (xt + y)^2$

$\qquad\qquad\qquad\qquad\qquad\qquad\qquad\qquad\qquad$ ……①

①の各部分について，定積分すると，

$$\int_0^1 \sin^2(2n\pi t)dt = \int_0^1 \frac{1-\cos(4n\pi t)}{2}dt = \frac{1}{2}\left[t - \frac{1}{4n\pi}\sin(4n\pi t)\right]_0^1 = \frac{1}{2}$$

$$\cdots\cdots ②$$

半角の公式で次数を下げる

$$\int_0^1 (xt+y)\sin(2n\pi t)dt$$

$$= \int_0^1 (xt+y)\left\{-\frac{1}{2n\pi}\cos(2n\pi t)\right\}' dt$$

$$= \left[-\frac{1}{2n\pi}(xt+y)\cos(2n\pi t)\right]_0^1 - \left(-\frac{1}{2n\pi}x\right)\int_0^1 \cos(2n\pi t)dt$$

$$= \left\{-\frac{1}{2n\pi}(x+y) + \frac{1}{2n\pi}y\right\} + \frac{x}{(2n\pi)^2}\left[\sin(2n\pi t)\right]_0^1$$

$$= -\frac{x}{2n\pi} \quad \cdots\cdots ③$$

$$\int_0^1 (xt+y)^2 dt = \int_0^1 (x^2t^2 + 2xyt + y^2)dt = \left[\frac{1}{3}x^2t^3 + xyt^2 + y^2t\right]_0^1$$

$$= \frac{1}{3}x^2 + xy + y^2 \quad \cdots\cdots ④$$

の, ②, ③, ④より, $F(x, y)$ は,

$$F(x, y) = \frac{1}{2} - 2\left(-\frac{x}{2n\pi}\right) + \frac{1}{3}x^2 + xy + y^2$$

$$= y^2 + xy + \frac{1}{3}x^2 + \frac{1}{n\pi}x + \frac{1}{2}$$

$$= \left(y + \frac{x}{2}\right)^2 - \frac{x^2}{4} + \frac{x^2}{3} + \frac{1}{n\pi}x + \frac{1}{2}$$

$$= \left(y + \frac{x}{2}\right)^2 + \frac{1}{12}\left(x + \frac{6}{n\pi}\right)^2 - \frac{3}{n^2\pi^2} + \frac{1}{2}$$

$y + \dfrac{x}{2} = 0$, $x + \dfrac{6}{n\pi} = 0$, つまり, $x = -\dfrac{6}{n\pi}$, $y = \dfrac{3}{n\pi}$ のとき,

$F(x, y)$ は最小値 $I_n = -\dfrac{3}{n^2\pi^2} + \dfrac{1}{2}$ をとる。

$$\lim_{n\to\infty} I_n = \lim_{n\to\infty}\left(-\frac{3}{n^2\pi^2} + \frac{1}{2}\right) = \frac{1}{2} \quad \boxed{答}$$

 研　究

別解として，別の計算方法を用います。

$F(x,\ y) = \displaystyle\int_0^1 \{\sin(2n\pi t) - xt - y\}^2 dt$ とおく。

$$\{\sin(2n\pi t) - xt - y\}^2 = \sin^2(2n\pi t) + x^2 t^2 + y^2 - 2xt \cdot \sin(2n\pi t)$$
$$- 2y \cdot \sin(2n\pi t) + 2xyt \quad \cdots\cdots①$$

①の各部分について定積分すると，

$$\int_0^1 \sin^2(2n\pi t)dt = \int_0^1 \frac{1 - \cos(4n\pi t)}{2}\,dt = \frac{1}{2}\left[t - \frac{1}{4n\pi}\sin(4n\pi t)\right]_0^1 = \frac{1}{2}$$
$$\cdots\cdots②$$

$$\int_0^1 t^2 dt = \left[\frac{1}{3}t^3\right]_0^1 = \frac{1}{3} \quad \cdots\cdots③$$

$$\int_0^1 t\sin(2n\pi t)dt = \left[-\frac{t}{2n\pi}\cos(2n\pi t)\right]_0^1 - \left(-\frac{1}{2n\pi}\right)\int_0^1 \cos(2n\pi t)dt$$
$$= -\frac{1}{2n\pi} + \frac{1}{2n\pi}\left[\frac{1}{2n\pi}\sin(2n\pi t)\right]_0^1 = -\frac{1}{2n\pi} \quad \cdots\cdots④$$

$$\int_0^1 \sin(2n\pi t)dt = \left[-\frac{1}{2n\pi}\cos(2n\pi t)\right]_0^1 = 0 \quad \cdots\cdots⑤$$

$$\int_0^1 t\,dt = \frac{1}{2} \quad \cdots\cdots⑥, \quad \int_0^1 1\,dt = 1 \quad \cdots\cdots⑦$$

①，②，③，④，⑤，⑥，⑦より，$F(x,\ y)$ は，

$$F(x,\ y) = ② + x^2 \times ③ + y^2 \times ⑦ - 2x \times ④ + 2xy \times ⑥$$
$$= \frac{1}{2} + \frac{1}{3}x^2 + y^2 + \frac{x}{n\pi} + xy$$
$$= y^2 + xy + \frac{1}{3}x^2 + \frac{x}{n\pi} + \frac{1}{2}$$

［以下（解答）と同じ］

2

 ## 問題を見てやるべきこと

(1)
$$\begin{cases} f(x^2) = (x^2 + 2)g(x) + 7 & \cdots\cdots① \\ g(x^3) = x^4 f(x) - 3x^2 g(x) - 6x^2 - 2 & \cdots\cdots② \end{cases}$$

m, n を自然数とし, $f(x)$ の次数を m, $g(x)$ の次数を n とおいた上で, ①②の両辺の最高次の項の次数について式をつくります。この際,

①の次数より, $2m = n + 2$ とすることから始めます。

②より, いきなり $3n = m + 4$ または $3n = n + 2$ とはできません。

$x^4 f(x)$ と $3x^2 g(x)$ のどちらが次数が高いかまたは同じか, この段階では, 不明です。また $x^4 f(x)$ と $3x^2 g(x)$ の最高次の項同士が打ち消しあうことも考えられます。

①より, $2m = n + 2$ $\cdots\cdots③$

m, n がともに 2 以下であることを示すことを念頭において,

③の下で

Ⓐ m または n が 3 以上と仮定する

または,

Ⓑ m または n が 2 以上と仮定する

として, ②の両辺の次数を考察します。

Ⓐを **解答** で, Ⓑを ◀ 研 究 で紹介します。

(2) ①②で $x = 0$ とすると,
$$\begin{cases} f(0) = 2g(0) + 7 \\ g(0) = -2 \end{cases}$$
となり, $f(x)$, $g(x)$ の定数項がすぐにわかります。

解 答 ▶

(1)
$$\begin{cases} f(x^2) = (x^2 + 2)g(x) + 7 & \cdots\cdots① \\ g(x^3) = x^4 f(x) - 3x^2 g(x) - 6x^2 - 2 & \cdots\cdots② \end{cases}$$

$f(x)$, $g(x)$ の次数を各々, m, n とする（m, n は自然数）。

①の両辺の次数より,

$2m = n + 2$ $\cdots\cdots③$

ここで, $m \geqq 3$ または $n \geqq 3$ と仮定する。 $\cdots\cdots$Ⓐ

ただし，$n \geq 3$ のとき，③より，$2m \geq 5$ となり，$m \geq 3$ となる。

（以下 $m \geq 3$ として，②の両辺の次数を考察する）

②の左辺は，$3n = 3(2m - 2) = 6(m - 1)$（次）　（$\because$③）

②の右辺の第一項は，$m + 4$（次）

②の右辺の第二項は，$n + 2 = 2m$（次）　（$\because$③）

$m \geq 3$ のとき，両辺の次数の差は，

$$\begin{cases} 6(m-1) - (m+4) = 5(m-2) > 0 \\ 6(m-1) - 2m = 4\left(m - \dfrac{3}{2}\right) > 0 \end{cases}$$

> ②第一項，第二項の最高次の項が打ち消し合う場合は，次数の差はこれらより大きくなり，明らかに正です。

よって，Ⓐのとき，②の両辺の次数は等しくならないので，Ⓐは矛盾。

したがって，$m \leq 2$，かつ $n \leq 2$ となり，題意は示された。

(2)　①②で $x = 0$ として，

$$\begin{cases} f(0) = 2g(0) + 7 \\ g(0) = -2 \end{cases} \qquad \therefore \quad \begin{cases} f(0) = 3 \\ g(0) = -2 \end{cases}$$

よって，(1)より，

$$\begin{cases} f(x) = ax^2 + bx + 3 \\ g(x) = px^2 + qx - 2 \end{cases}$$

とおくことができる。

①より，

$$ax^4 + bx^2 + 3 = (x^2 + 2)(px^2 + qx - 2) + 7$$

$$\therefore \quad ax^4 + bx^2 + 3 = px^4 + qx^3 + 2(p-1)x^2 + 2qx + 3$$

両辺の係数を比較して，$a = p$，$0 = q$，$b = 2(p-1)$，$0 = 2q$

$$\therefore \quad p = a, \quad q = 0, \quad b = 2(a-1) \quad \cdots\cdots④$$

②より，

$$px^6 + qx^3 - 2 = x^4(ax^2 + bx + 3) - 3x^2(px^2 + qx - 2) - 6x^2 - 2$$

$$\therefore \quad px^6 + qx^3 - 2 = ax^6 + bx^5 + 3(1-p)x^4 - 3qx^3 - 2$$

$$\therefore \quad p = a, \quad 0 = b, \quad 0 = 3(1-p), \quad q = -3q \quad \cdots\cdots⑤$$

④⑤より，$a = 1$，$b = 0$，$p = 1$，$q = 0$

$$f(x) = x^2 + 3, \quad g(x) = x^2 - 2$$

 研　究

(1)の別解　**解答** の③以下から示します。

$$2m = n + 2 \quad \cdots\cdots③$$

ここで，m または n が2以上であると仮定する。　……Ⓑ

③において，

$$\begin{cases} m \geq 2 \text{ のとき} \quad n \geq 2 \\ n \geq 2 \text{ のとき} \quad m \geq 2 \end{cases}$$

よって $m \geq 2 \Leftrightarrow n \geq 2$

②において，$f(x)$ 以外を左辺に集めると，

$$g(x^3) + 3x^2 \cdot g(x) + 6x^2 + 2 = x^4 f(x) \quad \cdots\cdots④$$

④の左辺の各項の次数に関して，

$$3n > n + 2 > 2 \quad (\because \ m \geq 2, \ n \geq 2)$$

よって，④の両辺の次数に関して，

$$3n = m + 4 \quad \cdots\cdots⑤$$

③⑤より，$m = n = 2$

つまり，Ⓑと仮定したとき，$f(x)$，$g(x)$ はともに2次となる。

また，③において，$m = 1$ とすると，$n = 0$ となり不適

$$n = 1 \text{ とすると，} \quad m = \frac{3}{2} \text{ となり不適です。}$$

よって，題意が示された。

> Ⓑの仮定にあてはまらない m, n が1次以下である場合を考察する必要があります。

3

 ## 問題を見てやるべきこと

$$ax^2 + bx + c = 0 \quad \cdots\cdots① \quad (a > 0, \ b > 0, \ c > 0)$$

(1)　P_1 と P_2 が一致するとき，①は重解をもつことになります。

(判別式) $= 0$ となる条件から，(a, b, c) を求めます。

　a，b，c はサイコロの目の値であることから $1 \sim 6$ の整数値をとることに注意しましょう。

(2)　P_1，P_2 がともに単位円の周上にあるとき，$|z_1| = |z_2| = 1$ となります。

　①の判別式を D として，

　　　❶　$D \geq 0$

　　　❷　$D<0$

の場合分けをします。

　❶のときは $x=1$ または $x=-1$ です。

　❷のときは z_1 と z_2 は互いに共役により，$z_2=\overline{z_1}$　……②

　　$|z_1|=1 \Leftrightarrow |z_1|^2=1 \Leftrightarrow z_1\overline{z_1}=1 \Leftrightarrow z_1z_2=1$　（∵②）

　①の解と係数の関係により，

$$z_1z_2=\frac{c}{a}=1 \qquad \therefore \quad a=c$$

これと $D=b^2-4ac<0$ より，$(a,\,b,\,c)$ を求めます。

(3)　①が実数解をもつとき，P_1，P_2 がともに実軸上に存在するので ℓ_1 と ℓ_2 のなす角は $60°$ となりません。

　よって，①は虚数解をもち，$D<0$ となります。

❶ 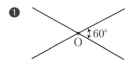　❷

　2直線のなす角 $60°$ の位置により，❶❷の場合分けをします。

解　答

$$ax^2+bx+c=0 \quad ……① \quad (a>0,\,b>0,\,c>0) \quad \text{とする。}$$

(1)　$P_1=P_2$ のとき，①の2解は一致するので，①の判別式を D とすると，

$$D=b^2-4ac=0$$

　$b^2=4ac$ の右辺は偶数により，b は偶数となり，$b=2,\,4,\,6$

● $b=2$ のとき，$ac=1$　　∴　$(a,\,c)=(1,\,1)$

● $b=4$ のとき，$ac=4$　　∴　$(a,\,c)=(1,\,4),\,(2,\,2),\,(4,\,1)$

● $b=6$ のとき，$ac=9$　　∴　$(a,\,c)=(3,\,3)$

　以上より，求める確率は $\dfrac{1+3+1}{6^3}=\dfrac{5}{216}$　**答**

(2)　条件より，$|z_1|=|z_2|=1$

●　$D\geqq0$ のとき

　①は実数解 $x=1$ または $x=-1$ をもつ。

解と係数の関係より，
$$\begin{cases} z_1 + z_2 = -\dfrac{b}{a} < 0 \\[2mm] z_1 z_2 = \dfrac{c}{a} > 0 \end{cases} \quad (\because \quad a > 0, \ b > 0, \ c > 0)$$

となるため，①の解はともに負となり，$x = -1$ を重解にもつ。

$$ax^2 + bx + c = a(x+1)^2$$
$$= ax^2 + 2ax + a \quad \cdots\cdots ②$$

②の両辺の係数を比較して，$b = 2a$，$c = a$

$(a, b, c) = (1, 2, 1), \ (2, 4, 2), \ (3, 6, 3)$ の 3 通り

❷ $D < 0$ のとき

①は実数係数により，2 解は共役な複素数となり，$z_2 = \overline{z_1}$

$$|z_1| = 1 \Leftrightarrow |z_1|^2 = 1 \Leftrightarrow z_1 \overline{z_1} = 1 \Leftrightarrow z_1 z_2 = 1 \quad (\because \quad z_2 = \overline{z_1})$$

解と係数の関係により，$z_1 z_2 = \dfrac{c}{a} = 1 \qquad \therefore \quad a = c$

$D = b^2 - 4ac < 0$ に $a = c$ を代入して，$b^2 - 4a^2 < 0 \qquad (b + 2a)(b - 2a) < 0$

$b > 0$，$a > 0$ より，$b < 2a$ から，

$$\begin{cases} a = 1 & \text{のとき，} b = 1 \\ a = 2 & \text{のとき，} b = 1, 2, 3 \\ a = 3 & \text{のとき，} b = 1, 2, 3, 4, 5 \\ a = 4, 5, 6 & \text{のとき，} b = 1, 2, 3, 4, 5, 6 \end{cases}$$

以上，$1 + 3 + 5 + 6 \times 3 = 27$（通り）

❶❷より，求める確率は，$\dfrac{3 + 27}{6^3} = \dfrac{30}{216} = \underline{\dfrac{5}{36}}$ **答**

(3) ①が実数解をもつとき，P_1，P_2 がともに実軸上に存在し，不適。

よって，①は虚数解をもち，$D = b^2 - 4ac < 0$

$$z_1 = \frac{-b + \sqrt{4ac - b^2}\,i}{2a}, \quad z_2 = \frac{-b - \sqrt{4ac - b^2}\,i}{2a} \quad \text{とおく。}$$

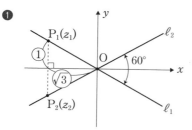 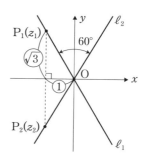

❶のとき

z_1 の実部と虚部を比べて,

$$b : \sqrt{4ac - b^2} = \sqrt{3} : 1 \qquad \therefore \quad \underline{b^2 = 3ac} \longrightarrow$$

b は3の倍数により
$b = 3, 6$

❷のとき

同様にして,

$$b : \sqrt{4ac - b^2} = 1 : \sqrt{3} \qquad \therefore \quad \underline{b^2 = ac}$$

❶❷より得られた $b^2 = 3ac$ と $b^2 = ac$ はともに $D = b^2 - 4ac < 0$ をみたす。

❶ $b = 3$ のとき,$(a,\ c) = (1,\ 3),\ (3,\ 1)$

$b = 6$ のとき,$(a,\ c) = (2,\ 6),\ (3,\ 4),\ (4,\ 3),\ (6,\ 2)$ 以上 6 通り

❷ $b = 1$ のとき,$(a,\ c) = (1,\ 1)$

$b = 2$ のとき,$(a,\ c) = (1,\ 4),\ (2,\ 2),\ (4,\ 1)$

$b = 3$ のとき,$(a,\ c) = (3,\ 3)$

$b = 4$ のとき,$(a,\ c) = (4,\ 4)$

$b = 5$ のとき,$(a,\ c) = (5,\ 5)$

$b = 6$ のとき,$(a,\ c) = (6,\ 6)$　　　　　　　以上 8 通り

❶❷より,求める確率は,

$$\frac{6 + 8}{6^3} = \frac{14}{216} = \underline{\frac{7}{108}} \quad \text{图}$$

 研　究

(3)　$ax^2 + bx + c = 0$ の 2 解が，ℓ_1，ℓ_2 上にある条件を先に用いると，

❶のとき

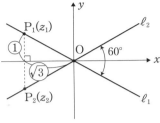

2 解を $k\left(-\dfrac{\sqrt{3}}{2} \pm \dfrac{1}{2}i\right)$ $(k>0)$ とおくと，

解と係数の関係より，

$$z_1 + z_2 = -\frac{b}{a} = -\sqrt{3}\,k, \quad z_1 z_2 = \frac{c}{a} = k^2$$

k を消去して，$\underwave{b^2 = 3ac}$　を得る。

❷のとき

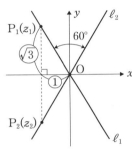

2 解を $k\left(-\dfrac{1}{2} \pm \dfrac{\sqrt{3}}{2}i\right)$ $(k>0)$ とおくと，

解と係数の関係より，

$$z_1 + z_2 = -\frac{b}{a} = -k, \quad z_1 z_2 = \frac{c}{a} = k^2$$

k を消去して，$\underwave{b^2 = ac}$　を得る。

4

 ## 問題を見てやるべきこと

正三角形の辺上に各点が存在するので，方針をたてやすい問題です。垂線がくり返し登場しますので，

❶　30°，60°，90° の直角三角形との相似から 3 辺の長さの比を考える。

❷　直線の方程式をたてて，交点を求める。

❶❷の 2 つの方針が考えられます。❶を 解答 で，❷を 研　究 で紹介します。❶のほうが，若干，計算が楽です。

解　答

右図において，$l_n = BP_n$ とおく。

$\triangle BP_nQ_n \backsim \triangle OQ_nR_n \backsim \triangle AR_nP_{n+1}$

より，

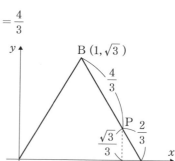

B $(1, \sqrt{3})$

$BQ_n = \dfrac{1}{2} l_n, \ OQ_n = 2 - \dfrac{1}{2} l_n$

$OR_n = \dfrac{1}{2}\left(2 - \dfrac{1}{2} l_n\right) = 1 - \dfrac{1}{4} l_n$

$AR_n = 2 - \left(1 - \dfrac{1}{4} l_n\right) = 1 + \dfrac{1}{4} l_n$

$AP_{n+1} = \dfrac{1}{2}\left(1 + \dfrac{1}{4} l_n\right) = \dfrac{1}{2} + \dfrac{1}{8} l_n$

$BP_{n+1} = 2 - AP_{n+1}$ より，

$l_{n+1} = 2 - \left(\dfrac{1}{2} + \dfrac{1}{8} l_n\right) = \dfrac{3}{2} - \dfrac{1}{8} l_n$

$\therefore \quad l_{n+1} - \dfrac{4}{3} = -\dfrac{1}{8}\left(l_n - \dfrac{4}{3}\right)$

 $\alpha = \dfrac{3}{2} - \dfrac{1}{8}\alpha$ より $\alpha = \dfrac{4}{3}$

よって，数列 $\left\{l_n - \dfrac{4}{3}\right\}$ は公比 $-\dfrac{1}{8}$ の等比数列なので，

$l_n = \dfrac{4}{3} + \left(l_1 - \dfrac{4}{3}\right)\left(-\dfrac{1}{8}\right)^{n-1}$

$\displaystyle\lim_{n \to \infty} l_n = \lim_{n \to \infty}\left\{\dfrac{4}{3} + \left(l_1 - \dfrac{4}{3}\right)\left(-\dfrac{1}{8}\right)^{n-1}\right\} = \dfrac{4}{3}$

右図において，求める点を P とすると，

$P\left(\dfrac{5}{3}, \dfrac{\sqrt{3}}{3}\right)$ 答

B $(1, \sqrt{3})$

$\dfrac{4}{3}$

P $\dfrac{2}{3}$

$\dfrac{\sqrt{3}}{3}$

$\left(\dfrac{5}{3}, 0\right)$ $\dfrac{1}{3}$ A $(2, 0)$

 **研　究**

　直線の方程式から交点の x 座標を
求める方法を紹介します。

直線 AB：$y = -\sqrt{3}\,x + 2\sqrt{3}$ ……①
直線 OB：$y = \sqrt{3}\,x$ ……②

$P_n(x_n, y_n)$ とおくと,

$\quad y_n = -\sqrt{3}\,x_n + 2\sqrt{3}$

$\quad$直線 P_nQ_n：$y = -\dfrac{1}{\sqrt{3}}(x - x_n) - \sqrt{3}\,x_n + 2\sqrt{3}$ ……③

②③の交点の x 座標は $\dfrac{3 - x_n}{2}$

Q_n, R_n の x 座標は等しいので, $R_n\left(\dfrac{3 - x_n}{2}, 0\right)$

$\quad$直線 R_nP_{n+1}：$y = \dfrac{1}{\sqrt{3}}\left(x - \dfrac{3 - x_n}{2}\right)$ ……④

①④の交点の x 座標は, $\dfrac{15 - x_n}{8}\ (= x_{n+1})$

$\quad x_{n+1} = -\dfrac{1}{8}x_n + \dfrac{15}{8}$

$\quad x_{n+1} - \dfrac{5}{3} = -\dfrac{1}{8}\left(x_n - \dfrac{5}{3}\right)$

$\left.\right)$ $\alpha = -\dfrac{1}{8}\alpha + \dfrac{15}{8}$ より $\alpha = \dfrac{5}{3}$

よって, 数列 $\left\{x_n - \dfrac{5}{3}\right\}$ は公比 $-\dfrac{1}{8}$ の等比数列なので,

$\quad\therefore\quad x_n = \dfrac{5}{3} + \left(x_1 - \dfrac{5}{3}\right)\left(-\dfrac{1}{8}\right)^{n-1}$

$\displaystyle\lim_{n\to\infty} x_n = \dfrac{5}{3}$, $\displaystyle\lim_{n\to\infty} y_n = \lim_{n\to\infty}(2\sqrt{3} - \sqrt{3}\,x_n) = \dfrac{\sqrt{3}}{3}$ より. $\left(\dfrac{5}{3}, \dfrac{\sqrt{3}}{3}\right)$ 答

5

問題を見てやるべきこと

難問です。

時間的に完答するのは容易ではありません。

㋐㋑㋒の 3 つの条件がありますが，扱いやすい㋐と㋑にまず手をつけて，a, b を c で表すところまでは，到達したいものです。

条件㋐より，$b = -c$，$a = 1$ が得られた後，条件㋑を考える際，c ではなく b を消去します。なぜなら，c には「純虚数でない」という条件が与えられているからです。

C を図示する際ですが，単位円上の点 -1 以外の全ての点が条件をみたすことを明確に説明する必要があります。

解答

条件㋐より，

$$\begin{cases} i = \dfrac{ai + b}{ci + 1} \\ -i = \dfrac{-ai + b}{-ci + 1} \end{cases} \quad \therefore \quad \begin{cases} -c + i = ai + b & \cdots\cdots ① \\ -c - i = -ai + b & \cdots\cdots ② \end{cases}$$

① ＋ ②より，$-2c = 2b$　　$\therefore$　$b = -c$

① － ②より，$2i = 2ai$　　$\therefore$　$a = 1$

以上より，$w = \dfrac{z - c}{cz + 1}$　$\cdots\cdots ③$　◀── 「純虚数でない」という条件の c を残す。

条件㋑より，$|w| = \left| \dfrac{z - c}{cz + 1} \right| = 1$　$\cdots\cdots ④$

④は z が虚軸全体を動くとき，つまり，$z + \overline{z} = 0$　$\cdots\cdots ⑤$
のときに成立する。

よって，$z = 0$ のときも成立するので，$|w| = |c| = 1$　$\cdots\cdots ⑥$

条件㋒より，$\dfrac{z - c}{cz + 1} = -1$

$\therefore$　$z - c = -(cz + 1) \Leftrightarrow (c + 1)z = c - 1$　$\cdots\cdots ⑦$

⑦をみたす純虚数 z が存在しないことが求める条件である。
$c = -1$ はこの条件をみたす（⑦が不成立）。

$c \neq -1$ のとき⑦より，$z = \dfrac{c-1}{c+1}$

$$\overline{z} = \overline{\left(\dfrac{c-1}{c+1}\right)} = \dfrac{\overline{c}-1}{\overline{c}+1} = \dfrac{c\overline{c}-c}{c\overline{c}+c} = \dfrac{|c|^2-c}{|c|^2+c} = -\dfrac{c-1}{c+1} = -z$$

このとき，$z + \overline{z} = 0$ となり，虚軸上に z が存在し，矛盾。

以上より，$\underline{\underline{a=b=1, \ c=-1}}$ 【答】 ⑦をみたす z が存在し，条件に反する。

条件(ウ)より，$w \neq -1$ のもとで，

$$|w| = 1 \Leftrightarrow \left|\dfrac{1+z}{1-z}\right| = 1 \Leftrightarrow |1+z|^2 = |1-z|^2$$

$$\Leftrightarrow (1+z)(1+\overline{z}) = (1-z)(1-\overline{z})$$

$$\Leftrightarrow 1 + z + \overline{z} + |z|^2 = 1 - z - \overline{z} + |z|^2 \Leftrightarrow z + \overline{z} = 0$$

したがって，

z が虚軸上を動くとき，w は $|w|=1$ 上に存在 $(w \neq -1)$。

また，

w が $|w|=1$ $(w \neq -1)$ 上を動くとき，z は虚軸上

に存在する。

よって，C は単位円から点 -1 を除いた部分となる。

📢 研　究

別解 1　（条件(イ)から $|c|=1$ を導く別解です）

$|w| = 1$ より，$|w|^2 = w\overline{w} = \dfrac{z-c}{cz+1} \cdot \dfrac{\overline{z}-\overline{c}}{\overline{c}\,\overline{z}+1} = 1$ ……④

z は虚軸上を動くので，$z + \overline{z} = 0$ ……⑤を，④に代入して，

$$\dfrac{z-c}{cz+1} \cdot \dfrac{-z-\overline{c}}{-z\overline{c}+1} = 1$$

$$\Leftrightarrow -z^2 - \overline{c}z + cz + c\overline{c} = -c\overline{c}z^2 + cz - \overline{c}z + 1$$

$$\Leftrightarrow z^2 - c\overline{c}z^2 - c\overline{c} + 1 = (1-|c|^2)(z^2+1) = 0 \quad ……⑥$$

虚軸全体を動くすべての z で⑥が成立するので，

$$1 - |c|^2 = 0 \quad \therefore \quad |c| = 1$$

別解 2　（単位円の周上の点 -1 以外の全ての点 w に対応する虚軸上の z が存在することを示す別の方法です）

$w = \dfrac{1 + z}{1 - z}$ より，$w(1 - z) = 1 + z$

$z = \dfrac{w - 1}{w + 1} \quad (w \neq -1)$

ここで，条件(イ)(ウ)より，$w = \cos\theta + i\sin\theta \ (-\pi < \theta < \pi)$ とおくと，

$$z = \frac{(\cos\theta - 1) + i\sin\theta}{(\cos\theta + 1) + i\sin\theta} = \frac{-2\sin^2\dfrac{\theta}{2} + 2\sin\dfrac{\theta}{2}\cos\dfrac{\theta}{2} \cdot i}{2\cos^2\dfrac{\theta}{2} + 2\sin\dfrac{\theta}{2}\cos\dfrac{\theta}{2} \cdot i}$$

$$= \frac{2i\sin\dfrac{\theta}{2}\left(\cos\dfrac{\theta}{2} + i\sin\dfrac{\theta}{2}\right)}{2\cos\dfrac{\theta}{2}\left(\cos\dfrac{\theta}{2} + i\sin\dfrac{\theta}{2}\right)}$$

$$= i \cdot \tan\dfrac{\theta}{2} \quad \left(-\dfrac{\pi}{2} < \dfrac{\theta}{2} < \dfrac{\pi}{2}\right)$$

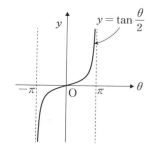

文系学部

1

問題を見てやるべきこと

　常用対数を用いた桁の計算と反復試行の確率に関する，極めて平易な問題です。N が k 桁の自然数であるとき $10^{k-1} \le N < 10^k$ であること，反復試行の確率 $_nC_r \, p^r \, (1-p)^{n-r}$ を覚えていれば，特に困ることもないでしょう。

解　答 ▶

　n を 0 以上 10 以下の整数とする。10 回中表が n 回，裏が $(10-n)$ 回出たときの 10 個の数の積は $3^n \cdot 8^{10-n}$ である。これが 8 桁であるとき，不等式

$$10^7 \le 3^n \cdot 8^{10-n} < 10^8$$

が成り立つ。これらに対して常用対数（底 10 の対数）をとると，

$$\log_{10} 10^7 \le \log_{10} 3^n \cdot 8^{10-n} < \log_{10} 10^8$$

$$7 \le n \log_{10} 3 + 3(10-n)\log_{10} 2 < 8$$

$$7 \le (\log_{10} 3 - 3\log_{10} 2)n + 30 \log_{10} 2 < 8$$

$\log_{10} 2 = 0.3010$，$\log_{10} 3 = 0.4771$ を代入すると，

$$7 \le -0.4259n + 9.030 < 8$$

$$-2.030 \le -0.4259n < -1.030$$

$$1.030 < 0.4259n \le 2.030$$

$$\frac{1.030}{0.4259} < n \le \frac{2.030}{0.4259} \quad \left(\frac{1.030}{0.4259} = 2.41 \cdots\cdots, \ \frac{2.030}{0.4259} = 4.76 \cdots\cdots \right)$$

　この不等式をみたす 0 以上 10 以下の整数 n は，$n = 3, 4$ である。

　硬貨を 10 回投げたとき，表 n 回，裏 $(10-n)$ 回である確率は，

$$_{10}C_n \left(\frac{1}{2}\right)^n \left(\frac{1}{2}\right)^{10-n} = \, _{10}C_n \left(\frac{1}{2}\right)^{10}$$

より，これに $n = 3, 4$ を代入して足すことで，求める確率は，

$$_{10}C_3 \left(\frac{1}{2}\right)^{10} + \, _{10}C_4 \left(\frac{1}{2}\right)^{10} = \frac{120 + 210}{1024} = \frac{330}{1024} = \underline{\frac{165}{512}} \quad \boxed{答}$$

 研　究

N が k 桁の自然数であることと $10^{k-1} \leqq N < 10^k$ が結びつかない方は，具体的な数で確かめればよいでしょう。3 桁の自然数とは 100 以上 1000 未満の自然数のことであり，不等式で表せば $10^2 \leqq N < 10^3$ です。

2

 ## 問題を見てやるべきこと

3 次関数の極大値と極小値の差に関する有名問題です。3 次関数 $f(x)$ が極値をもつ条件を調べた上で $f'(x) = 0$ の実数解（これらを $\alpha,\ \beta$ とする）を求め，$f(\alpha) - f(\beta)$ を計算すればよいのですが，そのまま代入してしまうと式が煩雑になります。この差の式が $\alpha,\ \beta$ に関する交代式になっていることに注目するときれいにまとめられます。交代式という用語とその性質を知らなくても，α と β について次数ごとにまとめていけば自然と $\alpha + \beta$ と $\alpha\beta$，および $\alpha - \beta$ で表せることに気づけるでしょう。

なお，本問には定積分の定義と $\dfrac{1}{6}$ 公式を利用したテクニカルな解法が存在します。これについては  研　究 で紹介します。

解　答

$f(x) = x^3 - kx^2 + kx + 1$ とおくと，

$$f'(x) = 3x^2 - 2kx + k$$

3 次関数 $f(x)$ が極値をもつ条件は，2 次方程式 $f'(x) = 0$ が異なる 2 つの実数解をもつことである。つまり，$f'(x) = 0$ の判別式を D とすると，

$$D/4 > 0 \qquad \therefore \quad (-k)^2 - 3k > 0 \qquad \therefore \quad k(k-3) > 0$$

$$k < 0,\ 3 < k \quad \cdots\cdots①$$

のとき，極値をもつ。

このときの $f'(x) = 0$ の実数解は，解の公式より，

$$x = \frac{k \pm \sqrt{k^2 - 3k}}{3}$$

この 2 解について，$\alpha = \dfrac{k - \sqrt{k^2 - 3k}}{3}$，$\beta = \dfrac{k + \sqrt{k^2 - 3k}}{3}$ とおくと，

$\alpha < \beta$ であり，$f(x)$ の増減表は次のようになる。

x	$\cdots$	α	$\cdots$	β	$\cdots$
$f'(x)$	$+$	0	$-$	0	$+$
$f(x)$	$\nearrow$	$f(\alpha)$ 極大	$\searrow$	$f(\beta)$ 極小	$\nearrow$

よって，極大値と極小値の差は，

$$f(\alpha) - f(\beta) = \alpha^3 - k\alpha^2 + k\alpha + 1 - (\beta^3 - k\beta^2 + k\beta + 1)$$
$$= (\alpha^3 - \beta^3) - k(\alpha^2 - \beta^2) + k(\alpha - \beta)$$

> 上式の α と β の文字を入れ替えると，
> $$(\beta^3 - \alpha^3) - k(\beta^2 - \alpha^2) + k(\beta - \alpha)$$
> $$= -\{(\alpha^3 - \beta^3) - k(\alpha^2 - \beta^2) + k(\alpha - \beta)\} \ (= -\{f(\alpha) - f(\beta)\})$$
> となります。このように文字を入れ替えると元の (-1) 倍になる式を（2変数の）交代式といい，交代式は $(\alpha - \beta) \times (\alpha \text{ と } \beta \text{ の対称式})$ の形に因数分解できます。

$$= (\alpha - \beta)(\alpha^2 + \alpha\beta + \beta^2) - k(\alpha - \beta)(\alpha + \beta) + k(\alpha - \beta)$$
$$= (\alpha - \beta)\{(\alpha^2 + \alpha\beta + \beta^2) - k(\alpha + \beta) + k\}$$
$$= (\alpha - \beta)\{(\alpha + \beta)^2 - \alpha\beta - k(\alpha + \beta) + k\}$$

ここで，

$$\alpha - \beta = \frac{k - \sqrt{k^2 - 3k}}{3} - \frac{k + \sqrt{k^2 - 3k}}{3} = -\frac{2\sqrt{k^2 - 3k}}{3}$$

2次方程式 $f'(x) = 0$ の解と係数の関係より，

$$\alpha + \beta = \frac{2}{3}k, \quad \alpha\beta = \frac{1}{3}k$$

であるから，これらを代入すると，

$$-\frac{2\sqrt{k^2 - 3k}}{3}\left\{\left(\frac{2}{3}k\right)^2 - \frac{1}{3}k - k \cdot \frac{2}{3}k + k\right\}$$

$$= -\frac{2\sqrt{k^2 - 3k}}{3} \cdot \frac{-2(k^2 - 3k)}{9} = \frac{4}{27}(k^2 - 3k)\sqrt{k^2 - 3k}$$

$$= \frac{4}{27}\left(\sqrt{k^2 - 3k}\right)^3$$

問題文より，$f(\alpha) - f(\beta) = 4|k|^3$ であるから，

$$\frac{4}{27}\left(\sqrt{k^2 - 3k}\right)^3 = 4|k|^3 \qquad \therefore \quad \left(\sqrt{k^2 - 3k}\right)^3 = |3k|^3$$

$\sqrt{k^2 - 3k}$, $|3k|$ は実数より, 3 乗根を とると,

$$\sqrt{k^2 - 3k} = |3k|$$

両辺 0 以上より, 2 乗すると,

$$k^2 - 3k = 9k^2$$

$$\therefore \quad k(8k + 3) = 0$$

$$k = 0, \ -\frac{3}{8}$$

このうち, ①をみたすものが求める k の値である。

$$\underline{k = -\frac{3}{8}} \ \text{答}$$

x, a が<u>実数</u>のとき,

$$x^3 = a^3 \iff x = a$$

が成り立ちます。

一般に n を自然数とすると, $x^n = a$ の実数解は,

- n が奇数のとき,

$$x = \sqrt[n]{a}$$

- n が偶数のとき,

$$x = \pm \sqrt[n]{a} \ (a > 0)$$

$$x = 0 \ (a = 0)$$

なし $(a < 0)$

なお, x を複素数の範囲で考える際は成り立ちません。

 研　究

定積分の定義「関数 $f(x)$ の不定積分の 1 つを $F(x)$ とするとき,

$\displaystyle\int_a^b f(x)dx = \Big[F(x)\Big]_a^b = F(b) - F(a)$」に当てはめて考えると, 極値の差は簡単に計算できます。

別　解（増減表までは同じ）

$f(x)$ は $f'(x)$ の不定積分の 1 つより,

$$\int_\beta^\alpha f'(x)dx = \Big[f(x)\Big]_\beta^\alpha = f(\alpha) - f(\beta)$$

また, α, β は $f'(x) = 0$ の異なる 2 つの実数解であり, $f'(x)$ の 2 次の係数は 3 より,

$$f'(x) = 3(x - \alpha)(x - \beta)$$

これらを用いて,

$$f(\alpha) - f(\beta) = \int_\beta^\alpha f'(x)dx = 3\int_\beta^\alpha (x - \alpha)(x - \beta)dx$$

$$= -3\int_\alpha^\beta (x - \alpha)(x - \beta)dx = -3\underbrace{\left\{-\frac{1}{6}(\beta - \alpha)^3\right\}}_{\frac{1}{6}公式} = \frac{1}{2}(\beta - \alpha)^3$$

よって,

$$\frac{1}{2}(\beta - \alpha)^3 = 4|k|^3 \qquad \therefore \quad (\beta - \alpha)^3 = |2k|^3 \qquad \therefore \quad \beta - \alpha = |2k|$$

$$\beta - \alpha = \frac{2\sqrt{k^2 - 3k}}{3} \text{ より,}$$

$$\frac{2\sqrt{k^2 - 3k}}{3} = |2k| \qquad \therefore \quad \sqrt{k^2 - 3k} = |3k|$$

（以下省略）

 3

問題を見てやるべきこと

　四面体の体積に関する問題です。

(1)　点 H が平面 α 上であること，$\overrightarrow{PH}$ が平面 α と垂直であることの 2 つを用いて $\overrightarrow{PH}$ を求めます。点 P の座標に文字が含まれるため式が煩雑になりますが，基本となるベクトルの大きさと内積の計算をあらかじめ済ませておくと楽になります。

(2)　できれば円の媒介変数表示を用いたいところですが，思いつかなければ pq 平面において円と直線が共有点をもつ範囲を調べればよいでしょう。計算量が多いですがミスなく解き進めたい問題です。

　なお，(1)は正射影ベクトルを用いると簡単に求められます。九大の数学は正射影が使える問題が多く出題されているので，知っていて損はないでしょう。

解　答

(1)　A を始点としたベクトル $\overrightarrow{AB}$，$\overrightarrow{AC}$，$\overrightarrow{AP}$ について計算すると，

$$\overrightarrow{AB} = \overrightarrow{OB} - \overrightarrow{OA} = (2, 0, 0)$$

$$\overrightarrow{AC} = \overrightarrow{OC} - \overrightarrow{OA} = (3, 3, 3)$$

$$\overrightarrow{AP} = \overrightarrow{OP} - \overrightarrow{OA} = (5, p-2, q-3)$$

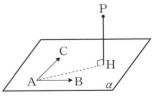

これらについて，あらかじめ大きさと内積の計算をしておくことにする。

$$|\overrightarrow{AB}|^2 = 4, \quad |\overrightarrow{AC}|^2 = 27, \quad |\overrightarrow{AP}|^2 = 25 + (p-2)^2 + (q-3)^2,$$

$$\overrightarrow{AB} \cdot \overrightarrow{AC} = 6, \quad \overrightarrow{AP} \cdot \overrightarrow{AB} = 10, \quad \overrightarrow{AP} \cdot \overrightarrow{AC} = 3(p+q)$$

点 H は平面 α 上の点より，実数 s，t を用いて，

$$\overrightarrow{\text{AH}} = s\,\overrightarrow{\text{AB}} + t\,\overrightarrow{\text{AC}}$$

$\left(\begin{array}{l}\overrightarrow{\text{AB}'} = (1,\,0,\,0),\ \ \overrightarrow{\text{AC}'} = (1,\,1,\,1)\ \text{とおいて，}\ \overrightarrow{\text{AH}} = s\,\overrightarrow{\text{AB}'} + t\,\overrightarrow{\text{AC}'}\ \text{とし}\\ \text{ておくと計算がやや楽になりますが，今回はそのまま解き進めています。}\end{array}\right)$

とおける。このとき，

$$\overrightarrow{\text{PH}} = \overrightarrow{\text{AH}} - \overrightarrow{\text{AP}} = s\,\overrightarrow{\text{AB}} + t\,\overrightarrow{\text{AC}} - \overrightarrow{\text{AP}} \quad \cdots\cdots\text{①}$$

$\overrightarrow{\text{PH}} \perp \alpha$ より，$\overrightarrow{\text{PH}} \perp \overrightarrow{\text{AB}}$ かつ $\overrightarrow{\text{PH}} \perp \overrightarrow{\text{AC}}$ であるから，

$$\begin{cases}\overrightarrow{\text{PH}} \cdot \overrightarrow{\text{AB}} = 0 \\ \overrightarrow{\text{PH}} \cdot \overrightarrow{\text{AC}} = 0\end{cases} \quad \therefore \quad \begin{cases}(s\,\overrightarrow{\text{AB}} + t\,\overrightarrow{\text{AC}} - \overrightarrow{\text{AP}}) \cdot \overrightarrow{\text{AB}} = 0 \\ (s\,\overrightarrow{\text{AB}} + t\,\overrightarrow{\text{AC}} - \overrightarrow{\text{AP}}) \cdot \overrightarrow{\text{AC}} = 0\end{cases}$$

$$\begin{cases}s\,\bigl|\overrightarrow{\text{AB}}\bigr|^2 + t\,\overrightarrow{\text{AB}} \cdot \overrightarrow{\text{AC}} - \overrightarrow{\text{AP}} \cdot \overrightarrow{\text{AB}} = 0 \\ s\,\overrightarrow{\text{AB}} \cdot \overrightarrow{\text{AC}} + t\,\bigl|\overrightarrow{\text{AC}}\bigr|^2 - \overrightarrow{\text{AP}} \cdot \overrightarrow{\text{AC}} = 0\end{cases}$$

$$\begin{cases}2s + 3t - 5 = 0 \\ 2s + 9t - p - q = 0\end{cases} \quad \therefore \quad \begin{cases}s = \dfrac{-p - q + 15}{4} \\ t = \dfrac{p + q - 5}{6}\end{cases}$$

①にこれらを代入することで，

$$\overrightarrow{\text{PH}} = \frac{-p - q + 15}{4}\overrightarrow{\text{AB}} + \frac{p + q - 5}{6}\overrightarrow{\text{AC}} - \overrightarrow{\text{AP}}$$

$$= \frac{-p - q + 15}{4}(2,\,0,\,0) + \frac{p + q - 5}{6}(3,\,3,\,3) - (5,\,p - 2,\,q - 3)$$

$$= \frac{p - q + 1}{2}(0,\,-1,\,1)$$

よって，線分 PH の長さは，

$$\bigl|\overrightarrow{\text{PH}}\bigr| = \left|\frac{p - q + 1}{2}(0,\,-1,\,1)\right| = \left|\frac{p - q + 1}{2}\right|\bigl|(0,\,-1,\,1)\bigr|$$

$$= \underline{\underline{\frac{\sqrt{2}\,|p - q + 1|}{2}}} \ \boxed{\text{答}}$$

(2)　四面体 ABCP の体積を V とおく。底面を三角形 ABC にとると，

$$\triangle \text{ABC} = \frac{1}{2}\sqrt{\bigl|\overrightarrow{\text{AB}}\bigr|^2\,\bigl|\overrightarrow{\text{AC}}\bigr|^2 - \bigl(\overrightarrow{\text{AB}} \cdot \overrightarrow{\text{AC}}\bigr)^2}$$

$$= \frac{1}{2}\sqrt{4 \cdot 27 - 6^2} = 3\sqrt{2}$$

2024 2023 2022 2021 2020 2019 2018 2017 2016 2015 2014 2013 2012 2011 2010

このとき，高さは PH より，

$$V = \frac{1}{3} \cdot \triangle \mathrm{ABC} \cdot \mathrm{PH} = \frac{1}{3} \cdot 3\sqrt{2} \cdot \frac{\sqrt{2}\,|p - q + 1|}{2}$$

$$= |p - q + 1|$$

ここで，$p - q + 1 = k$（k は実数）とおく。$(p - 9)^2 + (q - 7)^2 = 1$ の条件のもと，$p - q + 1 = k$ の取りうる値の範囲を考える。

$$p - q + 1 = k \qquad \therefore \quad p - q - k + 1 = 0 \quad \cdots\cdots ②$$

pq 平面において，$(p - 9)^2 + (q - 7)^2 = 1$ は中心 $(9, 7)$，半径 1 の円を表す。k の取りうる値の範囲は，直線②とこの円が共有点をもつ範囲であるから，②と中心 $(9, 7)$ の距離を d とすると，$d \leqq 1$ である。点と直線の距離の公式より，

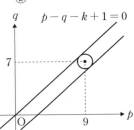

$$d = \frac{|9 - 7 - k + 1|}{\sqrt{1 + (-1)^2}} = \frac{|-k + 3|}{\sqrt{2}} = \frac{|k - 3|}{\sqrt{2}}$$

よって，

$$d \leqq 1 \qquad \therefore \quad \frac{|k - 3|}{\sqrt{2}} \leqq 1 \qquad \therefore \quad |k - 3| \leqq \sqrt{2}$$

$$-\sqrt{2} \leqq k - 3 \leqq \sqrt{2} \qquad \therefore \quad 3 - \sqrt{2} \leqq k \leqq 3 + \sqrt{2}$$

$$3 - \sqrt{2} \leqq |k| \leqq 3 + \sqrt{2} \qquad (\because \quad 3 - \sqrt{2} > 0)$$

$V = |k|$ より，四面体 ABCP の体積の最大値は $\underline{3 + \sqrt{2}}$，最小値は $\underline{3 - \sqrt{2}}$ 答

 研　究

(1)の別解 1

平面 α に垂直なベクトル（法線ベクトルという）の 1 つを $\vec{n} = (a, b, c)$（a，b，c は実数で，$\vec{n} \neq \vec{0}$）とおくと，$\vec{n}$ は平面 α 上の $\overrightarrow{\mathrm{AB}}$，$\overrightarrow{\mathrm{AC}}$ と垂直であるから，

$$\begin{cases} \vec{n} \cdot \overrightarrow{\mathrm{AB}} = 0 \\ \vec{n} \cdot \overrightarrow{\mathrm{AC}} = 0 \end{cases} \quad \therefore \quad \begin{cases} (a, b, c) \cdot (2, 0, 0) = 0 \\ (a, b, c) \cdot (3, 3, 3) = 0 \end{cases} \quad \therefore \quad \begin{cases} a = 0 \\ b = -c \end{cases}$$

より，$\vec{n} = (0, -c, c) = c(0, -1, 1)$ であり，$c = 1$ のとき，$\vec{n} = (0, -1, 1)$ である。

①より,

$$\overrightarrow{PH} = s(2, 0, 0) + t(3, 3, 3) - (5, p - 2, q - 3)$$

$$= (2s + 3t - 5, 3t - p + 2, 3t - q + 3)$$

ともに平面 α に垂直であるから, $\overrightarrow{PH}$ と $\vec{n}$ は平行である。

よって, u を実数として, $\overrightarrow{PH} = u\vec{n}$ と表せる。

$$(2s + 3t - 5, 3t - p + 2, 3t - q + 3) = (0, -u, u)$$

各成分を比較して

$$\begin{cases} 2s + 3t - 5 = 0 \\ 3t - p + 2 = -u \\ 3t - q + 3 = u \end{cases}$$

$$\therefore \quad (s, t, u) = \left(\frac{-p - q + 15}{4}, \frac{p + q - 5}{6}, \frac{p - q + 1}{2} \right)$$

（以下省略）

(1)の別解2

$\overrightarrow{PH}$ は $\overrightarrow{PA}$ の $\vec{n}$ 上への正射影ベクトルより,

$$\overrightarrow{PH} = \left(\frac{\vec{n} \cdot \overrightarrow{PA}}{|\vec{n}|^2} \right) \vec{n} = \frac{p - q + 1}{2} (0, -1, 1)$$

（以下省略）

(2)の別解　pq 平面において, $(p - 9)^2 + (q - 7)^2 = 1$ は中心 $(9, 7)$, 半径 1 の円より, 媒介変数 θ $(0 \leq \theta < 2\pi)$ を用いて,

$$p = \cos \theta + 9, \quad q = \sin \theta + 7$$

と表せる。$V = |p - q + 1|$ に代入すると,

$$V = |\cos \theta + 9 - (\sin \theta + 7) + 1| = |3 - \sin \theta + \cos \theta|$$

$$= \left| 3 - \sqrt{2} \sin \left(\theta - \frac{\pi}{4} \right) \right|$$

$-\dfrac{\pi}{4} \leq \theta - \dfrac{\pi}{4} < 2\pi - \dfrac{\pi}{4}$ であり, この範囲において,

$$-\sqrt{2} \leq \sqrt{2} \sin \left(\theta - \frac{\pi}{4} \right) \leq \sqrt{2}$$

よって,

$$V = 3 - \sqrt{2}\,\sin\left(\theta - \frac{\pi}{4}\right)$$

の最大値は $\underline{3 + \sqrt{2}}$，最小値は $\underline{3 - \sqrt{2}}$ **答**

（補足） 点 P の軌跡は平面 $x = 6$ 上の円であり，この平面と α は垂直に交わっています。

$\boxed{4}$ 問題を見てやるべきこと

解 答

理系数学 $\boxed{2}$（p.314）に同じ。

理系学部

1

問題を見てやるべきこと

点 P を $(\alpha, \beta, 0)$（α, β は実数）とおくと，C 上を動くことから，
$$\begin{cases} \alpha^2 - \beta^2 = 1 & \cdots\cdots① \\ \alpha \geqq 1 & \cdots\cdots② \end{cases}$$
とおくことができます。

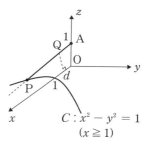

$C : x^2 - y^2 = 1$
$(x \geqq 1)$

直線 AP と平面 $x = d$ との交点を Q とおくと，
$$\begin{aligned} \overrightarrow{OQ} &= \overrightarrow{OA} + t\overrightarrow{AP} \quad (t \text{ は実数}) \\ &= (0, 0, 1) + t(\alpha, \beta, -1) \\ &= (t\alpha, t\beta, 1 - t) \quad \cdots\cdots③ \end{aligned}$$
と表すことができます。

点 Q の x 座標は d より，$t\alpha = d$ ∴ $t = \dfrac{d}{\alpha}$

これを③に代入して，
$$Q\left(d, \ d \cdot \frac{\beta}{\alpha}, \ 1 - \frac{d}{\alpha} \right)$$

①を用いて α, β を消去すれば，交点 Q の y 座標と z 座標の関係式が得られます。

②より z の範囲を求めます。

点 P を $\left(\dfrac{1}{\cos\theta}, \ \tan\theta, \ 0 \right)$ $\left(-\dfrac{\pi}{2} < \theta < \dfrac{\pi}{2} \right)$ とおいて解く方法は，◀ 研　究

で，**別　解** として紹介します。

解 答

直線 AP と平面 $x = d$ との交点を Q とする。

P$(\alpha, \beta, 0)$ とおく。P は C 上にあるので，

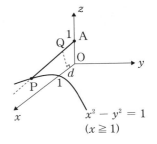

$$\begin{cases} \alpha^2 - \beta^2 = 1 & \cdots\cdots① \\ \alpha \geqq 1 & \cdots\cdots② \end{cases}$$

Q は直線 AP 上にあるので，t を実数として，

$$\begin{aligned} \overrightarrow{OQ} &= \overrightarrow{OA} + t\overrightarrow{AP} \\ &= (0, 0, 1) + t(\alpha, \beta, -1) \\ &= (t\alpha, t\beta, 1 - t) \quad \cdots\cdots③ \end{aligned}$$

Q が平面 $x = d$ 上にあることと，③より，$t\alpha = d$

$$\therefore \quad t = \frac{d}{\alpha} \quad (②より，\alpha \neq 0)$$

これを③に代入して，

$$\overrightarrow{OQ} = \left(d, \ d \cdot \frac{\beta}{\alpha}, \ 1 - \frac{d}{\alpha} \right)$$

Q(x, y, z) とすると，$\begin{cases} x = d & \cdots\cdots④ \\ y = d \cdot \dfrac{\beta}{\alpha} & \cdots\cdots⑤ \\ z = 1 - \dfrac{d}{\alpha} & \cdots\cdots⑥ \end{cases}$

⑥において，$\alpha \geqq 1$（$\because$ ②）より，$0 < \dfrac{1}{\alpha} \leqq 1$ から，

$$1 - d \leqq 1 - \frac{d}{\alpha} < 1 \qquad \therefore \quad 1 - d \leqq z < 1 \quad \cdots\cdots⑦$$

①を用いて，α, β を消去する。

⑥より，$\alpha = \dfrac{d}{1 - z} \quad \cdots\cdots⑧$

⑤より，$\beta = \dfrac{y}{d} \cdot \alpha = \dfrac{y}{d} \cdot \underset{\underset{\because ⑧}{\smile}}{\dfrac{d}{1 - z}} = \dfrac{y}{1 - z} \quad \cdots\cdots⑨$

⑧⑨を①に代入して，$\left(\dfrac{d}{1-z}\right)^2 - \left(\dfrac{y}{1-z}\right)^2 = 1$

$$\therefore \begin{cases} (z-1)^2 + y^2 = d^2 \\ 1-d \leqq z < 1 \end{cases}$$

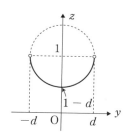

これより，点 Q の軌跡は「平面 $x=d$ 上にある，中心 $(d,\ 0,\ 1)$，半径 d の円のうち，$z<1$ にある部分」であり，図は，右図。**答**

 研　究

$$\left(\begin{array}{l} \text{点 P は双曲線 } x^2 - y^2 = 1,\ x \geqq 1 \text{ 上の点により } \left(\dfrac{1}{\cos\theta},\ \tan\theta,\ 0\right) \\[2mm] \left(-\dfrac{\pi}{2} < \theta < \dfrac{\pi}{2}\right) \text{とおくことができます。以下 } \boxed{\text{別　解}} \text{ を示します。} \end{array}\right)$$

別　解

直線 AP と平面 $x=d$ との交点を Q とおく。

点 P は xy 平面上の双曲線 $x^2 - y^2 = 1$ $(x \geqq 1)$ 上により，

$\mathrm{P}\left(\dfrac{1}{\cos\theta},\ \tan\theta,\ 0\right)$ $\left(-\dfrac{\pi}{2} < \theta < \dfrac{\pi}{2}\right)$ とおける。

Q は直線 AP 上により，t を実数として，

$$\overrightarrow{\mathrm{OQ}} = \overrightarrow{\mathrm{OA}} + t\,\overrightarrow{\mathrm{AP}} = (0,\ 0,\ 1) + t\left(\dfrac{1}{\cos\theta},\ \tan\theta,\ -1\right)$$

$$= \left(\dfrac{t}{\cos\theta},\ t\tan\theta,\ 1-t\right) \quad \cdots\cdots ⑩$$

x 座標が d により，$\dfrac{t}{\cos\theta} = d$ $\quad \therefore \quad t = d\cos\theta$

これを⑩に代入して，$\mathrm{Q}(d, d\sin\theta, 1-d\cos\theta)$

$y = d\sin\theta,\ z = 1 - d\cos\theta$ より，

$$\begin{cases} \sin\theta = \dfrac{y}{d} \\[2mm] \cos\theta = \dfrac{1-z}{d} \end{cases} \quad \text{よって，} \left(\dfrac{y}{d}\right)^2 + \left(\dfrac{1-z}{d}\right)^2 = 1$$

$$\therefore \quad y^2 + (z-1)^2 = d^2$$

$-\dfrac{\pi}{2} < \theta < \dfrac{\pi}{2}$ より，$0 < \cos\theta \leqq 1$

$0 < \dfrac{1-z}{d} \leqq 1$ より，$1-d \leqq z < 1$

$$\therefore \quad \begin{cases} \text{半円} \quad y^2 + (z-1)^2 = d^2 \\ \qquad 1-d \leqq z < 1 \end{cases} \text{答}$$

2

問題を見てやるべきこと

(1) 点 Q $(3\cos\theta,\ 3\sin\theta)$ $\left(0 \leqq \theta < \dfrac{\pi}{2}\right)$ と

おくと，点 P は点 Q と y 軸に関して，対称により，点 P $(-3\cos\theta,\ 3\sin\theta)$ と表すことができます。点 R の座標は，線分 PQ を $2:1$ に内分することで，得ることができます。

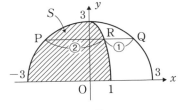

(2) 点 Q $(3\cos\theta,\ 3\sin\theta)$ $(0 \leqq \theta \leqq \pi)$
点 P$(-3,\ 0)$ に対し，
線分 PQ を $2:1$ に内分することで，点 R の座標を得ることができます。

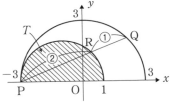

(3) (1)の S から(2)の T を除いた部分と第一象限との共通部分は右の斜線部となる。

斜線部を回転して得られる回転体の体積は，

$$V_1 = \pi \int_0^3 x_1{}^2\,dy$$

$$V_2 = \pi \int_0^{\sqrt{3}} x_2{}^2\,dy$$

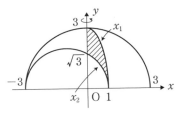

とおき，$V_1 - V_2$ で求める。

$$\begin{cases} V_1 \text{において，(1)より } x_1{}^2 = 1 - \dfrac{y^2}{9} \\ V_2 \text{において，(2)より } x = -1 + 2\cos\theta,\ y = 2\sin\theta,\ dy = 2\cos\theta d\theta \text{ とし} \\ \quad \text{て，計算をする。} \end{cases}$$

解　答

(1)　Q は半円 $C : x^2 + y^2 = 9 \ (y \geqq 0)$ の $x > 0$ の部分にあるので,

$Q\,(3\cos\theta,\ 3\sin\theta)\left(0 \leqq \theta < \dfrac{\pi}{2}\right)$ とおける。

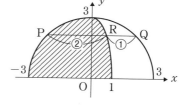

このとき, $P\,(-3\cos\theta,\ 3\sin\theta)$

$R(x,\ y)$ に対し,

$x = \dfrac{1 \cdot (-3\cos\theta) + 2 \cdot 3\cos\theta}{2 + 1} = \cos\theta,$

$y = 3\sin\theta$

$\therefore\quad \cos^2\theta + \sin^2\theta = x^2 + \left(\dfrac{y}{3}\right)^2 = x^2 + \dfrac{y^2}{9} = 1 \ (x > 0,\ y \geqq 0)$

上図の斜線部を第 1 象限と第 2 象限に分けて,

$\dfrac{1}{4}\pi \cdot 1 \cdot 3 + \dfrac{1}{4}\pi \cdot 3^2 = \underline{3\pi}$ 　**答**

(2)　$Q(3\cos\theta,\ 3\sin\theta)\ (0 \leqq \theta \leqq \pi)$
と表すことができる。

$R(x,\ y)$ に対し,

$x = \dfrac{1 \cdot (-3) + 2 \cdot 3\cos\theta}{2 + 1} = -1 + 2\cos\theta,$

$y = \dfrac{1 \cdot 0 + 2 \cdot 3\sin\theta}{2 + 1} = 2\sin\theta$

$\therefore\quad \cos^2\theta + \sin^2\theta = \left(\dfrac{x + 1}{2}\right)^2 + \left(\dfrac{y}{2}\right)^2 = 1$

$\therefore\quad (x + 1)^2 + y^2 = 4 \ (y \geqq 0)$

上図の斜線部の面積は, $\dfrac{1}{2} \cdot \pi \cdot 2^2 = \underline{2\pi}$ 　**答**

(3)　U は左の斜線部である。

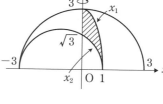

(2)より,
$x = 2\cos\theta - 1,\ y = 2\sin\theta$
$dy = 2\cos\theta \cdot d\theta$

$V = \pi \displaystyle\int_0^3 x_1{}^2\,dy - \pi \int_0^{\sqrt{3}} x_2{}^2\,dy$

$= \pi \displaystyle\int_0^3 \left(1 - \dfrac{y^2}{9}\right)dy - \pi \int_0^{\frac{\pi}{3}} (2\cos\theta - 1)^2 \cdot 2\cos\theta \cdot d\theta$

$$= \pi\left[y - \frac{y^3}{27}\right]_0^3 - \underbrace{2\pi\int_0^{\frac{\pi}{3}}(4\cos^3\theta - 4\cos^2\theta + \cos\theta)d\theta}_{} \qquad ☆$$

$$= 2\pi - 2\pi\int_0^{\frac{\pi}{3}}\{4(1 - \sin^2\theta)\cdot\cos\theta - 2(1 + \cos 2\theta) + \cos\theta\}d\theta$$

$$= 2\pi - 2\pi\int_0^{\frac{\pi}{3}}(5\cos\theta - 4\sin^2\theta\cdot\cos\theta - 2 - 2\cos 2\theta)d\theta$$

$$= 2\pi - 2\pi\left[5\sin\theta - \frac{4}{3}\sin^3\theta - 2\theta - \sin 2\theta\right]_0^{\frac{\pi}{3}}$$

$$= 2\pi - 2\pi\left(\frac{5\sqrt{3}}{2} - \frac{4}{3}\cdot\frac{3\sqrt{3}}{8} - \frac{2}{3}\pi - \frac{\sqrt{3}}{2}\right)$$

$$= \underline{\underline{\frac{4}{3}\pi^2 - 3\sqrt{3}\pi + 2\pi}} \quad 答$$

📢 **研　究**

(1)(2)は，点 R の座標を求めなくとも，図形的に点 R の軌跡を求めることができます。 **別　解** として紹介します。

別　解

(1)　線分 PR は線分 PQ の $\frac{2}{3}$ により，

$$S = \int_0^3 \mathrm{PR}\,dy = \int_0^3 \frac{2}{3}\mathrm{PQ}\,dy$$

$$= \frac{2}{3}\int_0^3 \mathrm{PQ}\,dy$$

$$= \frac{2}{3}\cdot\frac{1}{2}\cdot\pi\cdot 3^2$$

$$= \underline{\underline{3\pi}} \quad 答$$

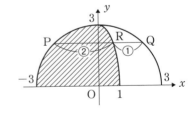

(2)　点 R は，P を中心に半円 C を $\frac{2}{3}$ 倍に縮小した半円を描くので，

$$\frac{1}{2}\cdot\pi\cdot 3^2 \times\left(\frac{2}{3}\right)^2 = \underline{\underline{2\pi}} \quad 答$$

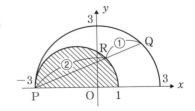

(3)の☆の計算は,

$$= 2\pi \int_0^{\frac{\pi}{3}} \left(4\cos\theta \frac{1 + \cos 2\theta}{2} - 4\frac{1 + \cos 2\theta}{2} + \cos\theta \right) d\theta$$

$$= 2\pi \int_0^{\frac{\pi}{3}} (2\cos 2\theta \cdot \cos\theta + 3\cos\theta - 2\cos 2\theta - 2) d\theta$$

$$= 2\pi \int_0^{\frac{\pi}{3}} \{\cos(2\theta + \theta) + \cos(2\theta - \theta) - 2\cos 2\theta + 3\cos\theta - 2\} d\theta$$

$$= 2\pi \left[\frac{\sin 3\theta}{3} - \sin 2\theta + 4\sin\theta - 2\theta \right]_0^{\frac{\pi}{3}}$$

$$= 2\pi \left(-\frac{\sqrt{3}}{2} + 4 \cdot \frac{\sqrt{3}}{2} - \frac{2}{3}\pi \right)$$

$$= 2\pi \left(\frac{3\sqrt{3}}{2} - \frac{2}{3}\pi \right) \quad \text{としても可。}$$

(3)の $\pi \int_0^{\sqrt{3}} x_2{}^2 \, dy$ の計算において, (2)より $(x+1)^2 + y^2 = 4 \ (y \geqq 0)$ から,

$x^2 = (\sqrt{4 - y^2} - 1)^2$ として,

$$V = \int_0^3 \pi \left(1 - \frac{y^2}{9} \right) dy$$

$$\qquad - \int_0^{\sqrt{3}} \pi (\sqrt{4 - y^2} - 1)^2 \, dy$$

$$= \pi \left[y - \frac{y^3}{27} \right]_0^3$$

$$\qquad - \pi \int_0^{\sqrt{3}} (5 - y^2 - 2\sqrt{4 - y^2}) \, dy$$

$$= 2\pi - \pi \left[5y - \frac{y^3}{3} \right]_0^{\sqrt{3}} + 2\pi \underline{\int_0^{\sqrt{3}} \sqrt{4 - y^2} \, dy}$$

$$= 2\pi - 4\sqrt{3}\,\pi + 2\pi \left(\frac{2}{3}\pi + \frac{\sqrt{3}}{2} \right) \qquad \text{☆}$$

$$= 2\pi - 3\sqrt{3}\,\pi + \frac{4}{3}\pi^2$$

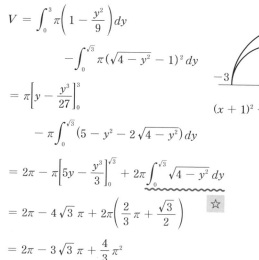

☆の計算①

$$\int_0^{\sqrt{3}} \sqrt{4-y^2}\, dy = \text{右図の斜線部の面積}$$

$$= \frac{1}{2} \cdot \sqrt{3} \cdot 1 + \frac{1}{2} \cdot 2^2 \cdot \frac{\pi}{3}$$

$$= \frac{\sqrt{3}}{2} + \frac{2}{3}\pi$$

$$x = \sqrt{4-y^2}$$
$$\Longleftrightarrow \quad x^2 + y^2 = 4,\ x \geq 0$$

〈2012 年度 ① の **研 究** 参照。

2012, 1995, 1993, 1990 年度に類題〉

☆の計算②

$$\int_0^{\sqrt{3}} \sqrt{4-y^2}\, dy = \int_0^{\frac{\pi}{3}} 2\cos\theta \cdot 2\cos\theta\, d\theta = \int_0^{\frac{\pi}{3}} 4\cos^2\theta\, d\theta$$

$$\langle y = 2\sin\theta,\ dy = 2\cos\theta \cdot d\theta \rangle$$

$$= \int_0^{\frac{\pi}{3}} 2(1 + \cos 2\theta)\, d\theta$$

$$= 2\left[\theta + \frac{\sin 2\theta}{2}\right]_0^{\frac{\pi}{3}}$$

$$= \frac{2}{3}\pi + \frac{\sqrt{3}}{2}$$

---

③

問題を見てやるべきこと

積 $X_1 X_2 \cdots\cdots X_n$ を 4 で割った余り 0, 1, 2, 3 の各々の場合に対し，X_{n+1} が 1, 2, 3, 4 の場合に，

積 $X_1 X_2 \cdots\cdots X_n X_{n+1}$ を 4 で割った余りがどうなるかを考察します。

$Y_n = X_1 X_2 \cdots\cdots X_n$ とおくと，

$$Y_{n+1} = Y_n \cdot X_{n+1}$$

$$Y_{n+1} = Y_n \cdot X_{n+1} \pmod 4$$

$$Y_n \equiv \begin{cases} \end{cases}$$

X_{n+1}	1	2	3	4
0	0	0	0	0
1	1	2	3	0
2	2	0	2	0
3	3	2	1	0

Y_n を 4 で割った余り

この図より,

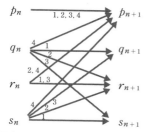

上図より, 漸化式が得られます。

解　答

$Y_n = X_1 X_2 \cdots\cdots X_n$ とおくと,

$$Y_{n+1} = Y_n \cdot X_{n+1}$$

$Y_n \equiv 0,\ 1,\ 2,\ 3\ (\bmod\,4)$ の各々の場合につき,

$X_{n+1} = 1,\ 2,\ 3,\ 4$ のときの Y_{n+1} を 4 で割った余りを表にする。

$Y_{n+1} \equiv Y_n \cdot X_{n+1}\ (\bmod\,4)$ により,

	$X_{n+1} =$	1	2	3	4
Y_n を 4 で割った 余り	0	0	0	0	0
	1	1	2	3	0
	2	2	0	2	0
	3	3	2	1	0

← Y_{n+1} を 4 で割った余り

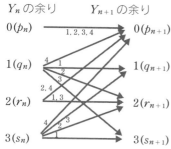

以上より, 以下の漸化式を得る。

$$p_{n+1} = p_n + \frac{1}{4}q_n + \frac{1}{2}r_n + \frac{1}{4}s_n \quad \cdots\cdots ①$$

$$q_{n+1} = \frac{1}{4}q_n + \frac{1}{4}s_n \quad \cdots\cdots ②$$

$$r_{n+1} = \frac{1}{4}q_n + \frac{1}{2}r_n + \frac{1}{4}s_n \quad \cdots\cdots ③$$

$$s_{n+1} = \frac{1}{4}q_n + \frac{1}{4}s_n \quad \cdots\cdots ④$$

また，$p_1 = q_1 = r_1 = s_1 = \dfrac{1}{4}$ $\cdots\cdots ⑤$

②④⑤より，$q_n = s_n \, (n \geqq 1)$ から，②より，$q_{n+1} = \dfrac{1}{2}q_n$

$$\therefore \quad q_n = \frac{1}{4}\left(\frac{1}{2}\right)^{n-1} = \left(\frac{1}{2}\right)^{n+1} \quad \boxed{答} \qquad \therefore \quad s_n = \left(\frac{1}{2}\right)^{n+1} \quad \boxed{答}$$

これらを③に代入して，

$$r_{n+1} = \frac{1}{2}\cdot r_n + \left(\frac{1}{2}\right)^{n+2} \quad \Longleftrightarrow \quad 2^{n+1}\cdot r_{n+1} = 2^n\cdot r_n + \frac{1}{2}$$

数列 $\{2^n\cdot r_n\}$ は，初項 $2r_1 = \dfrac{1}{2}$，公差 $\dfrac{1}{2}$ の等差数列。

$$\therefore \quad 2^n\cdot r_n = \frac{1}{2} + \frac{1}{2}(n-1) = \frac{1}{2}n \qquad \therefore \quad r_n = n\left(\frac{1}{2}\right)^{n+1} \quad \boxed{答}$$

$p_n + q_n + r_n + s_n = 1$ より，

$$p_n = 1 - q_n - r_n - s_n$$

$$= 1 - (n+2)\left(\frac{1}{2}\right)^{n+1} \quad \boxed{答}$$

研　究

別解 1 （r_n, p_n を最初に求める）

$Y_n = X_1 X_2 \cdots\cdots X_n$ とおく。

● 4 で割った余りが 2 となる数は，$2 \times (\text{奇数})$ と表すことができる。つまり，$X_1, X_2, \cdots\cdots, X_n$ の中に 2 が 1 回，奇数が残り $(n-1)$ 回取り出される場合。

$$\therefore \quad r_n = {}_n\mathrm{C}_1\left(\frac{1}{4}\right)\left(\frac{1}{2}\right)^{n-1} = n\left(\frac{1}{2}\right)^{n+1} \quad \boxed{答}$$

● また，p_n は Y_n が偶数になる場合から，r_n の場合を除くことにより，

$$\therefore \quad p_n = \underbrace{\left\{1 - \left(\frac{1}{2}\right)^n\right\}}_{Y_n\text{が偶数となるとき}} - \underbrace{n\left(\frac{1}{2}\right)^{n+1}}_{r_n} = 1 - (n+2)\left(\frac{1}{2}\right)^{n+1} \quad \boxed{答}$$

● Y_{n+1} が 4 で割って 1 余るのは,

$$\begin{cases} \text{(i)} & Y_n \equiv 1 \ (\text{mod } 4) \ \text{のとき} \quad X_{n+1} = 1 \\ \text{(ii)} & Y_n \equiv 3 \ (\text{mod } 4) \ \text{のとき} \quad X_{n+1} = 3 \end{cases} \quad \text{のいずれかにより,}$$

$$q_{n+1} = \frac{1}{4}q_n + \frac{1}{4}s_n$$

また, (Y_n が奇数となる場合) $= q_n + s_n = \left(\frac{1}{2}\right)^n$ ……①

$$\therefore \quad q_{n+1} = \frac{1}{4}(q_n + s_n) = \left(\frac{1}{2}\right)^{n+2},$$

$q_1 = \dfrac{1}{4}$ より, $\underline{q_n = \left(\dfrac{1}{2}\right)^{n+1}}$ $\boxed{答}$

$$\therefore \quad s_n = \underline{\left(\frac{1}{2}\right)^n} - q^n = \left(\frac{1}{2}\right)^n - \left(\frac{1}{2}\right)^{n+1} = \underline{\left(\frac{1}{2}\right)^{n+1}} \quad \boxed{答}$$
$$\underset{①}{}$$

別解 2　(p_n を最初に求める)

Y_n が 4 で割り切れないのは,

[1] $X_1, \ X_2, \ \cdots\cdots, \ X_n$ がすべて, 1 または 3 となるとき。

[2] $X_1, \ X_2, \ \cdots\cdots, \ X_n$ の中に 1 つだけ 2 であり, 残りが 1 または 3 となるとき。

$$\therefore \quad q_n + r_n + s_n = \underbrace{\left(\frac{2}{4}\right)^n}_{[1]} + \underbrace{{}_nC_1 \cdot \frac{1}{4} \cdot \left(\frac{2}{4}\right)^{n-1}}_{[2]} = \left(\frac{1}{2}\right)^n + \frac{n}{2}\left(\frac{1}{2}\right)^n$$

$$= (n+2)\left(\frac{1}{2}\right)^{n+1}$$

$$\therefore \quad p_n = 1 - (p_n + q_n + r_n) = \underline{1 - (n+2)\left(\frac{1}{2}\right)^{n+1}} \quad \boxed{答}$$

4

 ## 問題を見てやるべきこと

(1) a, b は 3 の倍数でない整数より,

$$a^2 \equiv 1, \quad b^2 \equiv 1 \pmod{3}$$

これより $f(1) = a^2 + 2b^2 + 3 \equiv 1 + 2 + 3 \equiv 0 \pmod{3}$

$$f(2) = 4a^2 + 4b^2 + 17 \equiv 4 + 4 + 17 \equiv 1 \pmod{3}$$

と計算できます。

(2) $f(x)$ の各係数がすべて正より, $f(x) = 0$ の実数解 x は $x < 0$ となります。

背理法を用いて, $f(x) = 0$ を満たす整数 n が存在するものとして, 議論を進めます。

$$f(n) = 0 \text{ より,} \quad f(n) = 2n^3 + a^2n^2 + 2b^2n + 1 = 0$$

$$\Longleftrightarrow \quad n(2n^2 + a^2n + 2b^2) = -1$$

ここで, n, $2n^2 + a^2n + 2b^2$ がともに整数で, $n < 0$ であることから, n の値と a, b の関係式が得られます。

ここから, 矛盾を導きます。

(3) 有理数 x を整数の比, つまり $\dfrac{q}{p}$ (p と q は互いに素な整数) と表すことで答案を始めます。

$$f\left(\frac{q}{p}\right) = 0 \text{ より,} \quad \frac{2q^3}{p^3} + \frac{a^2q^2}{p^2} + \frac{2b^2q}{p} + 1 = 0$$

あとは, この式を, (2)と同様に (整数) × (整数) = (整数) の形にもち込みます。得られた a, b がいずれも 3 の倍数でないことの確認をしましょう。

解 答

(1) a, b は 3 の倍数でない整数より,

$$a^2 \equiv 1 \pmod{3} \quad \cdots\cdots① \qquad b^2 \equiv 1 \pmod{3} \quad \cdots\cdots②$$

$f(1) = a^2 + 2b^2 + 3, \quad f(2) = 4a^2 + 4b^2 + 17$ より,

$$f(1) \equiv 1 + 2 + 3 \equiv 0, \quad f(2) \equiv 4 + 4 + 17 \equiv 1 \pmod{3}$$

よって, $f(1)$ を 3 で割った余りは 0, $f(2)$ を 3 で割った余りは 1 **答**

(2) **証 明** $x \geqq 0$ のとき $f(x) > 0$ となる。

よって, $f(x) = 0$ の実数解 x は $x < 0$ を満たす。

$f(x) = 0$ を満たす整数 n が存在すると仮定すると,

$$f(n) = 0 \iff n(2n^2 + a^2n + 2b^2) = -1$$

$n,\ 2n^2 + a^2n + 2b^2$ は整数で, $n < 0$ より,

$$n = -1,\ 2n^2 + a^2n + 2b^2 = 1$$

$$\therefore\ a^2 = 2b^2 + 1$$

このとき②より, $2b^2 + 1 \equiv 2 + 1 \equiv 0 \pmod{3}$

$\therefore\ a^2 \equiv 0$　これは①に矛盾。

したがって, $f(x) = 0$ を満たす整数 x は存在しない。

(3)　$f(x) = 0$ を満たす有理数 x が存在するとき, (2)より x は整数でない。

したがって, $x = \dfrac{q}{p}$ （$p,\ q$ は互いに素な整数, $p \geqq 2$）とおける。

$f\left(\dfrac{q}{p}\right) = \dfrac{2q^3}{p^3} + \dfrac{a^2q^2}{p^2} + \dfrac{2b^2q}{p} + 1 = 0$ より,

$$p(a^2q^2 + 2b^2pq + p^2) = -2q^3 \quad \cdots\cdots③$$

③より, p は $-2q^3$ の約数。p と q は互いに素かつ, $p \geqq 2$ より, $p = 2$

③に $p = 2$ を代入して, $2(a^2q^2 + 4b^2q + 4) = -2q^3$

$$\therefore\ q(a^2q + 4b^2 + q^2) = -4 \quad \cdots\cdots④$$

q は -4 の約数かつ, $p = 2$ と互いに素より, $q = \pm 1$

(2)の冒頭で述べた通り, $x < 0$ より, $q = -1$

$q = -1$ のとき, $a^2 - 4b^2 = -3$　　$\therefore\ (a + 2b)(a - 2b) = -3$

$a,\ b$ は整数より,

$$(a + 2b,\ a - 2b) = (1, -3),\ (-3, 1),\ (-1, 3),\ (3, -1)$$

$$\therefore\ \underline{(a, b) = (-1, 1),\ (-1, -1),\ (1, -1),\ (1, 1)}\ \boxed{答}$$

いずれも $a,\ b$ は 3 の倍数でない

📣 研　究

(2)　$n \equiv 0 \pmod{3}$ のとき　$f(n) \equiv f(0) \equiv 1$

(1)より, $\begin{cases} n \equiv 1 \pmod{3} \text{ のとき}\quad f(n) \equiv f(1) \equiv 0 \\ n \equiv 2 \pmod{3} \text{ のとき}\quad f(n) \equiv f(2) \equiv 1 \end{cases}$

よって, $f(x) = 0$ を満たす整数 n が存在するとき, $n \equiv 1 \pmod{3}$ となります。これを用いた(2)の別解です。

(2)の別解

(2)　$f(x) = 0$ を満たす整数 $x = n$（n は整数）が存在すると仮定する。

$n \equiv 0 \pmod{3}$ のとき，$f(n) \equiv f(0) \equiv 1$

$n \equiv 2 \pmod{3}$ のとき，$f(n) \equiv f(2) \equiv 1$ （∵ (1)）

よって，$f(n) = 0$ が成立するためには，$n \equiv 1$ が必要。

$f(n) = 2n^3 + a^2 n^2 + 2b^2 n + 1 = 0$ より，$n(2n^2 + a^2 n + 2b^2) = -1$

n は -1 の約数より，$n = \pm 1$　　$n \equiv 1$ より，$n = 1$

しかし，$f(1) = a^2 + 2b^2 + 3 > 3$ より，$f(1) = 0$ は成立しない。

したがって，$f(x) = 0$ を満たす整数 x は存在しない。

5 問題を見てやるべきこと

Ⓐ　与式より，$\overline{z} = (実数) \times i\alpha \iff z = (実数) \times (-i) \cdot \overline{\alpha}$ の形であることがわかるのがポイントです。

Ⓑ　α を含む項と $\overline{z}$ を含む項があることから，共役複素数を考えるのも定石です。

Ⓒ　$|z|$，$|\alpha|$ はともに実数ですので，実数 k, l を用いて，$|z| = k$，$|\alpha| = l$ とおくことでも，見通しがよくなります。

以上，Ⓐ～Ⓒのアプローチの仕方が考えられますが，まずは方針Ⓐで進めます。

$$\alpha(|z|^2 + 2) + i(2|\alpha|^2 + 1)\overline{z} = 0 \quad \cdots\cdots ①$$

①を変形して，$\overline{z} = (実数) \times i\alpha$ の形にします。

①より $\overline{z} = -\dfrac{|z|^2 + 2}{i(2|\alpha|^2 + 1)} \cdot \alpha = \dfrac{|z|^2 + 2}{2|\alpha|^2 + 1} i\alpha$

ここで，実数部分 $\dfrac{|z|^2 + 2}{2|\alpha|^2 + 1}$ を k（k は正の実数）とおいて，見やすくします。

$\overline{z} = ki\alpha$　∴　$z = -ki\overline{\alpha}$　$\cdots\cdots ②$

②を①に代入して，k の値を求めることで，z を求めます。

解　答

$$\alpha(|z|^2 + 2) + i(2|\alpha|^2 + 1)\overline{z} = 0 \quad \cdots\cdots ①$$

①を変形する。

$$i(2|\alpha|^2+1)\bar{z} = -\alpha(|z|^2+2)$$

$$\bar{z} = -\frac{|z|^2+2}{i(2|\alpha|^2+1)} \cdot \alpha \quad (\because \quad 2|\alpha|^2+1 > 0)$$

$$= \frac{|z|^2+2}{2|\alpha|^2+1} \cdot i\alpha$$

ここで，$\dfrac{|z|^2+2}{2|\alpha|^2+1} = k$（$k$ は正の実数）とおくと，

$$\bar{z} = ki\alpha \quad \therefore \quad z = -ki\bar{\alpha} \quad \cdots\cdots②$$

②を①に代入して，

$$\alpha(k^2|\alpha|^2+2)+i(2|\alpha|^2+1)(ki\alpha) = 0$$

$$\alpha\{|\alpha|^2 \cdot k^2 -(2|\alpha|^2+1)k + 2\} = 0$$

$$\alpha(|\alpha|^2 \cdot k - 1)(k - 2) = 0 \quad \cdots\cdots③$$

[1]　$\alpha = 0$ のとき

　　②から，$\underset{\sim}{z = 0}$　**答**

[2]　$\alpha \neq 0$ のとき

　　　③より，$k = \dfrac{1}{|\alpha|^2},\ 2$

これを②に代入して，

$$\begin{cases} k = \dfrac{1}{|\alpha|^2} \text{ のとき } z = -\dfrac{\bar{\alpha}}{|\alpha|^2}i = -\dfrac{\bar{\alpha}}{\alpha\bar{\alpha}}i = \underset{\sim}{-\dfrac{1}{\alpha}i} \ \text{**答**} \\[4mm] k = 2 \text{ のとき } \qquad \underset{\sim}{z = -2\bar{\alpha}i} \ \text{**答**} \end{cases}$$

📢 **研　究**

別 解 1　方針Ⓑ

$$\alpha(|z|^2+2) + i(2|\alpha|^2+1)\bar{z} = 0 \quad \cdots\cdots①$$

両辺の共役複素数をとり，

$$\bar{\alpha}(|z|^2+2) - i(2|\alpha|^2+1)z = 0 \quad \cdots\cdots②$$

①×z＋②×$\bar{z}$ より，

$$\alpha z(|z|^2+2) + \bar{\alpha}\bar{z}(|z|^2+2) + i(2|\alpha|^2+1)\bar{z}z - i(2|\alpha|^2+1)z\bar{z} = 0$$

$$\therefore \quad (\alpha z + \bar{\alpha}\bar{z})(|z|^2+2) = 0$$

$|z|^2+2 \neq 0$ より，$\alpha z + \bar{\alpha}\bar{z} = 0$　$\therefore \quad \bar{\alpha}\bar{z} = -\alpha z$

αz は 0 または純虚数となるので，$\alpha z = ki$（k は実数）とおく。

[1]　$\alpha = 0$ のとき　①より，$i\bar{z} = 0$ より，$z = 0$

[2]　$\alpha \neq 0$ のとき

$$z = \frac{ki}{\alpha} \quad \cdots\cdots③ \quad \text{これを①に代入して } z \text{ を消去すると，}$$

$$\alpha\left(\left|\frac{ki}{\alpha}\right|^2 + 2\right) + i(2|\alpha|^2 + 1)\overline{\left(\frac{ki}{\alpha}\right)} = 0$$

$$\alpha\left(\frac{k^2}{\alpha\overline{\alpha}} + 2\right) + i(2|\alpha|^2 + 1)\frac{-ki}{\overline{\alpha}} = 0 \text{ より,}$$

$$k^2 + 2|\alpha|^2 + k(2|\alpha|^2 + 1) = 0$$

$$\iff k(k+1) + 2|\alpha|^2(k+1) = 0 \iff (k + 2|\alpha|^2)(k+1) = 0$$

(ア) $k = -2|\alpha|^2$ のとき, ③より, $z = \dfrac{-2|\alpha|^2 i}{\alpha} = -2\overline{\alpha}\,i$

(イ) $k = -1$ のとき, ③より, $z = -\dfrac{i}{\alpha}$

[1][2] より, $\begin{cases} \alpha = 0 \text{ のとき } \underline{z = 0} \\ \alpha \neq 0 \text{ のとき } \underline{z = -2\overline{\alpha}\,i,\ -\dfrac{1}{\alpha}i} \end{cases}$ 答

別解 2 方針ⓒ

$$\alpha(|z|^2 + 2) + i(2|\alpha|^2 + 1)\overline{z} = 0 \quad \cdots\cdots ①$$

[1] $\alpha = 0$ のとき $i\overline{z} = 0$ $\therefore$ $\underline{z = 0}$ 答

[2] $\alpha \neq 0$ のとき

$|z| = k$, $|\alpha| = l$ とおくと,

①より, $\alpha(k^2 + 2) + i(2l^2 + 1)\overline{z} = 0$

$(k^2 + 2)\alpha i = (2l^2 + 1)\overline{z} \quad \cdots\cdots ②$

$(k^2 + 2)|\alpha| = (2l^2 + 1)|\overline{z}|$

$(k^2 + 2)\cdot l = (2l^2 + 1)\cdot k$

$k^2 l - 2kl^2 + 2l - k = 0$

$kl(k - 2l) - (k - 2l) = 0$

$(k - 2l)(kl - 1) = 0$ $\therefore$ $k = 2l$ または $kl = 1$

②より, $\overline{z} = \dfrac{k^2 + 2}{2l^2 + 1}\alpha i$, $z = -\dfrac{k^2 + 2}{2l^2 + 1}\overline{\alpha}\,i$

(ア) $k = 2l$ のとき $z = -\dfrac{4l^2 + 2}{2l^2 + 1}\overline{\alpha}\,i = \underline{-2\overline{\alpha}\,i}$ 答

(イ) $kl = 1$ のとき $\alpha \neq 0$ から, $l = |\alpha| \neq 0$ より, $k = \dfrac{1}{l}$

$$z = -\dfrac{\dfrac{1}{l^2} + 2}{2l^2 + 1}\overline{\alpha}\,i = -\dfrac{1}{l^2}\overline{\alpha}\,i = -\dfrac{1}{\alpha\overline{\alpha}}\overline{\alpha}\,i = \underline{-\dfrac{1}{\alpha}i}$$ 答

2024
2023
2022
2021
2020
2019
2018
2017
2016
2015
2014
2013
2012
2011
2010

文系学部

1

 問題を見てやるべきこと

　曲線 $y = x^3 + ax^2 + bx + c$（$= f(x)$ とおく）が点 $(c,\ 0)$ において x 軸に接していることから，$x = c$ は 3 次方程式 $f(x) = 0$ の重解である，ということが最大のポイントです。3 次曲線とその接線とで囲まれた部分の面積を求める際は，この議論が最も重要になります。頻出の内容ですから，しっかりと身につけておきましょう。

解　答

(1)　$f(x) = x^3 + ax^2 + bx + c$ とおく。

　$y = f(x)$ が点 $(c,\ 0)$ において x 軸に接していることから，$x = c$ は 3 次方程式 $f(x) = 0$ の重解である。もう 1 つの解を α とおくと，3 次方程式の解と係数の関係より，

$$\begin{cases} 2c + \alpha = -a & \cdots\cdots① \\ c^2 + 2c\alpha = b & \cdots\cdots② \\ c^2\alpha = -c & \cdots\cdots③ \end{cases}$$

が成り立つ。

　③より，$\alpha = -\dfrac{1}{c}$（$\because\ \ c > 0$）

　これを①，②に代入し，

$$a = -2c + \frac{1}{c},\ b = c^2 - 2$$ 答

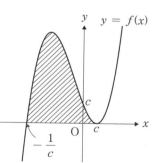

(2)　(1)より，

$$f(x) = (x - c)^2\left(x + \frac{1}{c}\right)$$

と表せる。指示された面積 S は右図斜線部で，

$$S = \int_{-\frac{1}{c}}^{c} f(x)\,dx$$

$$= \int_{-\frac{1}{c}}^{c} (x - c)^2\left(x + \frac{1}{c}\right)dx$$

$$= \int_{-\frac{1}{c}}^{c} (x-c)^2 \left(x - c + c + \frac{1}{c} \right) dx$$

$$= \int_{-\frac{1}{c}}^{c} \left\{ (x-c)^3 + \left(c + \frac{1}{c} \right)(x-c)^2 \right\} dx$$

$$= \left[\frac{1}{4}(x-c)^4 + \frac{1}{3}\left(c + \frac{1}{c} \right)(x-c)^3 \right]_{-\frac{1}{c}}^{c} = \frac{1}{12}\left(c + \frac{1}{c} \right)^4$$

ここで，（$c > 0$ に注意して）相加平均と相乗平均の大小関係から，

$$c + \frac{1}{c} \geqq 2\sqrt{c \cdot \frac{1}{c}} = 2 \quad \left(\text{等号成立は } c = \frac{1}{c} \quad \therefore \quad c = 1 \text{ のとき} \right)$$

が成り立つから，

$$S = \frac{1}{12}\left(c + \frac{1}{c} \right)^4 \geqq \frac{1}{12} \cdot 2^4 = \frac{4}{3} \quad （\text{等号成立は } c = 1 \text{ のとき}）$$

よって，$\underset{\sim\sim\sim}{c = 1}$ のとき S は最小となる。**答**

📢 **研　究**

(1)　本質的には **解答** と同じことですが，曲線 $y = x^3 + ax^2 + bx + c \ (= f(x)$ とおく）が点 $(c, 0)$ において x 軸に接していることから，

$$f(x) = (x-c)^2(x-\alpha)$$

と表され，これを展開して係数を比較することで求めることもできます。特に定数項に注意すると，$\alpha = -\dfrac{1}{c}$ であるとわかります。

　また，単に(1)を解くだけなら以下のような **別　解** もあります。

別　解

　$f(x) = x^3 + ax^2 + bx + c$ とおく。点 $(c, 0)$ において x 軸に接することから，

$$\begin{cases} f(c) = 0 \\ f'(c) = 0 \end{cases}$$

$$\begin{cases} c^3 + ac^2 + bc + c = 0 & \cdots\cdots① \\ 3c^2 + 2ac + b = 0 & \cdots\cdots② \end{cases}$$

が成り立つ。

　（$c > 0$ に注意して）①より $b = -c^2 - ac - 1 \quad \cdots\cdots①'$

　これを②に代入して，

$$a = \underset{\sim\sim\sim}{\frac{1 - 2c^2}{c}} \quad \textbf{答}$$

また，これを①′に代入して，

$$b = \underset{\sim\sim\sim\sim}{c^2 - 2} \;\; \boxed{答}$$

2

 ### 問題を見てやるべきこと

整数 a と b を自然数 m で割った余りが等しいことを

$$a \equiv b \;(\mathrm{mod}\; m)$$

と書き，この表記を合同式といいます。以下すべて $\mathrm{mod}\, m$ として，

$a \equiv b,\; c \equiv d$ のとき，

$$a + c \equiv b + d$$
$$a - c \equiv b - d$$
$$ac \equiv bd$$
$$a^n \equiv b^n \;(n：自然数)$$

が成り立ち，合同式は，和，差，積については等式と同じように扱うことができます。

この記法により，たとえば，2^{17} を 7 で割った余りは，$\mathrm{mod}\, 7$ として，

$$2^3 (= 8) \equiv 1$$

ですから，両辺を 5 乗して，

$$2^{15} \equiv 1^5 (= 1)$$

さらに両辺に 2^2 をかけて，

$$2^{17} \equiv 4$$

と簡単に求めることができます。

解　答

(1) 以下すべて $\mathrm{mod}\, 7$ とする。

$$2^1 \equiv 2$$
$$2^2 \equiv 4$$
$$2^3 (= 8) \equiv 1$$

両辺 2 倍して，

$$2^4 \equiv 2$$

両辺 2 倍して，

$$2^5 \equiv 4$$

両辺 2 倍して,

$$2^6 \equiv 8 \equiv 1$$

これを繰り返すと,

$$2^n \equiv \begin{cases} 2 & (n \text{ を } 3 \text{ で割った余りが } 1 \text{ のとき}) \\ 4 & (n \text{ を } 3 \text{ で割った余りが } 2 \text{ のとき}) \\ 1 & (n \text{ を } 3 \text{ で割った余りが } 0 \text{ のとき}) \end{cases}$$

であることがわかる。

求める余りは,

$$\begin{cases} n \text{ を } 3 \text{ で割った余りが } 1 \text{ のとき} & \underset{\sim}{2} \\ n \text{ を } 3 \text{ で割った余りが } 2 \text{ のとき} & \underset{\sim}{4} \\ n \text{ を } 3 \text{ で割った余りが } 0 \text{ のとき} & \underset{\sim}{1} \end{cases}$$ 答

(2) m は 10 進法で

$$m = 2^{17} + 2^{15} + 2^{14} + 2^{12} + 2^{11} + 2^9 + 2^8 + 2^6 + 2^5 + 2^3 + 2^2 + 2^0$$

と書けて,(1)の結果より,$\mod 7$ として,

$$m \equiv 4 + 1 + 4 + 1 + 4 + 1 + 4 + 1 + 4 + 1 + 4 + 1 = 30 \equiv 2$$

よって,m を 7 で割った余りは,$\underset{\sim}{2}$ 答

 研 究

(1) 2^n を 7 で割った余りを a_n とおくと,$0 \leqq a_n \leqq 6$ で,

$$2^n = 7 \cdot Q_n + a_n \quad (Q_n : \text{整数})$$

と表せます。両辺 2 倍すると,

$$2^{n+1} = 2 \cdot 7 \cdot Q_n + 2a_n$$

a_{n+1} は 2^{n+1} を 7 で割った余りであり,上式よりそれは $2a_n$ を 7 で割った余りに等しいことがわかります。

このことから,下記表が得られ,

n	1	2	3	4	5	6	7	8	⋯
a_n	2	4	1	2	4	1	2	4	⋯

求める余りは,

$$\begin{cases} n \text{ を } 3 \text{ で割った余りが } 1 \text{ のとき} & \underset{\sim}{2} \\ n \text{ を } 3 \text{ で割った余りが } 2 \text{ のとき} & \underset{\sim}{4} \\ n \text{ を } 3 \text{ で割った余りが } 0 \text{ のとき} & \underset{\sim}{1} \end{cases}$$ 答

だとわかります。この方法は 2016 年 4 で登場しています。

2024
2023
2022
2021
2020
2019
2018
2017
2016
2015
2014
2013
2012
2011
2010

3

問題を見てやるべきこと

　ベクトルの絶対値の計算に関する基本的な問題です。たいへん丁寧な誘導がついていますので，完答したい問題です。最小値を求める計算がやや複雑ですが，「最小値を求めよ」ではなく，「$\frac{1}{3}(AB^2 + BC^2 + CA^2)$ であることを示せ」となっています。ゴールが見えていますので，取り組みやすいはずです。

解　答

(1) **証　明**

$$L = |\overrightarrow{PA}|^2 + |\overrightarrow{PB}|^2 + |\overrightarrow{PC}|^2$$
$$= |\overrightarrow{OA} - \overrightarrow{OP}|^2 + |\overrightarrow{OB} - \overrightarrow{OP}|^2 + |\overrightarrow{OC} - \overrightarrow{OP}|^2$$
$$= |\vec{a} - \vec{x}|^2 + |\vec{b} - \vec{x}|^2 + |\vec{c} - \vec{x}|^2$$
$$= |\vec{a}|^2 - 2\vec{a} \cdot \vec{x} + |\vec{x}|^2 + |\vec{b}|^2 - 2\vec{b} \cdot \vec{x} + |\vec{x}|^2 + |\vec{c}|^2$$
$$\quad - 2\vec{c} \cdot \vec{x} + |\vec{x}|^2$$
$$= 3|\vec{x}|^2 - 2(\vec{a} + \vec{b} + \vec{c}) \cdot \vec{x} + |\vec{a}|^2 + |\vec{b}|^2 + |\vec{c}|^2$$

よって，題意成立。

(2) **証　明**

$$L = 3|\vec{x}|^2 - 2(\vec{a} + \vec{b} + \vec{c}) \cdot \vec{x} + |\vec{a}|^2 + |\vec{b}|^2 + |\vec{c}|^2$$
$$= 3\left| \vec{x} - \frac{\vec{a} + \vec{b} + \vec{c}}{3} \right|^2 - \frac{1}{3}|\vec{a} + \vec{b} + \vec{c}|^2 + |\vec{a}|^2 + |\vec{b}|^2 + |\vec{c}|^2$$
$$= 3\left| \vec{x} - \frac{\vec{a} + \vec{b} + \vec{c}}{3} \right|^2$$
$$\quad - \frac{1}{3}\left(|\vec{a}|^2 + |\vec{b}|^2 + |\vec{c}|^2 + 2\vec{a} \cdot \vec{b} + 2\vec{b} \cdot \vec{c} + 2\vec{c} \cdot \vec{a} \right)$$
$$\quad + |\vec{a}|^2 + |\vec{b}|^2 + |\vec{c}|^2$$
$$= 3\left| \vec{x} - \frac{\vec{a} + \vec{b} + \vec{c}}{3} \right|^2$$
$$\quad + \frac{1}{3}\left(2|\vec{a}|^2 + 2|\vec{b}|^2 + 2|\vec{c}|^2 - 2\vec{a} \cdot \vec{b} - 2\vec{b} \cdot \vec{c} - 2\vec{c} \cdot \vec{a} \right)$$
$$= 3\left| \vec{x} - \frac{\vec{a} + \vec{b} + \vec{c}}{3} \right|^2 + \frac{1}{3}\left(|\vec{b} - \vec{a}|^2 + |\vec{c} - \vec{b}|^2 + |\vec{a} - \vec{c}|^2 \right)$$

$$= 3\left|\vec{x} - \frac{\vec{a} + \vec{b} + \vec{c}}{3}\right|^2 + \frac{1}{3}\left(|\overrightarrow{AB}|^2 + |\overrightarrow{BC}|^2 + |\overrightarrow{CA}|^2\right)$$

よって，$\vec{x} = \dfrac{\vec{a} + \vec{b} + \vec{c}}{3}$ のとき，すなわち点 P が三角形 ABC の重心のと

き L は最小であり，最小値は $\dfrac{1}{3}(AB^2 + BC^2 + CA^2)$ である。

 研　究

余力がある場合は，以下の問題にもチャレンジしてみましょう。

> **問** 半 径 1 の 円 周 上 に 相 異 な る 3 点 A，B，C がある。このとき，
> $AB^2 + BC^2 + CA^2 \leqq 9$ が成立することを示せ。

解

円の中心を O とし，$\vec{a} = \overrightarrow{OA}$，$\vec{b} = \overrightarrow{OB}$，$\vec{c} = \overrightarrow{OC}$ とおくと，
$$|\vec{a}| = 1, \ |\vec{b}| = 1, \ |\vec{c}| = 1$$
$$\begin{aligned}(右辺) - (左辺) &= 9 - \left(|\overrightarrow{AB}|^2 + |\overrightarrow{BC}|^2 + |\overrightarrow{CA}|^2\right) \\ &= 9 - \left(|\vec{b} - \vec{a}|^2 + |\vec{c} - \vec{b}|^2 + |\vec{a} - \vec{c}|^2\right) \\ &= 3 + 2(\vec{a} \cdot \vec{b} + \vec{b} \cdot \vec{c} + \vec{c} \cdot \vec{a}) \\ &= |\vec{a} + \vec{b} + \vec{c}|^2 \geqq 0\end{aligned}$$

よって，題意は示された。

4 問題を見てやるべきこと

製品を 1 つ取り出したとき
　　部品 a が不良品であるという事象を A
　　部品 b が不良品であるという事象を B
　　部品 c が不良品であるという事象を C
とすると，与えられた条件より，
$$P(A) = p \quad \cdots\cdots ①$$
$$P_{\overline{A}}(B) = q \quad \cdots\cdots ②$$
$$P_A(B) = 3q \quad \cdots\cdots ③$$
$$P_{\overline{B}}(C) = r \quad \cdots\cdots ④$$
$$P_B(C) = 5r \quad \cdots\cdots ⑤$$
が成り立ちます。まずは与えられた条件を整理し，求めるものが何なのか正し

く把握できていれば，あとはそう大変な作業ではありません。

解　答

製品を 1 つ取り出したとき

　　部品 a が不良品であるという事象を A

　　部品 b が不良品であるという事象を B

　　部品 c が不良品であるという事象を C

とすると，与えられた条件より，

$$P(A) = p \quad \cdots\cdots①$$
$$P_{\overline{A}}(B) = q \quad \cdots\cdots②$$
$$P_A(B) = 3q \quad \cdots\cdots③$$
$$P_{\overline{B}}(C) = r \quad \cdots\cdots④$$
$$P_B(C) = 5r \quad \cdots\cdots⑤$$

が成り立つ。

(1)　①，②，③と，

$$P(\overline{A}) = 1 - P(A) = 1 - p$$

$$P_{\overline{A}}(B) = \frac{P(\overline{A} \cap B)}{P(\overline{A})}, \quad P_A(B) = \frac{P(A \cap B)}{P(A)}$$

より，

$$P(\overline{A} \cap B) = P(\overline{A})P_{\overline{A}}(B) = q(1 - p)$$
$$P(A \cap B) = P(A)P_A(B) = 3pq$$

これらの確率を表にまとめると，

	B	$\overline{B}$	計
A	$3pq$	㋑	p
$\overline{A}$	$q(1-p)$	㋒	$1-p$
計	㋐	㋓	1

$$㋐ = 3pq + q(1 - p) = 2pq + q = q(2p + 1)$$
$$㋑ = p - 3pq = p(1 - 3q)$$
$$㋒ = 1 - p - q(1 - p) = (1 - p)(1 - q)$$
$$㋓ = 1 - ㋐ = 1 - 2pq - q$$

求める確率は，$P(A \cup B)$ で，

$$P(A \cup B) = P(A) + P(B) - P(A \cap B)$$
$$= p + 2pq + q - 3pq$$
$$= \underline{p + q - pq} \quad \boxed{答}$$

(2) (1)より，

$$P(B) = \text{⑦} = q(2p + 1)$$

$$P(\overline{B}) = \text{①} = 1 - 2pq - q$$

また，④，⑤と，

$$P_{\overline{B}}(C) = \frac{P(\overline{B} \cap C)}{P(\overline{B})}, \quad P_B(C) = \frac{P(B \cap C)}{P(B)}$$

より，

$$P(\overline{B} \cap C) = P(\overline{B})P_{\overline{B}}(C) = r(1 - 2pq - q)$$

$$P(B \cap C) = P(B)P_B(C) = 5qr(2p + 1)$$

これらの確率を表にまとめると，

	C	$\overline{C}$	計
B	$5qr(2p + 1)$		$q(2p + 1)$
$\overline{B}$	$r(1 - 2pq - q)$		
計			1

求める確率は $P(C)$ で，

$$P(C) = 5qr(2p + 1) + r(1 - 2pq - q)$$

$$= \underline{8pqr + 4qr + r} \quad \text{答}$$

(3) 求める確率は $P_C(B)$ である。

$$P_C(B) = \frac{P(B \cap C)}{P(C)} = \frac{5qr(2p + 1)}{8pqr + 4qr + r} = \frac{5q(2p + 1)}{8pq + 4q + 1} \quad \text{答}$$

 **研　究**

事象 A が起こったときに事象 B が起こる条件付き確率 $P_A(B)$ は，A を全事象とみるときの $A \cap B$ の起こる確率で，

$$P_A(B) = \frac{n(A \cap B)}{n(A)} = \frac{P(A \cap B)}{P(A)}$$

となります。この分母を払った

$$P(A \cap B) = P(A)P_A(B)$$

を確率の乗法定理といいます。また，

$$P(B) = P(A \cap B) + P(\overline{A} \cap B)$$

$$= P(A)P_A(B) + P(\overline{A})P_{\overline{A}}(B)$$

が成り立ち，これを全確率の定理といいます。

条件付き確率の問題に取り組む際は，上記 2 つの公式をおさえておきましょう。

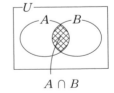

$A \cap B$

理系学部

1

問題を見てやるべきこと

$$\begin{cases} f(x) = a\tan x \\ g(x) = \sin 2x \end{cases} \left(0 \le x < \frac{\pi}{2}\right) \text{とおきます。}$$

(1) C_1 と C_2 が原点以外の交点をもつとき，$f(x) = g(x)$ から，

$a\tan x = \sin 2x$ を満たす $x\left(0 < x < \dfrac{\pi}{2}\right)$

が存在します。

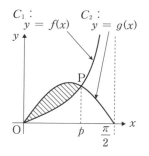

$a \cdot \dfrac{\sin x}{\cos x} = 2\sin x\cos x$ より，

$\qquad \cos^2 x = \dfrac{a}{2} \ (\because \ \ \sin x \neq 0)$

$0 < x < \dfrac{\pi}{2}$ より　$0 < \cos x < 1$ を用いて a の条件が求められます。

(2) $\begin{cases} f'(x) = a \cdot \dfrac{1}{\cos^2 x} \\ g'(x) = 2\cos 2x \end{cases}$

交点 P における接線が直交することから，$x = p$ を代入します。

$f'(p) \cdot g'(p) = -1$ より，$\dfrac{a}{\cos^2 p} \cdot 2\cos 2p = -1$

この式と(1)の $\cos^2 p = \dfrac{a}{2}$ から，$\cos 2p$ の値と a の値を求めます。

(3) 求める面積を S とおくと.

$$S = \int_0^p \{g(x) - f(x)\} \, dx = \int_0^p (\sin 2x - a \tan x) \, dx$$

(2)で得られた a の値を代入します。$\tan x$ の積分は,

$$\int_0^p \tan x \, dx = \int_0^p \frac{\sin x}{\cos x} \, dx = \int_0^p \frac{(-\cos x)'}{\cos x} \, dx = \Big[-\log |\cos x| \Big]_0^p$$

と計算します。

解　答

$$\begin{cases} f(x) = a \tan x \\ g(x) = \sin 2x \end{cases} \left(0 \le x < \frac{\pi}{2} \right) \text{とおく。}$$

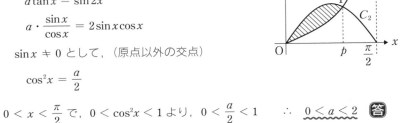

(1) $f(x) = g(x)$ より,

$$a \tan x = \sin 2x$$

$$a \cdot \frac{\sin x}{\cos x} = 2 \sin x \cos x$$

$\sin x \ne 0$ として,（原点以外の交点）

$$\cos^2 x = \frac{a}{2}$$

$0 < x < \dfrac{\pi}{2}$ で, $0 < \cos^2 x < 1$ より, $0 < \dfrac{a}{2} < 1$ $\quad \therefore \quad \underline{0 < a < 2}$ 【答】

(2) $\begin{cases} f'(x) = a \cdot \dfrac{1}{\cos^2 x} \\ g'(x) = 2 \cos 2x \end{cases}$

$f'(p) \cdot g'(p) = -1$ より, $\dfrac{a}{\cos^2 p} \cdot 2 \cos 2p = -1$ $\quad \cdots\cdots ①$

(1)より, $\cos^2 p = \dfrac{a}{2}$ これを①に代入して, $\underline{\cos 2p = -\dfrac{1}{4}}$ 【答】

さらに, $a = 2 \cos^2 p = 2 \cdot \dfrac{1 + \cos 2p}{2} = \dfrac{3}{4}$ 【答】

(3) 求める面積 $S = \displaystyle\int_0^p \{g(x) - f(x)\} dx$

$$= \int_0^p \left(\sin 2x - \frac{3}{4} \tan x \right) dx$$

$$= \left[-\frac{\cos 2x}{2} + \frac{3}{4} \log |\cos x| \right]_0^p$$

$$= -\frac{\cos 2p}{2} + \frac{3}{4} \log (\cos p) + \frac{1}{2}$$

$$= -\frac{1}{2} \cdot \left(-\frac{1}{4} \right) + \frac{3}{4} \cdot \frac{1}{2} \log \cos^2 p + \frac{1}{2}$$

$$= \underline{\underline{\frac{5}{8} + \frac{3}{8} \log \frac{3}{8}}} \quad \text{答} \quad \left(\because \quad \cos^2 p = \frac{a}{2} = \frac{3}{8} \right)$$

 研　究

(1)の別解

C_1 と C_2 が原点以外で，交点をもつとき，C_1 が下に凸，C_2 が上に凸より，

（C_1 の原点における接線の傾き）

　　＜ （C_2 の原点における接線の傾き）

となる。

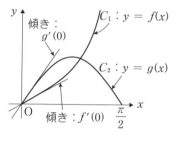

$$\begin{cases} f'(0) = a \cdot \dfrac{1}{\cos^2 0} = a \\[2mm] g'(0) = 2 \cos (2 \cdot 0) = 2 \end{cases}$$

$$\therefore \quad a < 2$$

$a > 0$ より，$\underline{\underline{0 < a < 2}}$ **答**

2

 問題を見てやるべきこと

(1)　G の座標は実数 $s\ (0 < s < 1)$ を用いて，

$$\overrightarrow{OG} = \overrightarrow{OC} + s\,\overrightarrow{CD}$$

$$= (0, 0, 1) + s(a, b, 0)$$

$$= (as, bs, 1)$$

と表すことができます。

$$\overrightarrow{AG} = \overrightarrow{OG} - \overrightarrow{OA}$$

$$= (as, bs, 1) - (a, 0, 0)$$

$$= (a(s - 1), bs, 1) \quad \cdots\cdots ⓐ$$

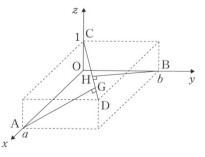

$\overrightarrow{AG} \perp \overrightarrow{CD}$，つまり，$\overrightarrow{AG} \cdot \overrightarrow{CD} = 0$ より，s の値が得られます。

(2) (1)の点 G と同様にして，点 H の座標を求めます。

実数 t $(0 < t < 1)$ を用いて，

$$\overrightarrow{OH} = \overrightarrow{OC} + t\overrightarrow{CD} = (0,\ 0,\ 1) + t(a,\ b,\ 0)$$
$$= (at,\ bt,\ 1)$$

と表すことができます。

$$\overrightarrow{BH} = \overrightarrow{OH} - \overrightarrow{OB} = (at,\ bt,\ 1) - (0,\ b,\ 0)$$
$$= (at,\ b(t-1),\ 1) \quad \cdots\cdots Ⓑ$$

$\overrightarrow{BH} \perp \overrightarrow{CD}$，つまり，$\overrightarrow{BH} \cdot \overrightarrow{CD} = 0$ より，t の値が得られます。

(1)の s の値をⒶに代入し，t の値をⒷに代入することにより，$\overrightarrow{AG}$ と $\overrightarrow{BH}$ を求め，$\cos\theta = \dfrac{\overrightarrow{AG} \cdot \overrightarrow{BH}}{|\overrightarrow{AG}||\overrightarrow{BH}|}$ によって計算します。

解　答

(1) $\overrightarrow{OG} = \overrightarrow{OC} + s\overrightarrow{CD} = (0,\ 0,\ 1) + s(a,\ b,\ 0) = (as,\ bs,\ 1) \quad (0 < s < 1)$
$$\cdots\cdots① \quad と表せる。$$

$\overrightarrow{AG} = \overrightarrow{OG} - \overrightarrow{OA} = (a(s-1),\ bs,\ 1) \quad \cdots\cdots②$

$\overrightarrow{AG} \perp \overrightarrow{CD}$ より，$\overrightarrow{AG} \cdot \overrightarrow{CD} = 0$

$\therefore\ a^2(s-1) + b^2 s = 0$

$\therefore\ s = \dfrac{a^2}{a^2 + b^2}$ （これは $0 < s < 1$ を満たす）$\cdots\cdots③$

これを①に代入して，$\underset{\wwbar}{G\left(\dfrac{a^3}{a^2 + b^2},\ \dfrac{a^2 b}{a^2 + b^2},\ 1\right)}$ **答**

(2) (1)と同様にして，

$\overrightarrow{OH} = \overrightarrow{OC} + t\overrightarrow{CD} = (0,\ 0,\ 1) + t(a,\ b,\ 0) = (at,\ bt,\ 1) \quad (0 < t < 1)$

と表せる。

$\overrightarrow{BH} = \overrightarrow{OH} - \overrightarrow{OB} = (at,\ b(t-1),\ 1) \quad \cdots\cdots④$

$\overrightarrow{BH} \perp \overrightarrow{CD}$ より，$\overrightarrow{BH} \cdot \overrightarrow{CD} = 0$

$\therefore\ a^2 t + b^2(t-1) = 0$

$\therefore\ t = \dfrac{b^2}{a^2 + b^2}$ （これは $0 < t < 1$ を満たす）$\cdots\cdots⑤$

$$\begin{cases} ③を②に代入して，\overrightarrow{AG} = \left(\dfrac{-ab^2}{a^2 + b^2},\ \dfrac{a^2 b}{a^2 + b^2},\ 1\right) \\[3mm] ⑤を④に代入して，\overrightarrow{BH} = \left(\dfrac{ab^2}{a^2 + b^2},\ \dfrac{-a^2 b}{a^2 + b^2},\ 1\right) \end{cases}$$

$$|\overrightarrow{AG}| = |\overrightarrow{BH}| = \frac{1}{a^2 + b^2}\sqrt{a^2 b^4 + a^4 b^2 + (a^2 + b^2)^2}$$

$$= \frac{1}{a^2 + b^2}\sqrt{(a^2 + b^2)(a^2 + b^2 + a^2 b^2)}$$

$$\overrightarrow{AG} \cdot \overrightarrow{BH} = \frac{1}{(a^2 + b^2)^2}\{-a^2 b^4 - a^4 b^2 + (a^2 + b^2)^2\}$$

$$= \frac{1}{(a^2 + b^2)^2}(a^2 + b^2)(a^2 + b^2 - a^2 b^2)$$

$$= \frac{a^2 + b^2 - a^2 b^2}{a^2 + b^2}$$

$$\therefore \quad \cos\theta = \frac{\overrightarrow{AG} \cdot \overrightarrow{BH}}{|\overrightarrow{AG}||\overrightarrow{BH}|} = \frac{\overrightarrow{AG} \cdot \overrightarrow{BH}}{|\overrightarrow{AG}|^2} = \frac{a^2 + b^2 - a^2 b^2}{a^2 + b^2 + a^2 b^2} \quad \boxed{答}$$

 研　究

（正射影による **別解 1** と幾何的解法による **別解 2** を紹介します。）

別解 1

(1)

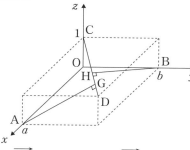

$$\overrightarrow{CA} = (a, 0, -1), \quad \overrightarrow{CD} = (a, b, 0)$$

$$\overrightarrow{CA} \cdot \overrightarrow{CD} = |\overrightarrow{CD}||\overrightarrow{CA}|\cos\alpha = |\overrightarrow{CD}||\overrightarrow{CG}| \ \text{より,}$$

（正射影）

$$\overrightarrow{CG} = \left(\frac{\overrightarrow{CA} \cdot \overrightarrow{CD}}{|\overrightarrow{CD}|}\right) \cdot \frac{\overrightarrow{CD}}{|\overrightarrow{CD}|} = \frac{a^2}{a^2 + b^2}(a, b, 0)$$

$$\therefore \quad \overrightarrow{OG} = \overrightarrow{OC} + \overrightarrow{CG} = \left(\frac{a^3}{a^2 + b^2}, \frac{a^2 b}{a^2 + b^2}, 1\right) \quad$$

(2) $\overrightarrow{CB} = (0,\ b,\ -1),\ \overrightarrow{CD} = (a,\ b,\ 0)$

$\overrightarrow{CB} \cdot \overrightarrow{CD} = |\overrightarrow{CD}| \underbrace{|\overrightarrow{CB}| \cos\beta}$ （正射影）

$= |\overrightarrow{CD}| |\overrightarrow{CH}|$ より，

$\overrightarrow{CH} = \left(\dfrac{\overrightarrow{CB} \cdot \overrightarrow{CD}}{|\overrightarrow{CD}|} \right) \cdot \dfrac{\overrightarrow{CD}}{|\overrightarrow{CD}|}$

$= \dfrac{b^2}{a^2 + b^2}(a,\ b,\ 0)$

$\therefore\ \overrightarrow{BH} = \overrightarrow{BC} + \overrightarrow{CH} = (0,\ -b,\ 1) + \dfrac{b^2}{a^2 + b^2}(a,\ b,\ 0)$

$= \left(\dfrac{ab^2}{a^2 + b^2},\ \dfrac{-a^2 b}{a^2 + b^2},\ 1 \right)$

(1)より，

$\overrightarrow{AG} = \overrightarrow{AO} + \overrightarrow{OG} = (-a,\ 0,\ 0) + \left(\dfrac{a^3}{a^2 + b^2},\ \dfrac{a^2 b}{a^2 + b^2},\ 1 \right)$

$= \left(\dfrac{-ab^2}{a^2 + b^2},\ \dfrac{a^2 b}{a^2 + b^2},\ 1 \right)$

以下，解答と同様。

別解 2 〜図形的処理〜

xy 平面に射影する。

(1) △ADG と △CAG は相似で，相似比は $b : a$

$\therefore\ $ △ADG : △CAG $= b^2 : a^2$

$\therefore\ \overrightarrow{CG} = \dfrac{a^2}{a^2 + b^2} \overrightarrow{CD}$

$\therefore\ \overrightarrow{OG} = \overrightarrow{OC} + \overrightarrow{CG}$

$= (0,\ 0,\ 1) + \dfrac{a^2}{a^2 + b^2}(a,\ b,\ 0) = \left(\dfrac{a^3}{a^2 + b^2},\ \dfrac{a^2 b}{a^2 + b^2},\ 1 \right)$ **答**

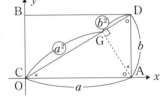

(2) △BCH と △DBH は相似で，相似比は $b : a$

$\therefore\ $ △BCH : △DBH $= b^2 : a^2$

$\therefore\ \overrightarrow{CH} = \dfrac{b^2}{a^2 + b^2} \overrightarrow{CD}$

$\therefore\ \overrightarrow{OH} = \overrightarrow{OC} + \overrightarrow{CH}$

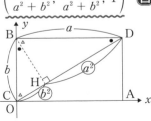

$$= (0,\ 0,\ 1) + \frac{b^2}{a^2 + b^2}(a,\ b,\ 0) = \left(\frac{ab^2}{a^2 + b^2},\ \frac{b^3}{a^2 + b^2},\ 1\right)$$

以下，解答と同様。

3

 問題を見てやるべきこと

❶　❷　❸　❹　❺　❻　❼　❽　❾　❿　⓫　⓬　⓭　　　　　⓰⓪⓪

1　5　9　13　17　21　25　29　33　37　41　45　49　……　2397

(1)　$a_6 = 21$ が最初の 7 の倍数。以後，7 の倍数は 7 項ごとに出現します。つまり，a_n の値が $4 \cdot 7 = 28$ 増えるごとに出現します。

$21 + 28 \times 84 = 2373$ が最後の 7 の倍数となります。

(2)　$a_{13} = 49$ が最初の 7^2 の倍数，以後，7^2 の倍数は 7^2 項ごとに出現します。つまり，a_n の値が $4 \cdot 7^2 = 196$ 増えるごとに出現します。

$49 + 196 \times 11 = 2205$ が最後の 7^2 の倍数となります。

(3)　7^3 の倍数が $a_1 \sim a_{600}$ に含まれるか調べます。

　　　$7^3 = 343$ なので，343×1，343×2 は $\{a_n\}$ に含まれません。

　　　$343 \times 3 = 1029 = a_{258}$ が最初の 7^3 の倍数。

　　　$1029 + 7^3 \cdot 4 = 2401 = a_{601}$ より，$a_1 \sim a_{600}$ で 7^3 の倍数は a_{258} だけです。

$1029 = 21 + 28 \times 36$，$1029 = 49 + 196 \times 5$　より，

$a_{258} = 1029$ までに
$\begin{cases} 7 \text{ の倍数は，} 36 + 1 = 37 \text{ 個} \\ 7^2 \text{ の倍数は，} 5 + 1 = 6 \text{ 個} \\ 7^3 \text{ の倍数は，} 1 \text{ 個} \end{cases}$

合計 44 個，7 を因数にもちます。

解　答 ▶

(1)　$a_6 = 21$ が最初の 7 の倍数。7 と 4 は互いに素により，以降，$7 \cdot 4 = 28$ ごとに 7 の倍数が出現する。

$21 + 28l \leqq 2397$ （l は整数）より，$l \leqq \dfrac{2376}{28} = 84 + \dfrac{6}{7}$

$21 + 28 \times 84 = 2373$ が最後の 7 の倍数により，$84 + 1 = \underline{85\ 個}$

(2) $a_{13} = 49$ が最初の 7^2 の倍数。7^2 と 4 は互いに素により，以降，$7^2 \cdot 4 = 196$ ごとに 7^2 の倍数が出現する。

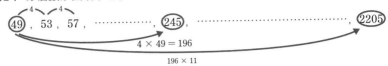

$49 + 196m \leqq 2397$（m は整数）より，$m \leqq \dfrac{2348}{196} = 11 + \dfrac{48}{49}$

$49 + 196 \times 11 = 2205$ が最後の 7^2 の倍数により，$11 + 1 = \underline{12}$ 個 【答】

(3) $7^3 = 343$ に注意して，$\overline{343 \times 1}$，$\overline{343 \times 2}$，$343 \times 3 = 1029$ は a_n の第 600 項までに含まれる。

$1029 = 21 + 28 \times 36$，$1029 = 49 + 196 \times 5$ より，

1029 までに 7 の倍数は，$36 + 1 = 37$ 個
$\quad\quad\quad\quad$ 7^2 の倍数は，$5 + 1 = 6$ 個 $\Big\}$ 合計 44 個，7 を因数にもつ。
$\quad\quad\quad\quad$ 7^3 の倍数は，$\quad\quad$ 1 個

よって，$45 - 44 = 1$　次の 7 の倍数は，$21 + 28 \times 37 = 1057$ となり，

$1 + 4 \times (265 - 1) = 1057$ より，$n = 265$ が最小。$n = \underline{265}$ 【答】

 研　究

別　解

(1) $a_n = 1 + 4(n - 1) = 4n - 3 \ (n \geqq 1)$　……①

$a_n = 4n - 3 = 7l_1$（l_1 は整数）とおくと，

$\quad 4n - 7l_1 = 3$　……②

$\quad 4 \cdot (-1) - 7 \cdot (-1) = 3$　……③

①②より，$4(n + 1) = 7(l_1 + 1)$

4 と 7 は互いに素により，$n + 1 = 7k$（k は整数）とおける。

$\quad \therefore \quad n = 7k - 1$

$\quad a_n = 4(7k - 1) - 3 = 7(4k - 1)$　……④

$\quad\quad\quad$ ↓ ①の n

$1 \leqq 7k - 1 \leqq 600$ より，$1 \leqq k \leqq 85$　　$\underline{85}$ 個 【答】

(2) ④より，$4k - 1 = 7l_2$（l_2 は整数）とおくと，$a_n = 7^2 \cdot l_2$ より，7^2 の倍数となる。

$\quad 4k - 7l_2 = 1$　……⑤

$\quad 4 \cdot 2 - 7 \cdot 1 = 1$　……⑥

⑤⑥より，$4(k - 2) = 7(l_2 - 1)$

4と7は互いに素により，$k - 2 = 7k'$（k' は整数）とおける。

$\qquad \therefore \quad k = 7k' + 2$

④より，$a_n = 4\{7(7k' + 2) - 1\} - 3 = 49(4k' + 1)$　……⑦

$\qquad\qquad\qquad \downarrow$ ①の n

$\qquad 1 \leqq 7(7k' + 2) - 1 \leqq 600$

$\qquad 0 \leqq k' \leqq 11$　　$\underline{12 \text{ 個}}$　**答**

(3)　⑦より，$4k' + 1 = 7l_3$（l_3 は整数）とおくと，$a_n = 49 \cdot 7l_3 = 7^3 \cdot l_3$ より，7^3 の倍数となる。

$\qquad 4k' - 7l_3 = -1$　……⑧

$\qquad 4 \cdot (-2) - 7 \cdot (-1) = -1$　……⑨

⑧⑨より，$4(k' + 2) = 7(l_3 + 1)$

4と7は互いに素により，$k' + 2 = 7k''$（k'' は整数）とおける。

$\qquad \therefore \quad k' = 7k'' - 2$

⑦より，$a_n = 4[7\{7(7k'' - 2) + 2\} - 1] - 3 = 7^3(4k'' - 1)$

$\qquad\qquad\qquad\qquad \downarrow$ ①の n

$\qquad 1 \leqq 7\{7(7k'' - 2) + 2\} - 1 \leqq 600$

$\qquad 1 \leqq 7^3 \cdot k'' - 85 \leqq 600$

これを満たす k'' は $k'' = 1$ のみ。

このとき，$n = 7^3 \cdot 1 - 85 = 258$，$k' = 7 \cdot 1 - 2 = 5$，$k = 7 \cdot 5 + 2 = 37$

$a_1 \cdot a_2 \cdot \cdots\cdots \cdot a_{258}$ に
$\begin{cases} k = 37 \text{ より，} 7 \text{ の倍数が 37 個} \\ k' = 5 \text{ より，} 7^2 \text{ の倍数が } 5 + 1 = 6 \text{ 個} \\ \\ k'' = 1 \text{ より，} 7^3 \text{ の倍数が 1 個} \quad \boxed{k' = 0} \end{cases}$
7で44回割り切ることができる

$45 - 44 = 1$ より，次の7の倍数は，$k = 38$ として，

$\qquad n = 7 \cdot 38 - 1 = \underline{265}$　**答**

4

 問題を見てやるべきこと

(1)　A が4回目に勝つとき，4回目が A の番である必要があります。

　つまり，3回目終了時点で①（青が3回），または②（白が3回），取り出されている場合です。A が7回目に勝つとき，7回目が A の番である必要があります。

　つまり，6回目終了時点で①（青が6回），または②（白が6回），または③（青が3回，白が3回），取り出されている場合です。

(2) $d_n = a_n + b_n + c_n$ は，n 回目に A，B，C の誰かが玉を取り出す確率です。つまり，$(n-1)$ 回目まで勝者が現れない場合です。

$(n-1)$ 回連続して赤が出ない，すなわち，青または白が出る確率を求めます。

(3)

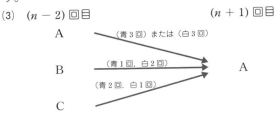

上図より，

$$a_{n+1} = a_{n-2} \times \left\{ \left(\frac{1}{4} \right)^3 + \left(\frac{1}{4} \right)^3 \right\} + b_{n-2} \times {}_3\mathrm{C}_1 \left(\frac{1}{4} \right) \left(\frac{1}{4} \right)^2$$
$$+ c_{n-2} \times {}_3\mathrm{C}_2 \left(\frac{1}{4} \right)^2 \left(\frac{1}{4} \right)$$
$$= 2 \left(\frac{1}{4} \right)^3 a_{n-2} + 3 \left(\frac{1}{4} \right)^3 b_{n-2} + 3 \left(\frac{1}{4} \right)^3 c_{n-2}$$

$a_n + b_n + c_n = d_n$ と(2)の結果を用いて，a_{n+1} と a_{n-2} だけの式に変形します。

解　答

(1)　A が 4 回目に勝つためには，4 回目が A の番である必要がある。

　その場合は①（青玉が 3 回），②（白玉が 3 回），取り出された後，4 回目に A が赤玉を取り出せばよい。

$$\therefore \quad \left\{ \left(\frac{1}{4} \right)^3 + \left(\frac{1}{4} \right)^3 \right\} \times \frac{2}{4} = \frac{1}{64} \quad 答$$

　A が 7 回目に勝つためには，7 回目が A の番である必要がある。

　その場合は①（青玉が 6 回），②（白玉が 6 回），③（青玉が 3 回，白玉が 3 回），取り出された後，7 回目に A が赤玉を取り出せばよい。

$$\therefore \quad \left\{ \left(\frac{1}{4} \right)^6 + \left(\frac{1}{4} \right)^6 + \left(\frac{1}{4} \right)^6 \cdot {}_6\mathrm{C}_3 \right\} \times \frac{2}{4} = \frac{11}{4096} \quad 答$$

(2)　n 回目に A，B，C の誰かが玉を取り出すのは，$(n-1)$ 回目までに赤が出ない場合，つまり $(n-1)$ 回連続して青，または白が出る場合。

$$\therefore \quad d_n = \left(\frac{2}{4} \right)^{n-1} = \left(\frac{1}{2} \right)^{n-1} \quad 答$$

(3)　$(n-2)$ 回目　　　　　　　　　　　　　$(n+1)$ 回目

A

（青 3 回）または（白 3 回）

B　　（青 1 回，白 2 回）

（青 2 回，白 1 回）　　　A

C

$$\therefore\quad a_{n+1} = a_{n-2} \times \left\{ \left(\frac{1}{4} \right)^3 + \left(\frac{1}{4} \right)^3 \right\} + b_{n-2} \times {}_3\mathrm{C}_1 \left(\frac{1}{4} \right) \left(\frac{1}{4} \right)^2$$

$$+ c_{n-2} \times {}_3\mathrm{C}_2 \left(\frac{1}{4} \right)^2 \left(\frac{1}{4} \right)$$

$$= 2 \left(\frac{1}{4} \right)^3 a_{n-2} + 3 \left(\frac{1}{4} \right)^3 b_{n-2} + 3 \left(\frac{1}{4} \right)^3 c_{n-2}$$

$$= 2 \left(\frac{1}{4} \right)^3 a_{n-2} + 3 \left(\frac{1}{4} \right)^3 (b_{n-2} + c_{n-2})$$

$$= 2 \left(\frac{1}{4} \right)^3 a_{n-2} + 3 \left(\frac{1}{4} \right)^3 (d_{n-2} - a_{n-2})$$

$$= 2 \left(\frac{1}{4} \right)^3 a_{n-2} - 3 \left(\frac{1}{4} \right)^3 a_{n-2} + 3 \left(\frac{1}{4} \right)^3 \left(\frac{1}{2} \right)^{n-3} \quad (\because \ (2))$$

$$= -\frac{1}{64} a_{n-2} + 3 \left(\frac{1}{2} \right)^{n+3} \quad \boxed{答}$$

 研　究

(3)の別解

n 回目　　　　　　　　　　　　　$(n+1)$ 回目

A　　　　　　　　　　　　　　　A

$\times \frac{1}{4}$

$\times \frac{1}{4}$　　　$\times \frac{1}{4}$　　$\times \frac{1}{4}$

B　　　$\times \frac{1}{4}$　　　　　　　B

$\times \frac{1}{4}$　　　$\times \frac{1}{4}$

C　　　　　　　　　　　　　　　C

$$\begin{cases} a_{n+1} = \dfrac{1}{4} a_n + \dfrac{1}{4} c_n & \cdots\cdots① \\[2mm] b_{n+1} = \dfrac{1}{4} a_n + \dfrac{1}{4} b_n & \cdots\cdots② \\[2mm] c_{n+1} = \dfrac{1}{4} b_n + \dfrac{1}{4} c_n & \cdots\cdots③ \end{cases}$$

①より，$a_{n+1} = \dfrac{1}{4}(a_n + c_n)$

$\qquad = \dfrac{1}{4}\left\{\left(\dfrac{1}{4}a_{n-1} + \dfrac{1}{4}c_{n-1}\right) + \left(\dfrac{1}{4}b_{n-1} + \dfrac{1}{4}c_{n-1}\right)\right\}$ （∵ ①，③）

$\qquad = \dfrac{1}{16}(a_{n-1} + b_{n-1} + 2c_{n-1})$

$\qquad = \dfrac{1}{16}\left\{\left(\dfrac{1}{4}a_{n-2} + \dfrac{1}{4}c_{n-2}\right) + \left(\dfrac{1}{4}a_{n-2} + \dfrac{1}{4}b_{n-2}\right)\right.$

$\qquad\qquad \left. + \left(\dfrac{1}{2}b_{n-2} + \dfrac{1}{2}c_{n-2}\right)\right\}$ （∵ ①，②，③）

$\qquad = \dfrac{1}{16}\left(\dfrac{1}{2}a_{n-2} + \dfrac{3}{4}b_{n-2} + \dfrac{3}{4}c_{n-2}\right)$

$\qquad = \dfrac{1}{64}(2a_{n-2} + 3b_{n-2} + 3c_{n-2})$

$\qquad = \dfrac{1}{64}\{2a_{n-2} + 3(d_{n-2} - a_{n-2})\}$ （∵ (2)）

$\qquad = -\dfrac{1}{64}a_{n-2} + \dfrac{3}{64}\left(\dfrac{1}{2}\right)^{n-3}$

$\qquad = \underline{\underline{-\dfrac{1}{64}a_{n-2} + \dfrac{3}{2^{n+3}}}}$ 答

5 **問題を見てやるべきこと**

(1) $\alpha = 10000 + 10000i = 10000\sqrt{2}\left(\dfrac{1}{\sqrt{2}} + \dfrac{1}{\sqrt{2}}i\right)$

$\qquad = 10000\sqrt{2}\left(\cos\dfrac{\pi}{4} + i\sin\dfrac{\pi}{4}\right)$

$\qquad w = \dfrac{\sqrt{3}}{4} + \dfrac{1}{4}i = \dfrac{1}{2}\left(\dfrac{\sqrt{3}}{2} + \dfrac{1}{2}i\right) = \dfrac{1}{2}\left(\cos\dfrac{\pi}{6} + i\sin\dfrac{\pi}{6}\right)$

より，$\begin{cases} |z_n| = |\alpha w^n| = |\alpha||w|^n = 10000\sqrt{2}\cdot\left(\dfrac{1}{2}\right)^n = \dfrac{10000\sqrt{2}}{2^n} \\[2mm] \arg z_n = \arg(\alpha w^n) = \arg\alpha + n\arg w = \dfrac{\pi}{4} + n\cdot\dfrac{\pi}{6} = \dfrac{2n+3}{12}\pi \end{cases}$

が得られます。

(2) (1)より, $|z_n| = \dfrac{10000\sqrt{2}}{2^n} \leqq 1$

$10000\sqrt{2} \leqq 2^n$ の両辺の常用対数をとり,

$\log_{10} 10^4 + \log_{10} 2^{\frac{1}{2}} \leqq n \log_{10} 2$ を計算して, 最小の自然数 n を求めます。

(3) (2)より $|z_n| \leqq 1$ が成立する最小の自然数
は 14 となります。

$n \leqq 13$ のときは $|z_n| > 1$ により, △ABC
の内部に含まれることはありません。

$n = 14$, 15, ……, と P の位置を調べます。

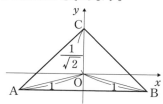

解　答

(1) $\alpha = 10000 + 10000i = 10000\sqrt{2}\left(\dfrac{1}{\sqrt{2}} + \dfrac{1}{\sqrt{2}}i\right)$

$\qquad = 10000\sqrt{2}\left(\cos\dfrac{\pi}{4} + i\sin\dfrac{\pi}{4}\right)$

$\qquad w = \dfrac{\sqrt{3}}{4} + \dfrac{1}{4}i = \dfrac{1}{2}\left(\dfrac{\sqrt{3}}{2} + \dfrac{1}{2}i\right) = \dfrac{1}{2}\left(\cos\dfrac{\pi}{6} + i\sin\dfrac{\pi}{6}\right)$

よって, $\begin{cases} |z_n| = |\alpha w|^n = |\alpha||w^n| = 10000\sqrt{2}\cdot\left(\dfrac{1}{2}\right)^n = \dfrac{10000\sqrt{2}}{2^n} \quad \text{答} \\[3mm] \arg z_n = \arg\alpha + \arg w^n = \arg\alpha + n\arg w \\[3mm] \qquad = \dfrac{\pi}{4} + n\cdot\dfrac{\pi}{6} = \dfrac{2n+3}{12}\pi \quad \text{答} \end{cases}$

(2) $\dfrac{10000\sqrt{2}}{2^n} \leqq 1$ のとき, $10000\sqrt{2} \leqq 2^n$

$\qquad \therefore \quad \log_{10} 10000\sqrt{2} \leqq \log_{10} 2^n$

$\qquad \Longleftrightarrow \log_{10} 10^4 + \log_{10} 2^{\frac{1}{2}} \leqq n \log_{10} 2 \qquad \therefore \quad \dfrac{4 + 0.1505}{0.301} = 13.7\cdots \leqq n$

以上より, 最小値は $\underline{14}$

(3) (2)より, $n \leqq 13$ のとき $|z_n| > 1$ であり, OA = 1, OB = 1, OC = $\dfrac{1}{\sqrt{2}}$ より, 点 $P_n(z_n)$ が $\triangle ABC$ の内部に含まれることはない。

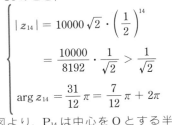

$n = 14$ のとき,

$$\begin{cases} |z_{14}| = 10000\sqrt{2} \cdot \left(\dfrac{1}{2}\right)^{14} \\ \qquad = \dfrac{10000}{8192} \cdot \dfrac{1}{\sqrt{2}} > \dfrac{1}{\sqrt{2}} \\ \arg z_{14} = \dfrac{31}{12}\pi = \dfrac{7}{12}\pi + 2\pi \end{cases}$$

右図より, P_{14} は中心を O とする半径 $\dfrac{1}{\sqrt{2}}$ の円の外側にあり, $\triangle ABC$ の外部に存在する。

$n = 15$ のとき,

$$\begin{cases} |z_{15}| = \dfrac{1}{2}|z_{14}| < \dfrac{1}{2} \quad (\because \ \ (2)より, \ |z_{14}| < 1) \\ \arg z_{15} = \dfrac{33}{12}\pi = \dfrac{3}{4}\pi + 2\pi \end{cases}$$

右上図より, P_{15} は $\triangle ABC$ の内部に存在する。

∴ $\underline{n = 15}$ 【答】

🔈 **研 究**

⑤(3)は本年度の③(3)同様に, (1)(2)のプロセスで予測をつけて順に候補の値を調べていきます。

〈資料編〉に紹介している 2002 年度理系④は, 三角形の垂心に関して問われています。難度は高いですが, 合わせて学習しましょう。

2024
2023
2022
2021
2020
2019
2018
2017
2016
2015
2014
2013
2012
2011
2010

文系学部

1

 ## 問題を見てやるべきこと

(1)　放物線の接線を求めるには，接線の公式を用いるか，2 式を連立して (判別式) $= 0$ か，の大きく 2 つの方法があり，共通接線であればこの 2 つの方法の組み合わせで求めます。

(2)で面積を求めることを考えると，面積計算に必要な接点の x 座標がすぐにわかる接線の公式を用いるのが普通です。

$y = f(x)$ 上の点 $(a, f(a))$ における接線の方程式は，

$$y - f(a) = f'(a)(x - a)$$

と表せますから，C_1 上の点 $(t, 2t^2 + 1)$ における接線の方程式は，

$$y = 4t(x - t) + 2t^2 + 1$$

$$\therefore \quad y = 4tx - 2t^2 + 1$$

であり，これが C_2 に接する条件として，2 式を連立して (判別式) $= 0$ の議論に持ち込むか，あるいは C_2 上の点 $(s, -s^2 + a)$ における接線の方程式を

$$y = -2sx + s^2 + a$$

と計算して，2 つの接線が一致する条件を考えるか，ということになります。

解　答

(1)　$y = 2x^2 + 1$　……①，$y = -x^2 + a$　……②
とする。

　①について，$y' = 4x$

　C_1 上の点 $(t, 2t^2 + 1)$ における接線の方程式は，

$$y = 4t(x - t) + 2t^2 + 1$$

$$\therefore \quad y = 4tx - 2t^2 + 1 \quad ……③$$

　③が C_2 とも接するための条件は，②，③から y を消去して得た

$$-x^2 + a = 4tx - 2t^2 + 1$$

$$\therefore \quad x^2 + 4tx - 2t^2 + 1 - a = 0 \quad ……④$$

について，（判別式）＝ 0 となることで，

$$（判別式）／4 = 4t^2 - (-2t^2 + 1 - a) = 0$$

$$\therefore \quad t = \pm\sqrt{\frac{1-a}{6}}$$

これを③に代入して，求める直線の方程式は，

$$y = 4\sqrt{\frac{1-a}{6}}\,x + \frac{a+2}{3}, \quad y = -4\sqrt{\frac{1-a}{6}}\,x + \frac{a+2}{3} \quad \boxed{答}$$

(2) $t = \sqrt{\dfrac{1-a}{6}}$ のとき（これを α とおく。）

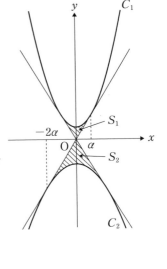

共通接線の方程式は，

$$y = 4\alpha x - 2\alpha^2 + 1$$

また④が重解をもつとき，その重解は，
$x = -2t\,(=-2\alpha)$ だから，C_2 と共通接線との
接点の x 座標は，-2α

S_1, S_2 は右図斜線部で，対称性を考慮して，

$$S_1 = 2\int_0^\alpha \{(2x^2 + 1) - (4\alpha x - 2\alpha^2 + 1)\}\,dx$$

$$= 2\int_0^\alpha 2(x - \alpha)^2\,dx$$

$$= 4\left[\frac{1}{3}(x - \alpha)^3\right]_0^\alpha$$

$$= \frac{4}{3}\alpha^3$$

同様に，

$$S_2 = 2\int_{-2\alpha}^0 \{(4\alpha x - 2\alpha^2 + 1) - (-x^2 + a)\}\,dx$$

$$= 2\int_{-2\alpha}^0 (x + 2\alpha)^2\,dx$$

$$= 2\left[\frac{1}{3}(x + 2\alpha)^3\right]_{-2\alpha}^0$$

$$= \frac{16}{3}\alpha^3$$

$\left[\begin{array}{l} y = 4\alpha x - 2\alpha^2 + 1 \text{ と } y = -x^2 + a \text{ が } x = -2\alpha \text{ で接することから，第 1 式から第} \\ 2 \text{ 式のように変形できます。} \end{array}\right]$

よって，$\dfrac{S_2}{S_1} = \dfrac{\dfrac{16}{3}\alpha^3}{\dfrac{4}{3}\alpha^3} = \underset{\sim}{4}$ **答**

 研　究

C_1 の接線と C_2 の接線が一致する条件を考えて共通接線を求める方法だと，以下のようになります。

別　解

(1)　$y = 2x^2 + 1$ について，$y' = 4x$

C_1 上の点 $(t, 2t^2 + 1)$ における接線の方程式は，

$$y = 4t(x - t) + 2t^2 + 1$$

$$\therefore \quad y = 4tx - 2t^2 + 1 \quad \cdots\cdots①$$

また，$y = -x^2 + a$ について，$y' = -2x$

C_2 上の点 $(s, -s^2 + a)$ における接線の方程式は，

$$y = -2s(x - s) - s^2 + a$$

$$\therefore \quad y = -2sx + s^2 + a \quad \cdots\cdots②$$

①と②が一致するとき，

$$\begin{cases} 4t = -2s \\ -2t^2 + 1 = s^2 + a \end{cases}$$

これを解いて，

$$\begin{cases} t = \pm\sqrt{\dfrac{1-a}{6}} \\ s = \mp 2\sqrt{\dfrac{1-a}{6}} \end{cases}$$（複号同順）

これを①（または②）に代入して，求める直線の方程式は，

$$y = 4\sqrt{\dfrac{1-a}{6}}\,x + \dfrac{a+2}{3}, \quad y = -4\sqrt{\dfrac{1-a}{6}}\,x + \dfrac{a+2}{3}$$ **答**

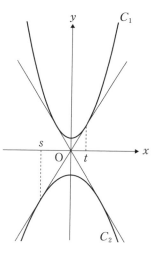

(2)

$$S_1 = 2\int_0^t (C_1 - ①)\,dx$$

$$= 2\int_0^t \{(2x^2 + 1) - (4tx - 2t^2 + 1)\}\,dx$$

$$= 2\int_0^t 2(x - t)^2\,dx$$

$$= 2\left[\frac{2}{3}(x - t)^3\right]_0^t$$

$$= \frac{4}{3}t^3$$

同様に,

$$S_2 = 2\int_s^0 (② - C_2)\,dx$$

$$= 2\int_s^0 \{(-2sx + s^2 + a) - (-x^2 + a)\}\,dx$$

$$= 2\int_s^0 (x - s)^2\,dx$$

$$= 2\left[\frac{1}{3}(x - s)^3\right]_s^0$$

$$= -\frac{2}{3}s^3$$

$$= \frac{16}{3}t^3 \quad (①と②が一致する条件から, \ s = -2t)$$

よって,$\dfrac{S_2}{S_1} = \dfrac{\dfrac{16}{3}t^3}{\dfrac{4}{3}t^3} = \underline{4}$ 答

②

問題を見てやるべきこと

(2), (3)

「無理数」は「有理数でない数」という(否定的な)定義ですので,否定を否定し肯定にしてから議論を始めます。つまり「有理数であるとすると」と書き出し,結果として矛盾が生じることを示す背理法を採用します。

解　答

△OAB が正三角形であるための条件は,

$$OA = OB = AB$$

すなわち, $1 + a^2 = s^2 + t^2 = (s-1)^2 + (t-a)^2$ ……①

(1) $a = 1$ のとき, ①は,

$$s^2 + t^2 = 2 \quad \cdots\cdots②, \quad (s-1)^2 + (t-1)^2 = 2 \quad \cdots\cdots③$$

②－③より,

$$2s + 2t - 2 = 0 \qquad \therefore \quad t = 1 - s \quad \cdots\cdots④$$

これを②に代入して,

$$s^2 + (1-s)^2 = 2$$
$$2s^2 - 2s - 1 = 0$$
$$\therefore \quad s = \frac{1 \pm \sqrt{3}}{2}$$

これを④に代入して,

$$(s,\ t) = \left(\frac{1 \pm \sqrt{3}}{2},\ \frac{1 \mp \sqrt{3}}{2} \right) \quad (複号同順) \quad 答$$

(2) **証　明** $\sqrt{3}$ が有理数であると仮定すると,

$\sqrt{3} = \dfrac{q}{p}$ （p, q は互いに素な自然数）と表せる。

両辺 2 乗すると,

$$3 = \frac{q^2}{p^2} \qquad \therefore \quad 3p^2 = q^2$$

左辺, 右辺を素因数分解したときの素因数 3 の個数を比較すると, 左辺は奇数個, 右辺は偶数個となり不合理である。

よって, $\sqrt{3}$ は無理数である。

(3) **証　明** ①より,

$$s^2 + t^2 = 1 + a^2 \quad \cdots\cdots⑤, \quad (s-1)^2 + (t-a)^2 = 1 + a^2 \quad \cdots\cdots⑥$$

(1)同様にこれを解く。

⑤－⑥より,

$$2s + 2at - 1 - a^2 = 0 \qquad \therefore \quad s = -at + \frac{1+a^2}{2} \quad \cdots\cdots⑦$$

⑤に代入して,

$$\left(-at+\frac{1+a^2}{2}\right)^2+t^2=1+a^2$$

$$\left(1+a^2\right)t^2-a\left(1+a^2\right)t+\frac{\left(1+a^2\right)^2}{4}=1+a^2$$

両辺を $1+a^2\,(>0)$ で割って，

$$t^2-at+\frac{1+a^2}{4}=1$$

$$t^2-at+\frac{a^2-3}{4}=0$$

$$\therefore\quad t=\frac{a\pm\sqrt{3}}{2}$$

これを⑦に代入して

$$(s,\ t)=\left(\frac{1\mp\sqrt{3}\,a}{2},\ \frac{a\pm\sqrt{3}}{2}\right)\quad\text{(複号同順)}$$

さて，t が有理数だと仮定して矛盾を導く。

$t=\dfrac{a\pm\sqrt{3}}{2}$ より，

$$2t=a\pm\sqrt{3}$$
$$2t-a=\pm\sqrt{3}$$

となるが，a，t は有理数だから左辺は有理数であり，(2)より右辺は無理数であるからこれは不合理。

よって，t は無理数である。

以上より，題意は示された。

 研　究

　△OAB が正三角形となるような $(s,\ t)$ の求め方として，以下のようにベクトルを使う方法もあります。図形の性質を利用している分，計算はずいぶん楽になります。

　線分 OA の中点を M とすると，

$$\overrightarrow{\mathrm{OM}}=\frac{1}{2}\overrightarrow{\mathrm{OA}}=\left(\frac{1}{2},\ \frac{a}{2}\right)\text{で，}$$

$$\overrightarrow{\mathrm{OB}}=\overrightarrow{\mathrm{OM}}+\overrightarrow{\mathrm{MB}}$$

と表せる。

　また，$\overrightarrow{\mathrm{OA}}$ に垂直なベクトルとして，

$$\vec{n}=(a,\ -1)$$

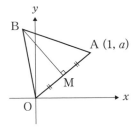

2024
2023
2022
2021
2020
2019
2018
2017
2016
2015
2014
2013
2012
2011
2010

がとれる。

ここで $\overrightarrow{MB}$ は，$\overrightarrow{OA}$ に垂直で（$\vec{n}$ に平行で），

大きさが $\dfrac{\sqrt{3}}{2}|\overrightarrow{OA}|$ であるから，

$$\overrightarrow{MB} = \pm\frac{\sqrt{3}}{2}|\overrightarrow{OA}|\frac{\vec{n}}{|\vec{n}|} \qquad \boxed{\frac{\vec{n}}{|\vec{n}|} \text{は} \vec{n} \text{ 方向の単位ベクトルです。}}$$

$$= \pm\frac{\sqrt{3}}{2}\sqrt{1+a^2}\,\frac{\vec{n}}{\sqrt{1+a^2}}$$

$$= \pm\frac{\sqrt{3}}{2}(a,\ -1)$$

よって，

$$\overrightarrow{OB} = \overrightarrow{OM} + \overrightarrow{MB}$$

$$= \left(\frac{1}{2},\ \frac{a}{2}\right) \pm \frac{\sqrt{3}}{2}(a,\ -1)$$

$$= \left(\frac{1 \pm \sqrt{3}\,a}{2},\ \frac{a \mp \sqrt{3}}{2}\right) \quad \text{（複号同順）}$$

$$\therefore \quad (s,\ t) = \left(\frac{1 \pm \sqrt{3}\,a}{2},\ \frac{a \mp \sqrt{3}}{2}\right) \quad \text{（複号同順）} \ \boxed{答}$$

$\boxed{3}$

 問題を見てやるべきこと

平易な問題ですから，確率といえども自信をもって完答したいところです。

(3)　A が勝つのはさいころを投げた回数が奇数回のときのみであることに注意すると，$2k+1$ 回以下で A が勝つ確率は，1 回目で勝つ確率，3 回目で勝つ確率，……，$2k+1$ 回目で勝つ確率，と計算して足すことになります。

<u>**解　答**</u> ▶

(1)　さいころを投げた回数が n 回以下では勝敗が決まらないのは，n 回すべてで 1 か 2 の目が出る場合で

$$p_n = \left(\frac{1}{3}\right)^n \ \boxed{答}$$

また，$p_n < 0.005$ となるのは，

$$\left(\frac{1}{3}\right)^n < 0.005 = \frac{1}{200}$$

常用対数をとって，

$$\log_{10}\left(\frac{1}{3}\right)^n < \log_{10}\frac{1}{200}$$

ここで，

$$(左辺) = \log_{10}\left(\frac{1}{3}\right)^n = -n\log_{10}3 = -0.477n$$

$$(右辺) = \log_{10}\frac{1}{200} = -\log_{10}(2 \times 10^2) = -\log_{10}2 - 2 = -2.301$$

だから，

$$-0.477n < -2.301 \qquad \therefore \quad n > \frac{2.301}{0.477} = 4.823\cdots$$

これより，最小の n は，$\underwave{n = 5}$ 答

(2)　3回以下で A が勝つのは，1回目に A が勝つ場合と，3回目に A が勝つ場合である。

　　(i)　1回目に A が勝つ確率は，$\dfrac{2}{3}$

　　(ii)　3回目に A が勝つ確率は，$\dfrac{1}{3} \times \dfrac{1}{3} \times \dfrac{2}{3} = \dfrac{2}{27}$

以上合わせて，求める確率は，

$$\frac{2}{3} + \frac{2}{27} = \underwave{\frac{20}{27}}\ 答$$

(3)　偶数回で A が勝つことはない。

　　$(2i + 1)$ 回 $(i = 0,\ 1,\ 2,\ \cdots\cdots,\ k)$ で A が勝つ確率 q_i は，$2i$ 回目までは 1 または 2 の目が出て，$(2i + 1)$ 回目で初めて 3，4，5，6 の目が出る場合で

$$q_i = \left(\frac{1}{3}\right)^{2i} \times \frac{2}{3} = \frac{2}{3}\left(\frac{1}{9}\right)^i$$

求める確率は $\displaystyle\sum_{i=0}^{k} q_i$ で，

$$\sum_{i=0}^{k} q_i = \sum_{i=0}^{k} \frac{2}{3}\left(\frac{1}{9}\right)^i = \frac{\dfrac{2}{3}\left\{1 - \left(\dfrac{1}{9}\right)^{k+1}\right\}}{1 - \dfrac{1}{9}} = \underwave{\frac{3}{4}\left\{1 - \left(\frac{1}{9}\right)^{k+1}\right\}}\ 答$$

 研　究

　ささいなことですが，最後の $\sum$ 計算は意外と間違いが多いので注意しましょう。

　計算には，

$$（r \neq 1 のとき）\quad \sum_{k=1}^{n} ar^{k-1} = \frac{a(1-r^n)}{1-r}$$

という公式を用いていますが，添字が変わるとミスが多くなるようです。

$$(等比数列の和) = \frac{(初項)\cdot\{1-(公比)^{(項数)}\}}{1-(公比)}$$

と解釈しておくほうがよいでしょう。

4

 問題を見てやるべきこと

⑶　$225 = 3^2 \cdot 5^2$，$1998 = 2 \cdot 3^3 \cdot 37$，$111 = 3 \cdot 37$
ですから，225 との最大公約数が 15 であるような整数は $3 \cdot 5 \cdot n_1$（n_1 は 3 でも 5 でも割り切れない自然数）と表され，1998 との最大公約数が 111 となるような整数は $3 \cdot 37 \cdot n_2$（n_2 は 2 でも 3 でも割り切れない自然数）と表されるので，結局求める整数は $3 \cdot 5 \cdot 37 \cdot n_3$（$n_3$ は 2 でも 3 でも 5 でも割り切れない自然数）と表すことができます。

解　答

⑴　$225 = 3^2 \cdot 5^2$ であり，2017 は 3 でも 5 でも割り切れないので，2017 と 225 の<u>最大公約数は 1</u> である。 **答**

> 実際，2017 は素数です。

⑵　$225 = \left(3^2 \cdot 5^2\right)$ との最大公約数が 15 となる自然数は，

　　　$3 \cdot 5 \cdot k$（k は 3 でも 5 でも割り切れない自然数）

と表される。

　　$3 \cdot 5 \cdot k \leqq 2017$ とすると

$$k \leqq \frac{2017}{15} = 134\frac{7}{15}$$

　つまり，134 以下の 3 でも 5 でも割り切れない自然数の個数が求めるものである。

134 以下の 3 の倍数の個数は，$134 = 3 \cdot 44 + 2$ より 44 個

134 以下の 5 の倍数の個数は，$134 = 5 \cdot 26 + 4$ より 26 個

134 以下の 15 の倍数の個数は，$134 = 15 \cdot 8 + 14$ より 8 個

だから，求める個数は，

$$134 - (44 + 26 - 8) = \underline{72}（個）\ 答$$

(3) 225 との最大公約数が 15 であるような整数は $3 \cdot 5 \cdot n_1$（n_1 は 3 でも 5 でも割り切れない自然数）と表され，$1998（= 2 \cdot 3^3 \cdot 37）$との最大公約数が 111（$= 3 \cdot 37$）となるような整数は $3 \cdot 37 \cdot n_2$（n_2 は 2 でも 3 でも割り切れない自然数）と表されるので，結局求める整数は $3 \cdot 5 \cdot 37 \cdot n_3$（$n_3$ は 2 でも 3 でも 5 でも割り切れない自然数）という表示をもつ。

$3 \cdot 5 \cdot 37 \cdot n_3 \leqq 2017$ とすると，

$$n_3 \leqq \frac{2017}{555} = 3\frac{352}{555}$$

となり，この範囲で 2 でも 3 でも 5 でも割り切れない自然数は 1 のみである。

よって，求める自然数は，

$$3 \cdot 5 \cdot 37 \cdot 1 = \underline{555}\ 答$$

研　究

(1) ユークリッドの互除法について，少し解説しておきます。

たとえば，136 と 187 の最大公約数を求めてみましょう。

縦 136 横 187 の長方形を，正方形のタイルで敷き詰めることを考えます。敷き詰めが可能な最も大きい正方形のタイルの 1 辺の長さが，2 数の最大公約数ということになります。

当然，1 辺の長さが 1 の正方形のタイルならば敷き詰めは可能ですが，逆に 1 辺の長さが 1 の正方形のタイルでしか敷き詰めができないとき，2 数は互いに素（最大公約数が 1）ということになります。

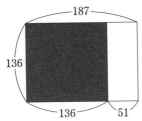

　正方形のタイルの敷き詰めの様子を考えるとき，前ページの図の濃い灰色部分（正方形）については無視して構わないので，縦 136 横 51 の長方形について見ればよいことになります。つまり，136 と 187 と最大公約数は，51 と 136 の最大公約数に等しいことになります。

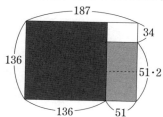

　同じ理屈で，34 と 51 の最大公約数を求めればよいことがわかれば，136 と 187 の最大公約数は 17 だとわかります。

(1)　2017 と 225 の最大公約数は，

$$2017 = 225 \cdot 8 + 217$$
$$225 = 217 \cdot 1 + 8$$
$$217 = 8 \cdot 27 + 1$$

より，8 と 1 の最大公約数に等しく，1　**答**

理系学部

1 問題を見てやるべきこと

(1) $x = n + 1$ のとき C_1 と C_2 の y 座標が等しいことから,

$$\log(n + 1) = n(n + 1 - a)$$
$$\therefore \quad a = n + 1 - \frac{\log(n + 1)}{n}$$

（n は自然数） ……①

①の右辺において,

$$f(x) = x + 1 - \frac{\log(x + 1)}{x} \quad (x \geqq 1) \text{ とおいて,}$$

$f'(x)$ を求め, $f(x) > 1$ を示します。

(2) 点 R $(n + 1, 0)$ とおきます。

$$S_n = \int_1^{n+1} \log x \, dx - \triangle \text{PQR}$$

$$T_n = \int_1^{n+1} \{ \text{直線 PQ} - (x - 1)(x - a) \} \, dx = -\int_1^{n+1} (x - 1)\{x - (n + 1)\} \, dx$$

> 式も求める必要は
> ありません

> $x = 1$, $n + 1$ を2解にもち,
> 2次の係数 -1 より

(3) (2)の結果より,

$$\frac{S_n}{n \log T_n} = \frac{\dfrac{n + 2}{2} \log(n + 1) - n}{n \log \dfrac{n^3}{6}} = \frac{\dfrac{n + 2}{2} \log(n + 1) - n}{3n \log n - n \log 6}$$

$$= \frac{1}{2} \frac{(n+2)\log n\left(1+\dfrac{1}{n}\right)-2n}{3n\log n - n\log 6}$$

分母分子を $n\log n$ で割ります。

$$= \frac{1}{2} \frac{\left(1+\dfrac{2}{n}\right)\left\{1+\dfrac{\log\left(1+\dfrac{1}{n}\right)}{\log n}\right\}-\dfrac{2}{\log n}}{3-\dfrac{\log 6}{\log n}}$$

解　答

(1)　$x = n+1$ のときの C_1，C_2 の y 座標が等しいので，

$$\log(n+1) = n(n+1-a)$$

$$\frac{\log(n+1)}{n} = n+1-a$$

$$\therefore \quad a = n+1 - \frac{\log(n+1)}{n}$$

……① 答

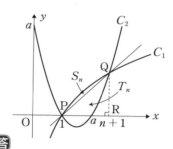

証　明　①の右辺において，

$$f(x) = x+1 - \frac{\log(x+1)}{x} \quad (x \geqq 1) \text{ とおくと，}$$

$$f'(x) = 1 - \frac{1}{x(x+1)} + \frac{\log(x+1)}{x^2} = \frac{x^2+x-1}{x^2+x} + \frac{\log(x+1)}{x^2}$$

$x \geqq 1$ で $f'(x) > 0$ より，$f(x)$ は単調増加。

$f(1) = 2 - \log 2$ より，

$$f(x) \geqq 2 - \log 2 \quad (x \geqq 1)$$

$$\therefore \quad a \geqq 2 - \log 2$$

$$> 2 - \log e = 1$$

よって，示された。

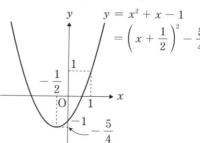

(2)　R $(n + 1, 0)$ とおく。

$$S_n = \int_1^{n+1} \log x \, dx - \triangle PQR$$

$$= \left[x \log x - x \right]_1^{n+1} - \frac{1}{2} n \log (n + 1)$$

$$= (n + 1) \log (n + 1) - (n + 1) - (-1) - \frac{n}{2} \log (n + 1)$$

$$= \frac{n + 2}{2} \log (n + 1) - n \quad \boxed{答}$$

$$T_n = \int_1^{n+1} \{ 直線\,PQ - (x - 1)(x - a) \} \, dx$$

$$= -\int_1^{n+1} (x - 1)\{ x - (n + 1) \} \, dx$$

$$= \frac{1}{6} \{ (n + 1) - 1 \}^3 = \frac{n^3}{6} \quad \boxed{答}$$

(3)　$n \log T_n = 3n \log n - n \log 6$ より，

$$\frac{S_n}{n \log T_n} = \frac{\dfrac{n + 2}{2} \log (n + 1) - n}{3n \log n - n \log 6} = \frac{1}{2} \cdot \frac{(n + 2) \log n \left(1 + \dfrac{1}{n} \right) - 2n}{3n \log n - n \log 6}$$

$$= \frac{1}{2} \cdot \frac{(n + 2) \left\{ \log n + \log \left(1 + \dfrac{1}{n} \right) \right\} - 2n}{3n \log n - n \log 6}$$

$$= \frac{1}{2} \cdot \frac{\left(1 + \dfrac{2}{n} \right) \left\{ 1 + \dfrac{\log \left(1 + \dfrac{1}{n} \right)}{\log n} \right\} - \dfrac{2}{\log n}}{3 - \dfrac{\log 6}{\log n}}$$

$$\therefore \quad \lim_{n \to \infty} \frac{S_n}{n \log T_n} = \frac{1}{2} \cdot \frac{1 \cdot 1 - 0}{3 - 0} = \frac{1}{6} \quad \boxed{答}$$

◀ 研　究

(1)　後半の別解を考えます。

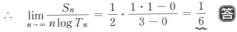 ①より，$a - 1 = n - \dfrac{\log (n + 1)}{n} = \dfrac{n^2 - \log (n + 1)}{n}$　……②

ここで，$f(x) = x^2 - \log(x + 1)$ $(x \geqq 1)$ とおきます。

$$f'(x) = 2x - \frac{1}{x + 1} = \frac{2x^2 + 2x - 1}{x + 1} > 0$$

$$(\because \quad x \geqq 1)$$

よって，$f(x)$ は $x \geqq 1$ で単調増加。

$$f(1) = 1 - \log 2 = \log e - \log 2 = \log \frac{e}{2} > 0$$

$$(\because \quad e > 2)$$

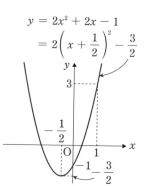

$$y = 2x^2 + 2x - 1$$
$$= 2\left(x + \frac{1}{2}\right)^2 - \frac{3}{2}$$

以上より，

$f(x)$ は $x \geqq 1$ で $f(x) > 0$

$f(n) = n^2 - \log(n + 1) > 0$ より，

②から，$a - 1 > 0$

$$\therefore \quad a > 1$$

(2)において，直線 PQ の式は，$y = \dfrac{\log(n + 1)}{n}(x - 1)$

これを用いて，

$$S_n = \int_1^{n+1} \left\{ \log x - \frac{\log(n + 1)}{n}(x - 1) \right\} dx$$

$$T_n = \int_1^{n+1} \left\{ \frac{\log(n + 1)}{n}(x - 1) - (x - 1)(x - a) \right\} dx$$

と計算するのは遠回りです。

2

問題を見てやるべきこと

❶チェバの定理，メネラウスの定理による
　解法
❷ベクトルによる解法
の2通りが考えられます。
　計算量を考えれば，試験の際は❶を選択すべきです。

(1)　3直線 AE，BF，CD が1点で交わるとき，チェバの定理

$$\frac{AD}{DB} \cdot \frac{BE}{EC} \cdot \frac{CF}{FA} = 1 \quad が成立します。$$

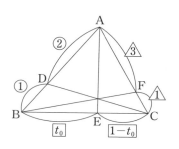

(2) △ACE と直線 BF で，メネラウスの定理により，

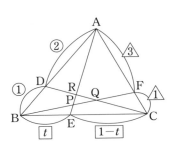

$$\frac{CF}{FA} \cdot \frac{AP}{PE} \cdot \frac{EB}{BC} = 1$$

$$\iff \frac{1}{3} \cdot \frac{AP}{PE} \cdot \frac{t}{1} = 1$$

$$\therefore \quad \frac{AP}{PE} = \frac{3}{t}$$

$$\therefore \quad \frac{AP}{AE} = \frac{AP}{AP + PE} = \frac{3}{3 + t}$$

となります。

　△BCD と直線 AE で，メネラウスの定理により，

$$\frac{BE}{EC} \cdot \frac{CR}{RD} \cdot \frac{DA}{AB} = 1 \iff \frac{t}{1 - t} \cdot \frac{CR}{RD} \cdot \frac{2}{3} = 1$$

$$\therefore \quad \frac{CR}{RD} = \frac{3(1 - t)}{2t}$$

$$\therefore \quad \frac{CR}{CD} = \frac{CR}{CR + RD} = \frac{3(1 - t)}{3(1 - t) + 2t} = \frac{3(1 - t)}{3 - t} \quad \text{となります。}$$

(3)　(2)と同様に，△ACD と直線 BF で，メネラウスの定理により，$\dfrac{DQ}{QC} = 1$

を得ます。

$$\therefore \quad \triangle BCQ = \frac{1}{2} \triangle BCD = \frac{1}{2} \cdot \frac{1}{3} \triangle ABC = \frac{1}{6}$$

となります。

(4)　$\triangle PQR = \triangle ABC - \triangle ABP - \triangle BCQ - \triangle ACR$ と式を立てます。

$$\triangle ABP = \underbrace{\frac{AP}{AE}}_{\text{(2)の } k} \cdot \triangle ABE \qquad \triangle BCQ = \underbrace{\frac{1}{6}}_{\text{(3)}} \qquad \triangle ACR = \underbrace{\frac{CR}{CD}}_{\text{(2)の } l} \cdot \triangle ACD$$

解　答

(1)　3 直線 AE，BF，CD が 1 点で交わるとき，チェバの定理から，

$$\frac{AD}{DB} \cdot \frac{BE}{EC} \cdot \frac{CF}{FA} = 1$$

$$\frac{2}{1} \cdot \frac{t_0}{1 - t_0} \cdot \frac{1}{3} = 1$$

$$2t_0 = 3 - 3t_0$$

$$\therefore \quad t_0 = \frac{3}{5} \quad \boxed{答}$$

(2) △ACE と直線 BF において，メネラウスの定理により，

$$\frac{CF}{FA} \cdot \frac{AP}{PE} \cdot \frac{EB}{BC} = 1$$

$$\frac{1}{3} \cdot \frac{AP}{PE} \cdot \frac{t}{1} = 1$$

$$\therefore \quad \frac{AP}{PE} = \frac{3}{t} \qquad \therefore \quad \frac{AP}{AE} = \frac{3}{3 + t}$$

$$AP = \frac{3}{3 + t} AE \text{ より，} \quad k = \frac{3}{3 + t} \quad \boxed{答}$$

△BCD と直線 AE において，メネラウスの定理により，

$$\frac{BE}{EC} \cdot \frac{CR}{RD} \cdot \frac{DA}{AB} = 1$$

$$\frac{t}{1 - t} \cdot \frac{CR}{RD} \cdot \frac{2}{3} = 1$$

$$\therefore \quad \frac{CR}{RD} = \frac{3(1 - t)}{2t} \qquad \therefore \quad \frac{CR}{CD} = \frac{3(1 - t)}{3(1 - t) + 2t} = \frac{3(1 - t)}{3 - t}$$

$$CR = \frac{3(1 - t)}{3 - t} CD \text{ より，} \quad l = \frac{3(1 - t)}{3 - t} \quad \boxed{答}$$

(3) △ACD と直線 BF において，メネラウスの定理により，

$$\frac{AB}{BD} \cdot \frac{DQ}{QC} \cdot \frac{CF}{FA} = 1$$

$$\frac{3}{1} \cdot \frac{DQ}{QC} \cdot \frac{1}{3} = 1$$

$$\therefore \quad \frac{DQ}{QC} = 1$$

したがって，$\triangle BCQ = \frac{1}{2} \cdot \triangle BCD = \frac{1}{2} \cdot \frac{1}{3} \cdot \triangle ABC = \frac{1}{6}$ $\boxed{答}$

(4) $\triangle ABP = \dfrac{AP}{AE} \cdot \triangle ABE = \dfrac{AP}{AE} \cdot \dfrac{t}{1} \cdot \triangle ABC = k \cdot t \cdot 1 = \dfrac{3t}{3+t}$

$\triangle ACR = \dfrac{CR}{CD} \cdot \triangle ACD = \dfrac{CR}{CD} \cdot \dfrac{2}{3} \cdot \triangle ABC = l \cdot \dfrac{2}{3} \cdot 1 = \dfrac{2(1-t)}{3-t}$

$\therefore \quad \triangle PQR = \triangle ABC - \triangle ABP - \triangle BCQ - \triangle ACR$

$= 1 - \dfrac{3t}{3+t} - \dfrac{1}{6} - \dfrac{2(1-t)}{3-t}$

$= \dfrac{25t^2 - 30t + 9}{6(3+t)(3-t)} = \underline{\dfrac{(5t-3)^2}{6(3+t)(3-t)}}$ 答

研　究

(3)の別解

$\triangle ABF$ と直線 CD において，メネラウスの定理により，

$\dfrac{AD}{DB} \cdot \dfrac{BQ}{QF} \cdot \dfrac{FC}{CA} = 1$

$\dfrac{2}{1} \cdot \dfrac{BQ}{QF} \cdot \dfrac{1}{4} = 1$

$\therefore \quad \dfrac{BQ}{QF} = 2 \quad$ これより，$\dfrac{BQ}{BF} = \dfrac{2}{2+1} = \dfrac{2}{3}$

$\therefore \quad \triangle BCQ = \dfrac{BQ}{BF} \cdot \triangle BCF = \dfrac{2}{3} \cdot \dfrac{1}{4} \cdot \triangle ABC = \underline{\dfrac{1}{6}}$ 答

ベクトルによる別解

別　解

(1)　$DQ : QC = x : 1 - x$

　　$BQ : QF = y : 1 - y$

とおくと，

$\begin{cases} \overrightarrow{AQ} = (1-x)\overrightarrow{AD} + x\overrightarrow{AC} & \cdots\cdots① \\ \overrightarrow{AQ} = (1-y)\overrightarrow{AB} + y\overrightarrow{AF} & \cdots\cdots② \end{cases}$

①より，$\overrightarrow{AQ} = (1-x) \cdot \dfrac{2}{3}\overrightarrow{AB} + x\overrightarrow{AC}$ $\cdots\cdots③$

②より，$\overrightarrow{AQ} = (1-y)\overrightarrow{AB} + y \cdot \dfrac{3}{4}\overrightarrow{AC}$ $\cdots\cdots④$

③④において，$\overrightarrow{AB}$ と $\overrightarrow{AC}$ は 1 次独立により，

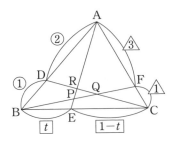

$$\begin{cases} (1-x) \cdot \dfrac{2}{3} = 1-y \\ x = \dfrac{3}{4}y \end{cases} \qquad \therefore \begin{cases} x = \dfrac{1}{2} \\ y = \dfrac{2}{3} \end{cases}$$

$$\therefore \quad \overrightarrow{AQ} = \frac{1}{3}\overrightarrow{AB} + \frac{1}{2}\overrightarrow{AC}$$

3直線 AE，BF，CD が1点で交わるとき，AQ の延長線上に点 E があるので，

$$\frac{1}{3} + \frac{1}{2} = \frac{5}{6} \text{ より,} \quad \overrightarrow{AQ} = \frac{5}{6}\overrightarrow{AE}$$

$$\overrightarrow{AE} = \frac{6}{5}\overrightarrow{AQ} = \frac{6}{5}\left(\frac{1}{3}\overrightarrow{AB} + \frac{1}{2}\overrightarrow{AC}\right) = \frac{2}{5}\overrightarrow{AB} + \frac{3}{5}\overrightarrow{AC}$$

$\overrightarrow{AE} = (1-t_0)\overrightarrow{AB} + t_0\overrightarrow{AC}$ と比較して，$t_0 = \dfrac{3}{5}$ **答**

(2) $\overrightarrow{AE} = (1-t)\overrightarrow{AB} + t\overrightarrow{AC} = (1-t)\overrightarrow{AB} + \dfrac{4}{3}t\overrightarrow{AF}$ において，

$(1-t) + \dfrac{4}{3}t = 1 + \dfrac{t}{3}$ から，

$$\frac{AE}{AP} = 1 + \frac{t}{3} \qquad \therefore \quad \overrightarrow{AP} = \frac{1}{1 + \dfrac{t}{3}}\overrightarrow{AE} = \frac{3}{3+t}\overrightarrow{AE}$$

$$\therefore \quad k = \frac{3}{3+t} \quad \text{**答**}$$

$\overrightarrow{CD} = \dfrac{1}{3}\overrightarrow{CA} + \dfrac{2}{3}\overrightarrow{CB} = \dfrac{1}{3}\overrightarrow{CA} + \dfrac{2}{3} \cdot \dfrac{1}{1-t}\overrightarrow{CE}$ において，

$\dfrac{1}{3} + \dfrac{2}{3} \cdot \dfrac{1}{1-t} = \dfrac{3-t}{3-3t}$ から，

$$\frac{CD}{CR} = \frac{3-t}{3-3t} \qquad \therefore \quad \overrightarrow{CR} = \frac{3-3t}{3-t}\overrightarrow{CD} \qquad \therefore \quad l = \frac{3-3t}{3-t} \quad \text{**答**}$$

(3) $\overrightarrow{CQ} = \overrightarrow{AQ} - \overrightarrow{AC} = \left(\dfrac{1}{3}\overrightarrow{AB} + \dfrac{1}{2}\overrightarrow{AC}\right) - \overrightarrow{AC} = \dfrac{1}{3}\overrightarrow{AB} - \dfrac{1}{2}\overrightarrow{AC}$

$$\overrightarrow{CD} = \overrightarrow{AD} - \overrightarrow{AC} = \frac{2}{3}\overrightarrow{AB} - \overrightarrow{AC} = 2\left(\frac{1}{3}\overrightarrow{AB} - \frac{1}{2}\overrightarrow{AC}\right) = 2\overrightarrow{CQ}$$

Q は CD の中点により，

$$\triangle BCQ = \triangle BCD \cdot \frac{1}{2} = \triangle ABC \cdot \frac{1}{3} \cdot \frac{1}{2} = \frac{1}{6} \quad \text{**答**}$$

研　究

例 三角形の辺の比に関する 1998 年度の問題

問 右図のような四角形 ABCD にお
いて，直線 AB と直線 CD の交点 E，直
線 BC と直線 AD の交点 F，直線 BD と
直線 EF の交点 R，直線 RC と直線 AB
の交点 G がえられたとする。

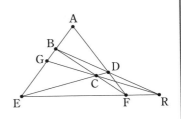

(1) $\dfrac{\text{BG}}{\text{GE}} = \dfrac{\text{BA}}{\text{AE}}$ が成り立つことを示せ。

(2) G が AE の中点で，$\dfrac{\text{AD}}{\text{DF}} = 2$ であるとき，AB $= a$，CD $= b$ とおく。

次の条件を満たす x，y，z の値を求めよ。

(ⅰ) EB $= xa$

(ⅱ) EC $= yb$

(ⅲ) 四角形 ABCD が円に内接するとき，$a = zb$

解 (1) **証　明** △BER と点 C においてチェバの定理より，

$$\frac{\text{BG}}{\text{GE}} \cdot \frac{\text{DR}}{\text{BD}} \cdot \frac{\text{FE}}{\text{RF}} = 1 \quad \cdots\cdots ①$$

△BER と直線 AF において，メネラウス
の定理より，

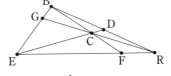

$$\frac{\text{BA}}{\text{AE}} \cdot \frac{\text{DR}}{\text{BD}} \cdot \frac{\text{FE}}{\text{RF}} = 1 \quad \cdots\cdots ②$$

①，②より，$\dfrac{\text{BG}}{\text{GE}} = \dfrac{\text{BA}}{\text{AE}}$

(2) (ⅰ) (1)より，$\dfrac{\text{BG}}{\text{GE}} = \dfrac{\text{BA}}{\text{AE}}$ が成立し，G は

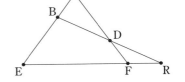

AE の中点より，GE：AE $= 1 : 2$

$\therefore$ BG：BA $= 1 : 2$　したがって，BG $= \dfrac{a}{2}$

$\therefore$ EB $= $ EG $+$ GB $= \left(a + \dfrac{a}{2}\right) + \dfrac{a}{2} = 2a$　$\therefore$ $\underset{\sim\sim\sim\sim}{x = 2}$ **答**

(ii) △AED と直線 BF において，メネラウスの定理より，

$$\frac{BA}{EB} \cdot \frac{FD}{AF} \cdot \frac{CE}{DC} = 1$$

$$\therefore \quad \frac{a}{2a} \cdot \frac{1}{1+2} \cdot \frac{CE}{b} = 1$$

$$\therefore \quad EC = 6b$$

$$\therefore \quad \underset{\sim\sim\sim}{y = 6} \quad \boxed{答}$$

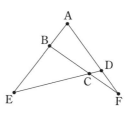

(iii) 方べきの定理より，

$$EA \cdot EB = ED \cdot EC \qquad \therefore \quad 3a \cdot 2a = 7b \cdot 6b$$

$$\therefore \quad a^2 = 7b^2 \qquad \therefore \quad \underset{\sim\sim\sim}{z = \sqrt{7}} \quad \boxed{答}$$

参　考

メネラウスの定理

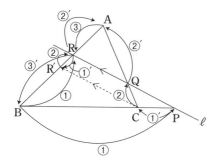

チェバの定理

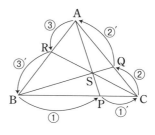

$$\frac{①'}{①} \times \frac{②'}{②} \times \frac{③'}{③}$$

$$= \frac{CP}{BP} \times \frac{AQ}{CQ} \times \frac{BR}{AR} = 1$$

直線 ℓ に平行な補助線 CR′ を
引き，AB 上に線分の比を集める

$$\frac{①'}{①} \times \frac{②'}{②} \times \frac{③'}{③}$$

$$= \frac{CP}{BP} \cdot \frac{AQ}{CQ} \cdot \frac{BR}{AR} = 1$$

$$\frac{①'}{①} = \frac{\triangle ACS}{\triangle ABS}, \quad \frac{②'}{②} = \frac{\triangle BAS}{\triangle BCS},$$

$$\frac{③'}{③} = \frac{\triangle BCS}{\triangle ACS}$$

3

問題を見てやるべきこと

(1) 2回サイコロを投げた後にコインが P_0 に来るのは，出た目が順に，

$$1 \longrightarrow 5$$
$$2 \longrightarrow 4$$
$$3 \longrightarrow 3$$
$$4 \longrightarrow 2$$
$$5 \longrightarrow 1$$
$$6 \longrightarrow 6$$

いずれの場合も，
1回目に出た目の数に，
対応する目は1つずつになります。

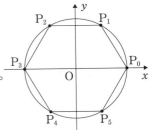

(2) 2回後の位置　　3回後の位置

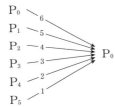

いずれの場合も，各 P_n $(n = 0, 1, \cdots\cdots, 5)$ に対応する目は1つずつになります。

(3) $n - 1$ 回後の位置　　n 回後の位置

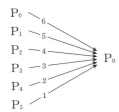

(2)と同様の目になります。

解　答

(1) 2回サイコロを投げた後にコインが P_0 に来るのは，出た目が順に，

$(x, y) = (1, 5), (2, 4), (3, 3), (4, 2), (5, 1), (6, 6)$ となるとき。

$$\therefore \quad \frac{6}{6^2} = \frac{1}{6} \quad \boxed{答}$$

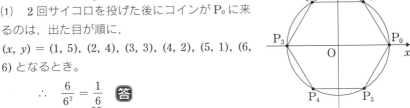

(2)　2回後　　　　3回後

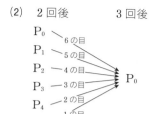

2回目 / 1回目	1	2	3	4	5	6
1	P_2	P_3	P_4	P_5	P_0	P_5
2	P_3	P_4	P_5	P_0	P_1	P_4
3	P_4	P_5	P_0	P_1	P_2	P_3
4	P_5	P_0	P_1	P_2	P_3	P_2
5	P_0	P_1	P_2	P_3	P_4	P_1
6	P_1	P_2	P_3	P_4	P_5	P_0

表より，2回後に各々の頂点

に来る確率は $\dfrac{1}{6}$

$$\therefore \quad \frac{1}{6} \times \frac{1}{6} \times 6 = \frac{1}{6} \quad \text{答}$$

(3)　n 回後に P_0 に来る確率を q_n とおく。

$(n-1)$ 回後　　　n 回後

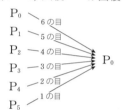

$$q_n = \frac{1}{6} q_{n-1} + \frac{1}{6}(1 - q_{n-1}) \quad (n \geq 2)$$

$$= \frac{1}{6} \quad (n = 1 \text{ のときも成立})$$

$$\therefore \quad q_n = \frac{1}{6} \quad \text{答}$$

研　究

サイコロの問題では，6×6 の表が有用です。

また，次の表より，(1)〜(3)がいずれも $\dfrac{1}{6}$ となることがわかります。

n回目の位置 / $(n+1)$回目の位置	1	2	3	4	5	6
P_0	P_1	P_2	P_3	P_4	P_5	P_0
P_1	P_2	P_3	P_4	P_5	P_0	P_5
P_2	P_3	P_4	P_5	P_0	P_1	P_4
P_3	P_4	P_5	P_0	P_1	P_2	P_3
P_4	P_5	P_0	P_1	P_2	P_3	P_2
P_5	P_0	P_1	P_2	P_3	P_4	P_1

コインの位置が
どこであれ，
$\dfrac{1}{6}$ の確率で
P_0 に来る

4

問題を見てやるべきこと

(1)～(3)ともに合同式を用いることで，見通しをよくします。

(1) $a_n \equiv 10^n \pmod{13}$

$a_{n+1} \equiv 10^{n+1} \equiv 10 \cdot 10^n \equiv 10a_n \pmod{13}$

この式は a_{n+1} は $10a_n$ を 13 で割った余りに等しいことを示しています。

(2) $10 \equiv -3 \pmod{13}$ より，

$a_1 \equiv 10$

$a_2 \equiv 10a_1 \equiv (-3) \cdot (-3) \equiv 9$

$a_3 \equiv 10a_2 \equiv (-3) \cdot 9 \equiv -27 \equiv -1 \equiv 12$

と順次計算をしていきます。

(3) $N = a2016b$ $(a = 1, 2, \cdots\cdots, 9, b = 0, 1, 2, \cdots\cdots, 9)$

とおくと，

$N = a \cdot 10^5 + 2 \cdot 10^4 + 10^2 + 6 \cdot 10 + b$

$N \equiv a \cdot a_5 + 2 \cdot a_4 + a_2 + 6 \cdot a_1 + b \equiv 0$

(2)の a_1, a_2, a_4, a_5 の各値を代入して，a と b の関係式を導きます。

解　答

(1) **証　明** $a_n \equiv 10^n \pmod{13}$ から，

$a_{n+1} \equiv 10^{n+1} \equiv 10 \cdot 10^n \equiv 10a_n \pmod{13}$

したがって，a_{n+1} は $10a_n$ を 13 で割った余りに等しい。

(2) $10 \equiv -3 \pmod{13}$

$\begin{cases} a_1 \equiv \underset{\sim}{10} \\ a_2 \equiv 10a_1 \equiv (-3) \cdot (-3) \equiv 9 & \qquad \therefore \quad a_2 = \underset{\sim}{9} \\ a_3 \equiv 10a_2 \equiv (-3) \cdot 9 \equiv -27 \equiv -1 & \qquad \therefore \quad a_3 = \underset{\sim}{12} \\ a_4 \equiv 10a_3 \equiv (-3) \cdot (-1) \equiv 3 & \qquad \therefore \quad a_4 = \underset{\sim}{3} \\ a_5 \equiv 10a_4 \equiv (-3) \cdot 3 \equiv -9 \equiv 4 & \qquad \therefore \quad a_5 = \underset{\sim}{4} \\ a_6 \equiv 10a_5 \equiv (-3) \cdot 4 \equiv -12 \equiv 1 & \qquad \therefore \quad a_6 = \underset{\sim}{1} \end{cases}$ 答

(3) N の最初と最後の桁の数字をそれぞれ a, b とおくと，

$N = a2016b$ $(a = 1, 2, \cdots\cdots, 9, b = 0, 1, 2, \cdots\cdots, 9)$ となり，

$N = a \cdot 10^5 + 2 \cdot 10^4 + 10^2 + 6 \cdot 10 + b$ より，

(2)から，$N \equiv a \cdot 4 + 2 \cdot 3 + 9 + 6 \cdot (-3) + b$

$\equiv 4a + b - 3 \equiv 0 \pmod{13}$

$b \equiv 3 - 4a$ より，$0 \leqq b \leqq 9$ に注意して，$a = 1, 2, \cdots\cdots, 9$ を代入する。

a	1	2	3	4	5	6	7	8	9
$3-4a$	-1	-5	-9	-13	-17	-21	-25	-29	-33
b	$\times$	8	4	0	9	5	1	$\times$	6

$\therefore\quad N = 220168,\ 320164,\ 420160,\ 520169,\ 620165,\ 720161,\ 920166$

 研　究

(1)の合同式を使わない **別　解** を考えます。

別　解

10^n を 13 で割った商を q_n とおくと,

$$\begin{cases} 10^n = 13q_n + a_n \\ 10^{n+1} = 13q_{n+1} + a_{n+1} \end{cases}$$

$$\therefore\quad \begin{cases} a_n = 10^n - 13q_n \\ a_{n+1} = 10^{n+1} - 13q_{n+1} \end{cases}$$

$$\begin{aligned} a_{n+1} - 10a_n &= 10^{n+1} - 13q_{n+1} - 10(10^n - 13q_n) \\ &= 13(10q_n - q_{n+1}) \end{aligned}$$

$a_{n+1} - 10a_n$ は 13 の倍数。

a_{n+1} は 0 から 12 までの整数により, a_{n+1} は $10a_n$ を 13 で割った余りに等しい。

5 **問題を見てやるべきこと**

(1) ド・モアブルの定理より,

$$\begin{cases} z^n = (\cos\theta + i\sin\theta)^n = \cos n\theta + i\sin n\theta &\cdots\cdots① \\ \dfrac{1}{z^n} = z^{-n} = (\cos\theta + i\sin\theta)^{-n} = \cos(-n\theta) + i\sin(-n\theta) \\ \qquad\qquad = \cos n\theta - i\sin n\theta &\cdots\cdots② \end{cases}$$

$\dfrac{①+②}{2}$ より, $\cos n\theta = \dfrac{1}{2}\left(z^n + \dfrac{1}{z^n}\right)$

$\dfrac{①-②}{2}$ より, $\sin n\theta = -\dfrac{i}{2}\left(z^n - \dfrac{1}{z^n}\right)$

(2) (1)を利用せずに三角関数の問題として解いたほうが簡単です。

$$\cos x + \cos 2x - \cos 3x = \cos x + (2\cos^2 x - 1) - (4\cos^3 x - 3\cos x) = 1$$

$$\therefore \quad 2\cos^3 x - \cos^2 x - 2\cos x + 1 = 0$$

$$(\cos x + 1)(2\cos x - 1)(\cos x - 1) = 0 \quad \text{と変形します。}$$

(3) (2)と同様に，(1)を利用せずに三角関数の問題として解いたほうが簡単です。

$$\sin^2 20° + \sin^2 40° + \sin^2 60° + \sin^2 80°$$

$$= \frac{1}{2}(1 - \cos 40°) + \frac{1}{2}(1 - \cos 80°) + \frac{1}{2}(1 - \cos 120°)$$

$$\qquad + \frac{1}{2}(1 - \cos 160°)$$

$$= \frac{9}{4} - \frac{1}{2}(\cos 40° + \cos 80° + \cos 160°)$$

$$= \frac{9}{4} - \frac{1}{2} \times \{\cos(60° - 20°) + \cos(60° + 20°) + \cos 160°\}$$

$$= \frac{9}{4} - \frac{1}{2} \times \{(\cos 60° \cos 20° + \sin 60° \sin 20°)$$

$$\qquad + (\cos 60° \cos 20° - \sin 60° \sin 20°) + \cos(180° - 20°)\}$$

$$= \frac{9}{4} - \frac{1}{2} \times (2\cos 60° \cdot \cos 20° - \cos 20°)$$

と変形します。

解　答

(1) **証　明**　ド・モアブルの定理より，

$$\begin{cases} z^n = \cos n\theta + i\sin n\theta & \cdots\cdots① \\ \dfrac{1}{z^n} = \cos n\theta - i\sin n\theta & \cdots\cdots② \end{cases}$$

①＋②より，$z^n + \dfrac{1}{z^n} = 2\cos n\theta$　$\therefore$　$\cos n\theta = \dfrac{1}{2}\left(z^n + \dfrac{1}{z^n}\right)$

①－②より，$z^n - \dfrac{1}{z^n} = 2i\sin n\theta$　$\therefore$　$\sin n\theta = -\dfrac{i}{2}\left(z^n - \dfrac{1}{z^n}\right)$

(2) $\cos x + \cos 2x - \cos 3x = \cos x + (2\cos^2 x - 1) - (4\cos^3 x - 3\cos x) = 1$

$$\therefore \quad 2\cos^3 x - \cos^2 x - 2\cos x + 1 = 0$$

$$(\cos x + 1)(2\cos x - 1)(\cos x - 1) = 0$$

$\cos x = -1,\ \dfrac{1}{2},\ 1$ より，$x = 0,\ \dfrac{\pi}{3},\ \pi,\ \dfrac{5}{3}\pi$　**答**

(3)　**証　明**　半角の公式より，

$$\sin^2 20° + \sin^2 40° + \sin^2 60° + \sin^2 80°$$

$$= \frac{1}{2}(1 - \cos 40°) + \frac{1}{2}(1 - \cos 80°) + \frac{1}{2}(1 - \cos 120°)$$

$$+ \frac{1}{2}(1 - \cos 160°)$$

$$= \frac{9}{4} - \frac{1}{2}(\cos 40° + \cos 80° + \cos 160°)$$

$$= \frac{9}{4} - \frac{1}{2}(2\cos 60° \cos 20° - \cos 20°)$$

$$= \frac{9}{4} - \frac{1}{2}\left(2 \cdot \frac{1}{2}\cos 20° - \cos 20°\right) = \frac{9}{4}$$

研　究

(1)を用いた(2)と(3)の **別　解** を紹介します。

出題者の意図した解法でもあり，複素数平面の学習という意味でも重要です。ぜひ，マスターしてください。

別　解

問題の意図通り，(1)を用いて，(2)(3)を解く。

(2)　(1)より，$\cos nx = \frac{1}{2}\left(z^n + \frac{1}{z^n}\right)$　$(z = \cos x + i\sin x$ とおく。$)$

$$\cos x + \cos 2x - \cos 3x = \frac{1}{2}\left(z + \frac{1}{z}\right) + \frac{1}{2}\left(z^2 + \frac{1}{z^2}\right) - \frac{1}{2}\left(z^3 + \frac{1}{z^3}\right)$$

$$= 1 \quad \cdots\cdots ③$$

$z + \frac{1}{z} = A$ とおくと，$z^2 + \frac{1}{z^2} + 2 = A^2$

$$\therefore \quad z^2 + \frac{1}{z^2} = A^2 - 2 \quad \cdots\cdots ④$$

$$z^3 + \frac{1}{z^3} = \left(z + \frac{1}{z}\right)^3 - 3z \cdot \frac{1}{z}\left(z + \frac{1}{z}\right) = A^3 - 3A \quad \cdots\cdots ⑤$$

2024 2023 2022 2021 2020 2019 2018 2017 2016 2015 2014 2013 2012 2011 2010

④⑤を③に代入して，

$$\frac{1}{2}A + \frac{1}{2}(A^2 - 2) - \frac{1}{2}(A^3 - 3A) = 1$$

$$A^3 - A^2 - 4A + 4 = 0$$

$$\therefore \quad (A-1)(A-2)(A+2) = 0 \qquad \therefore \quad A = -2,\ 1,\ 2$$

$A = z + \dfrac{1}{z} = 2\cos x$ より，$\cos x = -1,\ \dfrac{1}{2},\ 1$

$0 \leqq x < 2\pi$ より，$\underline{x = 0,\ \dfrac{\pi}{3},\ \pi,\ \dfrac{5}{3}\pi}$ 答

(3) 証明

$$\sin^2 20° + \sin^2 40° + \sin^2 60° + \sin^2 80°$$

$$= \frac{1}{2}(1 - \cos 40°) + \frac{1}{2}(1 - \cos 80°) + \frac{1}{2}(1 - \cos 120°) + \frac{1}{2}(1 - \cos 160°)$$

$$= 2 - (\cos 40° + \cos 80° + \cos 120° + \cos 160°) \times \frac{1}{2} \quad \cdots\cdots ⑥$$

ここで，$z = \cos 40° + i\sin 40°$ とおくと，

$$\cos 40° = \frac{1}{2}\left(z + \frac{1}{z}\right),\quad \cos 80° = \frac{1}{2}\left(z^2 + \frac{1}{z^2}\right),$$

$$\cos 120° = \frac{1}{2}\left(z^3 + \frac{1}{z^3}\right),\quad \cos 160° = \frac{1}{2}\left(z^4 + \frac{1}{z^4}\right)$$

より，

$$⑥ = 2 - \frac{1}{4} \cdot \frac{1}{z^4}(1 + z + z^2 + z^3 + z^5 + z^6 + z^7 + z^8)$$

$$= 2 - \frac{1}{4} \cdot \frac{1}{z^4}(1 + z + z^2 + z^3 + z^4 + z^5 + z^6 + z^7 + z^8) + \frac{1}{4}$$

$$= \frac{9}{4} - \frac{1}{4z^4} \cdot \frac{1 - z^9}{1 - z}$$

このとき，$z^9 = \cos 360° + i\sin 360° = 1$ より，

$⑥ = \dfrac{9}{4}$ となる。

$$\therefore \quad \sin^2 20° + \sin^2 40° + \sin^2 60° + \sin^2 80° = \frac{9}{4}$$

1

 問題を見てやるべきこと

$C : y = x^3 + ax^2 + bx$（$= f(x)$ とおく）と与えられていますが，3点 $(0, 0)$，$(\alpha, 0)$，$(\beta, 0)$ を通ることから，

$f(x) = x(x - \alpha)(x - \beta) = x^3 - (\alpha + \beta)x^2 + \alpha\beta x$ と表示できることに気づけるかがポイントです。

$$S = \int_0^\alpha f(x)\,dx + \int_\alpha^\beta \{-f(x)\}\,dx$$

ですから，$f(x) = x^3 + ax^2 + bx$ という表示のままだと計算結果に a，b が残り，ややこしくなります。

解　答

(1)　$f(x) = x^3 + ax^2 + bx$ とおく。

C が3点 $(0, 0)$，$(\alpha, 0)$，$(\beta, 0)$ を通ることから，

$$f(x) = x(x - \alpha)(x - \beta)$$
$$= x^3 - (\alpha + \beta)x^2 + \alpha\beta x$$

と表せる。

指示された面積は右図の斜線部で，

$$S = \int_0^\alpha f(x)\,dx + \int_\alpha^\beta \{-f(x)\}\,dx$$

$$= \int_0^\alpha \{x^3 - (\alpha + \beta)\,x^2 + \alpha\beta x\}\,dx - \int_\alpha^\beta \{x^3 - (\alpha + \beta)\,x^2 + \alpha\beta x\}\,dx$$

$$= \left[\frac{1}{4}\,x^4 - \frac{\alpha + \beta}{3}\,x^3 + \frac{\alpha\beta}{2}\,x^2\right]_0^\alpha - \left[\frac{1}{4}\,x^4 - \frac{\alpha + \beta}{3}\,x^3 + \frac{\alpha\beta}{2}\,x^2\right]_\alpha^\beta$$

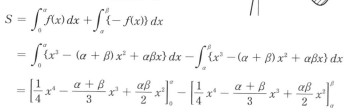

[　　] の中身を $F(x)$ とおくと，

$$S = F(\alpha) - F(0) - (F(\beta) - F(\alpha))$$
$$= 2F(\alpha) - F(\beta)$$
$$= 2\left(\frac{1}{4}\,\alpha^4 - \frac{\alpha + \beta}{3}\,\alpha^3 + \frac{\alpha\beta}{2}\,\alpha^2\right) - \left(\frac{1}{4}\,\beta^4 - \frac{\alpha + \beta}{3}\,\beta^3 + \frac{\alpha\beta}{2}\,\beta^2\right)$$

$$= -\frac{1}{6}\alpha^4 + \frac{1}{3}\alpha^3\beta - \frac{1}{6}\alpha\beta^3 + \frac{1}{12}\beta^4 \quad \boxed{答}$$

(2) $S = g(\alpha)$ とおく。

$$g'(\alpha) = -\frac{2}{3}\alpha^3 + \alpha^2\beta - \frac{1}{6}\beta^3$$

$$= -\frac{1}{6}(2\alpha - \beta)(2\alpha^2 - 2\alpha\beta - \beta^2)$$

$g'(\alpha) = 0$ とすると，$\alpha = \frac{1}{2}\beta$，

$\frac{1 \pm \sqrt{3}}{2}\beta$ で，$g'(\alpha)$ のグラフは右図のようになる。

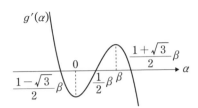

$\left[\begin{array}{l}\alpha^3 \text{ の係数が負であることと，} \alpha \text{ 軸との} \\ \text{交点が} \frac{1}{2}\beta，\frac{1 \pm \sqrt{3}}{2}\beta \text{ であることか} \\ \text{ら，概形を描いています。}\end{array}\right]$

よって，$0 < \alpha < \beta$ における $g(\alpha)$ の増減表は，

α	0	$\cdots$	$\frac{1}{2}\beta$	$\cdots$	β
$g'(\alpha)$		$-$	0	$+$	
$g(\alpha)$		$\searrow$	最小	$\nearrow$	

となるので，求める α は，

$$\alpha = \frac{1}{2}\beta \quad \boxed{答}$$

研　究

　設問にはないですが，曲線 C と x 軸で囲まれた 2 つの部分の面積が等しいときの α と β の関係について調べてみましょう。

　曲線 C と x 軸で囲まれた 2 つの部分の面積が等しいとき，

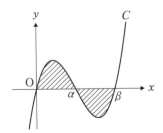

$$\int_0^\alpha f(x)\,dx = \int_\alpha^\beta \{-f(x)\}\,dx$$

となり，これを計算すると，

$$\int_0^\alpha f(x)\,dx + \int_\alpha^\beta f(x)\,dx = 0$$

$$\int_0^\beta f(x)\,dx = 0$$

$$\left[\frac{1}{4}x^4 - \frac{\alpha+\beta}{3}x^3 + \frac{\alpha\beta}{2}x^2\right]_0^\beta = 0$$

$$\frac{1}{4}\beta^4 - \frac{\alpha+\beta}{3}\beta^3 + \frac{\alpha\beta}{2}\beta^2 = 0$$

$$\frac{1}{4}\beta - \frac{\alpha+\beta}{3} + \frac{\alpha}{2} = 0 \quad (両辺を \beta^3\,(>0)\ で割った)$$

$$\therefore \quad \alpha = \frac{1}{2}\beta$$

となります。

2

 問題を見てやるべきこと

解　答

理系学部**2**（p.387）に同じ。

3

 問題を見てやるべきこと

　座標平面上の点の移動，という設定はよく見られるものですが，操作の回数が n 回となっていることもあり難問です。まずはコインの移動の確率を次ページの図のように整理し，次のようにスタートするのが定石です。

2024
2023
2022
2021
2020
2019
2018
2017
2016
2015
2014
2013
2012
2011
2010

コインの移動の確率は右図の通りである。

操作を n 回繰り返したとき,

　　　赤玉を a 回

　　　青玉を b 回

　　　白玉を c 回

取り出したとする。

　到達点を (X, Y) と表すと,

$$\begin{cases} a + b + c = n \\ X = a - c \\ Y = b - c \end{cases}$$

が成り立つ。

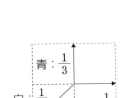

解　答

コインの移動の確率は右図の通りである。

操作を n 回繰り返したとき,

　　　赤玉を a 回

　　　青玉を b 回

　　　白玉を c 回

取り出したとする。

　到達点を (X, Y) と表すと,

$$\begin{cases} a + b + c = n \\ X = a - c \qquad \cdots\cdots① \\ Y = b - c \end{cases}$$

が成り立つ。　◀── a, b, c は 0 以上の整数であることに注意する。

(1)　①で $c = 1$ の場合である。

$$\begin{cases} a + b = n - 1 \\ X = a - 1 \\ Y = b - 1 \end{cases}$$

　第 1 式を満たす (a, b) の組は,

$$(a, b) = (0, n - 1), (1, n - 2), \cdots\cdots, (n - 1, 0)$$

であり,それに応じて到達点は,

$$(X, Y) = (-1, n - 2), (0, n - 3), \cdots\cdots, (n - 2, -1)$$

となる。

2024
2023
2022
2021
2020
2019
2018
2017
2016
2015
2014
2013
2012
2011
2010

(2)　①で $c = k \; (k = 0, \; 1, \; 2, \; \cdots\cdots, \; n)$ とすると，

$$\begin{cases} a + b = n - k \\ X = a - k \\ Y = b - k \end{cases}$$

第 1 式を満たす (a, b) の組は，

$$(a, b) = (0, n - k), (1, n - k - 1), \cdots\cdots, (n - k, 0)$$

の $(n - k + 1)$ 個あり，これは到達点の個数でもある。

また，3 式から，a, b を消去すると，

　$\boxed{\text{3 式を辺々加えるとうまく処理できます}}$

$$X + Y = n - 3k$$

が成り立ち，(X, Y) は直線 $x + y = n - 3k$ にあることがわかる。

これより，異なる k に対する到達点が一致することはない。

$\Big[$ たとえば，$k = 0$ のときの到達点は $x + y = n$ 上にあり，
$k = 1$ のときの到達点は $x + y = n - 3$ 上にあり，
$k = 0$ のときと $k = 1$ のときで重複することはありません。 $\Big]$

よって，求める個数は，

$$\sum_{k=0}^{n}(n - k + 1) = (n + 1) + n + \cdots\cdots + 3 + 2 + 1$$

$$= \frac{1}{2}(n + 1)(n + 2) \quad \boxed{\text{答}}$$

(3)　①で $n = 3$，$c = k \; (k = 0, \; 1, \; 2, \; 3)$ として

$$\begin{cases} a + b = 3 - k \\ X = a - k \\ Y = b - k \end{cases}$$

まず，

$$X + Y = 3(1 - k)$$

が成り立ち，右図より $k = 1$ であることが必要。

このとき，

$$\begin{cases} a + b = 2 \\ X = a - 1 \\ Y = b - 1 \end{cases}$$

となり，第 1 式を満たす

$$(a, b) = (0, 2), (1, 1), (2, 0)$$

に対応する到達点

$$(X, Y) = (-1, 1),\ (0, 0),\ (1, -1)$$

はすべて条件を満たす。

　すなわち，求める確率は，

$$(a, b, c) = (0, 2, 1),\ (1, 1, 1),\ (2, 0, 1)$$

となる場合で，

$$P_3 = \frac{3!}{0!\,2!\,1!}\left(\frac{1}{2}\right)^0\left(\frac{1}{3}\right)^2\left(\frac{1}{6}\right)^1 + \frac{3!}{1!\,1!\,1!}\left(\frac{1}{2}\right)^1\left(\frac{1}{3}\right)^1\left(\frac{1}{6}\right)^1$$

$$+ \frac{3!}{2!\,0!\,1!}\left(\frac{1}{2}\right)^2\left(\frac{1}{3}\right)^0\left(\frac{1}{6}\right)^1$$

$$= \frac{25}{72}\ \ \boxed{答}$$

(4)　①で $n = 3N$，$c = k\ (k = 0, 1, 2, \cdots\cdots, 3N)$ とする。

$$\begin{cases} a + b = 3N - k \\ X = a - k \\ Y = b - k \end{cases}$$

　$X + Y = 3(N - k)$ が成り立つ。

　(3)と同様に考えると，$k = N$ であることが必要で，このとき，

$$\begin{cases} a + b = 2N \\ X = a - N \\ Y = b - N \end{cases}$$

　第 1 式を満たす

$$(a, b) = (0, 2N),\ (1, 2N - 1),\ \cdots\cdots,\ (2N, 0)$$

に対応する到達点のうち，条件を満たすものは，

$$(a, b) = (N - 1, N + 1),\ (N, N),\ (N + 1, N - 1)$$

の場合である。

　すなわち，P_{3N} は，

$$(a, b, c) = (N - 1, N + 1, N),\ (N, N, N),\ (N + 1, N - 1, N)$$

となる確率で，

$$P_{3N} = \frac{(3N)!}{(N-1)!(N+1)!\,N!}\left(\frac{1}{2}\right)^{N-1}\left(\frac{1}{3}\right)^{N+1}\left(\frac{1}{6}\right)^{N}$$

$$+ \frac{(3N)!}{N!\,N!\,N!}\left(\frac{1}{2}\right)^{N}\left(\frac{1}{3}\right)^{N}\left(\frac{1}{6}\right)^{N}$$

$$+ \frac{(3N)!}{(N+1)!(N-1)!\,N!}\left(\frac{1}{2}\right)^{N+1}\left(\frac{1}{3}\right)^{N-1}\left(\frac{1}{6}\right)^{N}$$

$$= \frac{(19N+6)(3N)!}{N!\,N!\,(N+1)!}\left(\frac{1}{6}\right)^{2N+1} \quad 答$$

 **研　究**

(3) **解答** のように解くのが一般的ですが，気をつけるべきポイントがいくつかあり，それなりに大変です。

P_3 のように操作の回数が少ない場合は樹形図を書いて考えるのも一つの手です。

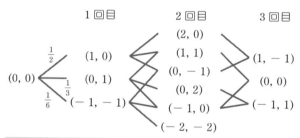

3回目は条件を満たす座標だけをピックアップしています。

あとは樹形図を参考に慎重に計算していきます。

愚直な方法ですが，すべての場合を考えることになるので，重複やもれがなく，ある意味では自信をもって解き進めることができます。九大では樹形図を書いて考えるべき問題が少なくないので，確率の問題に対する基本スタンスとしてもっておきましょう。

4 **問題を見てやるべきこと**

解　答

理系学部4（p.396）に同じ。

数 学 解答・解説

理系学部

1

問題を見てやるべきこと

(1) 直線 ℓ は点 $(-4,\ 0)$ を通る傾き a の直線。
したがって，右図より，直線 ℓ と C_1 が
異なる 2 つの共有点をもつとき，
a の傾きは，

- ℓ が，$(0,\ 0)$，$(2,\ 0)$ を通る
　ときの傾き a_1 以上。
- ℓ が C_1 と接するときの傾きが a_2 未満となります。

a_1 は明らかに 0。

a_2 は ℓ と C_1 が，$0 < x < 2$ で重解をもつ条件より求めます。

　　すなわち，$-x^2 + 2x = a(x + 4)$ より，

　　　　$x^2 + (a - 2)x + 4a = 0$ の判別式 $= 0$ と，$0 < x < 2$ より，

　　　　a_2 を求めます。

(2) (1)の $x^2 + (a - 2)x + 4a = 0$ の 2 解を $\alpha,\ \beta\ (\alpha < \beta)$
とおくと，

$$S_1 = \int_\alpha^\beta \{(-x^2 + 2x) - a(x + 4)\}dx$$

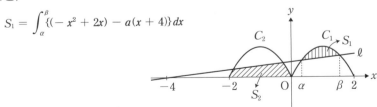

$$= -\int_\alpha^\beta (x - \alpha)(x - \beta)\,dx$$

$$= -\left\{ -\frac{1}{6}(\beta - \alpha)^3 \right\} \quad \cdots\cdots\text{Ⓐ}$$

$$\begin{cases} \alpha + \beta = -(a-2) \\ \alpha\beta = 4a \end{cases} \text{より,} \quad \begin{aligned}(\beta - \alpha)^2 &= (\alpha + \beta)^2 - 4\alpha\beta \\ &= a^2 - 20a + 4 \quad \cdots\cdots\text{Ⓑ}\end{aligned}$$

ⒷをⒶに代入して，$S_1 = \dfrac{1}{6}(a^2 - 20a + 4)^{\frac{3}{2}}$ を得ます。

(3)　C_2 と x 軸で囲まれた図形の面積は，

$$\int_{-2}^0 (-x^2 - 2x)\,dx = -\left[\frac{x^3}{3} + x^2\right]_{-2}^0 = \frac{4}{3} \quad \cdots\cdots\text{①}$$

ℓ と C_2 で囲まれた図形の面積は，(2)の S_1 と同様に計算して，

$$\frac{1}{6}(a^2 - 12a + 4)^{\frac{3}{2}} \quad \cdots\cdots\text{②}$$

①・②より，$S_2 = \dfrac{4}{3} - \dfrac{1}{6}(a^2 - 12a + 4)^{\frac{3}{2}}$

$$S_1 = S_2 \iff (a^2 - 20a + 4)^{\frac{3}{2}} + (a^2 - 12a + 4)^{\frac{3}{2}} = 8$$

$f(a) = (a^2 - 20a + 4)^{\frac{3}{2}} + (a^2 - 12a + 4)^{\frac{3}{2}}$ とおきます。

$f(a)$ が $0 \leqq a \leqq \dfrac{1}{5}$ で連続であることと，$f(0) - 8$ と $f\left(\dfrac{1}{5}\right) - 8$ の正負が異なることを示すことができれば，中間値の定理により，$S_1 = S_2$ を満たす a が，$0 < a < \dfrac{1}{5}$ の範囲に存在することを示すことができます。

解　答

(1)　直線 ℓ は点 $(-4, 0)$ を通る傾き a の直線により，C_1 と異なる 2 つの共有点をもつとき，右図のように ℓ と C_1 が接するときを考えて，a の上限を求める。

$$-x^2 + 2x = a(x + 4)$$

$$\iff x^2 + (a-2)x + 4a = 0 \quad \cdots\cdots\text{①}$$

①が，$0 < x < 2$ で重解をもつとき，判別式を D として，

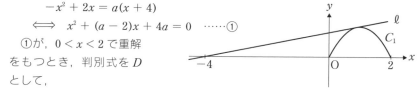

$D = 0$ より，$(a - 2)^2 - 16a = a^2 - 20a + 4 = 0$

　　　$a = 10 \pm 4\sqrt{6}$　……②

ここで，①の重解：$-\dfrac{a-2}{2}$ は，$0 < -\dfrac{a-2}{2} < 2$ より，

　　　$-2 < a < 2$　……③

ℓ と C_1 が接するとき，②・③より，$a = 10 - 4\sqrt{6}$

a の最小値は，ℓ が $(0,\ 0)$，$(2,\ 0)$ を通るときで，$a = 0$

以上より，$\underline{0 \leqq a < 10 - 4\sqrt{6}}$　**答**

(2)　①の2解を α，β $(\alpha < \beta)$ とおくと，

$$S_1 = \int_\alpha^\beta \{(-x^2 + 2x) - a(x + 4)\}dx$$

$$= -\int_\alpha^\beta (x - \alpha)(x - \beta)dx$$

$$= -\left\{-\frac{1}{6}(\beta - \alpha)^3\right\}　\text{……Ⓐ}$$

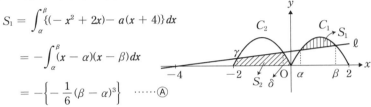

①の解：$x = \dfrac{-(a - 2) \pm \sqrt{a^2 - 20a + 4}}{2}$ より，$\beta - \alpha = \sqrt{a^2 - 20a + 4}$

これをⒶに代入して，$\underwave{S_1 = \dfrac{1}{6}(a^2 - 20a + 4)^{\frac{3}{2}}}$　**答**

(3)　**証　明**　(1)の条件のもとで，ℓ と C_2 は異なる2つの共有点をもつ。

$-x^2 - 2x = a(x + 4)$ より，$x^2 + (a + 2)x + 4a = 0$　……④

④の2解は，$x = \dfrac{-(a + 2) \pm \sqrt{a^2 - 12a + 4}}{2}$

これらを，$\gamma = \dfrac{-(a + 2) - \sqrt{a^2 - 12a + 4}}{2}$，

　　　$\delta = \dfrac{-(a + 2) + \sqrt{a^2 - 12a + 4}}{2}$ とおく。　$(\gamma < \delta)$

$$S_2 = \int_{-2}^0 (-x^2 - 2x)dx - \int_\gamma^\delta \{(-x^2 - 2x) - a(x + 4)\}dx$$

$$= \frac{1}{6} \cdot 2^3 - \frac{1}{6}(\delta - \gamma)^3 = \frac{1}{6}\left\{8 - (a^2 - 12a + 4)^{\frac{3}{2}}\right\}$$

$$(\delta - \gamma = \sqrt{a^2 - 12a + 4} \text{ より})$$

$S_1 = S_2$ より，$\dfrac{1}{6}(a^2 - 20a + 4)^{\frac{3}{2}} = \dfrac{1}{6}\left\{ 8 - (a^2 - 12a + 4)^{\frac{3}{2}} \right\}$

$\Longleftrightarrow \ (a^2 - 20a + 4)^{\frac{3}{2}} + (a^2 - 12a + 4)^{\frac{3}{2}} = 8$

ここで，$f(a) = (a^2 - 20a + 4)^{\frac{3}{2}} + (a^2 - 12a + 4)^{\frac{3}{2}}$ とおく。

(1)より，$0 \leq a < 10 - 4\sqrt{6}$ $\ \ \underwave{10 - 4\sqrt{6} > \dfrac{1}{5}}$ より，$f(a)$ は $0 \leq a \leq \dfrac{1}{5}$ で連続。

 「研究」参照

$\begin{cases} f(0) = 16 > 8 \\ f\left(\dfrac{1}{5}\right) = \dfrac{1 + 41\sqrt{41}}{125} < \dfrac{1 + 41\sqrt{49}}{125} = \dfrac{288}{125} < 8 \end{cases}$

以上より，中間値の定理により，$f(a) = 8$ となる a が，$0 < a < \dfrac{1}{5}$ に存在する。

つまり，$S_1 = S_2$ となる a が，$0 < a < \dfrac{1}{5}$ に存在する。

研　究

(1) **別　解**

$C_1 : y = -x^2 + 2x \ \ (0 \leq x \leq 2)$ と $l : y = a(x + 4)$ より，y を消去して，

$x^2 + (a - 2)x + 4a = 0$ が，$0 \leq x \leq 2$ で異なる 2 実解をもつ条件を求めます。

$f(x) = x^2 + (a - 2)x + 4a$ とおき，$f(x) = 0$ の判別式を D とおきます。

$\begin{cases} f(0) \geq 0 \\ f(2) \geq 0 \\ 0 \leq -\dfrac{a - 2}{2} \leq 2 \\ D > 0 \end{cases} \Longleftrightarrow \begin{cases} 4a \geq 0 \\ 6a \geq 0 \\ -2 \leq a \leq 2 \\ (a - 2)^2 - 16a > 0 \end{cases} \Longleftrightarrow \begin{cases} 0 \leq a \\ -2 \leq a \leq 2 \\ a < 10 - 4\sqrt{6}, \ 10 + 4\sqrt{6} < a \end{cases}$

$\therefore \ \underwave{0 \leq a < 10 - 4\sqrt{6}}$ **答**

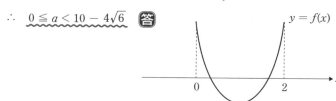

(2) 入試頻出の2次関数・3次関数・4次関数の面積公式を示します。

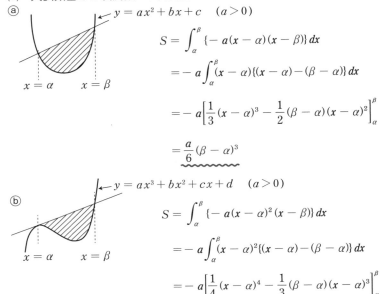

ⓐ

$$y = ax^2 + bx + c \quad (a > 0)$$

$$S = \int_\alpha^\beta \{-a(x - \alpha)(x - \beta)\}\,dx$$

$$= -a\int_\alpha^\beta (x - \alpha)\{(x - \alpha) - (\beta - \alpha)\}\,dx$$

$$= -a\left[\frac{1}{3}(x - \alpha)^3 - \frac{1}{2}(\beta - \alpha)(x - \alpha)^2\right]_\alpha^\beta$$

$$= \frac{a}{6}(\beta - \alpha)^3$$

ⓑ

$$y = ax^3 + bx^2 + cx + d \quad (a > 0)$$

$$S = \int_\alpha^\beta \{-a(x - \alpha)^2(x - \beta)\}\,dx$$

$$= -a\int_\alpha^\beta (x - \alpha)^2\{(x - \alpha) - (\beta - \alpha)\}\,dx$$

$$= -a\left[\frac{1}{4}(x - \alpha)^4 - \frac{1}{3}(\beta - \alpha)(x - \alpha)^3\right]_\alpha^\beta$$

$$= \frac{a}{12}(\beta - \alpha)^4$$

ⓒ

$$y = ax^4 + bx^3 + cx^2 + dx + e \quad (a > 0)$$

$$S = \int_\alpha^\beta a(x - \alpha)^2(x - \beta)^2\,dx$$

$$= a\int_\alpha^\beta (x - \alpha)^2\{(x - \alpha) - (\beta - \alpha)\}^2\,dx$$

$$= a\int_\alpha^\beta \{(x - \alpha)^4 - 2(\beta - \alpha)(x - \alpha)^3 + (\beta - \alpha)^2(x - \alpha)^2\}\,dx$$

$$= a\left[\frac{(x - \alpha)^5}{5} - \frac{(\beta - \alpha)(x - \alpha)^4}{2} + \frac{(\beta - \alpha)^2(x - \alpha)^3}{3}\right]_\alpha^\beta = \frac{a}{30}(\beta - \alpha)^5$$

ⓐ・ⓑは頻出，ⓒも古いですが，1989年に，九大で出題されています。

(3)　**解答** の $10 - 4\sqrt{6} > \dfrac{1}{5}$ を示すところですが，次のように計算します．

$$10 - 4\sqrt{6} > \frac{1}{5} \iff 50 - 20\sqrt{6} > 1 \iff 49 > 20\sqrt{6}$$

$$\iff 2401 > 2400$$

$S_1 = S_2$ から式を導いても，これを満たす実数 a が $0 < a < \dfrac{1}{5}$ に存在することを示すには，中間値の定理を用いる必要があります．2005年の $\boxed{5}$ (3)が，同様に中間値の定理を用いる出題です．本問より易しいですが，同時に学習しておいてください．

$\boxed{2}$

問題を見てやるべきこと

(1)　$f(x) = \dfrac{1}{x(\log x)^2}$　$(x > 1)$ とおきます．

$f(x)$ の導関数 $f'(x)$ を求めて，$x > 1$ の下で，$f'(x) < 0$ となることを示します．

$$f'(x) = -\frac{1}{\{x(\log x)^2\}^2}\left\{1\cdot(\log x)^2 + x\cdot 2(\log x)\cdot\frac{1}{x}\right\} = -\frac{\log x + 2}{x^2(\log x)^3}$$

これより，$x > 1$ で，$f'(x) < 0$ を示すことができます．

(2)　$\dfrac{1}{x(\log x)^2}$ の原始関数の1つとして，$\dfrac{1}{\log x}$ が，その成分になることを予測するのは，難しくないと思います．$\left(\dfrac{1}{\log x}\right)' = -\dfrac{1}{x}\cdot\dfrac{1}{(\log x)^2}$ より，

$$\int \frac{1}{x(\log x)^2}\,dx = -\frac{1}{\log x} + C\ (C\ \text{は積分定数})\ \text{となることが確認できます．}$$

置換積分により，$\displaystyle\int\frac{1}{x(\log x)^2}\,dx$ において，$\log x = t$ とおきます．

$$\frac{dx}{x} = dt\ \text{より，}\ \int\frac{1}{x(\log x)^2}\,dx = \int\frac{dt}{t^2} = -\frac{1}{t} + C = -\frac{1}{\log x} + C$$

$$(C\ \text{は積分定数})$$

(3) $\displaystyle\sum_{k=3}^{n} \frac{1}{k(\log k)^2} < \frac{1}{\log 2}$ の左辺の $\dfrac{1}{k(\log k)^2}$ は，(1)より単調減少すること，

さらに，右辺の $\dfrac{1}{\log 2}$ が，(2)の $\displaystyle\int \frac{1}{x(\log x)^2}\,dx = -\frac{1}{\log x} + C$ の $-\dfrac{1}{\log x}$ と

形が似ていることから，下のグラフをつくります。

- 左辺の $\displaystyle\sum_{k=3}^{n} \frac{1}{k(\log k)^2}$ は，右図の

  $(n-2)$ 個の長方形の面積の和を

  示します。

- 右辺の $\dfrac{1}{\log 2}$ は，$y = \dfrac{1}{x(\log x)^2}$ を

  $x = 2$ から $x = n$ まで積分した

  $\displaystyle\int_{2}^{n} \frac{1}{x(\log x)^2}\,dx = \left[-\frac{1}{\log x}\right]_{2}^{n}$ に含

  まれます。

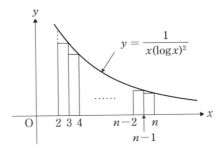

解 答 ▶

(1) **証 明** $f(x) = \dfrac{1}{x(\log x)^2}$ $(x > 1)$ とおく。

$$f'(x) = -\frac{1}{\{x(\log x)^2\}^2}\left\{1 \cdot (\log x)^2 + x \cdot 2(\log x)\cdot\frac{1}{x}\right\}$$

$$= -\frac{\log x + 2}{x^2(\log x)^3}$$

$x > 1$ において，$\log x > 0$ より，$f'(x) < 0$

以上より，$f(x)$ は $x > 1$ において単調に減少する。

(2) $\log x = t$ とおくと，$\dfrac{dx}{x} = dt$ より，

$$\int \frac{1}{x(\log x)^2}\,dx = \int \frac{1}{t^2}\,dt = -\frac{1}{t} + C = -\underline{\frac{1}{\log x}} + C \quad (C \text{ は積分定数}) \quad \boxed{答}$$

(3)　**証　明**　右図に示したよう

に, x 軸と, $x = 2$, $x = n$, $y = \dfrac{1}{x(\log x)^2}$

で囲まれた部分の面積と, 右図の幅
1 の $(n - 2)$ 個の長方形の面積の和
を比較して,

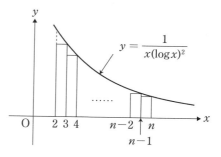

$$\sum_{k=3}^{n} \frac{1}{k(\log k)^2} < \int_{2}^{n} \frac{1}{x(\log x)^2}\,dx$$
$$\quad\cdots\cdots\text{Ⓐ}$$

Ⓐにおいて, $\displaystyle\int_{2}^{n} \frac{1}{x(\log x)^2}\,dx = \left[-\frac{1}{\log x} \right]_{2}^{n} = -\frac{1}{\log n} + \frac{1}{\log 2} < \frac{1}{\log 2}$

$$\therefore \quad \sum_{k=3}^{n} \frac{1}{k(\log k)^2} < \frac{1}{\log 2}$$

研　究

(2)　よく勉強している受験生であれば, (3)の $\displaystyle\sum_{k=3}^{n} \frac{1}{k(\log k)^2} < \frac{1}{\log 2}$ より,

$\dfrac{1}{x(\log x)^2}$ を積分したものと $\dfrac{1}{\log x}$ に関係性があり, $\dfrac{1}{\log x}$ が原始関数の候補と

なることが推測できます。

(3)　2003年の九大でも類題が出題されていますので, 紹介します。

例

問

n を 2 以上の自然数とする。数列 $\{S_k\}$ が, $S_k = 1 + \dfrac{1}{2} + \dfrac{1}{3} + \cdots\cdots + \dfrac{1}{k}$

で, 与えられている。

このとき, 不等式 $\log(n + 1) < S_n < 1 + \log n$ が, 成立することを示せ。

2024 2023 2022 2021 2020 2019 2018 2017 2016 2015 2014 2013 2012 2011 2010

解 $y = \dfrac{1}{x}\ (x > 0)$ は単調減少により，

$k \leqq x \leqq k+1$（k は自然数）のとき，

左側の不等式は右上図より，

$$\int_{1}^{n+1} \frac{1}{x}dx < 1 + \frac{1}{2} + \cdots\cdots + \frac{1}{n} \quad \cdots\cdots\text{Ⓐ}$$

右側の不等式は右下図より，

$$1 + \frac{1}{2} + \cdots\cdots + \frac{1}{n} < 1 + \int_{1}^{n} \frac{1}{x}dx$$

$$\cdots\cdots\text{Ⓑ}$$

Ⓐ・Ⓑより，$\log(n+1) < S_n < 1 + \log n$

を得ます。

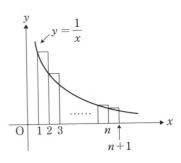

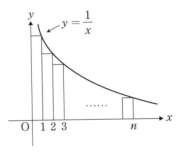

③ 問題を見てやるべきこと

(1) 問題の導入どおり，与えられた球 $x^2 + y^2 + z^2 = 1$ において，

$x = k$ を代入すると，$y^2 + z^2 = 1 - k^2$ の円が得られます。

この円周に接するベクトル

$(\sqrt{3},\ -1)$ の光線を図示す

ると右図のようになります。

つまり，右図の

$\sqrt{1-k^2} \leqq y \leqq 2\sqrt{1-k^2}$ の

範囲が，$x = k$ 上において，

球の外で光が当たらない部分

になります。

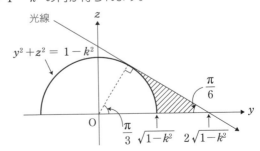

(2) (1)より，$x = k$ において光が当たらない部分の長さは

$$2\sqrt{1-k^2} - \sqrt{1-k^2} = \sqrt{1-k^2}\ \text{となります。}$$

これを $k = -1$ から $k = 1$ まで積分すれば，求める面積が得られます。

$\displaystyle\int\sqrt{1-k^2}\,dk$ の積分計算は，円の面積を用いましょう（九大では頻出です）。

(3) (1)の図の斜線部が，断面 $x=k$ における光の当たらない部分の面積です。

この面積は，斜辺の長さが $2\sqrt{1-k^2}$ で $\dfrac{\pi}{3}$ と $\dfrac{\pi}{6}$ を内角にもつ直角三角形から，半径 $\sqrt{1-k^2}$，中心角 $\dfrac{\pi}{3}$ の扇形をひくことで得られます。

この面積を $S(k)$ とおくと，

$$S(k) = \frac{1}{2}\sqrt{1-k^2}\cdot 2\sqrt{1-k^2}\cdot\sin\frac{\pi}{3} - \frac{1}{2}\cdot\frac{\pi}{3}(\sqrt{1-k^2})^2$$

$$= \left(\frac{\sqrt{3}}{2} - \frac{\pi}{6}\right)(1-k^2)$$

$S(k)$ を $k=-1$ から $k=1$ まで積分することで，求める体積が得られます。

解答

(1) 原点を中心とする半径 1 の球の方程式は，

　　$x^2 + y^2 + z^2 = 1$

$x=k$ で切ったときの断面の式は，

　円：$y^2 + z^2 = 1-k^2$ となる。

この中心を $P(k,\ 0,\ 0)$ とする。

断面に接する光線と，断面の円との接点を A，xy 平面との交点を B とする。

右図より，直角三角形 PAB において，

　　$PA = \sqrt{1-k^2}$ より，
　　$PB = 2\sqrt{1-k^2}$

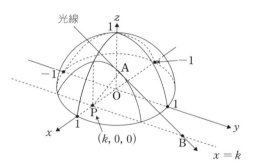

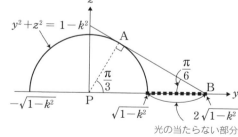

光の当たらない部分

$\therefore\quad \underline{\sqrt{1-k^2} \leqq y \leqq 2\sqrt{1-k^2}}$ 答

(2) (1)より対称性を利用して，

$$2\int_0^1 (2\sqrt{1-k^2} - \sqrt{1-k^2})\,dk$$

$$= 2\int_0^1 \sqrt{1-k^2}\,dk$$

$$= 2 \cdot \frac{\pi}{4} = \frac{\pi}{2} \quad \boxed{答}$$

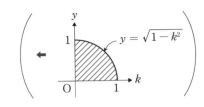

(3) $x = k$ で切った断面上の光の当たらない部分の面積を $S(k)$ とおくと，右図より，$S(k)$ は △PAB から，半径 $\sqrt{1-k^2}$，中心角 $\frac{\pi}{3}$ の扇形をひいて求めることができる。

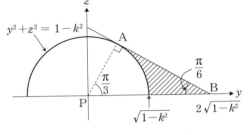

$$S(k) = \frac{1}{2} \cdot \sqrt{1-k^2} \cdot 2\sqrt{1-k^2} \cdot \sin\frac{\pi}{3} - \frac{1}{2} \cdot \frac{\pi}{3}(\sqrt{1-k^2})^2$$

$$= \left(\frac{\sqrt{3}}{2} - \frac{\pi}{6}\right)(1-k^2)$$

よって，求める体積は，

$$\int_{-1}^1 S(k)\,dk = \int_{-1}^1 \left(\frac{\sqrt{3}}{2} - \frac{\pi}{6}\right)(1-k^2)\,dk$$

$$= 2\left(\frac{\sqrt{3}}{2} - \frac{\pi}{6}\right)\int_0^1 (1-k^2)\,dk$$

$$= 2\left(\frac{\sqrt{3}}{2} - \frac{\pi}{6}\right)\left[k - \frac{k^3}{3}\right]_0^1$$

$$= \left(\sqrt{3} - \frac{\pi}{3}\right) \cdot \frac{2}{3}$$

$$= \frac{6\sqrt{3} - 2\pi}{9} \quad \boxed{答}$$

研　究

(2) **別解 1**

(1)より，xy 平面上で，球の外で光の当たらない部分の面積は，右の斜線部分となります。この面積は，等積移動することにより，半径 1 の半円と等しくなります。

$$\therefore \quad \frac{\pi}{2} \quad \text{答}$$

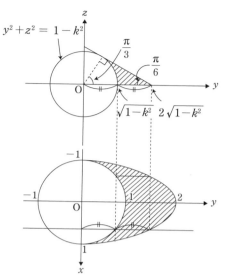

別解 2

解答 の $2\displaystyle\int_0^1 \sqrt{1-k^2}\,dk$ の計算

を円の面積を利用せずに置換積分をすると，次のようになります。

$k = \sin\theta \left(0 \leq \theta \leq \dfrac{\pi}{2}\right)$ とおくと，$dk = \cos\theta \cdot d\theta$ より，

$$2\int_0^1 \sqrt{1-k^2}\,dk = 2\int_0^{\frac{\pi}{2}} \cos^2\theta\,d\theta = 2\int_0^{\frac{\pi}{2}} \frac{1+\cos 2\theta}{2}\,d\theta$$

$$= \left[\theta + \frac{1}{2}\sin 2\theta\right]_0^{\frac{\pi}{2}} = \frac{\pi}{2} \quad \text{答}$$

しかし，遠回りです。

4

 問題を見てやるべきこと

操作をしっかりと理解するために，具体的に試してみましょう。赤玉を r，青玉を b で表します。

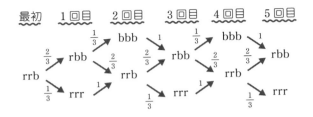

(1)　上図より，2回目に bbb となる確率は，$\dfrac{2}{3} \times \dfrac{1}{3} = \dfrac{2}{9}$ です。

(2)　上図より，奇数回目は rbb または rrr となり，bbb とはなりません。
したがって，硬貨をもらうことはありません。

(3)　8回目の操作で，はじめて硬貨をもらうのは，途中で bbb とならない場合
です。そのためには，途中の偶数回目である 2，4，6回目で rrb となる必要が
あります。

最初 ⎯⎯→ 2回目 ⎯⎯→ 4回目 ⎯⎯→ 6回目 ⎯⎯→ 8回目
rrb ⎯⎯→ rrb ⎯⎯→ rrb ⎯⎯→ rrb ⎯⎯→ bbb

(4)　(3)の場合に加えて，2回目だけ，4回目だけ，または6回目だけ bbb とな
る場合を考えて，合計します。

解　答

赤玉の個数が a 個，青玉の個数が b 個の状態を $(a,\ b)$ で表す。

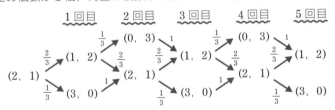

(1)　上図より，

$$(2,\ 1) \xrightarrow{\frac{2}{3}} (1,\ 2) \xrightarrow{\frac{1}{3}} (0,\ 3) \qquad \dfrac{2}{3} \times \dfrac{1}{3} = \dfrac{2}{9} \quad \boxed{答}$$

(2)　**証　明**　最初は $(2,\ 1)$ で，奇数個の青玉があり，1回につき必ず個数
が1変化するので，青玉の個数は，奇数回目に偶数個となり，偶数回目に奇数
個となる。

硬貨をもらうためには，青玉が 3 個，つまり奇数個となる必要があるので，奇数回目の操作で硬貨をもらうことはない。

(3)　8 回目にはじめて硬貨をもらうためには，2，4，6 回目で $(2, 1)$ となる必要がある。

$$
(2, 1) \nearrow^{\frac{2}{3}} (1, 2) \nearrow^{\frac{1}{3}} (0, 3) \atop \searrow_{\frac{2}{3}} (2, 1)
$$
$$
(2, 1) \searrow_{\frac{1}{3}} (3, 0) \xrightarrow{1} (2, 1)
$$

$$
\begin{cases}
2 \text{ 回の操作で，} (2, 1) \longrightarrow (0, 3) \text{ となるのは，} \dfrac{2}{3} \times \dfrac{1}{3} = \dfrac{2}{9} \\
2 \text{ 回の操作で，} (2, 1) \longrightarrow (2, 1) \text{ となるのは，} 1 - \dfrac{2}{9} = \dfrac{7}{9}
\end{cases}
$$

これより，

最初　2回目　4回目　6回目　8回目

$$(2, 1) \xrightarrow{\frac{7}{9}} (2, 1) \xrightarrow{\frac{7}{9}} (2, 1) \xrightarrow{\frac{7}{9}} (2, 1) \xrightarrow{\frac{2}{9}} (0, 3)$$

$$\left(\frac{7}{9}\right)^3 \cdot \frac{2}{9} = \frac{686}{6561} \quad 【答】$$

(4)　8 回の操作でもらう硬貨の総数がちょうど 1 枚となるのは，(3)の場合に加えて，2 回目だけ，または 4 回目だけ，または 6 回目だけ $(0, 3)$ となる場合である。2 回の操作で $(0, 3) \longrightarrow (2, 1)$ となるのは，

$$(0, 3) \xrightarrow{1} (1, 2) \nearrow^{\frac{1}{3}} (0, 3) \atop \searrow_{\frac{2}{3}} (2, 1) \quad \text{より，} 1 \cdot \frac{2}{3} = \frac{2}{3}$$

以上より，

最初　2回目　4回目　6回目　8回目

$$(2, 1) \xrightarrow{\frac{2}{9}} (0, 3) \xrightarrow{\frac{2}{3}} (2, 1) \xrightarrow{\frac{7}{9}} (2, 1) \xrightarrow{\frac{7}{9}} (2, 1)$$

$$(2, 1) \xrightarrow{\frac{7}{9}} (2, 1) \xrightarrow{\frac{2}{9}} (0, 3) \xrightarrow{\frac{2}{3}} (2, 1) \xrightarrow{\frac{7}{9}} (2, 1)$$

$$(2, 1) \xrightarrow{\frac{7}{9}} (2, 1) \xrightarrow{\frac{7}{9}} (2, 1) \xrightarrow{\frac{2}{9}} (0, 3) \xrightarrow{\frac{2}{3}} (2, 1)$$

これより，$3 \times \dfrac{2}{9} \cdot \dfrac{2}{3} \cdot \left(\dfrac{7}{9}\right)^2 + \underbrace{\left(\dfrac{7}{9}\right)^3 \cdot \dfrac{2}{9}}_{(3)の答} = \dfrac{7^2 \cdot 2\,(9 \cdot 2 + 7)}{9^4} = \dfrac{2450}{6561}$ **答**

 **研　究**

(1)・(2)を解答するプロセスにおいて，

偶数回目（0 回目は除きます）は，青青青または赤赤青

奇数回目は，赤青青または赤赤赤

となっていることに気づくのがポイントです。

(3)・(4)の 8 回目という設定を，$2n$ 回目（$n = 1,\ 2,\ \cdots\cdots$）とすると，

(3)　$\longrightarrow$　$\left(\dfrac{7}{9}\right)^{n-1} \cdot \dfrac{2}{9}$

(4)　$\longrightarrow$　$(n-1) \times \dfrac{2}{9} \cdot \dfrac{2}{3} \cdot \left(\dfrac{7}{9}\right)^{n-2} + \left(\dfrac{7}{9}\right)^{n-1} \cdot \dfrac{2}{9} = \left(\dfrac{7}{9}\right)^{n-1}\left\{\dfrac{4}{21}(n-1) + \dfrac{2}{9}\right\}$

となります。

5

 問題を見てやるべきこと

(1)　「n が正の偶数」という設定ですので，

$n = 2m$（m は自然数）とおくことから始まります。

$$2^n - 1 = 2^{2m} - 1 = 4^m - 1 \quad \cdots\cdots Ⓐ$$

Ⓐにおいて

[1]　$(4-1) = 3$ で因数分解できますので，この形で 3 の倍数となることを
示すのが一番自然です。

解答 は，この形で示しています。

[2]　Ⓐ$\cdots\cdots 4^m - 1$ において，$m = 1$ のとき $4^1 - 1 = 3$

$4^k - 1$（k は自然数）は 3 の倍数と仮定して，数学的帰納法で示すこ
とができます。（  **研　究** 参照）

[3]　Ⓐ $= 4^m - 1 = (3+1)^m - 1$

$= {}_m\mathrm{C}_m \cdot 3^m + {}_m\mathrm{C}_{m-1} \cdot 3^{m-1} + \cdots\cdots + {}_m\mathrm{C}_1 \cdot 3 + {}_m\mathrm{C}_0 \cdot 3^0 - 1$

$= 3({}_m\mathrm{C}_m \cdot 3^{m-1} + {}_m\mathrm{C}_{m-1} \cdot 3^{m-2} + \cdots\cdots + {}_m\mathrm{C}_1)$

と 2 項定理で示すこともできます。

(2)　互いに素であることは背理法により，「互いに素でない」と仮定し，共通因数を用いて各々の数を表し，矛盾を導くのがセオリーです。

　$2^n + 1$ と $2^n - 1$ はともに奇数により，共通な素因数を3以上とおきましょう。

(3)　$2^{p-1} - 1 = pq^2$（p，q は異なる素数）という設定から，(1)・(2)の結論を利用することに意識を集中しましょう。

　(2)の設定より，$2^{p-1} + 1 = pq^2 + 2$ をつくり，$2^{p-1} - 1 = pq^2$ と比較しましょう。

　(2)より，$pq^2 + 2$ と pq^2 が互いに素となりますので，pq^2 は偶数でないことがわかります。

　つまり，pq^2 は奇数と判明し，p も q も奇数となります。

　よって，$p - 1$ は偶数となり，$2^{p-1} - 1$ は(1)より，3の倍数，つまり pq^2 は3の倍数となります。p，q はともに素数より，p または q が3となります。

　あとは，$p = 3$ のとき，$q = 3$ のときと，場合分けをして調べましょう。

解　答

(1)　**証明**　n は正の偶数より，$n = 2m$（m は自然数）とおける。

$$2^n - 1 = 2^{2m} - 1 = 4^m - 1 = (4 - 1)(4^{m-1} + 4^{m-2} + \cdots\cdots + 4 + 1)$$
$$= 3(4^{m-1} + 4^{m-2} + \cdots\cdots + 4 + 1)$$

以上より，n が正の偶数のとき，$2^n - 1$ は3の倍数となる。

(2)　**証明**　背理法で示す。

$2^n + 1$ と $2^n - 1$ が互いに素でないとする。

$2^n + 1$ と $2^n - 1$ はともに奇数により，共通な奇数の素因数をもつ。

これを d とおく。（$d \geq 3$）

$$\begin{cases} 2^n + 1 = d \cdot a & \cdots\cdots① \\ 2^n - 1 = d \cdot b & \cdots\cdots② \end{cases} \quad (a, b は a > b を満たす自然数)$$

① $-$ ②より，

$$(2^n + 1) - (2^n - 1) = d(a - b)$$
$$2 = d(a - b) \quad \cdots\cdots③$$

ここで，$d \geq 3$，$a - b > 0$ より，③を満たす d，a，b は存在しない。

これは矛盾。

よって，$2^n + 1$ と $2^n - 1$ は互いに素である。

(3) $2^{p-1} - 1 = pq^2$ (p, q は素数) ……④ において,

$2^{p-1} + 1 = pq^2 + 2$ より, (2)から pq^2 と $pq^2 + 2$ は互いに素となる。

したがって, pq^2 と $pq^2 + 2$ はともに奇数となる。

つまり, p, q はともに奇数。

よって, $p-1$ は偶数であり, (1)より, $2^{p-1} - 1$ は 3 の倍数となる。

したがって, ④より, p または q が 3 となる。

[1] $p = 3$ のとき

    ④ $\iff$ $3 = 3q^2$ $q = 1$ となり, q は素数ではない。

[2] $q = 3$ のとき

    ④ $\iff$ $2^{p-1} = 9p + 1$ ……⑤

$y = 2^{p-1}$ と $y = 9p + 1$ のグラフを下に示す。

  右のグラフより, ⑤を満たす素数 p

は 7 のみ。

[1]・[2]より, 求める (p, q) の組は,

    $(p, q) = \underline{(7, 3)}$ 答

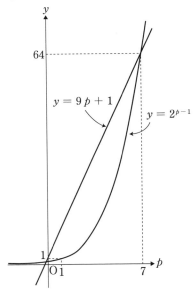

 研　究

(1)　数学的帰納法による **別　解** を示します。

$2^n - 1$ において，$n = 2m$（m は自然数）のとき，

$$2^n - 1 = 2^{2m} - 1 = 4^m - 1 \quad \cdots\cdots ⓐ$$

[1]　$m = 1$ のとき，$4^1 - 1 = 3$ より，ⓐは 3 の倍数。

[2]　$m = k$（k は自然数）のとき，$4^k - 1$ は 3 の倍数と仮定する。

$$4^{k+1} - 1 = 4 \cdot 4^k - 1 = 3 \cdot 4^k + (1 \cdot 4^k - 1) = （3 の倍数）$$

[1]・[2]より，すべての自然数 n について，$2^n - 1$ は，3 の倍数となります。

(3)　(1)・(2)の $2^n - 1$ の n が $p - 1$ となっていますので，
素数 p を 2，3，……として調べることによっても，答えを導くことができます。
以下別解を示します。

別　解

㋐　$p = 2$ のとき，$2^{2-1} - 1 = 2 \cdot q^2$ より，$1 = 2q^2$　これを満たす素数 q は
　　存在しない。

㋑　$p = 3$ のとき，$2^{3-1} - 1 = 3q^2$ より，$3 = 3q^2$　これを満たす素数 q は存
　　在しない。

㋒　p が 5 以上の素数のとき，$p - 1$ は，偶数となる。

　　このとき，(1)より，$2^{p-1} - 1 = pq^2$ は，3 の倍数となる。

　　p は 5 以上の素数で，3 の倍数ではないので，$q = 3$

　　ここで，$p - 1 = 2m$　（m は 2 以上の整数）

　　条件式は，$2^{2m} - 1 = p \cdot 3^2$

　　　　　$\iff \quad (2^m + 1)(2^m - 1) = 9 \cdot p$

(2)より，$2^m + 1$ と $2^m - 1$ は互いに素かつ，$2^m - 1 \geqq 3$ より，

$$\begin{cases} 2^m + 1 = 9 \\ 2^m - 1 = p \end{cases} \cdots\cdots ① \quad または，\begin{cases} 2^m + 1 = p \\ 2^m - 1 = 9 \end{cases} \cdots\cdots ②$$

①は $2^m = 8$ より，$m = 3$，$p = 7$

②は $2^m = 10$ より，これを満たす自然数 m は存在しない。

以上より，求める (p, q) の組は $(7, 3)$ **答**

2024
2023
2022
2021
2020
2019
2018
2017
2016
2015
2014
2013
2012
2011
2010

文系学部

---

 1 **問題を見てやるべきこと**

(2) 頻出のテーマですので，全体を通して取り組みやすかったのではないかと思います。本問では(2)が鍵になるので，この設問の流れを確認しておきます。

C_1 と C_2 で囲まれる部分は右図斜線部のようになりますから，その面積 S は，

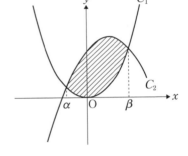

$$S = \int_\alpha^\beta \{(-x^2 + ax + b) - x^2\}dx$$

$$= \int_\alpha^\beta (-2x^2 + ax + b)dx$$

となります。

ここから先は

$$\int_\alpha^\beta (x - \alpha)(x - \beta)dx = -\frac{1}{6}(\beta - \alpha)^3$$

の公式を用いて計算を進めることがポイントです。これを用いると，

$$S = \int_\alpha^\beta (-2x^2 + ax + b)dx$$

$$= -2\int_\alpha^\beta (x - \alpha)(x - \beta)dx \quad (\alpha,\ \beta\ は\ 2x^2 - ax - b = 0\ の解より)$$

$$= -2\left\{-\frac{1}{6}(\beta - \alpha)^3\right\}$$

$$= \frac{1}{3}(\beta - \alpha)^3$$

となり，S が 9 に等しいことは，

$$S = 9 \iff \frac{1}{3}(\beta - \alpha)^3 = 9$$

$$\iff (\beta - \alpha)^3 = 27$$

$$\iff \beta - \alpha = 3$$

と言い換えることができます。

解　答

(1)
$$\begin{cases} y = x^2 \\ y = -x^2 + ax + b \end{cases}$$

を考える。2 式から y を消去して，

$$x^2 = -x^2 + ax + b$$

$$2x^2 - ax - b = 0 \quad \cdots\cdots①$$

求める条件は，①が異なる 2 つの実数解をもつことで，

（①の判別式）> 0

$$\Longleftrightarrow \underline{\underline{a^2 + 8b > 0}} \;\;\text{答}$$

(2)　$a^2 + 8b > 0$ の下で，①の異なる 2 解を $\alpha, \beta (\alpha < \beta)$ とおく。

C_1 と C_2 で囲まれる部分の面積を S とおくと，

$$S = \int_\alpha^\beta \{(-x^2 + ax + b) - x^2\}dx$$

$$= \int_\alpha^\beta (-2x^2 + ax + b)dx$$

$$= -2\int_\alpha^\beta (x - \alpha)(x - \beta)dx \quad (\alpha, \beta \text{ は①の 2 解より})$$

$$= -2 \times \left\{-\frac{1}{6}(\beta - \alpha)^3\right\}$$

$$= \frac{1}{3}(\beta - \alpha)^3$$

これが 9 に等しいとき，

$$\frac{1}{3}(\beta - \alpha)^3 = 9$$

$$(\beta - \alpha)^3 = 27$$

$$\beta - \alpha = 3 \quad \cdots\cdots②$$

ここで，①を解くと，$x = \dfrac{a \pm \sqrt{a^2 + 8b}}{4}$ だから，$\alpha < \beta$ に注意して，

$$\beta - \alpha = \frac{a + \sqrt{a^2 + 8b}}{4} - \frac{a - \sqrt{a^2 + 8b}}{4}$$

$$= \frac{\sqrt{a^2 + 8b}}{2} \quad \cdots\cdots③$$

②, ③より,

$$\frac{\sqrt{a^2 + 8b}}{2} = 3$$

$$\sqrt{a^2 + 8b} = 6$$

$$a^2 + 8b = 36$$

よって,

$$\underline{\underline{b = -\frac{1}{8}a^2 + \frac{9}{2}}} \boxed{答}$$

(3)
$$y = -x^2 + ax + b$$

$$= -\left(x - \frac{1}{2}a\right)^2 + \frac{1}{4}a^2 + b$$

$$= -\left(x - \frac{1}{2}a\right)^2 + \frac{1}{8}a^2 + \frac{9}{2} \quad \left((2)より \, b = -\frac{1}{8}a^2 + \frac{9}{2}\right)$$

C_2 の頂点の座標を (X, Y) とおくと,

$$\begin{cases} X = \dfrac{1}{2}a \\ Y = \dfrac{1}{8}a^2 + \dfrac{9}{2} \end{cases}$$

であり, 2 式から a を消去すると,

$$Y = \frac{1}{8}(2X)^2 + \frac{9}{2}$$

$$= \frac{1}{2}X^2 + \frac{9}{2}$$

a がすべての実数値をとって変化するから, X もすべての実数値をとって変化する。

よって求める軌跡は, 放物線 $y = \dfrac{1}{2}x^2 + \dfrac{9}{2}$ であり, 図示すると右のようになる。

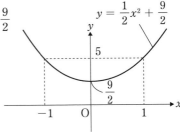

(2)　C_1 と C_2 で囲まれる部分の面積の計算過程で,

$$\int_\alpha^\beta (-2x^2 + ax + b)dx = -2\int_\alpha^\beta (x - \alpha)(x - \beta)dx \quad \cdots\cdots ⑦$$

として計算を進めましたが, この変形がうまくできない受験生は意外に多いように感じます。

　つまり,

$$\int_\alpha^\beta (-2x^2 + ax + b)dx = \left[-\frac{2}{3}x^3 + \frac{a}{2}x^2 + bx\right]_\alpha^\beta$$

$$= \left(-\frac{2}{3}\beta^3 + \frac{a}{2}\beta^2 + b\beta\right) - \left(-\frac{2}{3}\alpha^3 + \frac{a}{2}\alpha^2 + b\alpha\right) \quad \cdots\cdots ①$$

と計算してしまい, 煩雑になってその後の計算がうまく進められないというケースです。

　本解説で示したように, 結果は $\frac{1}{3}(\beta - \alpha)^3$ となるわけですが, 確かに上のように計算してしまうと, この結果にたどり着くのは至難の業です。

　上のように困ることのないように, ここでは解と係数の関係について復習しておきましょう。

> 解と係数の関係
>
> 2 次方程式 $ax^2 + bx + c = 0$
> の解が α, β である
>
> $\Longleftrightarrow$
>
> $\begin{cases} \alpha + \beta = -\dfrac{b}{a} \\ \alpha\beta = \dfrac{c}{a} \end{cases}$

　公式としては比較的メジャーなものですから, 使い慣れている人のほうが多いでしょう。実際, 本問では α, β が $2x^2 - ax - b = 0$ の解であることから, $\alpha + \beta = \dfrac{a}{2}$, $\alpha\beta = -\dfrac{b}{2}$ が成り立ち, $a = 2(\alpha + \beta)$, $b = -2\alpha\beta$ として①に代入して計算すると, $\frac{1}{3}(\beta - \alpha)^3$ が導けます。ただし, 計算はそれなりに大変です。

　さて, そもそも解と係数の関係はどうして成り立つのかというと,

　「2 次方程式 $ax^2 + bx + c = 0$ の解が α, β であるとき,

　$ax^2 + bx + c = a(x - \alpha)(x - \beta)$ と因数分解できる」

から，と言えます．右辺を展開して係数を比較することで，解と係数の関係を得るわけです．「　　」内の事実は，経験的にわかっていることだと思いますが，重要なので明文化しておきましょう．

解と係数の関係

2 次方程式 $ax^2 + bx + c = 0$ の解が α, β である

$\overset{Ⓐ}{\Longleftrightarrow}$ $ax^2 + bx + c = a(x - \alpha)(x - \beta)$

$\begin{pmatrix} (右辺) = a\{x^2 - (\alpha + \beta)x + \alpha\beta\} \\ \qquad\quad = ax^2 - a(\alpha + \beta)x + a\alpha\beta \\ より，左辺と係数を比較して \end{pmatrix}$

$\overset{Ⓑ}{\Longleftrightarrow}$ $\begin{cases} \alpha + \beta = -\dfrac{b}{a} \\[2mm] \alpha\beta = \dfrac{c}{a} \end{cases}$

Ⓑのほうが実用的ですが，その説明にあたるⒶをしっかり頭に入れておくと，㋐のところは，

「α, β は $2x^2 - ax - b = 0$ の 2 解であるから，

$$2x^2 - ax - b = 2(x - \alpha)(x - \beta)$$

と変形でき，

$$\int_\alpha^\beta (-2x^2 + ax + b)dx = -\int_\alpha^\beta (2x^2 - ax - b)dx$$

$$= -2\int_\alpha^\beta (x - \alpha)(x - \beta)dx 」$$

と自然に考えることができるでしょう．

なお，

$$\int_\alpha^\beta (x - \alpha)(x - \beta)dx = -\frac{1}{6}(\beta - \alpha)^3$$

の公式の証明については，2009 年度文系学部 4 の ◀ **研　究**（➡ p.452）であげていますから，ここでは割愛しておきます．

2024
2023
2022
2021
2020
2019
2018
2017
2016
2015
2014
2013
2012
2011
2010

2

問題を見てやるべきこと

　まずは基本となる 3 つのベクトルを決定し（基底と呼びます），その長さ，またそれらの内積を計算しておくのが，ベクトルの問題に対する基本動作です。

　本問では

$$\overrightarrow{OA} = \vec{a}, \quad \overrightarrow{OB} = \vec{b}, \quad \overrightarrow{OC} = \vec{c} \quad とおき（基底の決定），$$

$$|\vec{a}|, \ |\vec{b}|, \ |\vec{c}|, \quad \vec{a} \cdot \vec{b}, \quad \vec{b} \cdot \vec{c}, \quad \vec{c} \cdot \vec{a}$$

を計算しておきます。この下ごしらえを済ませれば，後は指示通り計算するだけとなります。

　具体的にやってみましょう。

$$\overrightarrow{OA} = \vec{a}, \quad \overrightarrow{OB} = \vec{b}, \quad \overrightarrow{OC} = \vec{c} \quad とおく。$$

正四面体 OABC は 1 辺の長さが 1 であるから，

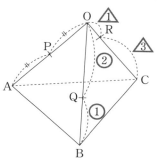

$$|\vec{a}| = |\vec{b}| = |\vec{c}| = 1$$

$$\vec{a} \cdot \vec{b} = |\vec{a}| |\vec{b}| \cos 60°$$

$$= 1 \times 1 \times \frac{1}{2} = \frac{1}{2}$$

同様にして，$\vec{b} \cdot \vec{c} = \vec{c} \cdot \vec{a} = \dfrac{1}{2}$

さて，$\overrightarrow{OP} = \dfrac{1}{2}\vec{a}, \quad \overrightarrow{OQ} = \dfrac{2}{3}\vec{b}$ より，

$$\overrightarrow{PQ} = \overrightarrow{OQ} - \overrightarrow{OP}$$

$$= \frac{2}{3}\vec{b} - \frac{1}{2}\vec{a}$$

となり，

$$|\overrightarrow{PQ}|^2 = \left| \frac{2}{3}\vec{b} - \frac{1}{2}\vec{a} \right|^2$$

$$= \frac{4}{9}|\vec{b}|^2 - \frac{2}{3}\vec{a} \cdot \vec{b} + \frac{1}{4}|\vec{a}|^2 = \frac{13}{36}$$

$$\therefore \quad |\overrightarrow{PQ}| = \frac{\sqrt{13}}{6}$$

　基底を決定し，基底どうしの内積を計算しておく，指示されたベクトルを基底で表現する，というのがベクトルの基本中の基本です。その後は，"ベクトルの絶対値は 2 乗を計算してみる" とか，"$\vec{a} \perp \vec{b} \iff \vec{a} \cdot \vec{b} = 0$" などのシンプルなルールに則って機械的に計算すれば問題が解決することが多く，それがベクトルの最大の利便性であると言えます。

解 答

(1) $\overrightarrow{OA} = \vec{a}$, $\overrightarrow{OB} = \vec{b}$, $\overrightarrow{OC} = \vec{c}$ とおく。

正四面体 OABC は 1 辺の長さが 1 であるから,

$$\left.\begin{array}{l} |\vec{a}| = |\vec{b}| = |\vec{c}| = 1 \\ \vec{a} \cdot \vec{b} = |\vec{a}||\vec{b}| \cos 60° = \dfrac{1}{2} \\ 同様に \ \vec{b} \cdot \vec{c} = \vec{c} \cdot \vec{a} = \dfrac{1}{2} \end{array}\right\} \quad \cdots\cdots ①$$

である。

$$\overrightarrow{OP} = \frac{1}{2}\vec{a}, \quad \overrightarrow{OQ} = \frac{2}{3}\vec{b}, \quad \overrightarrow{OR} = \frac{1}{4}\vec{c}$$

だから,

$$\overrightarrow{PQ} = \overrightarrow{OQ} - \overrightarrow{OP}$$
$$= \frac{2}{3}\vec{b} - \frac{1}{2}\vec{a}$$

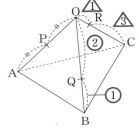

で,

$$|\overrightarrow{PQ}|^2 = \left| \frac{2}{3}\vec{b} - \frac{1}{2}\vec{a} \right|^2$$

$$= \frac{4}{9}|\vec{b}|^2 - \frac{2}{3}\vec{a} \cdot \vec{b} + \frac{1}{4}|\vec{a}|^2 = \frac{13}{36} \quad (①を代入した)$$

$$\therefore \quad |\overrightarrow{PQ}| = \frac{\sqrt{13}}{6} \ 答$$

また,

$$\overrightarrow{PR} = \overrightarrow{OR} - \overrightarrow{OP}$$
$$= \frac{1}{4}\vec{c} - \frac{1}{2}\vec{a}$$

より,

$$|\overrightarrow{PR}|^2 = \left| \frac{1}{4}\vec{c} - \frac{1}{2}\vec{a} \right|^2$$

$$= \frac{1}{16}|\vec{c}|^2 - \frac{1}{4}\vec{c} \cdot \vec{a} + \frac{1}{4}|\vec{a}|^2 = \frac{3}{16} \quad (①を代入した)$$

$$\therefore \quad |\overrightarrow{PR}| = \frac{\sqrt{3}}{4} \ 答$$

(2) $\quad \overrightarrow{PQ} \cdot \overrightarrow{PR} = \left(\dfrac{2}{3} \vec{b} - \dfrac{1}{2} \vec{a} \right) \cdot \left(\dfrac{1}{4} \vec{c} - \dfrac{1}{2} \vec{a} \right)$

$\qquad = \dfrac{1}{6} \vec{b} \cdot \vec{c} - \dfrac{1}{3} \vec{a} \cdot \vec{b} - \dfrac{1}{8} \vec{c} \cdot \vec{a} + \dfrac{1}{4} |\vec{a}|^2$

$\qquad = \dfrac{5}{48}$ 　（①を代入した）　**答**

(3) $\quad \triangle PQR = \dfrac{1}{2} \sqrt{|\overrightarrow{PQ}|^2 |\overrightarrow{PR}|^2 - (\overrightarrow{PQ} \cdot \overrightarrow{PR})^2}$

$\qquad = \dfrac{1}{2} \sqrt{\dfrac{13}{36} \times \dfrac{3}{16} - \left(\dfrac{5}{48} \right)^2}$ 　（(1), (2)より）

$\qquad = \dfrac{1}{2} \sqrt{\dfrac{13}{2^6 \times 3} - \dfrac{5^2}{2^8 \times 3^2}}$

$\qquad = \dfrac{1}{2} \sqrt{\dfrac{1}{2^6 \times 3} \left(13 - \dfrac{5^2}{2^2 \times 3} \right)}$

$\qquad = \dfrac{1}{2} \sqrt{\dfrac{1}{2^6 \times 3} \times \dfrac{156 - 25}{12}}$

$\qquad = \dfrac{1}{2} \sqrt{\dfrac{131}{2^8 \times 3^2}}$

$\qquad = \dfrac{\sqrt{131}}{96}$ 　**答**

 研　究

(3) $\triangle PQR$ の面積を計算するのに，

$$\triangle PQR = \dfrac{1}{2} \sqrt{|\overrightarrow{PQ}|^2 |\overrightarrow{PR}|^2 - (\overrightarrow{PQ} \cdot \overrightarrow{PR})^2}$$

の公式を用いました。

　以前にも紹介したことがあるのですが，この公式の導出について説明して
おきましょう。

右図のように点 H と角 θ を設定すると，

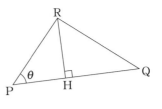

$$\triangle PQR = \frac{1}{2}|\overrightarrow{PQ}||\overrightarrow{RH}|$$

また，$|\overrightarrow{RH}| = |\overrightarrow{PR}|\sin\theta$ より，

$$\triangle PQR = \frac{1}{2}|\overrightarrow{PQ}||\overrightarrow{PR}|\sin\theta \quad \cdots\cdots①$$

（この公式は三角比の単元でも学んでいると思います。）

ここで，$\sin^2\theta + \cos^2\theta = 1$ より

$$\sin\theta = \sqrt{1 - \cos^2\theta} \quad (0° \leqq \theta \leqq 180° \text{ より } \sin\theta \geqq 0)$$

また，

$$\cos\theta = \frac{\overrightarrow{PQ}\cdot\overrightarrow{PR}}{|\overrightarrow{PQ}||\overrightarrow{PR}|}$$

であり，これらを用いて①は，

$$\triangle PQR = \frac{1}{2}|\overrightarrow{PQ}||\overrightarrow{PR}|\sin\theta$$

$$= \frac{1}{2}|\overrightarrow{PQ}||\overrightarrow{PR}|\sqrt{1 - \cos^2\theta}$$

$$= \frac{1}{2}|\overrightarrow{PQ}||\overrightarrow{PR}|\sqrt{1 - \left(\frac{\overrightarrow{PQ}\cdot\overrightarrow{PR}}{|\overrightarrow{PQ}||\overrightarrow{PR}|}\right)^2}$$

$$= \frac{1}{2}\sqrt{|\overrightarrow{PQ}|^2|\overrightarrow{PR}|^2\left\{1 - \frac{(\overrightarrow{PQ}\cdot\overrightarrow{PR})^2}{|\overrightarrow{PQ}|^2|\overrightarrow{PR}|^2}\right\}}$$

$$= \frac{1}{2}\sqrt{|\overrightarrow{PQ}|^2|\overrightarrow{PR}|^2 - (\overrightarrow{PQ}\cdot\overrightarrow{PR})^2}$$

　九大ではベクトルの出題が大変多いこともあり，この公式を利用する問題は頻出です。証明を含めて，しっかりマスターしておきましょう。

3

問題を見てやるべきこと

　簡単なルールで色玉をやり取りする初歩的な問題ですが、きちんと正解するために、表や樹形図にまとめるといった作業を怠らないようにしましょう。

　袋の中に、赤玉が a 個、青玉が b 個入っている状態を (a, b) で表すことにして樹形図をかくと次のようになります。

　あとは、樹形図を見ながら、指示された状態になる確率を丁寧に計算していきましょう。

　設問にはありませんが、たとえば "もらう硬貨が 0 枚である確率を求めよ" と問われたら、まずは状態推移を考えて、

　その後で、①と②の確率を計算して……と小分けにして 1 つひとつ丁寧に計算していきます。この場合は、

$$① = ② = \frac{1}{3} \times 1 + \frac{2}{3} \times \frac{2}{3} = \frac{7}{9}$$

ですから、もらう硬貨が 0 枚である確率は、

$$① \times ② = \frac{7}{9} \times \frac{7}{9} = \frac{49}{81}$$

となります。

解　答

袋の中に赤玉が a 個，青玉が b 個入っている状態を (a, b) で表すことにし，袋の中の玉の状態推移を樹形図にすると，次のようになる。

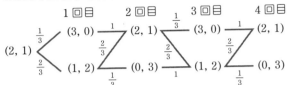

樹形図より，もらう硬貨の総数が 1 枚であるのは次の 2 つの場合であるとわかる。

ⅰ）　2 回目でのみ硬貨を 1 枚もらうとき

$\qquad (2, 1) - (1, 2) - (0, 3) - (1, 2) - (2, 1)$

と推移するときで，その確率は，

$$\frac{2}{3} \times \frac{1}{3} \times 1 \times \frac{2}{3} = \frac{4}{27}$$

ⅱ）　4 回目でのみ硬貨を 1 枚もらうとき

$$(2, 1) < \begin{matrix} (3, 0) \\ (1, 2) \end{matrix} > (2, 1) - (1, 2) - (0, 3)$$

と推移するときで，その確率は，

$$\left(\frac{1}{3} \times 1 + \frac{2}{3} \times \frac{2}{3} \right) \times \frac{2}{3} \times \frac{1}{3} = \frac{14}{81}$$

ⅰ），ⅱ）は互いに排反であるから，もらう硬貨の総数が 1 枚である確率は，

$$\frac{4}{27} + \frac{14}{81} = \frac{26}{81} \quad 答$$

また，もらう硬貨の総数が 2 枚であるのは，

$\qquad (2, 1) \longrightarrow (1, 2) \longrightarrow (0, 3) \longrightarrow (1, 2) \longrightarrow (0, 3)$

と推移するときで，その確率は，

$$\frac{2}{3} \times \frac{1}{3} \times 1 \times \frac{1}{3} = \frac{2}{27} \quad 答$$

である。

 研　究

2015 年度の理系 ③ では，本問とまったく同じ設定で，

「8 回の操作でもらう硬貨の総数がちょうど 1 枚である確率を求めよ。」

という設問が出題されています。せっかくですので，この設問を解説しておきます。やるべきことはほとんど同じです。

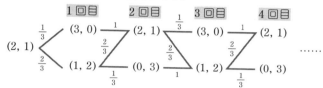

ⅰ）　2 回目でのみ硬貨を 1 枚もらうとき

$$(2, 1) \xrightarrow{①} (0, 3) \xrightarrow{②} (2, 1) \xrightarrow{③} (2, 1) \xrightarrow{④} (2, 1)$$

（2回目　4回目　6回目　8回目）

と推移するときである。上の樹形図より，

$$① = \frac{2}{3} \times \frac{1}{3} = \frac{2}{9}, \quad ② = 1 \times \frac{2}{3} = \frac{2}{3},$$

$$③ = ④ = \frac{1}{3} \times 1 + \frac{2}{3} \times \frac{2}{3} = \frac{7}{9}$$

だから，このときの確率は，

$$\frac{2}{9} \times \frac{2}{3} \times \frac{7}{9} \times \frac{7}{9} = \frac{196}{2187}$$

ⅱ）　4 回目でのみ硬貨を 1 枚もらうとき

ⅲ）　6 回目でのみ硬貨を 1 枚もらうとき

　　ⅰ）と同様に計算できて，それぞれ

$$\frac{196}{2187}$$

ⅳ）　8 回目でのみ硬貨を 1 枚もらうとき

$$(2, 1) \longrightarrow (2, 1) \longrightarrow (2, 1) \longrightarrow (2, 1) \longrightarrow (0, 3)$$

（2回目　4回目　6回目　8回目）

と推移するときであり，ⅰ）の①，③を用いて，③ × ③ × ③ × ①と計算できる。このときの確率は，

$$\frac{7}{9} \times \frac{7}{9} \times \frac{7}{9} \times \frac{2}{9} = \frac{686}{6561}$$

である。

以上 i ）〜iv）より，8回の操作でもらう硬貨の総数がちょうど1枚である確率は，

$$\frac{196}{2187} \times 3 + \frac{686}{6561} = \underline{\underline{\frac{2450}{6561}}} \quad \boxed{答}$$

4

 ## 問題を見てやるべきこと

　整数問題（特に証明）は一般に難問が多いので，試験場では本問に抵抗を感じたという受験生が少なくなかったでしょう。本年度は他の3題が非常に典型的であったのと，本問もさほど難しい内容ではないことから，この問題の出来が合否を左右した可能性があります。

(2)　仮に(1)ができなくとも，(1)は(2)の誘導であることを強く意識して取り組みましょう。つまり，
　　　"$(p-1)$ が正の偶数であれば，$(2^{p-1}-1)$ は3の倍数といえる"
と着想して問題を解き始めます。p は素数ですから，基本的に $(p-1)$ は偶数であり，与えられた方程式の左辺が3の倍数であるから，右辺も……と進んでいきます。

　解答を一部示しておきましょう。
　　　$2^{p-1}-1 = p^k$　……①
　$p \geqq 3$ のとき，$(p-1)$ は正の偶数であるから，(1)より，①の左辺は3の倍数である。①の右辺は素因数を p しかもたないので，$p=3$ である。

　"前の小設問の結果は次の小設問を解くための誘導としてある" という考え方は，受験数学に対する基本的なスタンスです。解答の方針が立てば，あとは場合分けなどの細かい議論に注意して答案を作りましょう。

2024
2023
2022
2021
2020
2019
2018
2017
2016
2015
2014
2013
2012
2011
2010

解　答

(1) **証　明**　n が正の偶数のとき，

$$n = 2m \quad (m \text{ は正の整数})$$

と表せる。このとき，

$$2^n - 1 = 2^{2m} - 1$$
$$= 4^m - 1$$

である。

　ここで，3 を法とすると，

$$4 \equiv 1$$
$$4^m \equiv 1^m = 1$$
$$4^m - 1 \equiv 0$$

だから，$(4^m - 1)$ は 3 の倍数である。

　したがって，題意成立。

(2) 　　$2^{p-1} - 1 = p^k$ ……①

ⅰ）　$p = 2$ のとき

　　①は $1 = 2^k$ となり，これを満たす k は，

$$k = 0$$

　　である。

ⅱ）　$p \geq 3$ のとき

　　$p - 1$ は正の偶数であるから，(1)より，①の左辺は 3 の倍数である。

　　①の右辺は素因数を p しかもたないことに注意すると，

$$p = 3$$

　　である。このとき，①は $3 = 3^k$ となり，これを満たす k は，

$$k = 1$$

以上より，求める $p,\ k$ の組は，

$$\underline{\underline{(p,\ k) = (2,\ 0),\ (3,\ 1)}}$$ **答**

 研　究

(1)　$4^m - 1$（m は正の整数）が 3 の倍数であることを示すのに，二項定理や乗法公式を用いる方法もありますので，それを紹介しておきます。

別解 1

二項定理より,

$$4^m = (3 + 1)^m$$

$$= \sum_{k=0}^{m} {}_m C_k 3^k \cdot 1^{m-k}$$

$$= {}_m C_0 \cdot 3^0 + {}_m C_1 \cdot 3^1 + {}_m C_2 \cdot 3^2 + \cdots\cdots + {}_m C_m \cdot 3^m$$

$$= 1 + 3({}_m C_1 + {}_m C_2 \cdot 3^1 + {}_m C_3 \cdot 3^2 + \cdots\cdots + {}_m C_m \cdot 3^{m-1})$$

であるから,

$$4^m - 1 = 3({}_m C_1 + {}_m C_2 \cdot 3^1 + {}_m C_3 \cdot 3^2 + \cdots\cdots + {}_m C_m \cdot 3^{m-1})$$

よって, $(4^m - 1)$ は 3 の倍数である。

別解 2

恒等式 $x^m - y^m = (x - y)(x^{m-1} + x^{m-2}y + \cdots\cdots + y^{m-1})$ において,
$x = 4$, $y = 1$ を代入すると,

$$4^m - 1 = (4 - 1)(4^{m-1} + 4^{m-2} + \cdots\cdots + 1)$$

$$= 3(4^{m-1} + 4^{m-2} + \cdots\cdots + 1)$$

となり, これより, $(4^m - 1)$ は 3 の倍数であることがわかる。

また, やや遠回りですが, 数学的帰納法を利用するのも 1 つの手でしょう。

別解 3

"$4^m - 1$ が 3 の倍数である" ……Ⓐ

ことを m についての数学的帰納法により示す。

[I]　$m = 1$ のとき

$$4^m - 1 = 4^1 - 1 = 3$$

より, Ⓐは真である。

[II]　$m = k$ のときⒶが真であると仮定すると,

$$4^k - 1 = 3l \quad (l は整数)$$

と表せる。このとき,

$$4^{k+1} - 1 = 4 \cdot 4^k - 1 = 4(3l + 1) - 1 \quad (仮定より)$$

$$= 4 \times 3l + 3 = 3(4l + 1)$$

これは $m = k + 1$ のときⒶが真であることを示す。

[I], [II]より, すべての自然数 m に対し, Ⓐが真であることが示された。

数 学 解答・解説

年度

理系学部

1

 問題を見てやるべきこと

(1) $f(x) = x - \sin x \left(0 \leqq x \leqq \dfrac{\pi}{2} \right)$ と与えられていますので,

$f'(a) = 1 - \cos a = \dfrac{1}{2}$ より接点の x 座標 a がわかり,$b = f(a)$ と y 座標もわかります。接点 (a, b) より,接線 ℓ も $y - b = \dfrac{1}{2}(x - a)$ と求まります。

(2) $f(x) = x - \sin x$ より,

$f'(x) = 1 - \cos x \geqq 0 \quad \left(0 \leqq x \leqq \dfrac{\pi}{2} \right)$ ➡ グラフは増加

$f''(x) = \sin x \geqq 0 \quad \left(0 \leqq x \leqq \dfrac{\pi}{2} \right)$ ➡ グラフは下に凸

以上より,下図のような概形が描けます。

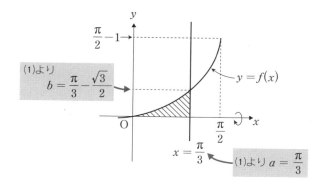

(1)より
$b = \dfrac{\pi}{3} - \dfrac{\sqrt{3}}{2}$

$y = f(x)$

$x = \dfrac{\pi}{3}$

(1)より $a = \dfrac{\pi}{3}$

(1)の結果と，$f(x)$ の概形より，前ページの図の斜線部を x 軸のまわりに回転したものが，求める体積 V です。

すなわち，$V = \pi \displaystyle\int_0^{\frac{\pi}{3}} \{f(x)\}^2 dx = \pi \int_0^{\frac{\pi}{3}} (x - \sin x)^2 dx$ を計算します。

解　答

(1)　$f(x) = x - \sin x \left(0 \leqq x \leqq \dfrac{\pi}{2} \right)$ を微分すると，

　　$f'(x) = 1 - \cos x$

$f'(a) = \dfrac{1}{2}$ より，$1 - \cos a = \dfrac{1}{2} \iff \cos a = \dfrac{1}{2}$

$0 \leqq a \leqq \dfrac{\pi}{2}$ より，$a = \dfrac{\pi}{3}$

このとき $b = f\left(\dfrac{\pi}{3} \right) = \dfrac{\pi}{3} - \dfrac{\sqrt{3}}{2}$

これより，ℓ の方程式は，$y - \left(\dfrac{\pi}{3} - \dfrac{\sqrt{3}}{2} \right) = \dfrac{1}{2}\left(x - \dfrac{\pi}{3} \right)$

以上より，$\begin{cases} \ell : y = \dfrac{1}{2}x + \dfrac{\pi}{6} - \dfrac{\sqrt{3}}{2} \\[2mm] \text{接点}\left(\dfrac{\pi}{3},\ \dfrac{\pi}{3} - \dfrac{\sqrt{3}}{2} \right) \end{cases}$ **答**

(2)　$0 \leqq x \leqq \dfrac{\pi}{3}$ で $f'(x) = 1 - \cos x \geqq 0$ かつ $f(0) = 0$ より，$f(x) \geqq 0$

求める体積 $V = \displaystyle\int_0^{\frac{\pi}{3}} \pi \{f(x)\}^2 dx = \pi \int_0^{\frac{\pi}{3}} (x - \sin x)^2 dx$

$\qquad = \pi \displaystyle\int_0^{\frac{\pi}{3}} (x^2 - 2x\sin x + \sin^2 x) dx$　……①

ここで，$\displaystyle\int_0^{\frac{\pi}{3}} x\sin x\, dx = \Big[x(-\cos x) \Big]_0^{\frac{\pi}{3}} - \int_0^{\frac{\pi}{3}} 1 \cdot (-\cos x) dx$

$\qquad\qquad = -\dfrac{\pi}{6} + \Big[\sin x \Big]_0^{\frac{\pi}{3}} = -\dfrac{\pi}{6} + \dfrac{\sqrt{3}}{2}$　……②

$$\int_0^{\frac{\pi}{3}} \sin^2 x\, dx = \int_0^{\frac{\pi}{3}} \frac{1 - \cos 2x}{2}\, dx = \frac{1}{2}\left[x - \frac{1}{2}\sin 2x\right]_0^{\frac{\pi}{3}}$$

$$= \frac{\pi}{6} - \frac{\sqrt{3}}{8} \quad \cdots\cdots③$$

②・③より，①は，

$$V = \pi\left\{\left[\frac{1}{3}x^3\right]_0^{\frac{\pi}{3}} - 2\left(-\frac{\pi}{6} + \frac{\sqrt{3}}{2}\right) + \frac{\pi}{6} - \frac{\sqrt{3}}{8}\right\}$$

$$= \frac{\pi^4}{81} + \frac{\pi^2}{2} - \frac{9\sqrt{3}}{8}\pi \quad 答$$

 研　究

(1)　曲線の接線を求めさせ，そこから求積へという流れの出題は，2005・2007・2008・2009・2010・2013 年度と，頻繁に出題され，しかも，すべて，易しめの問題ですので，確実に完答する必要があります。

(2)　本問の場合は，回転体の半径が明らかですので，$f(x)$ および回転する領域を図示する必要はありませんが，$f'(x)$ も $f''(x)$ も簡単に求めることができますので，ケアレスミスを防ぐために，<u>　問題を見てやるべきこと　</u>に示したように，図示したほうがベターだと思われます。

$\boxed{2}$

 問題を見てやるべきこと

(1)　2012 年度に文系でも出題されていますが，3 で割った余りについて，考察する際は，任意の自然数 a を，

$$a = \begin{cases} 3k & (k = 1,\ 2,\ \cdots\cdots) \\ 3k + 1 & (k = 0,\ 1,\ 2,\ \cdots\cdots) \\ 3k + 2 & (k = 0,\ 1,\ 2,\ \cdots\cdots) \end{cases}$$

と，3 で割ったときの余り，0，1，2 で分類して考察します。

(2)　$a^2 + b^2 = 3c^2$ より，$a^2 + b^2$ は 3 の倍数です。

a^2，b^2 を 3 で割った余りは，(1)より 0 または 1 ですので，$a^2 + b^2$ が 3 の倍数になるのは，a^2，b^2 がともに 3 で割った余りが 0 となる場合に限られます。

つまり，a も b も 3 の倍数であることがわかります。このとき，$a^2 + b^2 = 3c^2$ より，c も 3 の倍数となります。

(3) (2)より，$a^2 + b^2 = 3c^2$ を満たす自然数 a，b，c が存在するとすれば，a，b，c はすべて 3 の倍数となりますので，a_1，b_1，c_1 を自然数として，

$$\begin{cases} a = 3a_1 \\ b = 3b_1 \\ c = 3c_1 \end{cases}$$

とおけます。これらを $a^2 + b^2 = 3c^2$ に代入することで，a_1 も b_1 も c_1 もすべて 3 の倍数となります。

　この議論を繰り返すことで，a，b，c は無限に 3 で割り切れることになりますので，矛盾を導くことができます。

解　答

(1) **証明**　$a = 3k$　$(k = 1, 2, \cdots\cdots)$ のとき，

　　　$a^2 = (3k)^2 = 9k^2 = 3 \cdot 3k^2$　なので，a^2 を 3 で割ると余りは 0

　$a = 3k + 1$　$(k = 0, 1, 2, \cdots\cdots)$ のとき，

　　　$a^2 = (3k + 1)^2 = 9k^2 + 6k + 1 = 3(3k^2 + 2k) + 1$　なので，a^2 を 3 で割ると余りは 1

　$a = 3k + 2$　$(k = 0, 1, 2, \cdots\cdots)$ のとき，

　　　$a^2 = (3k + 2)^2 = 9k^2 + 12k + 4 = 3(3k^2 + 4k + 1) + 1$　なので，a^2 を 3 で割ると余りは 1

以上より，任意の自然数 a に対し，a^2 を 3 で割った余りは 0 か 1 である。

(2) **証明**　$a^2 + b^2 = 3c^2$ において，左辺 $a^2 + b^2$ は 3 の倍数である。このとき(1)より，a^2，b^2 ともに 3 で割った余りは，0 か 1 であるが，$a^2 + b^2$ が 3 の倍数より，a^2，b^2 ともに 3 で割った余りは 0 となる。

　これと，(1)より，a も b も，ともに 3 の倍数となる。

　$a = 3a_1$，$b = 3b_1$　$(a_1$，b_1 は自然数$)$ とおく。

　$a^2 + b^2 = 3c^2$ に代入して，$(3a_1)^2 + (3b_1)^2 = 3c^2 \iff 3a_1^2 + 3b_1^2 = c^2$

　$c^2 = 3(a_1^2 + b_1^2)$ より，c^2 も 3 の倍数となり，c も 3 の倍数となる。

　よって，a，b，c はすべて 3 で割り切れる。

(3) **証明**　背理法で示す。

　$a^2 + b^2 = 3c^2$ を満たす自然数 a，b，c が存在すると仮定すると，(2)より，$a = 3a_1$，$b = 3b_1$，$c = 3c_1$ を満たす自然数 a_1，b_1，c_1 が存在する。

　これらを $a^2 + b^2 = 3c^2$ に代入すると，

　　　$(3a_1)^2 + (3b_1)^2 = 3(3c_1)^2$

　　　$\therefore\quad a_1^2 + b_1^2 = 3c_1^2$

　(2)より，a_1，b_1，c_1 もすべて 3 で割り切れることになる。

　この操作を何度も繰り返すと，a, b, c は何度でも3で割り切れることになるが，無限に3で割り切れるような自然数は存在しない。

　すなわち，a, b, c が自然数であることに矛盾する。

　つまり，$a^2 + b^2 = 3c^2$ を満たす自然数は存在しない。

研　究

(3)　何度でも3で割り切れる自然数が存在しないことは，分数の形で証明を進めることで，より明らかに示すことができます。

別　解

　$a^2 + b^2 = 3c^2$ を満たす自然数 a, b, c が存在すると仮定すると，(2)より，それらは3の倍数より，$\dfrac{a}{3}$, $\dfrac{b}{3}$, $\dfrac{c}{3}$ は自然数となります。

$$\therefore \left(\frac{a}{3}\right)^2 + \left(\frac{b}{3}\right)^2 = \frac{1}{9}(a^2 + b^2) = \frac{1}{9} \cdot 3c^2 = \frac{c^2}{3} = 3\left(\frac{c}{3}\right)^2$$

よって，$\dfrac{a}{3}$, $\dfrac{b}{3}$, $\dfrac{c}{3}$ も $\left(\dfrac{a}{3}\right)^2 + \left(\dfrac{b}{3}\right)^2 = 3\left(\dfrac{c}{3}\right)^2$ を満たします。

$\dfrac{a}{3^k}$, $\dfrac{b}{3^k}$, $\dfrac{c}{3^k}$ $(k \geq 1)$ が，$\left(\dfrac{a}{3^k}\right)^2 + \left(\dfrac{b}{3^k}\right)^2 = 3\left(\dfrac{c}{3^k}\right)^2$ を満たす自然数であると仮定すると，$\left(\dfrac{a}{3^{k+1}}\right)^2 + \left(\dfrac{b}{3^{k+1}}\right)^2 = \dfrac{1}{9}\left\{\left(\dfrac{a}{3^k}\right)^2 + \left(\dfrac{b}{3^k}\right)^2\right\}$

$$= \frac{1}{9} \cdot 3 \cdot \left(\frac{c}{3^k}\right)^2 = 3\left(\frac{c}{3^{k+1}}\right)^2 \text{より，}$$

$\dfrac{a}{3^{k+1}}$, $\dfrac{b}{3^{k+1}}$, $\dfrac{c}{3^{k+1}}$ も $\left(\dfrac{a}{3^{k+1}}\right)^2 + \left(\dfrac{b}{3^{k+1}}\right)^2 = 3\left(\dfrac{c}{3^{k+1}}\right)^2$ を満たします。

　つまり，数学的帰納法により，$\dfrac{a}{3^n}$, $\dfrac{b}{3^n}$, $\dfrac{c}{3^n}$（n は任意の自然数）は，$\left(\dfrac{a}{3^n}\right)^2 + \left(\dfrac{b}{3^n}\right)^2 = 3\left(\dfrac{c}{3^n}\right)^2$ を満たす自然数です。

　このとき，n を十分に大きくすると，$0 < \dfrac{a}{3^n}$, $\dfrac{b}{3^n}$, $\dfrac{c}{3^n} < 1$ となり，自然数であることと矛盾します。

　以上より，$a^2 + b^2 = 3c^2$ を満たす自然数 a, b, c は存在しないことになります。

2024 2023 2022 2021 2020 2019 2018 2017 2016 2015 2014 2013 2012 2011 2010

3 ## 問題を見てやるべきこと

(1)
$$\begin{cases} \dfrac{(x+2)^2}{16} + \dfrac{(y-1)^2}{4} = 1 & \cdots\cdots① \\ y = x + a & \cdots\cdots② \end{cases}$$

より，y を消去して，得られる x についての 2 次方程式
$5x^2 + 4(2a-1)x + 4(a^2 - 2a - 2) = 0$ が実数解をもつための条件として，判別式 $D \geqq 0$ より，a の値の範囲が得られます。

(2) $|x| + |y| = 1$ において，x，y の正，負で場合分けをし，

$$\begin{cases} x + y = 1 & (x \geqq 0,\ y \geqq 0 のとき) \\ x - y = 1 & (x \geqq 0,\ y \leqq 0 のとき) \\ -x + y = 1 & (x \leqq 0,\ y \geqq 0 のとき) \\ -x - y = 1 & (x \leqq 0,\ y \leqq 0 のとき) \end{cases}$$

を図示してもよいですが，$|x| + |y| = 1$ が，x 軸，y 軸，原点に関し，対称であることに気づけば，場合分けは不要です。

(3) (1)・(2)がヒントになります。

$|x| + |y| = k$ とおき，(2)の図形を楕円①と共有点をもつように，k 倍に相似拡大・縮小し，k の値の最大・最小を求めます。

最大値は，正方形 $|x| + |y| = k$ を最大にするときですので，(1)の a の値の範囲を検討します。

最小値は，正方形 $|x| + |y| = k$ が，楕円①の内側に位置するときを検討します。

解　答

(1) $\begin{cases} \dfrac{(x+2)^2}{16} + \dfrac{(y-1)^2}{4} = 1 & \cdots\cdots① \\ y = x + a & \cdots\cdots② \end{cases}$　より，yを消去すると，

$$\dfrac{(x+2)^2}{16} + \dfrac{(x+a-1)^2}{4} = 1$$

$$\Longleftrightarrow (x+2)^2 + 4(x+a-1)^2 = 16$$

$$\Longleftrightarrow 5x^2 + 4(2a-1)x + 4(a^2-2a-2) = 0 \quad \cdots\cdots③$$

楕円①と直線②が交点をもつとき，方程式③は実数解をもつ。

③の判別式を D とおくと，

$$\dfrac{D}{4} = 4(2a-1)^2 - 5 \cdot 4(a^2-2a-2) \geqq 0$$

$$\Longleftrightarrow a^2 - 6a - 11 \leqq 0$$

したがって，求める a の値の範囲は，$\underline{3 - 2\sqrt{5} \leqq a \leqq 3 + 2\sqrt{5}}$

(2) $|x| + |y| = 1$　$\cdots\cdots④$

点 (x, y) が④を満たすとき，点 $(x, -y)$，点 $(-x, y)$，点 $(-x, -y)$ も④を満たす。つまり，④は x 軸，y 軸，原点に関し，対称となる。

$x \geqq 0$，$y \geqq 0$ のとき，④ $\Longleftrightarrow x + y = 1$

以上より，$|x| + |y| = 1$ を満たす図形は
右図のようになる。

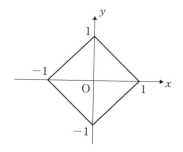

(3) $|x| + |y| = k$　$\cdots\cdots⑤$とおくと，⑤は④を k 倍に相似拡大・縮小した図形である。

図形⑤と楕円①が共有点をもつような k の値の範囲が $|x| + |y|$ のとり得る値の範囲である。

楕円①と図形⑤を次ページに図示する。

[1] k の値が最小となるのは，図より，楕円①と図形⑤が，①の y 切片点 $(0,\ 1-\sqrt{3})$ で共有点をもつときである。

このとき，
$$
\begin{aligned}
k &= |x|+|y| \\
&= |0|+|1-\sqrt{3}| \\
&= \sqrt{3}-1
\end{aligned}
$$

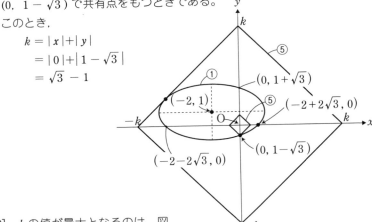

[2] k の値が最大となるのは，図より，楕円①と図形⑤が，第2象限で接するときで，

$x \leqq 0,\ y \geqq 0$ より，$-x+y=k$ ……⑤ $\Longleftrightarrow y=x+k$

つまり，⑴の答えより $k=3+2\sqrt{5}$ のときである。

このときの接点の x 座標は，⑴の③の重解より，
$$
x = -\frac{2(2k-1)}{5} = \frac{-10-8\sqrt{5}}{5}
$$
$$
y = x+k = \frac{5+2\sqrt{5}}{5}
$$

以上[1][2]より，
$$
\begin{cases}
(x,\ y) = \left(\dfrac{-10-8\sqrt{5}}{5},\ \dfrac{5+2\sqrt{5}}{5}\right) \text{のとき，最大値} 3+2\sqrt{5} \\
(x,\ y) = (0,\ 1-\sqrt{3}) \text{のとき，最小値} \sqrt{3}-1
\end{cases}
$$
答

 研　究

九大の 2013 年度の文系数学②で，本問の参考になる問題が出題されています。良問ですので，参照してください。

4

問題を見てやるべきこと

(1) Aの投げた5円硬貨のうち，n 枚 ($n = 0$, 1, 2, 3) が表となる確率は，$_3\mathrm{C}_n\left(\dfrac{1}{2}\right)^3$ より，Aの表が出た合計金額に対応する確率は，

$$0\text{円}：\frac{1}{8}，\quad 5\text{円}：\frac{3}{8}，\quad 10\text{円}：\frac{3}{8}，\quad 15\text{円}：\frac{1}{8}\ \text{です。}$$

Bの投げた5円硬貨，10円硬貨が表になる確率は，各々 $\dfrac{1}{2}$ より，Bの表が出た合計金額に対応する確率は，

$$0\text{円}：\frac{1}{4}，\quad 5\text{円}：\frac{1}{4}，\quad 10\text{円}：\frac{1}{4}，\quad 15\text{円}：\frac{1}{4}\ \text{です。}$$

AとBの各々のとりうる金額の場合の数は，ともに4通りなので，$4 \times 4 = 16$ 通りをすべて表などに示して，Aが勝つ場合，引き分けとなる場合を具体的に調べるのが，確実です。

(2) Aが勝つ場合は，ゲーム終了後のAの合計金額は30円，25円，20円のいずれかです。

引き分けの場合，ゲーム終了後のAの合計金額は15円です。

Aが負ける場合，ゲーム終了後のAの合計金額は10円，5円，0円のいずれかです。

各々の場合に対応する確率を求め，期待値 E を計算します。

解　答

(1) Aの表が出た硬貨の合計金額を x で表し，Bの表が出た硬貨の合計金額を y で表す。

Aが勝った場合を〇，負けた場合を✕，引き分けを△として，表をかく。

右の表のそれぞれの合計金額となる確率を $P(x = \ \ )$，$P(y = \ \ )$ と表すと，

$$P(x = 15) = P(x = 0)$$
$$= \left(\frac{1}{2}\right)^3 = \frac{1}{8}$$

x \ y	15	10	5	0
15	△	〇	〇	〇
10	✕	△	〇	〇
5	✕	✕	△	〇
0	✕	✕	✕	△

$$P(x = 10) = P(x = 5)$$
$$= 3 \cdot \left(\frac{1}{2}\right)^3 = \frac{3}{8}$$
$$P(y = 15) = P(y = 10) = P(y = 5) = P(y = 0)$$
$$= \frac{1}{2} \cdot \frac{1}{2} = \frac{1}{4}$$

前ページの表の◯より，A が B に勝つ確率：

$$p = \frac{1}{8} \cdot \left(\frac{1}{4} + \frac{1}{4} + \frac{1}{4}\right) + \frac{3}{8} \cdot \left(\frac{1}{4} + \frac{1}{4}\right) + \frac{3}{8} \cdot \frac{1}{4} = \underline{\frac{3}{8}} \text{ 答}$$

前ページの表の△より，A が B と引き分ける確率：

$$q = \frac{1}{8} \cdot \frac{1}{4} + \frac{3}{8} \cdot \frac{1}{4} + \frac{3}{8} \cdot \frac{1}{4} + \frac{1}{8} \cdot \frac{1}{4} = \underline{\frac{1}{4}} \text{ 答}$$

(2) (1)の (x, y) において，A が勝った場合，A の合計金額は，

$$15 + (15 - y) = 30 - y$$

A が引き分けた場合，A の合計金額は 15

A が負けた場合，A の合計金額は x

となる。これより，A の合計金額が，

● 30 円となるのは，$y = 0$ のときで，$(x, y) = (15, 0)$，$(10, 0)$，$(5, 0)$ の場合から，

確率：$\left(\dfrac{1}{8} + \dfrac{3}{8} + \dfrac{3}{8}\right) \cdot \dfrac{1}{4} = \dfrac{7}{32}$

● 25 円となるのは，$y = 5$ のときで，$(x, y) = (15, 5)$，$(10, 5)$ の場合から，

確率：$\left(\dfrac{1}{8} + \dfrac{3}{8}\right) \cdot \dfrac{1}{4} = \dfrac{1}{8}$

● 20 円となるのは，$y = 10$ のときで，$(x, y) = (15, 10)$ の場合から，

確率：$\dfrac{1}{8} \cdot \dfrac{1}{4} = \dfrac{1}{32}$

● 15 円となるのは，引き分けのときで，(1)より，

確率：$\dfrac{1}{4}$

● 10 円となるのは，$x = 10$ のときで，$(x, y) = (10, 15)$ の場合から，

確率：$\dfrac{3}{8} \cdot \dfrac{1}{4} = \dfrac{3}{32}$

- 5円となるのは，$x = 5$ のときで，$(x, y) = (5, 10), (5, 15)$ の場合から，

  確率：$\dfrac{3}{8} \cdot \left(\dfrac{1}{4} + \dfrac{1}{4}\right) = \dfrac{3}{16}$

- 0円となるのは，$x = 0$ のときで，$(x, y) = (0, 5), (0, 10), (0, 15)$ より，

  確率：$\dfrac{1}{8} \cdot \left(\dfrac{1}{4} + \dfrac{1}{4} + \dfrac{1}{4}\right) = \dfrac{3}{32}$

  期待値 E の計算において，本来，不必要です

これらの確率をまとめると，

A の合計金額	30	25	20	15	10	5	0	計
確率	$\dfrac{7}{32}$	$\dfrac{4}{32}$	$\dfrac{1}{32}$	$\dfrac{8}{32}$	$\dfrac{3}{32}$	$\dfrac{6}{32}$	$\dfrac{3}{32}$	1

以上より，

$$E = 30 \cdot \dfrac{7}{32} + 25 \cdot \dfrac{4}{32} + 20 \cdot \dfrac{1}{32} + 15 \cdot \dfrac{8}{32} + 10 \cdot \dfrac{3}{32} + 5 \cdot \dfrac{6}{32} + 0 \cdot \dfrac{3}{32}$$

$$= \dfrac{1}{32}(30 \cdot 7 + 25 \cdot 4 + 20 \cdot 1 + 15 \cdot 8 + 10 \cdot 3 + 5 \cdot 6)$$

$$= \dfrac{510}{32} = \dfrac{255}{16} \quad \boxed{答}$$

 研　究

(2) (1)と同様に 4×4 の表に，硬貨のやりとり後の A のもっている合計金額を表示すると，より確実です。**解答** 同様に A，B の表が出た硬貨の合計金額を，各々 x, y で表します。

x＼y	15	10	5	0
15	15 円	20 円	25 円	30 円
10	10 円	15 円	25 円	30 円
5	5 円	5 円	15 円	30 円
0	0 円	0 円	0 円	15 円

5

問題を見てやるべきこと

$f_n(x) = (x-1)(2x-1)\cdots\cdots(nx-1)$ において，$f_n(x) = 0$ の解が見やすくなるように，

$$f_n(x) = n!(x-1)\left(x - \frac{1}{2}\right)\cdots\cdots\left(x - \frac{1}{n}\right)$$

と変形します。

よって，方程式の解は，

$$x = 1, \ \frac{1}{2}, \ \frac{1}{3}, \ \cdots\cdots, \ \frac{1}{n}$$

これより，下図のようなグラフと推定できます。

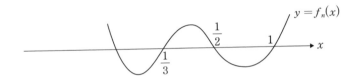

区間 $\dfrac{1}{k+1} < x < \dfrac{1}{k}$ $(k = 1, 2, \cdots\cdots, n-1)$ において，$f_n(x)$ がただ1つの極値をとるときは，以下 [1] [2] のいずれかです。

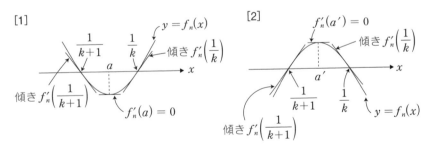

いずれの場合も，

① $f_n'\left(\dfrac{1}{k+1}\right)$ と $f_n'\left(\dfrac{1}{k}\right)$ の符号が異なることを示せば，$f_n'(x) = 0$ は，各

区間 $\dfrac{1}{k+1} < x < \dfrac{1}{k}$ $(k = 1, 2, \cdots\cdots, n - 1)$ に少なくとも 1 つの解を

もつことが示されます。

② $k = 1, 2, \cdots\cdots, n - 1$ より，各区間を合わせて，少なくとも $(n-1)$ 個以上の，$f'_n(x) = 0$ とする解が存在することになりますが，$f'_n(x) = 0$ は $(n - 1)$ 次方程式により，その解の個数は $(n - 1)$ 個以下です。

以上より，$f'_n(x) = 0$ は各区間 $\dfrac{1}{k+1} < x < \dfrac{1}{k}$ $(k = 1, 2, \cdots\cdots, n - 1)$ に

ただ 1 つの実数解をもちます。

③ あとは，各区間のただ 1 つの $f'_n(x) = 0$ となる点の前後で，$f'_n(x)$ の符号が変化することを示せば，そこで $f_n(x)$ が極値となることが，証明されます。

解　答

証　明

① n が $n \geq 2$ を満たす自然数であることにより，

$$f_n(x) = n!(x - 1)\left(x - \frac{1}{2}\right)\left(x - \frac{1}{3}\right)\cdots\cdots\left(x - \frac{1}{n}\right)$$

と変形する。

$$
\begin{aligned}
f'_n(x) = \; & n!\left(x - \frac{1}{2}\right)\left(x - \frac{1}{3}\right)\cdots\cdots\left(x - \frac{1}{n}\right) \\
& + n!(x - 1)\left(x - \frac{1}{3}\right)\cdots\cdots\left(x - \frac{1}{n}\right) \\
& \quad\vdots \\
& + n!(x - 1)\left(x - \frac{1}{2}\right)\cdots\cdots\left(x - \frac{1}{n-1}\right)
\end{aligned}
$$

ここで，

$$f'_n(1) = n!\underbrace{\left(1 - \frac{1}{2}\right)}_{\oplus}\underbrace{\left(1 - \frac{1}{3}\right)\cdots\cdots\left(1 - \frac{1}{n}\right)}_{\oplus\cdots\cdots\cdots\cdots\oplus} > 0$$

$$f'_n\left(\frac{1}{2}\right) = n!\underbrace{\left(\frac{1}{2} - 1\right)}_{\ominus}\underbrace{\left(\frac{1}{2} - \frac{1}{3}\right)\cdots\cdots\left(\frac{1}{2} - \frac{1}{n}\right)}_{\oplus\cdots\cdots\cdots\cdots\oplus} < 0$$

（$n \geq 3$ としています）

$$f'_n\left(\frac{1}{3}\right) = n!\underbrace{\left(\frac{1}{3}-1\right)}_{\ominus}\underbrace{\left(\frac{1}{3}-\frac{1}{2}\right)}_{\ominus}\underbrace{\left(\frac{1}{3}-\frac{1}{4}\right)}_{\oplus}\cdots\cdots\underbrace{\left(\frac{1}{3}-\frac{1}{n}\right)}_{\oplus} > 0$$

（$n \geqq 4$ としています）

$$\vdots$$

$$f'_n\left(\frac{1}{k}\right) = n!\underbrace{\left(\frac{1}{k}-1\right)}_{\ominus}\underbrace{\left(\frac{1}{k}-\frac{1}{2}\right)}_{\ominus}\cdots\cdots\underbrace{\left(\frac{1}{k}-\frac{1}{k-1}\right)}_{\ominus}\underbrace{\left(\frac{1}{k}-\frac{1}{k+1}\right)}_{\oplus}$$

$$\cdots\cdots\underbrace{\left(\frac{1}{k}-\frac{1}{n}\right)}_{\oplus}\sim 符号：(-1)^{k-1}$$

$$f'_n\left(\frac{1}{k+1}\right) = n!\underbrace{\left(\frac{1}{k+1}-1\right)}_{\ominus}\underbrace{\left(\frac{1}{k+1}-\frac{1}{2}\right)}_{\ominus}$$

$$\cdots\cdots\underbrace{\left(\frac{1}{k+1}-\frac{1}{k}\right)}_{\ominus}\underbrace{\left(\frac{1}{k+1}-\frac{1}{k+2}\right)}_{\oplus}\cdots\cdots\underbrace{\left(\frac{1}{k+1}-\frac{1}{n}\right)}_{\oplus}\sim 符号：(-1)^{k}$$

以上より，$f'_n(1) > 0$，$f'_n\left(\frac{1}{2}\right) < 0$，$f'_n\left(\frac{1}{3}\right) > 0$，……となり，$f'_n\left(\frac{1}{k}\right)$ と

$f'_n\left(\frac{1}{k+1}\right)$ で，符号が異なる。

　つまり，$f'_n(x) = 0$ は，$(n-1)$ 個の各区間

$\dfrac{1}{k+1} < x < \dfrac{1}{k}$ $(k = 1, 2, \cdots\cdots, n-1)$ に，少なくとも 1 つ以上の解をもつ。

② したがって，全区間に合計 $(n-1)$ 個以上の解をもつ。ところが $f'_n(x) = 0$ は，$(n-1)$ 次方程式により，実数解の個数は $(n-1)$ 個以下である。

　すなわち，$f'_n(x) = 0$ は各区間 $\dfrac{1}{k+1} < x < \dfrac{1}{k}$ に 1 つずつの実数解をもつ。

③ さらに，各区間の $f'_n(x) = 0$ となる点が極値となることを示す。以上より，$f'_n(x) = 0$ を満たす $(n-1)$ 個の実数解が存在することになり，これらの実数解を $C_k(k = 1, 2, \cdots\cdots, n-1)$ とおくと，C_k は，

$$\frac{1}{k+1} < C_k < \frac{1}{k} \ (k = 1, 2, \cdots\cdots, n-1)$$

を満たす。

　$f'_n(x)$ の x^{n-1} の係数が $n \cdot n!$ であることから，

$$f'_n(x) = n \cdot n!(x - C_1)(x - C_2)\cdots\cdots(x - C_{n-1})$$

と表せる。

　ここで，$C_k (k = 1, 2, \cdots, n-1)$ はすべて異なる実数で，$f_n'(C_k) = 0$ を満たし，$f_n'(x)$ は $x = C_k (k = 1, 2, \cdots, n-1)$ の前後で符号が変化する。

　したがって，$x = C_k (k = 1, 2, \cdots, n-1)$ は，$f_n(x)$ の極値をとる x 座標である。

　以上より，$f_n(x)$ は区間 $\dfrac{1}{k+1} < x < \dfrac{1}{k}$ で，ただ 1 つの極値をとる。

 研　究

平均値の定理を用いた **別　解** を紹介します

$f_n(x) = n!(x - 1)\left(x - \dfrac{1}{2}\right) \cdots \cdots \left(x - \dfrac{1}{n}\right)$ と変形します。

$k = 1, 2, \cdots, n-1$ に対し，$f_n(x)$ は，

閉区間 $\dfrac{1}{k+1} \leqq x \leqq \dfrac{1}{k}$ で連続で，

開区間 $\dfrac{1}{k+1} < x < \dfrac{1}{k}$ で微分可能により，

平均値の定理により，

$$\dfrac{f_n\left(\dfrac{1}{k}\right) - f_n\left(\dfrac{1}{k+1}\right)}{\dfrac{1}{k} - \dfrac{1}{k+1}} = f_n'(C_k)$$

を満たす実数 C_k が，$\dfrac{1}{k+1} < C_k < \dfrac{1}{k}$ に少なくとも 1 つ存在します。ただし，

$$f_n\left(\dfrac{1}{k}\right) = f_n\left(\dfrac{1}{k+1}\right) = 0 \quad より，\; f_n'(C_k) = 0$$

　したがって，$k = 1, 2, \cdots, n-1$ に対応する $(n-1)$ 個の区間

$\dfrac{1}{k+1} < x < \dfrac{1}{k}$ に，各々 1 個以上，全体で合計 $(n-1)$ 個以上の $f_n'(x) = 0$ を満たす x が存在します。

　また，$f_n(x)$ は n 次式，$f_n'(x)$ は $(n-1)$ 次式により，$f_n'(x) = 0$ の実数解の個数は $(n-1)$ 個以下です。

　以上より，各区間 $\dfrac{1}{k+1} < x < \dfrac{1}{k}$ に，$f_n'(x) = 0$ を満たす実数 x が 1 つずつ存在します。

$f_n'(x) = 0$ を満たす $(n-1)$ 個の実数解を C_k $(k = 1,\ 2,\ \cdots\cdots,\ n-1)$ とおくと，C_k は，

$$\frac{1}{k+1} < C_k < \frac{1}{k}\ (k = 1,\ 2,\ \cdots\cdots,\ n-1)$$

を満たします。

$f_n'(x)$ の x^{n-1} の係数は $n \cdot n!$ により，

$$f_n'(x) = n \cdot n!(x - C_1)(x - C_2)\cdots\cdots(x - C_{n-1})$$

と表すことができます。

ここで，$C_1,\ C_2,\ \cdots\cdots,\ C_{n-1}$ はすべて異なる値により，$f_n'(x)$ は $x = C_k$ $(k = 1,\ 2,\ \cdots\cdots,\ n-1)$ の前後で符号が変化します。

以上より，$f_n(x)$ は区間 $\dfrac{1}{k+1} < x < \dfrac{1}{k}$ で，ただ 1 つの極値をとります。

2024
2023
2022
2021
2020
2019
2018
2017
2016
2015
2014
2013
2012
2011
2010

文系学部

1

 問題を見てやるべきこと

(1) まずは与えられた条件を変形するところから始めます。指示通りに行えば大した作業ではありません。

$$d(\text{P}, \ell_1) = |y - (-1)| = |y + 1|$$
$$\text{PO} = \sqrt{x^2 + y^2}$$

ですから,

$$d(\text{P}, \ell_1) \geqq \text{PO}$$
$$\iff |y + 1| \geqq \sqrt{x^2 + y^2}$$
$$\iff (y + 1)^2 \geqq x^2 + y^2 \quad (\text{両辺正より})$$
$$\iff y^2 + 2y + 1 \geqq x^2 + y^2$$
$$\iff y \geqq \frac{1}{2} x^2 - \frac{1}{2}$$

となります。

(2) (1)の計算過程で, 指示された図形は "2つの放物線で囲まれる図形" であることがわかりますので, あとは積分計算を正確に行います。

解　答

(1) $d(\text{P}, \ell_1) = |y + 1|$
$d(\text{P}, \ell_2) = |y - 1|$
$\text{PO} = \sqrt{x^2 + y^2}$
$\text{PA} = \sqrt{(x - a)^2 + y^2}$

であるから,

$$d(\text{P}, \ell_1) \geqq \text{PO}$$
$$\iff |y + 1| \geqq \sqrt{x^2 + y^2}$$
$$\iff (y + 1)^2 \geqq x^2 + y^2 \quad (\text{両辺正より})$$

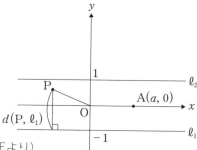

$$\Longleftrightarrow \quad y^2 + 2y + 1 \geqq x^2 + y^2$$

$$\Longleftrightarrow \quad y \geqq \frac{1}{2}x^2 - \frac{1}{2}$$

また,

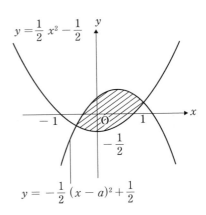

$$d(\mathrm{P}, \ell_2) \geqq \mathrm{PA}$$

$$\Longleftrightarrow \quad |y - 1| \geqq \sqrt{(x-a)^2 + y^2}$$

$$\Longleftrightarrow \quad (y-1)^2 \geqq (x-a)^2 + y^2$$

（両辺正より）

$$\Longleftrightarrow \quad y^2 - 2y + 1 \geqq (x-a)^2 + y^2$$

$$\Longleftrightarrow \quad y \leqq -\frac{1}{2}(x-a)^2 + \frac{1}{2}$$

よって条件①を満たす点 P が存在す

るための条件は，2 つの放物線 $y = \dfrac{1}{2}x^2 - \dfrac{1}{2}$ と $y = -\dfrac{1}{2}(x-a)^2 + \dfrac{1}{2}$ が

共有点をもつことで，それは 2 式から y を消去した

$$\frac{1}{2}x^2 - \frac{1}{2} = -\frac{1}{2}(x-a)^2 + \frac{1}{2}$$

$$\Longleftrightarrow \quad x^2 - 1 = -(x-a)^2 + 1$$

$$\Longleftrightarrow \quad x^2 - ax + \frac{1}{2}a^2 - 1 = 0 \quad \cdots\cdots ②$$

x についての方程式②が実数解をもつことと同値。

よって求める条件は，②の判別式を D として，

$$D \geqq 0 \quad \Longleftrightarrow \quad a^2 - 4\left(\frac{1}{2}a^2 - 1\right) \geqq 0$$

$$\Longleftrightarrow \quad -a^2 + 4 \geqq 0$$

$$\Longleftrightarrow \quad \underline{-2 \leqq a \leqq 2} \quad 答$$

(2) (1)の条件のもとで，②の 2 解を α, β とおく（$\alpha \leqq \beta$）。

α, β は 2 つの放物線

$$y = \frac{1}{2}x^2 - \frac{1}{2}$$

$$y = -\frac{1}{2}(x-a)^2 + \frac{1}{2}$$

の交点の x 座標であり，次ページの図より，

$$S = \int_\alpha^\beta \left\{ \left(-\frac{1}{2}(x-a)^2 + \frac{1}{2} \right) - \left(\frac{1}{2}x^2 - \frac{1}{2} \right) \right\} dx$$

$$= -\int_\alpha^\beta \left(x^2 - ax + \frac{1}{2}a^2 - 1 \right) dx$$

$$= -\int_\alpha^\beta (x-\alpha)(x-\beta)dx$$

$$= \frac{1}{6}(\beta - \alpha)^3$$

ここで②を解くと,

$$x = \frac{a \pm \sqrt{-a^2 + 4}}{2}$$

より,

$$\beta - \alpha = \sqrt{-a^2 + 4}$$

よって,

$$S = \frac{1}{6}(\sqrt{-a^2 + 4})^3$$

$$= \frac{1}{6}(-a^2 + 4)^{\frac{3}{2}} \quad \boxed{答}$$

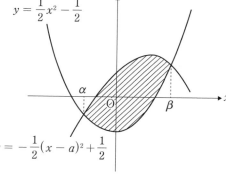

 研　究

実は,放物線は "ある定点 F と F を通らない定直線 ℓ からの距離が等しい点の軌跡" として定義されます。

たとえば,$F(0, p)$,$\ell : y = -p$ $(p \neq 0)$,$P(x, y)$,$d(P, \ell)$ を本問と同じく点と直線の距離とおくと,

$$PF = d(P, \ell)$$
$$\iff \sqrt{x^2 + (y-p)^2}$$
$$= |y - (-p)|$$
$$\iff x^2 + (y-p)^2 = (y+p)^2 \quad (両辺正より)$$
$$\iff x^2 + (y^2 - 2py + p^2) = y^2 + 2py + p^2$$
$$\iff 4py = x^2$$

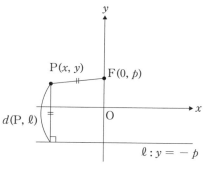

となり,これを放物線の標準形といいます。また点 F を焦点,直線 ℓ を準線と呼びます。

本問では,それぞれ点 O,A を焦点,直線 ℓ_1,ℓ_2 を準線にもつ 2 つの放物線が題材になっています。

2 問題を見てやるべきこと

解答

理系学部2（p.443）に同じ。

3 問題を見てやるべきこと

　平面図形の問題は，定理や公式のほとんどが中学校までに学んだものであり，数学Ⅰの三角比の単元で正弦定理，余弦定理まで学習すれば大体取り組むことのできる初歩的な問題です。

　しかし，"初歩的"というのは"平易な"という意味ではなく，"補助線を引く"とか"相似な三角形を見つける"といった，無数の選択肢の中から最適なものを選ぶ，といういわゆる"ひらめき"のようなものが多少なりとも必要です。それゆえ抵抗を感じる人も少なくないでしょう。

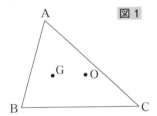

図1

　平面図形の問題を解くためのコツは，
　　"図を大きく正確に描くこと"
　　"その図形や点がもつ固有の性質，情報を
　　　強く意識しておくこと"
などが挙げられます。

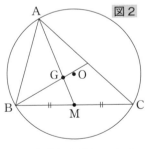

図2

　たとえば，図1は，△ABC の重心 G と外心 O を"適当に"描いた図，図2は"重心は中線の交点"，"外心は外接円の中心"であることを意識して描いた図です。

　さらにこの後，図2のほうでは，点 O と 3 点 A, B, C を結んだり（OA = OB = OC だから），円の性質を意識して点 O と点 M を結んだり（OM ⊥ BC だから）していきます。

　図を描く，というのは解答の第一歩ですが，踏み出し方次第でその後の流れ方が大きく変わるので注意しましょう。

(1)　示すべき等式に登場している外接円の半径 R と $\sin B$, $\sin C$ から，すぐに"正弦定理"を連想できるようにしておきましょう。

(3) "(1), (2)の結果はどこかで必ず使うことになる" ということを常に意識して解答を進めましょう。

解　答

(1) **証　明**　△ABD は∠ADB $= 90°$の直角三角形であるから

$$AD = AB \sin B \quad \cdots\cdots①$$

が成り立つ。

　また△ABC において，正弦定理より，

$$\frac{AB}{\sin C} = 2R$$

$$\therefore \quad AB = 2R \sin C \quad \cdots\cdots②$$

②を①に代入して，

$$AD = 2R \sin B \sin C$$

であることが示された。

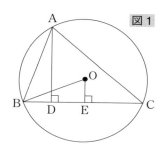

図1

　また，△BOE は∠OEB $= 90°$の直角三角形であるから，

$$OE = OB \cos ∠BOE \quad \cdots\cdots③$$

が成り立つ。

$$OB = R,$$

$$∠BOE = \frac{1}{2}∠BOC = \frac{1}{2}\cdot 2A = A$$

より，これらを③に代入して，

$$OE = R \cos A$$

であることが示された。

(2) **証　明**　点 E は辺 BC の中点であり，重心は中線上にあることから，3 点 A, G, E は同一直線上にある。

　G と O が一致するとき，3 点 A, O, E が同一直線上にあることになり，**図2** より，

$$△ABE ≡ △ACE$$

$$\therefore \quad AB = AC \quad \cdots\cdots④$$

　また，O から辺 AB に下ろした垂線を OF とすると，同様の議論で，

$$△ACF ≡ △BCF$$

$$\therefore \quad CA = CB \quad \cdots\cdots⑤$$

　よって④，⑤より，△ABC は正三角形であることが示された。

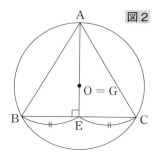

図2

(3) **証　明** 3点 A, G, E は同一直線上にある

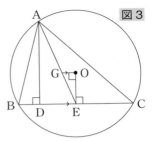

図3

こと，また与えられた条件に注意すると**図3**を得る。

OG // BC より，

$$\angle ADE = \angle EOG \quad (= 90°)$$
$$\angle AED = \angle EGO$$

よって，

$$\triangle AED \backsim \triangle EGO \quad \cdots\cdots ⑥$$

また，重心 G は線分 AE を 2：1 に内分するから，

$$AG : GE = 2 : 1$$
$$\therefore \quad AE : EG = 3 : 1$$

⑥とあわせて

$$AD : OE = 3 : 1$$

すなわち，

$$AD = 3OE$$

が示された。

また(1)の結果より，

$$AD = 2R \sin B \sin C, \quad OE = R \cos A$$

これを

$$AD = 3OE$$

に代入して，

$$2R \sin B \sin C = 3R \cos A$$
$$\therefore \quad 2\sin B \sin C = 3\cos A \quad \cdots\cdots ⑦$$

ここで，$A + B + C = \pi$ より，

$$\begin{aligned}
\cos A &= \cos\{\pi - (B + C)\} \\
&= -\cos(B + C) \\
&= -(\cos B \cos C - \sin B \sin C) \\
&= \sin B \sin C - \cos B \cos C
\end{aligned}$$

⑦に代入して，

$$2\sin B \sin C = 3(\sin B \sin C - \cos B \cos C)$$
$$\sin B \sin C = 3\cos B \cos C$$

両辺を $\cos B \cos C\,(\neq 0)$ で割って，

$$\tan B \tan C = 3$$

を得る。以上より，題意成立。

 研　究

　平面図形の問題，とりわけ証明については，経験も重要であるので，三角形の五心に関する以下の重要性質の証明を紹介しておきましょう。

　△ABC の重心 G，外心 O，垂心 H は一直線上にあって，重心 G は線分 OH を 1：2 に内分することを示せ。

証　明　　ここでは，△ABC は鋭角三角形であるものとします。

　図のように，直線 OH と直線 AM の交点を G′ とおく。

　また点 F を線分 BF が円 O の直径となるようにとる。

　まず，点 O，M はそれぞれ線分 BF，BC の中点であるから，中点連結定理により

$$FC = 2OM \quad \cdots\cdots ①$$

である。

　また，

$$\angle BAF = \angle BEC \ （= 90°）\ より$$

AF ∥ HC

$$\angle BCF = \angle BDA \ （= 90°）\ より$$

AH ∥ FC

だから，四角形 AHCF は平行四辺形で，

$$AH = FC \quad \cdots\cdots ②$$

が成り立つ。

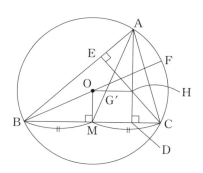

　①，②より，

$$AH = 2OM \quad \cdots\cdots ③$$

　さて，∠OMB = ∠ADB （= 90°）より OM ∥ AH だから，

$$△OMG′ \backsim △HAG′$$

よって，

$$MG′ : AG′ = OM : HA = 1 : 2 \quad （③より）$$

重心 G は（中線である）線分 MA を 1：2 に内分する点であるから，点 G′ は重心 G に他ならない。

　また，

$$OG : HG = OM : HA = 1 : 2$$

である。以上より，題意成立。

4

問題を見てやるべきこと

解　答

理系学部 4 （p.449）に同じ。

2013年度　数　学　解答・解説

理系学部

1

問題を見てやるべきこと

(1)　曲線 C_1, C_2 そして接線 ℓ_1 を図示し，求めるべき部分を図示しましょう。

　C_1 と C_2 の交点における C_1 の接線 ℓ_1 を求めるため，まずは交点 P の座標を求めます。

$y = \sqrt{x}$ と $y = \dfrac{a^3}{x}$ より，y を消去して，

$$\sqrt{x} = \frac{a^3}{x}$$

$x = a^2$ より，交点 P の座標は P(a^2, a) と得られます。

$y = \sqrt{x}$ より $y' = \dfrac{1}{2\sqrt{x}}$ ですので，

$$l_1 : y - a = \frac{1}{2\sqrt{a^2}}(x - a^2)$$

$$\therefore \quad y = \frac{1}{2a}x + \frac{a}{2} \ (a > 1)$$

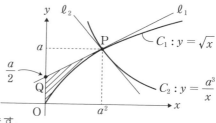

以上より，右の斜線の面積を求めます。

(2)　点 P における C_2 の接線を ℓ_2 とすると，2 直線 ℓ_1 と ℓ_2 のなす鋭角が $\theta(a)$ です。

　直線 ℓ_1 と直線 ℓ_2 の各々が x 軸の正の向きとなす角を α，β とおくと，$\tan\alpha$，$\tan\beta$ は ℓ_1 と ℓ_2 の傾きですので，a を用いて表すことができます。

$\tan\theta(a)$ $\left(0 < \theta(a) < \dfrac{\pi}{2}\right)$ は $|\tan(\alpha - \beta)|$ ですので，加法定理より，

$\tan(\alpha - \beta) = \dfrac{\tan\alpha - \tan\beta}{1 + \tan\alpha\tan\beta}$ とすることで，$\tan\theta(a)$ を a の式で表すことがで

きます。

$\lim\limits_{a\to\infty}\tan\theta(a) = 0$ が導けますので，$0 < \theta(a) < \dfrac{\pi}{2}$ で $\lim\limits_{a\to\infty}\theta(a) = 0$ となり，

$\lim\limits_{a\to\infty}\sin\theta(a) = 0$ と $\lim\limits_{a\to\infty}\cos\theta(a) = 1$ がわかります。

$\lim\limits_{a\to\infty}a\sin\theta(a)$ を求める際，$\sin\theta(a) = \tan\theta(a) \cdot \cos\theta(a)$ と変形します。

結局，$\lim\limits_{a\to\infty}\sin\theta(a) = 0$ は使用しません。

解 答

(1)

$\begin{cases} f(x) = \sqrt{x} & (x \geqq 0) \\ g(x) = \dfrac{a^3}{x} & (x > 0) \end{cases}$ とおくと，

$\begin{cases} f'(x) = \dfrac{1}{2\sqrt{x}} \\ g'(x) = -\dfrac{a^3}{x^2} \end{cases}$

点 P の座標は，

$f(x) = g(x)$，つまり $\sqrt{x} = \dfrac{a^3}{x}$ より，$x = a^2$

$\therefore$ P(a^2, a)

P における接線 ℓ_1 の式は，$y - a = \dfrac{1}{2\sqrt{a^2}}(x - a^2)$

$y = \dfrac{1}{2a}x + \dfrac{a}{2}$ $(a > 1)$

P から x 軸，y 軸に下ろした垂線の足を H_1，H_2 とし，ℓ_1 と y 軸との交点を Q とすると，

Q$\left(0, \dfrac{a}{2}\right)$

求める面積 $S = (\text{台形 QOH}_1\text{P}) - \int_0^{a^2} \sqrt{x}\, dx = \frac{1}{2}\left(a + \frac{a}{2}\right) \cdot a^2 - \left[\frac{2}{3}x^{\frac{3}{2}}\right]_0^{a^2}$

$$= \frac{3}{4}a^3 - \frac{2}{3}a^3 = \underline{\underline{\frac{1}{12}a^3}} \quad \boxed{答}$$

(2)　P における C_2 の接線 ℓ_2 の傾きは

$g'(a^2) = -\dfrac{a^3}{(a^2)^2} = -\dfrac{1}{a}$ より，ℓ_1, ℓ_2 の

x 軸の正の方向となす角を α, β とお

く，

$$\tan\alpha = \frac{1}{2a}, \quad \tan\beta = -\frac{1}{a}$$

$$\left(a > 1 \text{ より，} -\frac{\pi}{2} < \beta < 0 < \alpha < \frac{\pi}{2}\right)$$

が成立する。

$$\tan(\alpha - \beta) = \frac{\tan\alpha - \tan\beta}{1 + \tan\alpha\tan\beta} = \frac{\dfrac{1}{2a} - \left(-\dfrac{1}{a}\right)}{1 + \dfrac{1}{2a}\left(-\dfrac{1}{a}\right)} = \frac{\dfrac{3}{2a}}{1 - \dfrac{1}{2a^2}}$$

$$= \frac{3a}{2a^2 - 1}$$

ここで，$a > 1$ より，$\dfrac{3a}{2a^2 - 1} > 0$　により，

$$\tan\theta(a) = |\tan(\alpha - \beta)| = \tan(\alpha - \beta) = \frac{3a}{2a^2 - 1} \quad \left(0 < \theta(a) < \frac{\pi}{2}\right)$$

とおける。

$$\lim_{a \to \infty} \tan\theta(a) = \lim_{a \to \infty} \frac{3}{2a - \dfrac{1}{a}} = 0, \quad 0 < \theta(a) < \frac{\pi}{2} \quad \text{より，}$$

$$\lim_{a \to \infty} \theta(a) = 0$$

したがって，$\underset{a \to \infty}{\lim} \sin\theta(a) = 0$, $\underset{a \to \infty}{\lim} \cos\theta(a) = 1$ が成立する。

結局，使用しません

以上より，$\displaystyle\lim_{a \to \infty} a\sin\theta(a) = \lim_{a \to \infty} a \cdot \tan\theta(a) \cdot \cos\theta(a)$

$$= \lim_{a \to \infty} a \cdot \frac{3a}{2a^2 - 1} \cdot \cos \theta (a)$$

$$= \lim_{a \to \infty} \frac{3}{2 - \dfrac{1}{a^2}} \cdot \cos \theta (a) = \frac{3}{2} \cdot 1 = \frac{3}{2} \text{ 答}$$

 研　究

(1)　面積の計算において，C_1 を $x = y^2$ として，y 軸と C_1 に挟まれた面積として求めると，ほとんど暗算です。

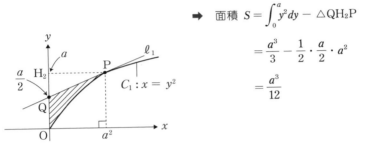

➡　面積 $S = \displaystyle\int_0^a y^2 dy - \triangle \mathrm{QH_2P}$

$$= \frac{a^3}{3} - \frac{1}{2} \cdot \frac{a}{2} \cdot a^2$$

$$= \frac{a^3}{12}$$

(2)　2 直線のなす角については，2003 年度，1995 年度（文系数学）にも出題があります。

例　2003 年度

問　（大問略）

　$a^2 > 4b$ を満たす点 $\mathrm{P}(a, b)$ から放物線 $y = \dfrac{1}{4}x^2$ に引いた 2 つの接線の接点を Q，R（ただし，Q の x 座標 $<$ R の x 座標）とし，接線 PQ，PR の傾きを各々 m_1，m_2 とおく。

　$\angle \mathrm{QPR} = \theta$ とするとき，$\tan \theta$ を m_1 と m_2 で表せ。（$m_1 < 0 < m_2$，

$0 < \theta < \dfrac{\pi}{2}$ とする）

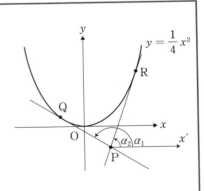

解　$\overrightarrow{PQ}$, $\overrightarrow{PR}$ の x 軸の正の向きとなす角を α_1, α_2 とする。

$m_1 = \tan\alpha_1$, $m_2 = \tan\alpha_2$ であるから, $\theta = \alpha_1 - \alpha_2$ より,

$$\tan\theta = \tan(\alpha_1 - \alpha_2) = \frac{\tan\alpha_1 - \tan\alpha_2}{1 + \tan\alpha_1\tan\alpha_2} = \frac{m_1 - m_2}{1 + m_1 m_2}$$

例　1995 年度

問　（大問略）

放物線 $y = x^2$ 上の原点と異なる点
$A(a, a^2)$ における接線と x 軸の交点を
P とし, 直線 AP と x 軸の正の向きと
のなす角を θ とする。x 軸を点 P を中
心に正の向きに 2θ 回転させて得られ
る直線 L の式を求めよ。$\left(a \neq \pm\dfrac{1}{2}\right)$

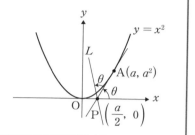

解　A における接線 : $y = 2ax - a^2$　したがって, 点 $P\left(\dfrac{a}{2}, 0\right)$

$\tan\theta = 2a$ より,

$$\tan 2\theta = \frac{2\tan\theta}{1 - \tan^2\theta} = \frac{4a}{1 - 4a^2}\left(a \neq \pm\frac{1}{2}\right), \quad L \text{ の傾きが } \tan 2\theta \text{ なので}$$

よって, $L : y = \dfrac{4a}{1 - 4a^2}\left(x - \dfrac{a}{2}\right)$

2

問題を見てやるべきこと

$$\begin{cases} \overrightarrow{OM} = \dfrac{\overrightarrow{OA} + 2\overrightarrow{OP}}{3} \\[2mm] \overrightarrow{ON} = \dfrac{\overrightarrow{OC} + \overrightarrow{OP}}{2} \end{cases} \text{ はすぐにわかります。} \quad \cdots\cdots \text{Ⓐ}$$

直線 BC 上の点 Q の位置を求めるのが目標です。

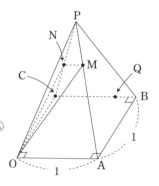

直線 PQ は平面 OMN に垂直ですので,

「$\overrightarrow{PQ} \perp \overrightarrow{OM}$ かつ $\overrightarrow{PQ} \perp \overrightarrow{ON}$」

つまり,

「$\overrightarrow{PQ} \cdot \overrightarrow{OM} = 0$ かつ $\overrightarrow{PQ} \cdot \overrightarrow{ON} = 0$」 ……⑧

です。

$\overrightarrow{OM}$, $\overrightarrow{ON}$ はすでに $\overrightarrow{OA}$, $\overrightarrow{OC}$, $\overrightarrow{OP}$ で表していますので, 問題の条件

$\overrightarrow{OA} \cdot \overrightarrow{OP} = \dfrac{1}{4}$, $\overrightarrow{OC} \cdot \overrightarrow{OP} = \dfrac{1}{2}$ が利用できるように, $\overrightarrow{PQ}$ も $\overrightarrow{OA}$, $\overrightarrow{OC}$, $\overrightarrow{OP}$ で

表すのがポイントです。

$\overrightarrow{PQ} = \overrightarrow{PC} + \overrightarrow{CQ}$ において,

$$\begin{cases} \overrightarrow{PC} = \overrightarrow{OC} - \overrightarrow{OP} \\ \overrightarrow{CQ} = t\overrightarrow{CB} = t\overrightarrow{OA} \quad (t \text{ は実数}) \end{cases}$$

として条件⑧を $\overrightarrow{OA}$, $\overrightarrow{OC}$, $\overrightarrow{OP}$ で表すと, t と $\left|\overrightarrow{OP}\right|^{2}$ についての連立方程式

が得られます。

$\overrightarrow{CQ} = t\overrightarrow{CB}$ とおきましたので, t の値により BQ : QC が求まります。

㊟ 2012 年度の ⓵, 2014 年度の ⓹ 同様, 九大ではほとんど見られない, 小問のない出題です。部分点を確実に獲得できるように, $\overrightarrow{OM}$, $\overrightarrow{ON}$ など, 自分で導いたものをしっかりと答案に示してください。

解 答

$\overrightarrow{OM} = \dfrac{\overrightarrow{OA} + 2\overrightarrow{OP}}{3}$, $\overrightarrow{ON} = \dfrac{\overrightarrow{OC} + \overrightarrow{OP}}{2}$ であり,

$\overrightarrow{CQ} = t\overrightarrow{CB} = t\overrightarrow{OA}$ (t は実数) と表せる。◀ $\overrightarrow{CB} = \overrightarrow{OA}$ より

よって, $\overrightarrow{PQ} = \overrightarrow{PC} + \overrightarrow{CQ} = \overrightarrow{PC} + t\overrightarrow{OA}$

$= t\overrightarrow{OA} + \overrightarrow{OC} - \overrightarrow{OP}$ ◀ $\overrightarrow{OA}$, $\overrightarrow{OC}$, $\overrightarrow{OP}$ で表現します

直線 PQ が平面 OMN に垂直なとき，$\overrightarrow{\mathrm{PQ}} \perp \overrightarrow{\mathrm{OM}}$ かつ $\overrightarrow{\mathrm{PQ}} \perp \overrightarrow{\mathrm{ON}}$ が成立する。

つまり，$\begin{cases} \overrightarrow{\mathrm{PQ}} \cdot \overrightarrow{\mathrm{OM}} = 0 & \cdots\cdots① \\ \overrightarrow{\mathrm{PQ}} \cdot \overrightarrow{\mathrm{ON}} = 0 & \cdots\cdots② \end{cases}$

また底面 OABC は 1 辺 1 の正方形なので，

$\overrightarrow{\mathrm{OC}} \perp \overrightarrow{\mathrm{OA}}$　より，$\overrightarrow{\mathrm{OC}} \cdot \overrightarrow{\mathrm{OA}} = 0$

$|\overrightarrow{\mathrm{OA}}| = |\overrightarrow{\mathrm{OC}}| = 1$

①より，$(t\overrightarrow{\mathrm{OA}} + \overrightarrow{\mathrm{OC}} - \overrightarrow{\mathrm{OP}}) \cdot \dfrac{\overrightarrow{\mathrm{OA}} + 2\overrightarrow{\mathrm{OP}}}{3} = 0$ から，

$t\underbrace{|\overrightarrow{\mathrm{OA}}|^2}_{1} + \underbrace{\overrightarrow{\mathrm{OC}} \cdot \overrightarrow{\mathrm{OA}}}_{0} + (2t-1)\underbrace{\overrightarrow{\mathrm{OA}} \cdot \overrightarrow{\mathrm{OP}}}_{\frac{1}{4}} + 2\underbrace{\overrightarrow{\mathrm{OC}} \cdot \overrightarrow{\mathrm{OP}}}_{\frac{1}{2}} - 2|\overrightarrow{\mathrm{OP}}|^2 = 0$

$\therefore \quad \dfrac{3}{2}t - 2|\overrightarrow{\mathrm{OP}}|^2 + \dfrac{3}{4} = 0 \quad \cdots\cdots①'$

②より，$(t\overrightarrow{\mathrm{OA}} + \overrightarrow{\mathrm{OC}} - \overrightarrow{\mathrm{OP}}) \cdot \dfrac{\overrightarrow{\mathrm{OC}} + \overrightarrow{\mathrm{OP}}}{2} = 0$ より，

$t\underbrace{\overrightarrow{\mathrm{OA}} \cdot \overrightarrow{\mathrm{OC}}}_{0} + \underbrace{|\overrightarrow{\mathrm{OC}}|^2}_{1} + t\underbrace{\overrightarrow{\mathrm{OA}} \cdot \overrightarrow{\mathrm{OP}}}_{\frac{1}{4}} - |\overrightarrow{\mathrm{OP}}|^2 = 0$

$\therefore \quad \dfrac{t}{4} - |\overrightarrow{\mathrm{OP}}|^2 + 1 = 0 \quad \cdots\cdots②'$

①′・②′を連立して，$t = \dfrac{5}{4}$，$|\overrightarrow{\mathrm{OP}}|^2 = \dfrac{21}{16}$ より，$\mathrm{OP} = \sqrt{\dfrac{21}{16}} = \dfrac{\sqrt{21}}{4}$

$\overrightarrow{\mathrm{CQ}} = \dfrac{5}{4}\overrightarrow{\mathrm{CB}}$ より，右図のようになる。

$\therefore \quad \begin{cases} \mathrm{BQ : QC} = 1 : 5 \\ \\ \mathrm{OP} = \dfrac{\sqrt{21}}{4} \end{cases}$ 　**答**

 研　究

　底面は1辺の長さが1の正方形ですので，座標設定すると，$\overrightarrow{OA} \cdot \overrightarrow{OP} = \dfrac{1}{4}$，

$\overrightarrow{OC} \cdot \overrightarrow{OP} = \dfrac{1}{2}$ より，P の x，y 座標がすぐにわかります。以下，**別　解** を

示します。

別　解

右図のように
$\begin{cases} O(0,\ 0,\ 0) \\ A(1,\ 0,\ 0) \\ B(1,\ 1,\ 0) \\ C(0,\ 1,\ 0) \\ \underset{\sim}{Q(t,\ 1,\ 0)} \quad (t \text{ は実数}) \end{cases}$

$\underbrace{}$

$\boxed{\overrightarrow{CQ} = t\overrightarrow{CB} = t\overrightarrow{OA} \text{ より}}$

と座標を設定します。

　$\overrightarrow{OP}$ と x 軸，y 軸とのなす角を各々 α，β
とすると，

$$\underset{\sim}{\overrightarrow{OA} \cdot \overrightarrow{OP}} = |\overrightarrow{OP}|\cos\alpha = \frac{1}{4} = \underset{\sim}{|\overrightarrow{OH_1}|} \quad \text{より，}$$

$\boxed{|\overrightarrow{OA}| = 1 \text{ より}}$　　$\boxed{\overrightarrow{OP} \text{ の } x \text{ 軸への正射影}}$

P の x 座標は $\dfrac{1}{4}$ とわかります。

$$\underset{\sim}{\overrightarrow{OC} \cdot \overrightarrow{OP}} = |\overrightarrow{OP}|\cos\beta = \frac{1}{2} = \underset{\sim}{|\overrightarrow{OH_2}|} \quad \text{より，}$$

$\boxed{|\overrightarrow{OC}| = 1 \text{ より}}$　　$\boxed{\overrightarrow{OP} \text{ の } y \text{ 軸への正射影}}$

P の y 座標は $\dfrac{1}{2}$ とわかります。

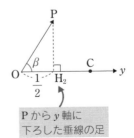

P から x 軸に
下ろした垂線の足

P から y 軸に
下ろした垂線の足

よって，$P\left(\dfrac{1}{4},\ \dfrac{1}{2},\ s\right)$ とおけます。　（s は実数，$s > 0$）

$$\begin{cases} \overrightarrow{OM} = \dfrac{\overrightarrow{OA} + 2\overrightarrow{OP}}{3} = \dfrac{1}{3}\left\{(1,\ 0,\ 0) + 2\left(\dfrac{1}{4},\ \dfrac{1}{2},\ s\right)\right\} = \dfrac{1}{3}\left(\dfrac{3}{2},\ 1,\ 2s\right) \\[3mm] \overrightarrow{ON} = \dfrac{\overrightarrow{OC} + \overrightarrow{OP}}{2} = \dfrac{1}{2}\left\{(0,\ 1,\ 0) + \left(\dfrac{1}{4},\ \dfrac{1}{2},\ s\right)\right\} = \dfrac{1}{2}\left(\dfrac{1}{4},\ \dfrac{3}{2},\ s\right) \\[3mm] \overrightarrow{PQ} = \overrightarrow{OQ} - \overrightarrow{OP} = (t,\ 1,\ 0) - \left(\dfrac{1}{4},\ \dfrac{1}{2},\ s\right) = \left(t - \dfrac{1}{4},\ \dfrac{1}{2},\ -s\right) \end{cases}$$

直線 PQ が平面 OMN に垂直であるとき，
$\overrightarrow{PQ}\cdot\overrightarrow{OM} = 0$　かつ　$\overrightarrow{PQ}\cdot\overrightarrow{ON} = 0$ が成立しますので，

$$\begin{cases} \left(t - \dfrac{1}{4}\right)\cdot\dfrac{3}{2} + \dfrac{1}{2}\cdot 1 + (-s)\cdot 2s = 0 \\[3mm] \left(t - \dfrac{1}{4}\right)\cdot\dfrac{1}{4} + \dfrac{1}{2}\cdot\dfrac{3}{2} + (-s)\cdot s = 0 \end{cases} \quad\therefore\quad \begin{cases} 2s^2 - \dfrac{3}{2}t - \dfrac{1}{8} = 0 & \cdots\cdots① \\[3mm] s^2 - \dfrac{1}{4}t - \dfrac{11}{16} = 0 & \cdots\cdots② \end{cases}$$

①・②を連立して，$t = \dfrac{5}{4}$，$s = 1$　（$s > 0$）

$$\therefore\quad \begin{cases} |\overrightarrow{OP}| = \sqrt{\left(\dfrac{1}{4}\right)^2 + \left(\dfrac{1}{2}\right)^2 + 1^2} = \dfrac{\sqrt{21}}{4} \quad\text{答} \\[3mm] BQ : QC = \left(\dfrac{5}{4} - 1\right) : \dfrac{5}{4} = 1 : 5 \end{cases}$$

　注　九大のベクトルでは，1989 年度，1999 年度，2004 年度，2007 年度，2009 年度，2011 年度など，正射影が威力を発揮する出題が目立ちます。

3

問題を見てやるべきこと

　表を○，裏を×で表記します。

(1)　頭のなかでいろいろ考えるより，サイコロの目 1 ～ 6 に対応する 1 回目の操作 L の結果を書いてみると，2 回目の条件が見えてきます。

　以下，　**解答**　はこの流れで示しています。

　また，6 枚とも表からスタートしていますので，2 回目の操作 L の結果，表が 1 枚となるときは，その表の硬貨は左端の 1 枚，つまり，○×××××という配列になることがわかります。

　このようになるのは，

$$\left\{\begin{array}{l} ⓐ \; ×○○○○○ \; \longrightarrow \;（6 の目）\longrightarrow \; ○××××× \\ ⓑ \; ×××××× \; \longrightarrow \;（1 の目）\longrightarrow \; ○××××× \end{array}\right\}$$

のいずれかです。

$$\left\{\begin{array}{l} ⓐ は 1 回目の操作 L で 1 の目が出た場合 \\ ⓑ は 1 回目の操作 L で 6 の目が出た場合 \end{array}\right\}$$

です。

(2)　表の枚数が 0 〜 6 までの各々の場合の数を求める必要があります。サイコロを 2 回投げるとき，6 × 6 の表が便利です。

　36 通りすべての場合を表に示します。

(3)　最後に，すべての硬貨が表となるためには，3 回目の操作 L の前，つまり 2 回目終了の時点で，左から裏が連続している必要があります。

　　　〈2 回目終了時の状態〉

$$\left\{\begin{array}{l} ⓒ \quad ×○○○○○ \\ ⓓ \quad ××○○○○ \\ ⓔ \quad ×××○○○ \\ ⓕ \quad ××××○○ \\ ⓖ \quad ×××××○ \\ ⓗ \quad ×××××× \end{array}\right.$$

　ⓒ〜ⓖでは，2 回目終了時の 1 回目と 2 回目のサイコロの目の出方の組み合わせは，1 通りです。ⓗは(2)の表で 0 となっているところを数えて，5 通りです。

解　答

　表を○，裏を×で表記する。

(1)　最初の状態から L を 1 回行うと，サイコロの目の 1 〜 6 に対応して，次ページの(i)〜(vi)の状態になる。

　Ⓐの(i)〜(vi)のなかで，もう一度 L を行って，
○×××××になるのは，

「(i)のあとに 6 の目が出る」場合

または，

「(vi)のあとに 1 の目が出る」場合

となる。

(i)	×○○○○○
(ii)	××○○○○
(iii)	×××○○○
(iv)	××××○○
(v)	×××××○
(vi)	××××××

Ⓐ

以上より，1 ➡ 6 または 6 ➡ 1 と目が出る場合である。

$$\frac{1}{6^2} \times 2 = \frac{1}{18}$$ **答**

(2) 1 回目のサイコロの目を x_1，2 回目のサイコロの目を x_2 として，出た目に対応する表の枚数を(1)のⒶを参考にして右に記す。

以上より，下の表を得る。

x_1＼x_2	1	2	3	4	5	6
1	4	3	2	1	0	1
2	3	2	1	0	1	2
3	2	1	0	1	2	3
4	1	0	1	2	3	4
5	0	1	2	3	4	5
6	1	2	3	4	5	6

表の枚数	0	1	2	3	4	5	6	計
確率	$\frac{5}{36}$	$\frac{10}{36}$	$\frac{8}{36}$	$\frac{6}{36}$	$\frac{4}{36}$	$\frac{2}{36}$	$\frac{1}{36}$	1

よって，求める期待値は，

$$0 \times \frac{5}{36} + 1 \times \frac{10}{36} + 2 \times \frac{8}{36} + 3 \times \frac{6}{36} + 4 \times \frac{4}{36} + 5 \times \frac{2}{36}$$

$$+ 6 \times \frac{1}{36} = \frac{19}{9}$$ **答**

(3) 3 回目の L の操作のあとにすべてが表となるのは，2 回目終了後に左から k 枚が裏で，残りの $(6 - k)$ 枚が表で，3 回目に k の目が出る場合 $(k = 1 \sim 6)$。

↳ (2)の表でアミ掛けした 10 通り

〈3回目〉　〈2回目終了時〉〈1回目〉〈2回目〉　　　　〈1・2回目の確率〉

$k = 1$ ➡ ×○○○○○　　　6　　　5　　➡

$k = 2$ ➡ × ×○○○○　　　6　　　4　　➡

$k = 3$ ➡ × × ×○○○　　　6　　　3　　➡　　すべて，$\dfrac{1}{6^2}$

$k = 4$ ➡ × × × ×○○　　　6　　　2　　➡

$k = 5$ ➡ × × × × ×○　　　6　　　1　　➡

$k = 6$ ➡ × × × × × ×　　　□　　　□　　➡　$\dfrac{5}{6^2}$ ← (2)の表の 0 の数より

以上より，

$$\left(\dfrac{1}{36} \times 5 + \dfrac{5}{36} \right) \times \dfrac{1}{6} = \underline{\dfrac{5}{108}}\ \text{答}$$

📢 **研　究**

　このような操作の問題は，具体的に書いて調べるのが原則ですが，次のような **別　解** もあります。

別　解

　L で出た目を右向きの矢印の長さで，R で出た目を左向きの矢印の長さで示す。

(1)　　　　　　○○○○○○　　← 最初の状態です

　　ⓐ $\begin{cases} L_1 → \\ L_2 \end{cases}$

　　　　　➤ 矢印の重なりが奇数 ➡ 裏

　　　　　➤ 矢印の重なりが偶数 ➡ 表

　　ⓑ $\begin{cases} L_1 \\ L_2 → \end{cases}$

$\begin{cases} ⓐは 1 ➡ 6 と目が出た場合 \\ ⓑは 6 ➡ 1 と目が出た場合 \end{cases}$

ⓐ，ⓑより，$\dfrac{1}{6^2} \times 2 = \underline{\dfrac{1}{18}}$ 答

(2)　ⓒ　表が 1 枚のとき

[1]より, 矢印の長さの和が $5(=6-1)$ となるのは,

$$1+4,\ 2+3,\ 3+2,\ 4+1$$

の 4 通り。

[2]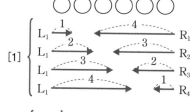

[2]より, 矢印の長さの和が $7(=6+1)$ となるのは,

$$1+6,\ 2+5,\ 3+4,\ 4+3,$$
$$5+2,\ 6+1$$

の 6 通り。

[2]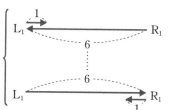

以上, [1], [2]より, 表が 1 枚となるのは, $4+6=10$(通り)

ⓓ　表が 2 枚のとき

ⓒと同様にして, L と R の矢印の長さの和が,

$$6-2=4\quad または\quad 6+2=8$$

となる場合を考える。

和：$4 \Rightarrow 1+3,\ 2+2,\ 3+1$

の 3 通り。

和：$8 \Rightarrow 2+6,\ 3+5,\ 4+4,\ 5+3,\ 6+2$

の 5 通り。

以上より, 表が 2 枚となるのは, $3+5=8$(通り)

ⓔ　表が 3 枚のとき

ⓒ, ⓓと同様にして, L と R の矢印の長さの和が,

$$6-3=3\quad または\quad 6+3=9$$

となる場合を考える。

和：$3 \Rightarrow 1+2,\ 2+1$

の 2 通り。

和：$9 \Rightarrow 3+6,\ 4+5,\ 5+4,\ 6+3$

の 4 通り。

以上より, 表が 3 枚となるのは, $2+4=6$(通り)

ⓕ　表が 4 枚のとき

同様に，6 － 4 ＝ 2　または　6 ＋ 4 ＝ 10 より，

　　　　和：2 ➡ 1 ＋ 1

の 1 通り。

　　　　　和：10 ➡ 4 ＋ 6，5 ＋ 5，6 ＋ 4

の 3 通り。

　以上より，表が 4 枚となるのは，1 ＋ 3＝4(通り)

ⓖ　表が 5 枚のとき

6 ＋ 5 ＝ 11 の場合のみで，5 ＋ 6，6 ＋ 5 の 2 通り。

ⓗ　表が 6 枚のとき

6 ＋ 6 ＝ 12 のとき，1 通りのみ。

　以上，ⓒ〜ⓗより，

$$1 \cdot \frac{10}{6^2} + 2 \cdot \frac{8}{6^2} + 3 \cdot \frac{6}{6^2} + 4 \cdot \frac{4}{6^2} + 5 \cdot \frac{2}{6^2} + 6 \cdot \frac{1}{6^2} = \frac{19}{9}$$　【答】

(3)　　　◯◯◯◯◯◯

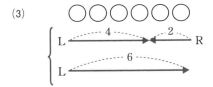

上の図のように，

1 本の L の矢印の長さが 6 で，(i)

ほかの 2 本の L と R の矢印の長さの和が 6 (ii)

になれば，6 枚すべてが，偶数回反転されるので，すべてが表となる。

　　　(i) ➡ 1 通り

　　　(ii) ➡ 5 通り

　以上より，

$$\frac{5}{6^2} \cdot \frac{1}{6} \cdot {}_2C_1 = \frac{5}{108}$$　【答】

　　　⬆ 長さ 6 となる矢印の選び方

4

問題を見てやるべきこと

(1) 円 S, T の各々の中心 O, D および接点 B, C の位置関係が重要です。余分な情報があるとわかりにくいので，図の一部をとり出します。

円 T の半径を r とします。

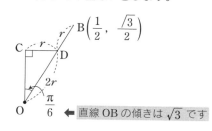

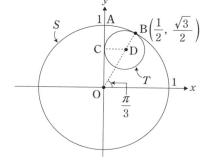

← 直線 OB の傾きは $\sqrt{3}$ です

直角三角形 △OCD の 3 辺の比より，

OD = $2r$, そして，

OB = OD + DB = $3r$ とわかります。

OB = $3r$ は円 S の半径 1 でもありますので，$r = \dfrac{1}{3}$ とわかります。

(2) (1)の結果より，$D\left(\dfrac{1}{3}, \dfrac{\sqrt{3}}{3}\right)$ となりますので，直線 $\ell : y = \dfrac{\sqrt{3}}{3}$ です。

- 円 S の方程式は $x^2 + y^2 = 1$ ですが

  短いほうの弧 $\overset{\frown}{AB}$ は，$y = \pm\sqrt{1 - x^2}$ の正のほうをとり，

  $$y = \sqrt{1 - x^2} \quad \left(0 \leq x \leq \dfrac{1}{2}\right) \quad \cdots\cdots ⓐ$$

  です。

- 円 T の方程式は $\left(x - \dfrac{1}{3}\right)^2 + \left(y - \dfrac{\sqrt{3}}{3}\right)^2 = \dfrac{1}{9}$ ですが

  短いほうの 弧 $\overset{\frown}{BC}$ は $y = \pm\sqrt{\dfrac{1}{9} - \left(x - \dfrac{1}{3}\right)^2} + \dfrac{\sqrt{3}}{3}$ の $\dfrac{\sqrt{3}}{3}$ より大きい部分をとり，

  $$y = \sqrt{\dfrac{1}{9} - \left(x - \dfrac{1}{3}\right)^2} + \dfrac{\sqrt{3}}{3} \quad \left(0 \leq x \leq \dfrac{1}{2}\right) \quad \cdots\cdots ⓑ$$

  です。

Ⓐの式の右辺と $\dfrac{\sqrt{3}}{3}$ の差をとり，外側の回転体の半径とします。

Ⓑの式の右辺と $\dfrac{\sqrt{3}}{3}$ の差をとり，内側の回転体の半径とします。

すなわち，求める体積を V とすると，

$$V = \pi \int_0^{\frac{1}{2}} \left(\sqrt{1-x^2} - \frac{\sqrt{3}}{3} \right)^2 dx$$
$$- \pi \int_0^{\frac{1}{2}} \left\{ \left(\sqrt{\frac{1}{9} - \left(x - \frac{1}{3}\right)^2} + \frac{\sqrt{3}}{3} \right) - \frac{\sqrt{3}}{3} \right\}^2 dx$$

を計算します。

解　答

(1)　3点 O，D，B は一直線上，つまり $y = \sqrt{3}\,x$ 上に存在する。

　円 T の半径を r $(r > 0)$ とおくと，D の x 座標は r なので，D$(r, \sqrt{3}\,r)$ とおける。

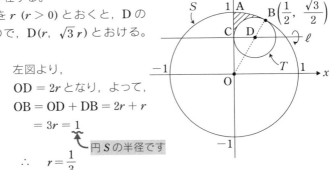

左図より，

OD $= 2r$ となり，よって，

OB $=$ OD $+$ DB $= 2r + r$
　　　$= 3r = 1$

円 S の半径です

$\therefore\quad r = \dfrac{1}{3}$

D$\left(\dfrac{1}{3}, \dfrac{\sqrt{3}}{3} \right)$，半径 $\dfrac{1}{3}$ **答**

(2)

　$\ell : y = \dfrac{\sqrt{3}}{3}$ のまわりにそのまま回転するか，ℓ が x 軸に重なるように図形全体を y 軸方向に $-\dfrac{\sqrt{3}}{3}$ 平行移動して x 軸のまわりに回転するか，2つの方針が考えられます

　円 S の方程式は $x^2 + y^2 = 1$ であり，弧 $\overparen{\mathrm{AB}}$ の方程式は，

$$y = \sqrt{1-x^2} \quad \left(0 \leqq x \leqq \frac{1}{2}\right) \quad \cdots\cdots ①$$

となる。

円 T の方程式は $\left(x-\frac{1}{3}\right)^2 + \left(y-\frac{\sqrt{3}}{3}\right)^2 = \frac{1}{9}$ であり，弧 $\overparen{BC}$ の方程式は，

$$y = \sqrt{\frac{1}{9} - \left(x-\frac{1}{3}\right)^2} + \frac{\sqrt{3}}{3} \left(0 \leqq x \leqq \frac{1}{2}\right) \quad \cdots\cdots ②$$

となる。

求める体積を V とすると，

$$V = \pi \int_0^{\frac{1}{2}} \left(\underset{①}{\underline{\sqrt{1-x^2}}} - \underset{\ell}{\underline{\frac{\sqrt{3}}{3}}}\right)^2 dx - \pi \int_0^{\frac{1}{2}} \left\{\left(\underset{②}{\underline{\sqrt{\frac{1}{9} - \left(x-\frac{1}{3}\right)^2} + \frac{\sqrt{3}}{3}}}\right) - \underset{\ell}{\underline{\frac{\sqrt{3}}{3}}}\right\}^2 dx$$

$$= \pi \int_0^{\frac{1}{2}} \left(1 - x^2 + \frac{1}{3} - \frac{2\sqrt{3}}{3}\sqrt{1-x^2}\right) dx - \pi \int_0^{\frac{1}{2}} \left(\frac{1}{9} - x^2 + \frac{2}{3}x - \frac{1}{9}\right) dx$$

$$= \pi \int_0^{\frac{1}{2}} \left(\frac{4}{3} - \frac{2}{3}x - \frac{2\sqrt{3}}{3}\sqrt{1-x^2}\right) dx = \pi \left[\frac{4}{3}x - \frac{x^2}{3}\right]_0^{\frac{1}{2}} - \frac{2\sqrt{3}}{3}\pi \int_0^{\frac{1}{2}} \underline{\sqrt{1-x^2}} \, dx$$

$$= \pi \left(\frac{2}{3} - \frac{1}{12}\right) - \frac{2\sqrt{3}}{3}\pi \left(\frac{\pi}{12} + \frac{\sqrt{3}}{8}\right)$$

$$= \pi \left(\frac{1}{3} - \frac{\sqrt{3}}{18}\pi\right) \quad 【答】$$

$y = \sqrt{1-x^2}$ より，

円 $x^2 + y^2 = 1$ の $0 \leqq x \leqq \frac{1}{2}$，$y \geqq 0$ の部分の面積として求めます

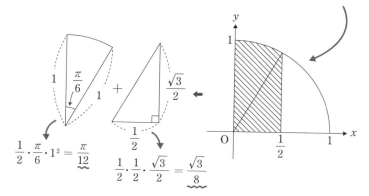

 研　究

● (1) **別　解**

$$C \overset{r}{\frown} D$$
$\sqrt{3}\,r \quad 1-r$ として，$\sqrt{r^2+3r^2}=1-r\ (0\leqq r\leqq 1)$ より，$r=\dfrac{1}{3}$ と
$$O$$

しても出せます。

● (2) **別　解**

ℓ が x 軸に重なるように図形全体を y 軸方向に $-\dfrac{\sqrt{3}}{3}$ 平行移動します。

● 円 S の方程式は $x^2+\left(y+\dfrac{\sqrt{3}}{3}\right)^2=1$
になり，

$$y+\dfrac{\sqrt{3}}{3}=\pm\sqrt{1-x^2}$$

$$\therefore\quad y=\sqrt{1-x^2}-\dfrac{\sqrt{3}}{3}\,(上側)$$

です。

● 円 T の方程式は $\left(x-\dfrac{1}{3}\right)^2+y^2=\dfrac{1}{9}$
になり，

$$y^2=\dfrac{1}{9}-\left(x-\dfrac{1}{3}\right)^2=-x^2+\dfrac{2}{3}x$$

です。

$\left(0,1-\dfrac{\sqrt{3}}{3}\right)$

$\left(\dfrac{1}{2},\dfrac{\sqrt{3}}{2}-\dfrac{\sqrt{3}}{3}\right)$

$-\dfrac{\sqrt{3}}{3}$　$\left(\dfrac{1}{3},0\right)$

求める体積 V は，

$$V=\pi\int_0^{\frac{1}{2}}\left(\sqrt{1-x^2}-\dfrac{\sqrt{3}}{3}\right)^2dx-\pi\int_0^{\frac{1}{2}}\left(-x^2+\dfrac{2}{3}x\right)dx$$

$$=\pi\int_0^{\frac{1}{2}}\left(1-x^2+\dfrac{1}{3}-\dfrac{2\sqrt{3}}{3}\sqrt{1-x^2}\right)dx-\pi\int_0^{\frac{1}{2}}\left(-x^2+\dfrac{2}{3}x\right)dx$$

となり，前ページの解答と同じ式が得られます。

$\displaystyle\int_0^{\frac{1}{2}} \sqrt{1-x^2}\,dx$ で $\underset{\sim}{x=\sin\theta}$ として置換積分をすると,

$$\frac{dx}{d\theta}=\cos\theta \quad\blacktriangleright\quad dx=\cos\theta d\theta$$

x	$0 \to \dfrac{1}{2}$
θ	$0 \to \dfrac{\pi}{6}$

$$\int_0^{\frac{1}{2}} \sqrt{1-x^2}\,dx = \int_0^{\frac{\pi}{6}} \sqrt{1-\sin^2\theta}\,\cos\theta d\theta = \int_0^{\frac{\pi}{6}} \cos^2\theta d\theta \quad(\because\ \cos\theta>0)$$

$$= \int_0^{\frac{\pi}{6}} \frac{1+\cos 2\theta}{2}\,d\theta = \left[\frac{1}{2}\theta + \frac{1}{4}\sin 2\theta\right]_0^{\frac{\pi}{6}} = \frac{\pi}{12} + \frac{\sqrt{3}}{8}$$

㊟ $\displaystyle\int \sqrt{a^2-x^2}\,dx$ を $y=\sqrt{a^2-x^2}$　つまり, $x^2+y^2=a^2$ の円の面積の一部 ととらえる計算は 1993 年度, 1995 年度, 2012 年度に出題されています。ぜ ひマスターしてください。

5　(旧課程内容のため割愛しました)

文系学部

1

問題を見てやるべきこと

まずは図を描いて状況を把握するところから始めます。

その際，比を逆にとってしまうなどのミスをしないように注意して図示しましょう。

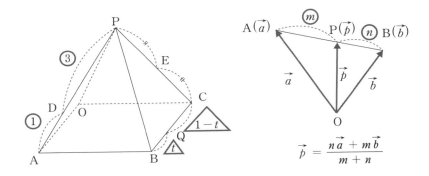

(1)・(2)　さて，空間内の任意のベクトルは，本問で指示された $\overrightarrow{OA}$，$\overrightarrow{OC}$，$\overrightarrow{OP}$ のような（4 点 O，A，C，P が四面体をつくる）3 つの基本ベクトルを用いて，ただ 1 通りに表すことができます。ベクトルの問題では，まず，指示されたベクトルを 3 つの基本ベクトル（基底と呼びます）で表示することから始まります。内分点の位置ベクトルの公式をおさえておけば，表示することそのものは難しいことではありません。

(3)　内積の定義から $\overrightarrow{OA} \cdot \overrightarrow{OP} = |\overrightarrow{OA}||\overrightarrow{OP}| \cos \angle AOP$ ですが，本問では $|\overrightarrow{OP}|$ や $\angle AOP$ が与えられていないので，これでは計算できません。そこで，次ページの **例** で示すような方法を用いて計算します。

例　$|\overrightarrow{OA}| = 2$, $|\overrightarrow{OB}| = 3$, $|\overrightarrow{AB}| = 4$ のとき，$\overrightarrow{OA} \cdot \overrightarrow{OB}$ を求める。

$$|\overrightarrow{AB}|^2 = |\overrightarrow{OB} - \overrightarrow{OA}|^2$$
$$= |\overrightarrow{OB}|^2 - 2\overrightarrow{OA} \cdot \overrightarrow{OB} + |\overrightarrow{OA}|^2$$
$$\cdots\cdots①$$

$|\overrightarrow{OA}| = 2$, $|\overrightarrow{OB}| = 3$, $|\overrightarrow{AB}| = 4$ を代入して，

$$\overrightarrow{OA} \cdot \overrightarrow{OB} = -\frac{3}{2}$$

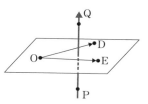

例 のように，3辺の長さがわかっている△OAB に対し，①の等式を用いて $\overrightarrow{OA} \cdot \overrightarrow{OB}$ を求めることが可能です。①の等式は「ベクトル版余弦定理」と呼べるもので，大変重要です。本問では，

$$|\overrightarrow{AP}|^2 = |\overrightarrow{OP} - \overrightarrow{OA}|^2$$
$$= |\overrightarrow{OP}|^2 - 2\overrightarrow{OA} \cdot \overrightarrow{OP} + |\overrightarrow{OA}|^2$$

を用います。

(4)　(直線 PQ) ⊥ (平面 ODE)

$\iff \overrightarrow{PQ} \perp \overrightarrow{OD}$ かつ $\overrightarrow{PQ} \perp \overrightarrow{OE}$

$\iff \overrightarrow{PQ} \cdot \overrightarrow{OD} = 0$ かつ $\overrightarrow{PQ} \cdot \overrightarrow{OE} = 0$

です。「直線と平面が垂直であるための条件」をおさえておけば，(1), (2), (3)で必要な情報を得ていますので，あとは計算するだけとなります。

解　答

(1)　点 D は辺 AP を 1：3 に内分する点だから，

$$\overrightarrow{OD} = \frac{3 \cdot \overrightarrow{OA} + 1 \cdot \overrightarrow{OP}}{1 + 3}$$

$$= \frac{3}{4}\overrightarrow{OA} + \frac{1}{4}\overrightarrow{OP} \quad \boxed{答}$$

また，点 E は辺 CP の中点だから，

$$\overrightarrow{OE} = \frac{\overrightarrow{OC} + \overrightarrow{OP}}{2}$$

$$= \frac{1}{2}\overrightarrow{OC} + \frac{1}{2}\overrightarrow{OP} \quad \boxed{答}$$

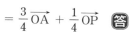
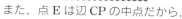

線分 AB を $m：n$ に内分する点を P とすると，

$$\vec{p} = \frac{n\vec{a} + m\vec{b}}{m + n}$$

(2) 点 Q は辺 BC を $t : (1 - t)$ に内分する点だから,

$$\overrightarrow{OQ} = \frac{(1 - t)\overrightarrow{OB} + t\overrightarrow{OC}}{t + (1 - t)}$$

$$= (1 - t)(\overrightarrow{OA} + \overrightarrow{OC}) + t\overrightarrow{OC} \quad (\overrightarrow{OB} = \overrightarrow{OA} + \overrightarrow{OC} \text{ より})$$

$$= (1 - t)\overrightarrow{OA} + \overrightarrow{OC}$$

よって,

$$\overrightarrow{PQ} = \overrightarrow{OQ} - \overrightarrow{OP} = \underline{(1 - t)\overrightarrow{OA} + \overrightarrow{OC} - \overrightarrow{OP}} \quad \boxed{答}$$

(3)
$$|\overrightarrow{AP}|^2 = |\overrightarrow{OP} - \overrightarrow{OA}|^2$$

$$= |\overrightarrow{OP}|^2 - 2\overrightarrow{OA} \cdot \overrightarrow{OP} + |\overrightarrow{OA}|^2$$

が成り立つ。これに $|\overrightarrow{OA}| = 1$, $|\overrightarrow{OP}| = |\overrightarrow{AP}|$ を代入して,

$$0 = -2\overrightarrow{OA} \cdot \overrightarrow{OP} + 1$$

$$\therefore \quad \underline{\overrightarrow{OA} \cdot \overrightarrow{OP} = \frac{1}{2}} \quad \boxed{答}$$

(4)
$$(直線 PQ) \perp (平面 ODE) \iff \begin{cases} \overrightarrow{PQ} \perp \overrightarrow{OD} \\ \overrightarrow{PQ} \perp \overrightarrow{OE} \end{cases}$$

$$\iff \begin{cases} \overrightarrow{PQ} \cdot \overrightarrow{OD} = 0 & \cdots\cdots ① \\ \overrightarrow{PQ} \cdot \overrightarrow{OE} = 0 & \cdots\cdots ② \end{cases}$$

である。

(1), (2)より,

$$\overrightarrow{OD} = \frac{3}{4}\overrightarrow{OA} + \frac{1}{4}\overrightarrow{OP}, \quad \overrightarrow{OE} = \frac{1}{2}\overrightarrow{OC} + \frac{1}{2}\overrightarrow{OP},$$

$$\overrightarrow{PQ} = (1 - t)\overrightarrow{OA} + \overrightarrow{OC} - \overrightarrow{OP}$$

また,

$$|\overrightarrow{OA}| = |\overrightarrow{OC}| = 1, \quad \overrightarrow{OA} \cdot \overrightarrow{OC} = 0 \quad (\overrightarrow{OA} \perp \overrightarrow{OC} \text{ より})$$

(3)より,

$$\overrightarrow{OA} \cdot \overrightarrow{OP} = \frac{1}{2}$$

さらに対称性より,

$$\overrightarrow{OC} \cdot \overrightarrow{OP} = \overrightarrow{OA} \cdot \overrightarrow{OP} = \frac{1}{2}$$

である。①より,

$$\overrightarrow{PQ} \cdot \overrightarrow{OD} = \{(1-t)\overrightarrow{OA} + \overrightarrow{OC} - \overrightarrow{OP}\} \cdot \left(\frac{3}{4}\overrightarrow{OA} + \frac{1}{4}\overrightarrow{OP}\right)$$

$$= \frac{1}{4}\left\{3(1-t)|\overrightarrow{OA}|^2 + (1-t)\overrightarrow{OA} \cdot \overrightarrow{OP} + 3\overrightarrow{OA} \cdot \overrightarrow{OC}\right.$$

$$\left. + \overrightarrow{OC} \cdot \overrightarrow{OP} - 3\overrightarrow{OA} \cdot \overrightarrow{OP} - |\overrightarrow{OP}|^2\right\}$$

$$= \frac{1}{4}\left\{3(1-t) + \frac{1}{2}(1-t) + \frac{1}{2} - \frac{3}{2} - |\overrightarrow{OP}|^2\right\} = 0$$

$$\therefore \quad \frac{7}{2}(1-t) - 1 = |\overrightarrow{OP}|^2 \quad \cdots\cdots ⑦$$

また，②より，

$$\overrightarrow{PQ} \cdot \overrightarrow{OE} = \{(1-t)\overrightarrow{OA} + \overrightarrow{OC} - \overrightarrow{OP}\} \cdot \left(\frac{1}{2}\overrightarrow{OC} + \frac{1}{2}\overrightarrow{OP}\right)$$

$$= \frac{1}{2}\left\{(1-t)\overrightarrow{OA} \cdot \overrightarrow{OC} + (1-t)\overrightarrow{OA} \cdot \overrightarrow{OP} + |\overrightarrow{OC}|^2\right.$$

$$\left. + \overrightarrow{OC} \cdot \overrightarrow{OP} - \overrightarrow{OC} \cdot \overrightarrow{OP} - |\overrightarrow{OP}|^2\right\}$$

$$= \frac{1}{2}\left\{\frac{1}{2}(1-t) + 1 - |\overrightarrow{OP}|^2\right\} = 0$$

$$\therefore \quad \frac{1}{2}(1-t) + 1 = |\overrightarrow{OP}|^2 \quad \cdots\cdots ④$$

⑦，④より$|\overrightarrow{OP}|^2$を消去して，

$$\frac{7}{2}(1-t) - 1 = \frac{1}{2}(1-t) + 1$$

$$3(1-t) = 2$$

$$\therefore \quad t = \frac{1}{3}$$

これを⑦に代入して，

$$|\overrightarrow{OP}|^2 = \frac{4}{3} \quad \therefore \quad |\overrightarrow{OP}| = \frac{2\sqrt{3}}{3}$$

よって，

$$t = \frac{1}{3}, \ |\overrightarrow{OP}| = \frac{2\sqrt{3}}{3} \quad 答$$

2024 2023 2022 2021 2020 2019 2018 2017 2016 2015 2014 2013 2012 2011 2010

研　究

(3)　内積 $\overrightarrow{OA} \cdot \overrightarrow{OP} = |\overrightarrow{OA}||\overrightarrow{OP}| \cos \angle AOP$ を求めるにあたり，$|\overrightarrow{OP}|$，

∠AOP が与えられていないので，解答▶では，

$$\boxed{|\overrightarrow{AP}|^2 = |\overrightarrow{OP}|^2 - 2\overrightarrow{OA} \cdot \overrightarrow{OP} + |\overrightarrow{OA}|^2 \quad （ベクトル版余弦定理）}$$

から $\overrightarrow{OA} \cdot \overrightarrow{OP}$ を求めるという方法をとりました。

　　ただ，実は，$|\overrightarrow{OP}|$，$\cos \angle AOP$ の各値がわからなくても，

　　　　$|\overrightarrow{OP}| \cos \angle AOP$

の値を知ることができます。

　　△OAP が二等辺三角形であることに注意すると，

右図より，

　　　　$|\overrightarrow{OP}| \cos \angle AOP = |\overrightarrow{OH}| = \dfrac{1}{2}$

で，すなわち，

　　　　$\overrightarrow{OA} \cdot \overrightarrow{OP} = |\overrightarrow{OA}||\overrightarrow{OP}| \cos \angle AOP$

　　　　　　　　$= |\overrightarrow{OA}||\overrightarrow{OH}| = 1 \cdot \dfrac{1}{2} = \dfrac{1}{2}$

となります。

　　また，内積といえば，座標空間における成分計算の定義もありました。

　　そこで，四角錐 POABC に対し，図のように座標軸をとり，

　　　　$\overrightarrow{OA} = (1,\ 0,\ 0)$，$\overrightarrow{OP} = \left(\dfrac{1}{2},\ \dfrac{1}{2},\ p \right)$

とおくと，

　　　　$\overrightarrow{OA} \cdot \overrightarrow{OP} = 1 \cdot \dfrac{1}{2} + 0 \cdot \dfrac{1}{2} + 0 \cdot p$

　　　　　　　　$= \dfrac{1}{2}$

と計算することもできます。

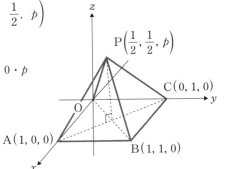

2

問題を見てやるべきこと

　いわゆる「線形計画法」という，教科書レベルの典型的な問題です。

　解法そのものは基本的ですが，"領域 D を正確に図示"しなければ，当然正解は得られず，実は意外にミスをしがちです。慎重に行っていきましょう。

　では，少しやってみます。

$$不等式：x + 2y \leqq 5 \iff y \leqq -\frac{1}{2}x + \frac{5}{2}$$

の表す領域は，直線 $y = -\frac{1}{2}x + \frac{5}{2}$ の下側（原点を含む側）で下の 図1 斜線部（境界含む）。

　また，$3x + y \leqq 8 \iff y \leqq -3x + 8$ の表す領域は，直線 $y = -3x + 8$ の下側であり，2 直線 $x + 2y = 5$，$3x + y = 8$ の交点は，

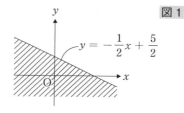

図1

$$\begin{cases} x + 2y = 5 \\ 3x + y = 8 \end{cases}$$

を解いて，

$$(x, y) = \left(\frac{11}{5}, \ \frac{7}{5} \right)$$

だから，$x + 2y \leqq 5$ かつ $3x + y \leqq 8$ は 図2 の斜線部（境界含む）。

　同様にして，

$$x + 2y \leqq 5$$
かつ　$3x + y \leqq 8$
かつ　$-2x - y \leqq 4$
かつ　$-x - 4y \leqq 7$

を図示すると， 図3 斜線部（境界含む）のようになります。2 直線の交点を求める際，計算ミスをしないよう，丁寧に計算を行いましょう。

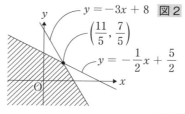

図2

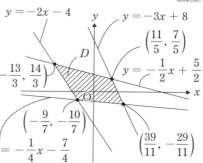

図3

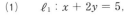

(1) $\ell_1 : x + 2y = 5$,
$\ell_2 : 3x + y = 8$,
$\ell_3 : -2x - y = 4$,
$\ell_4 : -x - 4y = 7$

とする。

領域 D は右図斜線部である。

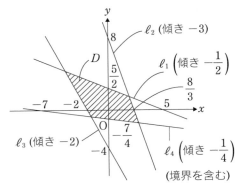

$x + y = k$ とおく。

直線 $L_1 : x + y = k$ を領域 D と共有点をもつ範囲で動かすとき，k すなわち $(L_1$ の y 切片) の最大・最小について考える。

ℓ_1，ℓ_2，ℓ_3，ℓ_4 の傾きはそれぞれ $-\dfrac{1}{2}$，-3，-2，$-\dfrac{1}{4}$，L_1 の傾きは -1 であることに注意すれば，

　"$(L_1$ の y 切片) が最大" となる点は ℓ_1 と ℓ_2 の交点，

　"$(L_1$ の y 切片) が最小" となる点は ℓ_3 と ℓ_4 の交点

である。

$$\begin{cases} \ell_1 : x + 2y = 5 \\ \ell_2 : 3x + y = 8 \end{cases}$$

を解いて，$\mathrm{Q}\left(\dfrac{11}{5}, \dfrac{7}{5}\right)$ 答

$$\begin{cases} \ell_3 : -2x - y = 4 \\ \ell_4 : -x - 4y = 7 \end{cases}$$

を解いて，$\mathrm{R}\left(-\dfrac{9}{7}, -\dfrac{10}{7}\right)$ 答

(2) $ax + by = k$ とおく。

直線 $L_2 : ax + by = k$ を領域 D と共有点をもつ範囲で動かすときの，k の最大・最小について考える。

$b \neq 0$ より

$$(L_2 \text{ の傾き}) = -\frac{a}{b}$$

$$(L_2 \text{ の } y \text{ 切片}) = \frac{k}{b}$$

であり，a, b が正の定数であることに注意すると，結局 $(L_2 \text{ の } y \text{ 切片})$ の最大・最小について考えればよい。

"$(L_2 \text{ の } y \text{ 切片})$ が最大"を与えるのが点 Q のみであるための条件は，$(L_2 \text{ の傾き})$ の条件として，

$$-3 < -\frac{a}{b} < -\frac{1}{2}$$

$$\therefore \quad \frac{1}{2} < \frac{a}{b} < 3 \quad \cdots\cdots ①$$

最小の場合についても同様に，

$$-2 < -\frac{a}{b} < -\frac{1}{4}$$

$$\therefore \quad \frac{1}{4} < \frac{a}{b} < 2 \quad \cdots\cdots ②$$

求める $\dfrac{a}{b}$ の値の範囲は①かつ②で，

$$\underline{\underline{\frac{1}{2} < \frac{a}{b} < 2}} \quad \boxed{答}$$

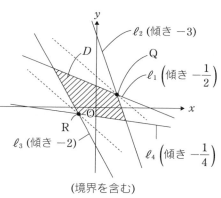

(境界を含む)

 研　究

　線形計画法を含め，領域を用いて 2 変数関数の最大・最小を考える問題は，東大を含め全国的に頻出の問題です。

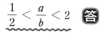　a, b を実数とする。次の 4 つの不等式を同時に満たす点 (x, y) 全体からなる領域を D とする。

$$x + 3y \geqq a, \quad 3x + y \geqq b, \quad x \geqq 0, \quad y \geqq 0$$

領域 D における $x + y$ の最小値を求めよ。

〈2003 年度　東大 － 文科〉

　そのため，受験生はよく勉強してきていますが，問題が文字係数になると急に正答率が下がってしまうので，粘り強く場合分けを考えることを日ごろから心がけておきましょう。

　なお，本問(2)では"点 Q でのみ"との指示がありますが，このような"のみ"や"ただ1つ"といった表現に無頓着な受験生は少なくありません。

　たとえば，(2)の解答で，$\dfrac{1}{2} \leqq \dfrac{a}{b} \leqq 2$ と書いてしまうと，$ax + by$ の最大・最小を与える点として Q，R 以外の点を許すことになるので，大幅な減点は避けられないでしょう。

③ 問題を見てやるべきこと

解　答

　理系学部③（p.473）に同じ。

④ 問題を見てやるべきこと

(1)　単に接することを示すだけなら，

　　　（円の中心から直線までの距離）＝（円の半径）

が成り立つことを示すのが計算量が少なくてすみますが，本問は，"接点の座標"まで合わせて問われていますから，連立方程式を解く流れでいきましょう。y を消去した x の2次方程式が重解をもつことを示せば O.K. です。計算も難しくありません。

(2)　共有点の座標を問われていますので，連立方程式を解きます。2式から y を消去すれば，x の4次方程式が登場します。因数定理と組立除法を用い，因数分解して解を得ます。(1)と比べてやや煩雑になるので，丁寧に計算しましょう。

(3) 領域 A や B のように、"絶対値" を含む不等式が表す領域の図示は入試問題として頻出で、この処理の仕方で大きく差がつきます。

　原則として、絶対値記号は中身の正負によって場合分けをしますが、実はこのような領域の場合、対称性をもつことが多く、対称性をもつことがわかれば場合分けをしなくてすみます。

　たとえば、本問の領域 A については、$f(x, y) = |x| + |y|$ とおくと、$f(-x, y) = f(x, y)$ が成り立ちますが、これは、

　　"点 (a, b) が A の要素

　　　$\Longrightarrow$ （y 軸対称な）点 $(-a, b)$ も A の要素"

であることを示し、つまり、A が y 軸対称であることを意味します。

　y 軸対称であることがわかれば、$x \geqq 0$ に限定して考えても全体像をつかむことができますから、場合分けで記述量が増える事態は避けられます。

　また、(1)，(2)で得た情報というのは必ず(3)で活きるようになっています。$D \cap E$ を図示する際には、このことを強く意識しておいてください。

解　答

(1)
$$
\begin{cases}
(x - 1)^2 + (y - 1)^2 = 2 \\
y = x - 2
\end{cases}
$$
を解く。2 式から y を消去して、
$$(x - 1)^2 + \{(x-2) - 1\}^2 = 2$$
$$\iff 2x^2 - 8x + 8 = 0$$
$$\iff x^2 - 4x + 4 = 0$$
$$\iff (x - 2)^2 = 0$$

重解 $x = 2$ をもつから、直線 $y = x - 2$ は円 C に接する。

また、$x = 2$ を $y = x - 2$ に代入して、$y = 0$

よって、接点の座標は $\underline{(2, 0)}$ **答**

(2)
$$
\begin{cases}
(x - 1)^2 + (y - 1)^2 = 2 \\
y = \dfrac{1}{4} x^2 - 1
\end{cases}
$$

を解く。2 式から y を消去して、
$$(x - 1)^2 + \left\{ \left(\frac{1}{4} x^2 - 1 \right) - 1 \right\}^2 = 2$$
$$\iff (x^2 - 2x + 1) + \left(\frac{1}{16} x^4 - x^2 + 4 \right) = 2$$

$$\Longleftrightarrow \quad x^4 - 32x + 48 = 0$$
$$\Longleftrightarrow \quad (x-2)(x^3 + 2x^2 + 4x - 24) = 0$$
$$\Longleftrightarrow \quad (x-2)^2(x^2 + 4x + 12) = 0$$
$$\cdots\cdots①$$

$x^2 + 4x + 12 = 0$ については,

$$\frac{(判別式)}{4} = 2^2 - 12 < 0 \text{ だから}$$

実数解をもたない。よって,①の実数解は $x = 2$ のみで,これを

$y = \dfrac{1}{4}x^2 - 1$ に代入して $y = 0$

求める共有点の座標は (2, 0) **答**

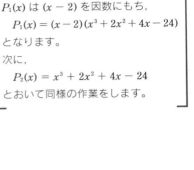

$P_1(x) = x^4 - 32x + 48$ とおくと,
$P_1(2) = 2^4 - 32 \cdot 2 + 48 = 0$ より,
$P_1(x)$ は $(x-2)$ を因数にもち,
$\quad P_1(x) = (x-2)(x^3 + 2x^2 + 4x - 24)$
となります。
次に,
$\quad P_2(x) = x^3 + 2x^2 + 4x - 24$
とおいて同様の作業をします。

(3) 領域 A について,$f(x, y) = |x| + |y|$ とおくと,

$$f(-x, y) = f(x, y), \quad f(x, -y) = f(x, y)$$

が成り立つ。よって,A は x 軸,y 軸について対称である。

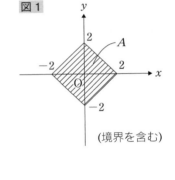

図1

（境界を含む）

もう少し詳しく説明すると,
　　点 (a, b) が A の要素
　　$\Longleftrightarrow |a| + |b| \leqq 2$
　　$\Longleftrightarrow |-a| + |b| \leqq 2$
　　$\Longleftrightarrow$ (y 軸対称な) 点 $(-a, b)$
　　　　　 も A の要素
よって,A は y 軸対称となります。

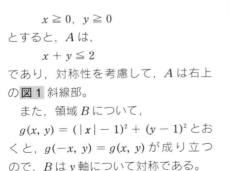

$$x \geqq 0, \quad y \geqq 0$$

とすると,A は,

$$x + y \leqq 2$$

であり,対称性を考慮して,A は右上の **図1** 斜線部。

また,領域 B について,

$g(x, y) = (|x| - 1)^2 + (y - 1)^2$ とおくと,$g(-x, y) = g(x, y)$ が成り立つので,B は y 軸について対称である。

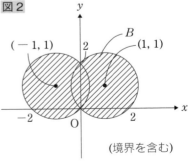

図2

（境界を含む）

$x \geqq 0$ とすると，B は $(x-1)^2 + (y-1)^2 \leqq 2$ であり，対称性を考慮して，B は **図2** 斜線部。

さて，(1)，(2)の結果に注意して $D \cap E$ を図示すると，**図3** のようになり，

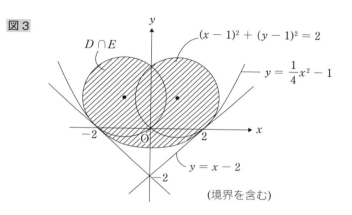

図3

$D \cap E$

$(x-1)^2 + (y-1)^2 = 2$

$y = \dfrac{1}{4}x^2 - 1$

$y = x - 2$

（境界を含む）

求める面積を S とすると，

$$S = -\int_{-2}^{2}\left(\frac{1}{4}x^2 - 1\right)dx$$
$$+ \pi \cdot (\sqrt{2})^2 \cdot \frac{1}{2} \cdot 2 + 4 \cdot 2 \cdot \frac{1}{2}$$
$$= -2\int_{0}^{2}\left(\frac{1}{4}x^2 - 1\right)dx + 2\pi + 4$$
$$= -2\left[\frac{1}{12}x^3 - x\right]_{0}^{2} + 2\pi + 4 = 2\pi + \frac{20}{3} \quad \text{答}$$

 研　究

(3)　"絶対値" を含む不等式が表す領域を図示する問題は，本当に頻出ですから，しっかりと復習しておいてください。

類 題 1 座標平面上で，不等式
$$2|x-4|+|y-5| \leqq 3, \quad 2||x|-4|+||y|-5| \leqq 3$$
が表す領域を，それぞれ A，B とする。

(1) 領域 A を図示せよ。

(2) 領域 B を図示せよ。

〈2003年度　九大 － 文理共通〉（原題一部省略）

類 題 2 不等式 $1 \leqq ||x|-2|+||y|-2| \leqq 3$ の表す領域を xy 平面上に図示せよ。

〈2013 年度　阪大 － 理系〉

　前者の九大の問題の(2)などは，場合分けを始めると膨大な時間がかかってしまいますが，対称性に気づけば，(1)の結果を使ってすぐに終わらせることができます。

　なお，(1)の A についても，x 軸，y 軸対称性のある

$$A' : 2|x|+|y| \leqq 3$$

を図示して，A' を x 軸方向に 4，y 軸方向に 5 だけ平行移動させれば，A が図示できます。

　また，積分計算を行うときは，

$$\int_{-a}^{a} f(x)dx = \begin{cases} 2\displaystyle\int_{0}^{a} f(x)dx & (f(x) \text{ が偶関数のとき}) \\ 0 & (f(x) \text{ が奇関数のとき}) \end{cases}$$

あるいは，

$$\int_{\alpha}^{\beta} a(x-\alpha)(x-\beta)dx = -\frac{a}{6}(\beta-\alpha)^3$$

の公式を常に意識しておきましょう。

2012
年度

数　　学　解答・解説

理系学部

1

問題を見てやるべきこと

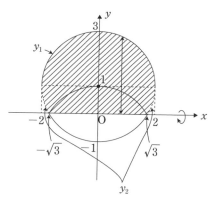

まず円 $x^2 + (y-1)^2 = 4$ を図示すると，回転軸である x 軸をはさんで上側の部分と下側の部分にまたがっていることがわかります。

右図のように，$y \leqq 0$ の部分を x 軸に関して，上方に折り返すと，$y \geqq 0$ の部分に完全に含まれますので，$y \geqq 0$ の部分の領域だけ回転させることを考えます。

x 軸のまわりの回転ですので，y 座標が回転半径と対応します。

円 $x^2 + (y-1)^2 = 4$ を，y について解きます。

$$y - 1 = \pm\sqrt{4 - x^2} \quad \text{より，} \quad y = 1 \pm \sqrt{4 - x^2}$$

ここで，$\begin{cases} y_1 = 1 + \sqrt{4 - x^2} \\ y_2 = 1 - \sqrt{4 - x^2} \end{cases}$ とおきますと，

y_1 は $y \geqq 1$ の部分に，

y_2 は $y \leqq 1$ の部分に対応します。

求める立体は y 軸に関して対称ですので，$x \geqq 0$ について計算してから，2 倍します。

体積 $V = 2 \left(\displaystyle\int_0^2 \pi y_1{}^2 dx - \int_{\sqrt{3}}^2 \pi y_2{}^2 dx \right)$ を計算します。

体積計算で $\displaystyle\int \sqrt{4 - x^2}\, dx$ の計算が出てきますが，$x = 2\sin\theta$ と置換するより，

$y = \sqrt{4 - x^2}$ より，円 $x^2 + y^2 = 4$ の一部として，計算するほうが簡単です。

解　答 ▶

求める立体は，右の斜線部を x 軸のまわりに回転したものとなる。

$$x^2 + (y - 1)^2 = 4$$
$$y - 1 = \pm\sqrt{4 - x^2}$$

よって，$\begin{cases} y_1 = 1 + \sqrt{4 - x^2} \\ y_2 = 1 - \sqrt{4 - x^2} \end{cases}$ とおく。

同じ x の値に対応する y の値が 2 つ生じる

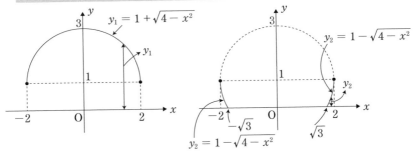

求める立体は，y 軸に関して対称なので，体積は $x \geqq 0$ について計算し，2 倍する。

$x \geqq 0$ での体積は，左上の $y_1\ (0 \leqq x \leqq 2)$ を x 軸のまわりに回転したものから，右上の $y_2\ (\sqrt{3} \leqq x \leqq 2)$ を x 軸のまわりに回転したものを除く。

$$V = 2 \left(\int_0^2 \pi y_1{}^2 dx - \int_{\sqrt{3}}^2 \pi y_2{}^2 dx \right)$$

$$= 2\pi \left\{ \int_0^2 (1 + \sqrt{4 - x^2})^2 dx - \int_{\sqrt{3}}^2 (1 - \sqrt{4 - x^2})^2 dx \right\}$$

$$= 2\pi\left\{\int_0^2 (5 - x^2 + 2\sqrt{4 - x^2})dx - \int_{\sqrt{3}}^2 (5 - x^2 - 2\sqrt{4 - x^2})dx\right\}$$

$(5 - x^2)$ につき，$\displaystyle\int_0^{②} + \int_{②}^{\sqrt{3}}$ により，$\displaystyle\int_0^{\sqrt{3}}$ としている

$$= 2\pi\left\{\int_0^{\sqrt{3}} (5 - x^2)dx + 2\int_0^2 \sqrt{4 - x^2}\,dx + 2\int_{\sqrt{3}}^2 \sqrt{4 - x^2}\,dx\right\} \quad\cdots\cdots Ⓐ$$

Ⓐにおいて，$\displaystyle\int \sqrt{4 - x^2}\,dx$ は $y = \sqrt{4 - x^2}$ より，$x^2 + y^2 = 4$ の $y \geqq 0$ の部分となる。

$\displaystyle\int_0^2 \sqrt{4 - x^2}\,dx$ は半径 2 の四分円なので，

$$\frac{1}{4} \cdot 4\pi = \pi$$

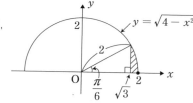

$\displaystyle\int_{\sqrt{3}}^2 \sqrt{4 - x^2}\,dx$ は右の図の斜線部となる

ので，

$$\frac{1}{12} \cdot 4\pi - \frac{1}{2} \cdot \sqrt{3} \cdot 1 = \frac{\pi}{3} - \frac{\sqrt{3}}{2}$$

以上をⒶに代入して，

$$V = 2\pi\left\{\left[5x - \frac{x^3}{3}\right]_0^{\sqrt{3}} + 2 \cdot \pi + 2 \cdot \left(\frac{\pi}{3} - \frac{\sqrt{3}}{2}\right)\right\}$$

$$= 2\pi\left(4\sqrt{3} + 2\pi + \frac{2}{3}\pi - \sqrt{3}\right) = 6\sqrt{3}\,\pi + \frac{16}{3}\pi^2 \quad\boxed{答}$$

 研　究

体積の積分計算において，

$\displaystyle\int_0^2 \sqrt{4 - x^2}\,dx$ を置換積分で求める場合は，$x = 2\sin\theta$ とおきます。

$\sqrt{4 - x^2} = \sqrt{4(1 - \sin^2\theta)} = 2|\cos\theta|$ とするため

両辺を θ で微分して $\dfrac{dx}{d\theta} = 2\cos\theta$ より，$dx = 2\cos\theta\,d\theta$ とします。

$$\int_0^2 \sqrt{4-x^2}\,dx = \int_0^{\frac{\pi}{2}} \sqrt{4-4\sin^2\theta} \cdot 2\cos\theta\,d\theta = 4\int_0^{\frac{\pi}{2}} \cos^2\theta\,d\theta = 4\int_0^{\frac{\pi}{2}} \frac{\cos 2\theta + 1}{2}\,d\theta$$

x	$0 \to 2$
θ	$0 \to \dfrac{\pi}{2}$

$0 \leq \theta \leq \dfrac{\pi}{2}$ で $\cos\theta \geq 0$

$$= 2\left[\frac{\sin 2\theta}{2} + \theta\right]_0^{\frac{\pi}{2}} = \pi$$

同様に $\displaystyle\int_{\sqrt{3}}^2 \sqrt{4-x^2}\,dx = 2\left[\frac{\sin 2\theta}{2} + \theta\right]_{\frac{\pi}{3}}^{\frac{\pi}{2}} = -\frac{\sqrt{3}}{2} + \frac{\pi}{3}$

- $\displaystyle\int \sqrt{a^2-x^2}\,dx$ の九大における過去の出題例

---

① 1995 年度

$$\int_1^2 \sqrt{4-x^2}\,dx = \frac{1}{2} \cdot 2^2 \cdot \frac{\pi}{3} - \frac{1}{2} \cdot 1 \cdot \sqrt{3}$$

$$= \frac{2}{3}\pi - \frac{\sqrt{3}}{2} \quad (右図より)$$

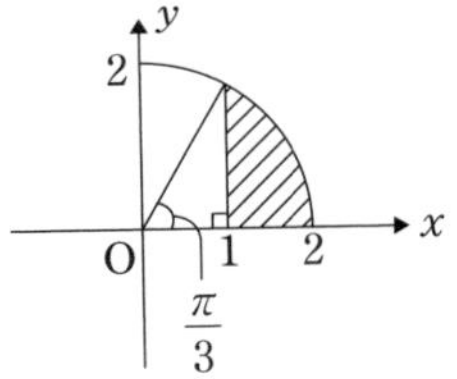

② 1993 年度

$$-\int_{\frac{\sqrt{3}}{2}}^{\frac{1}{2}} \sqrt{1-y^2}\,dy = \int_{\frac{1}{2}}^{\frac{\sqrt{3}}{2}} \sqrt{1-x^2}\,dx$$

$$= 扇形\,\mathrm{OAB} = \frac{1}{2} \cdot 1^2 \cdot \frac{\pi}{6} = \frac{\pi}{12}$$

右図で，$\triangle\mathrm{OBB'} \equiv \triangle\mathrm{AOA'}$ より

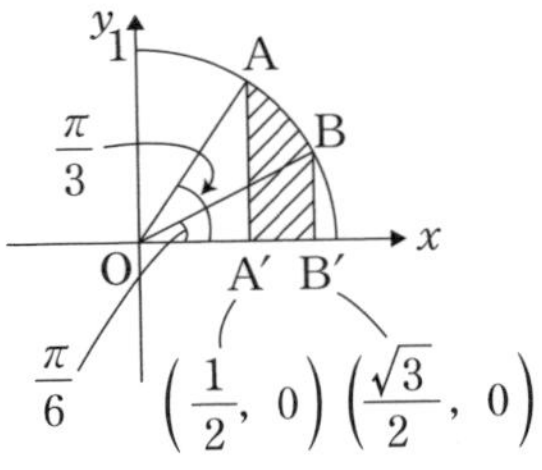

$\left(\dfrac{1}{2},\,0\right)\left(\dfrac{\sqrt{3}}{2},\,0\right)$

③ 1990 年度

$\displaystyle\int_1^2 \sqrt{4-x^2}\,dx$ は，① 1995 年度と，まったく同じです。

※ 2012 年度に加えて，2013 年度にも出ています。

2　（旧課程内容のため割愛しました）

3 **問題を見てやるべきこと**

(1)　与えられた方程式，$a(x^2 + |x + 1| + n - 1) = \sqrt{n}\,(x + 1)$ の変形として，

Ⓐ：$\dfrac{x^2 + |x + 1| + n - 1}{x + 1} = \dfrac{\sqrt{n}}{a}$

Ⓑ：$\dfrac{\sqrt{n}(x + 1)}{x^2 + |x + 1| + n - 1} = a$

Ⓒ：$x^2 + |x + 1| + n - 1 = \dfrac{\sqrt{n}}{a}(x + 1)$

の３通りが候補になります。

Ⓐ〜Ⓒのいずれの変形でも，正解にたどりつきますが，

Ⓑは左辺の微分が，やや繁雑です。

Ⓒは右辺に変数 x と定数 a，n が，混在しています。

したがって，Ⓐで進めていくのが，得策と思われます。

Ⓐの変形の大前提として，もとの式を $a(x + 1)$ で割っていますので，$a(x + 1) = 0$ となるとき，つまり，$a = 0$ のときと，$x = -1$ のときの検討が必要になります。

Ⓐの左辺を $f(x)$ とおき，$f'(x)$ を求め，$y = f(x)$ のグラフをかき，このグラフとⒶの右辺 $y = \dfrac{\sqrt{n}}{a}$ のグラフが，共有点をもつための a の条件を求めれば，a の値の範囲が判明します。

(2)　(1)で $-\dfrac{\sqrt{n}}{2\sqrt{n} + 3} \leqq a \leqq \dfrac{\sqrt{n}}{2\sqrt{n} - 1}$ が得られています　……Ⓓ

ここでは，すべての自然数 n に対して，Ⓓが成立するように，a の値の範囲を求めます。

$g(n) = -\dfrac{\sqrt{n}}{2\sqrt{n} + 3}$，$h(n) = \dfrac{\sqrt{n}}{2\sqrt{n} - 1}$ とおけば，

$$g(n) = -\frac{1}{2} + \frac{3}{2} \cdot \frac{1}{2\sqrt{n}+3} \quad , \quad h(n) = \frac{1}{2} + \frac{1}{2} \cdot \frac{1}{2\sqrt{n}-1}$$

と変形できますので，$g(n)$，$h(n)$ はともに単調減少します。

よって，$n = 1, 2, 3, \cdots \to \infty$ に対応する $g(n)$，$h(n)$ の値域を検討すれば，a の値の範囲が求まります。

解 答 ▶

(1) $a(x^2 + |x+1| + n - 1) = \sqrt{n}\,(x+1)$ ……①

$a = 0$ のとき，①は $0 = \sqrt{n}\,(x+1)$ となるので，$x = -1$ を実数解にもつ。

> $x + 1 = 0$ となる場合です

$a \neq 0$ のとき，<u>$x = -1$</u> を①に代入すると，(①の左辺) $= an \neq 0$，(①の右辺) $= 0$

よって，①は $x = -1$ を解にもたないので，$x + 1 \neq 0$ となる。

よって，$a \neq 0$ として①の両辺を $a(x+1)$ で割り，

$$\frac{x^2 + |x+1| + n - 1}{x+1} = \frac{\sqrt{n}}{a} \quad \text{……②} \qquad \text{と変形する。}$$

ここで②の左辺を $f(x)$ とおくと，①の実数解は，「$y = f(x)$ と $y = \dfrac{\sqrt{n}}{a}$ の共有点の x 座標である」から，この 2 つのグラフが共有点をもつ a の値の範囲を求める。

[1] $x > -1$ のとき $x + 1 > 0$ より，$|x+1| = x+1$

> $x^2 + x + n$ を $x+1$ で割っています

$$f(x) = \frac{x^2 + x + n}{x+1} = x + \frac{n}{x+1}$$

$$f'(x) = 1 - \frac{n}{(x+1)^2} = \frac{(x+1+\sqrt{n})(x+1-\sqrt{n})}{(x+1)^2}$$

$f'(x) = 0$ のとき，$x + 1 + \sqrt{n} > 0$ より，$x + 1 - \sqrt{n} = 0$, $x = \sqrt{n} - 1$

$$\lim_{x \to \infty} f(x) = \infty, \quad \lim_{x \to -1+0} f(x) = \infty$$

[2] $x < -1$ のとき $x + 1 < 0$ より，$|x+1| = -x-1$

> $x^2 - x + n - 2$ を $x+1$ で割っています

$$f(x) = \frac{x^2 - x + n - 2}{x+1} = x - 2 + \frac{n}{x+1}$$

$$f'(x) = 1 - \frac{n}{(x+1)^2} = \frac{(x+1+\sqrt{n})(x+1-\sqrt{n})}{(x+1)^2}$$

$f'(x) = 0$ のとき, $x + 1 - \sqrt{n} < 0$ より, $x + 1 + \sqrt{n} = 0$, $x = -\sqrt{n} - 1$

$$\lim_{x \to -\infty} f(x) = -\infty, \quad \lim_{x \to -1-0} f(x) = -\infty$$

[1] [2]より, $f(x)$ の増減表は下の表となる。

x	$(-\infty)$	$\cdots$	$-\sqrt{n}-1$	$\cdots$	-1	$\cdots$	$\sqrt{n}-1$	$\cdots$	(∞)
$f'(x)$		$+$	0	$-$		$-$	0	$+$	
$f(x)$	$(-\infty)$	$\nearrow$	$-2\sqrt{n}-3$	$\searrow$		$\searrow$	$2\sqrt{n}-1$	$\nearrow$	(∞)

右の $y = f(x)$ のグラフより, このグラフと $y = \dfrac{\sqrt{n}}{a}$ が共有点をもつためには

$$\frac{\sqrt{n}}{a} \le -2\sqrt{n} - 3, \quad 2\sqrt{n} - 1 \le \frac{\sqrt{n}}{a}$$

つまり, $\dfrac{1}{a} \le -\dfrac{2\sqrt{n}+3}{\sqrt{n}}$,

$\dfrac{2\sqrt{n}-1}{\sqrt{n}} \le \dfrac{1}{a}$ となる。

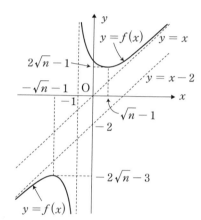

右のグラフより,

$$\begin{cases} -\dfrac{\sqrt{n}}{2\sqrt{n}+3} \le a < 0 \\ 0 < a \le \dfrac{\sqrt{n}}{2\sqrt{n}-1} \end{cases} \quad \text{となる。}$$

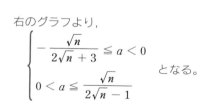

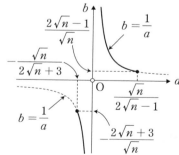

$a = 0$ のときも含めて, $-\dfrac{\sqrt{n}}{2\sqrt{n}+3} \le a \le \dfrac{\sqrt{n}}{2\sqrt{n}-1}$ ……③

(2) すべての自然数 n に対し, ①が実数解をもつとき, (1)よりすべての自然数 n に対し, ③が成立する。

(1)の③の左端, 右端を各々 $g(n)$, $h(n)$ とおく。

$n = 1$, 2, 3, ……のときの各々の値域を検討する。

$$g(n) = -\frac{\sqrt{n}}{2\sqrt{n}+3} = -\frac{1}{2} + \frac{3}{2} \cdot \frac{1}{2\sqrt{n}+3}$$

$$h(n) = \frac{\sqrt{n}}{2\sqrt{n}-1} = \frac{1}{2} + \frac{1}{2} \cdot \frac{1}{2\sqrt{n}-1}$$

より, $g(n)$, $h(n)$ はともに単調減少する。

n は自然数なので, $n \geq 1$ $\lim_{n \to \infty} g(n) = -\frac{1}{2}$, $\lim_{n \to \infty} h(n) = \frac{1}{2}$ より, 次の増減表を得る。

n	1	$\cdots$	∞
$g(n)$	$-\dfrac{1}{5}$	↘	$-\dfrac{1}{2}$

n	1	$\cdots$	∞
$h(n)$	1	↘	$\dfrac{1}{2}$

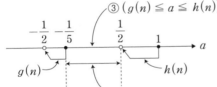

③ $(g(n) \leq a \leq h(n))$

$g(n)$　　　　$h(n)$

すべての自然数 n に対し, ③が成立, つまり①が実数解をもつ範囲である。

$$\therefore \quad -\frac{1}{5} \leq a \leq \frac{1}{2} \quad 答$$

$h(n) = \frac{1}{2}$ となる n は存在しませんが, $h(n)$ は $n \to \infty$ で減少しながら限りなく $\frac{1}{2}$ に近づきますので, $h(n)$ は $\frac{1}{2}$ より大きい値をとることになります。したがって, $a = \frac{1}{2}$ が③を満たす最大の値です。

 **研　究**

(1) x の方程式を $\dfrac{\sqrt{n}(x+1)}{x^2 + |x+1| + n - 1} = a$ と変形した場合の **別　解** を示します。

n は自然数より，$x^2 + |x+1| + n - 1 > 0$ となり，0 にはならないので，上のように変形できます。左辺を $f(x)$ とおきます。

[1]　$x \geq -1$ のとき，$x+1 > 0$ より，$|x+1| = x+1$

$$f(x) = \frac{\sqrt{n}\,(x+1)}{x^2 + (x+1) + n - 1} = \frac{\sqrt{n}\,(x+1)}{x^2 + x + n}$$

$$f'(x) = \frac{\sqrt{n}\,(x^2 + x + n) - \sqrt{n}\,(x+1)(2x+1)}{(x^2 + x + n)^2}$$

$$= \sqrt{n} \cdot \frac{-x^2 - 2x + (n-1)}{(x^2 + x + n)^2} = (-\sqrt{n})\frac{x^2 + 2x - n + 1}{(x^2 + x + n)^2}$$

$f'(x) = 0$ のとき，$x^2 + 2x - n + 1 = 0$ より，$x = -1 \pm \sqrt{n}$

ここでは，$x \geq -1$ なので $x = -1 + \sqrt{n}$ です。

よって $f(x)$ の増減表は右のようになります。

$$f(-1 + \sqrt{n}) = \frac{n}{2n - \sqrt{n}} = \frac{\sqrt{n}}{2\sqrt{n} - 1}$$

また，$\displaystyle \lim_{x \to \infty} f(x) = \lim_{x \to \infty} \frac{\sqrt{n}\left(1 + \dfrac{1}{x}\right)}{x + 1 + \dfrac{n}{x}} = 0$

x	-1	$\cdots$	$-1+\sqrt{n}$	$\cdots$
$f'(x)$		$+$	0	$-$
$f(x)$	0	$\nearrow$	$\dfrac{\sqrt{n}}{2\sqrt{n}-1}$	$\searrow$

[2]　$x < -1$ のとき，$x+1 < 0$ より，$|x+1| = -x-1$

$$f(x) = \frac{\sqrt{n}\,(x+1)}{x^2 + (-x-1) + n - 1} = \frac{\sqrt{n}\,(x+1)}{x^2 - x + n - 2}$$

$$f'(x) = \frac{\sqrt{n}\,(x^2 - x + n - 2) - \sqrt{n}\,(x+1)(2x-1)}{(x^2 - x + n - 2)^2}$$

$$= \sqrt{n}\,\frac{-x^2 - 2x + n - 1}{(x^2 - x + n - 2)^2}$$

$$= (-\sqrt{n})\frac{x^2 + 2x - n + 1}{(x^2 - x + n - 2)^2}$$

$f'(x) = 0$ のとき，$x^2 + 2x - n + 1 = 0$ より，$x = -1 \pm \sqrt{n}$

ここでは，$x < -1$ なので，$x = -1 - \sqrt{n}$ です。

よって，$f(x)$ の増減表は右のようになります。

$$f(-1 - \sqrt{n}) = -\frac{n}{2n + 3\sqrt{n}}$$

$$= -\frac{\sqrt{n}}{2\sqrt{n} + 3}$$

x	$\cdots$	$-1-\sqrt{n}$	$\cdots$	-1
$f'(x)$	$-$	0	$+$	
$f(x)$	$\searrow$	$-\dfrac{\sqrt{n}}{2\sqrt{n}+3}$	$\nearrow$	0

2024 2023 2022 2021 2020 2019 2018 2017 2016 2015 2014 2013 2012 2011 2010

また，$\displaystyle \lim_{x \to -\infty} f(x) = \lim_{x \to -\infty} \frac{\sqrt{n}\left(1+\dfrac{1}{x}\right)}{x-1+\dfrac{n-2}{x}} = 0$

以上，[1][2] より $y = f(x)$ の
グラフを右に示します。

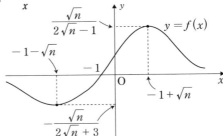

よって，$y = f(x)$ と $y = a$ の
グラフが共有点をもつとき，

$$-\frac{\sqrt{n}}{2\sqrt{n}+3} \leqq a \leqq \frac{\sqrt{n}}{2\sqrt{n}-1}$$ **答**

(2) $-\dfrac{\sqrt{n}}{2\sqrt{n}+3}$ と $\dfrac{\sqrt{n}}{2\sqrt{n}-1}$ の各々のとりうる値の範囲について **別　解**

を示します。

[1] $-\dfrac{\sqrt{n}}{2\sqrt{n}+3}$ のとりうる値の範囲

逆数をとると，$-\left(2+\dfrac{3}{\sqrt{n}}\right)$ ですので，

n は自然数より，$0 < \dfrac{1}{n} \leqq 1$

$$0 < \frac{3}{\sqrt{n}} \leqq 3$$

$$2 < 2+\frac{3}{\sqrt{n}} \leqq 5 \quad \text{これより，} \quad 2 < \frac{2\sqrt{n}+3}{\sqrt{n}} \leqq 5$$

逆数をとり，$\dfrac{1}{5} \leqq \dfrac{\sqrt{n}}{2\sqrt{n}+3} < \dfrac{1}{2}$ $\qquad \therefore \quad -\dfrac{1}{2} < -\dfrac{\sqrt{n}}{2\sqrt{n}+3} \leqq -\dfrac{1}{5}$

[2] $\dfrac{\sqrt{n}}{2\sqrt{n}-1}$ のとりうる値の範囲

逆数をとると，$2 - \dfrac{1}{\sqrt{n}}$ ですので，

n は自然数より，$0 < \dfrac{1}{\sqrt{n}} \leqq 1$

$$-1 \leq -\frac{1}{\sqrt{n}} < 0$$

$$1 \leq 2 - \frac{1}{\sqrt{n}} < 2 \quad \text{これより，} \ 1 \leq \frac{2\sqrt{n}-1}{\sqrt{n}} < 2$$

逆数をとり，$\dfrac{1}{2} < \dfrac{\sqrt{n}}{2\sqrt{n}-1} \leq 1$

[1] [2] より　$-\dfrac{1}{5} \leq a \leq \dfrac{1}{2}$　**答**

4

 ### 問題を見てやるべきこと

(1)　$x^2 + px + q = 0$ において解と係数の関係により，

$$\begin{cases} \alpha + \beta = -p \\ \alpha\beta = q \end{cases} \quad \cdots\cdots①$$

$$\begin{cases} a_1 = (\alpha - 1)(\beta - 1) \\ a_2 = (\alpha^2 - 1)(\beta^2 - 1) \\ a_3 = (\alpha^3 - 1)(\beta^3 - 1) \end{cases}$$

により，$a_1,\ a_2,\ a_3$ はいずれも基本対称式①で表すことができます。

つまり，整数 $p,\ q$ で示すことができます。

(2)　$(|\alpha| - 1)(|\beta| - 1) > 0$ のとき，

　[1]　$|\alpha| > 1$ かつ $|\beta| > 1$

　　または

　[2]　$|\alpha| < 1$ かつ $|\beta| < 1$

のいずれかの場合があります。

　[1]のときは，$\displaystyle\lim_{n\to\infty}\left|\dfrac{a_{n+1}}{a_n}\right|$ を求める際，$\left|\dfrac{1}{\alpha}\right| \ (<1)$　$\left|\dfrac{1}{\beta}\right| \ (<1)$ として，

　　$\displaystyle\lim_{n\to\infty}\left|\dfrac{1}{\alpha^n}\right| = 0,\ \lim_{n\to\infty}\left|\dfrac{1}{\beta^n}\right| = 0$ を用いることができるように変形します。

　[2]は$|\alpha| < 1,\ |\beta| < 1$ ですので，そのまま $\displaystyle\lim_{n\to\infty}|\alpha^n| = 0,\ \lim_{n\to\infty}|\beta^n| = 0$ と計算できます。

(3) (2)で $(|\alpha|-1)(|\beta|-1)>0$ のとき，$\displaystyle\lim_{n\to\infty}\left|\dfrac{a_{n+1}}{a_n}\right|=$（整数）

が示されていますので，

$$\lim_{n\to\infty}\left|\frac{a_{n+1}}{a_n}\right|=\frac{1+\sqrt5}{2}\ \text{のとき，}\ (|\alpha|-1)(|\beta|-1)<0\ \text{となります。}$$

（$((|\alpha|-1)(|\beta|-1)\neq0$ より）

　α と β についての条件が同じですので，$|\alpha|-1<0$ かつ $|\beta|-1>0$ としても，一般性は失われません。つまり $0\leqq|\alpha|<1$ かつ $1<|\beta|$ として，計算します。

　(2)と同様に，$|\beta|$ は $\left|\dfrac{1}{\beta}\right|$（$<1$）となるようにして計算し，

$$\lim_{n\to\infty}\left|\frac{a_{n+1}}{a_n}\right|=|\beta|=\frac{1+\sqrt5}{2}\ \text{を得ます。}$$ β は $x^2+px+q=0$ の解ですので，代入して，有理数と無理数に分けて整理することで，p，q の条件式がわかります。

解　答

(1) **証　明**

$x^2+px+q=0$ において，解と係数の関係より，$\alpha+\beta=-p$，$\alpha\beta=q$
数列 $\{a_n\}$ より，

$$a_1=(\alpha-1)(\beta-1)=\alpha\beta-(\alpha+\beta)+1=\underline{p+q+1}$$
$$a_2=(\alpha^2-1)(\beta^2-1)=\alpha^2\beta^2-(\alpha^2+\beta^2)+1$$
$$=(\alpha\beta)^2-\{(\alpha+\beta)^2-2\alpha\beta\}+1$$
$$=\underline{-p^2+q^2+2q+1}$$
$$a_3=(\alpha^3-1)(\beta^3-1)=\alpha^3\beta^3-(\alpha^3+\beta^3)+1$$
$$=(\alpha\beta)^3-\{(\alpha+\beta)^3-3\alpha\beta(\alpha+\beta)\}+1$$
$$=\underline{p^3+q^3-3pq+1}$$

p，q は整数より，a_1，a_2，a_3 は整数。

(2) **証　明**

$$(|\alpha|-1)(|\beta|-1)>0\Longleftrightarrow\begin{cases}|\alpha|>1\ \text{かつ}\ |\beta|>1 & \cdots\cdots① \\ \text{または} \\ |\alpha|<1\ \text{かつ}\ |\beta|<1 & \cdots\cdots②\end{cases}$$

[1]　①のとき

$0 < \left| \dfrac{1}{\alpha} \right| < 1, \ 0 < \left| \dfrac{1}{\beta} \right| < 1$ であるから，

> 収束させるため，$|\alpha|$，$|\beta|$の逆数
> をとり，絶対値を1未満にします

$$\lim_{n \to \infty} \left| \dfrac{1}{\alpha^n} \right| = 0, \ \lim_{n \to \infty} \left| \dfrac{1}{\beta^n} \right| = 0$$

$$\left| \dfrac{a_{n+1}}{a_n} \right| = \left| \dfrac{(\alpha^{n+1} - 1)(\beta^{n+1} - 1)}{(\alpha^n - 1)(\beta^n - 1)} \right| = \left| \dfrac{\left(\alpha - \dfrac{1}{\alpha^n} \right)\left(\beta - \dfrac{1}{\beta^n} \right)}{\left(1 - \dfrac{1}{\alpha^n} \right)\left(1 - \dfrac{1}{\beta^n} \right)} \right|$$

> 分母，分子を $\alpha^n \beta^n$ で割っています

$$\xrightarrow[(n \to \infty)]{} \left| \dfrac{(\alpha - 0)(\beta - 0)}{(1 - 0)(1 - 0)} \right| = |\alpha\beta| = |q|$$

[2]　②のとき

$0 \leqq |\alpha| < 1, \ 0 \leqq |\beta| < 1$ であるから，$\displaystyle\lim_{n \to \infty} |\alpha^n| = 0, \ \lim_{n \to \infty} |\beta^n| = 0$

$$\left| \dfrac{a_{n+1}}{a_n} \right| = \left| \dfrac{(\alpha^{n+1} - 1)(\beta^{n+1} - 1)}{(\alpha^n - 1)(\beta^n - 1)} \right| \xrightarrow[(n \to \infty)]{} \left| \dfrac{(0 - 1)(0 - 1)}{(0 - 1)(0 - 1)} \right| = 1$$

[1][2]より $(|\alpha| - 1)(|\beta| - 1) > 0$ のとき，$\displaystyle\lim_{n \to \infty} \left| \dfrac{a_{n+1}}{a_n} \right|$ は整数。

(3)　$\displaystyle\lim_{n \to \infty} \left| \dfrac{a_{n+1}}{a_n} \right| \neq$ 整数，かつ，条件 $(|\alpha| - 1)(|\beta| - 1) \neq 0$ から，

(2)より $(|\alpha| - 1)(|\beta| - 1) < 0$ となる。

このとき，α，β の条件は同じにより，

$$\begin{cases} |\alpha| - 1 < 0 \\ \text{かつ} \\ |\beta| - 1 > 0 \end{cases} \quad \text{つまり} \quad \begin{cases} 0 \leqq |\alpha| < 1 \\ \text{かつ} \\ |\beta| > 1 \end{cases}$$

……③としても一般性は
失われない。

$0 < \left| \dfrac{1}{\beta} \right| < 1$ であるから，$\displaystyle\lim_{n \to \infty} \left| \dfrac{1}{\beta^n} \right| = 0$

> (2)の[1]と同様，収束させるため，
> $|\beta|$ の逆数をとり，1未満にします

$$\left| \dfrac{a_{n+1}}{a_n} \right| = \left| \dfrac{(\alpha^{n+1} - 1)(\beta^{n+1} - 1)}{(\alpha^n - 1)(\beta^n - 1)} \right| = \left| \dfrac{(\alpha^{n+1} - 1)\left(\beta - \dfrac{1}{\beta^n} \right)}{(\alpha^n - 1)\left(1 - \dfrac{1}{\beta^n} \right)} \right|$$

> 分母・分子を β^n で割っています

$$\xrightarrow[(n \to \infty)]{} \left| \frac{(0 - 1)(\beta - 0)}{(0 - 1)(1 - 0)} \right| = |\beta| = \frac{1 + \sqrt{5}}{2}$$

よって，$\beta = \pm \dfrac{1 + \sqrt{5}}{2}$ を得る。

β は $x^2 + px + q = 0$ の解なので，$x = \pm \dfrac{1 + \sqrt{5}}{2}$ をこの式に代入する。

$$\frac{3 + \sqrt{5}}{2} + p \left\{ \pm \left(\frac{1 + \sqrt{5}}{2} \right) \right\} + q = 0$$

$$\Longleftrightarrow 3 + \sqrt{5} + p\{\pm(1 + \sqrt{5})\} + 2q = 0$$

$$\therefore \quad (3 \pm p + 2q) + (\pm p + 1)\sqrt{5} = 0 \quad \cdots\cdots④（複号同順）$$

④において p, q は整数（有理数）で，$\sqrt{5}$ は無理数なので，

$$\begin{cases} 3 \pm p + 2q = 0 \\ \pm p + 1 = 0 \end{cases} \quad \therefore \quad (p, \ q) = (\mp 1, \ -1)（複号同順）$$

　$(p, \ q) = (1, \ -1)$ のとき，$|\beta| > 1$ より，$0 \leqq |\alpha| = \left| \dfrac{q}{\beta} \right| = \left| \dfrac{1}{\beta} \right| < 1$ により，条件③を満たす。

　$(p, \ q) = (-1, \ -1)$ のときも，同様に③を満たす。

以上より，$(p, \ q) = \underline{(\pm 1, \ -1)}$ 答

 研　　究

(1)　対称式は，基本対称式 $\alpha + \beta$，$\alpha\beta$ を用いて表すことができます。

　　入試で，よく問われるものとして，次の恒等式があります。

$$\alpha^{n+1} + \beta^{n+1} = (\alpha + \beta)(\alpha^n + \beta^n) - \alpha\beta(\alpha^{n-1} + \beta^{n-1}) \ (n \geq 1) \quad \cdots\cdots①$$

　　①の式において，$\alpha^2 + \beta^2 = (\alpha + \beta)^2 - 2\alpha\beta$ より，$\alpha^2 + \beta^2$ が基本対称式で表されますので，帰納的に，$\alpha^3 + \beta^3$，$\alpha^4 + \beta^4$，$\cdots\cdots$，$\alpha^n + \beta^n$ と基本対称式で表されます。

(2)　極限 $\displaystyle\lim_{n \to \infty} \left| \dfrac{a_{n+1}}{a_n} \right|$ が整数になりますので，$\left| \dfrac{a_{n+1}}{a_n} \right|$ を α, β で表したあと，収束条件を用いることができるように式を変形することがポイントです。

(3)　$|\beta| = \dfrac{1 + \sqrt{5}}{2}$ が得られたあとの **別　解** を示します。

$\beta = \pm\dfrac{1+\sqrt{5}}{2}$ を解にもつ 2 次方程式 $x^2 + px + q = 0$ は，有理数を係数に

もつ方程式ですので，解の公式から共役な無理数として，

$$\begin{cases} \beta = \dfrac{1+\sqrt{5}}{2} \text{ を 1 つの解にもつとき，他の解 } \alpha \text{ は，} \dfrac{1-\sqrt{5}}{2} \\[3mm] \beta = \dfrac{-1-\sqrt{5}}{2} \text{ を 1 つの解にもつとき，他の解 } \alpha \text{ は，} \dfrac{-1+\sqrt{5}}{2} \end{cases}$$

となります。

各々 $\begin{cases} p = -(\alpha + \beta) = -1 \qquad q = \alpha\beta = -1 \\ p = -(\alpha + \beta) = 1 \qquad\ \ q = \alpha\beta = -1 \end{cases}$

として解いたほうが，簡単です。

---

5 ## 問題を見てやるべきこと

(1)〜(3)

　箱 A の中で黒玉，白玉の個数を各々 a 個，b 個として，その状態を $(a,\ b)$ で表してみます。黒玉の総数は 3 個，白玉の総数は 2 個と決まっていますので，$(a,\ b)$ で，箱 A の状態が決まれば，箱 B の状態もそれに対応して決まります。

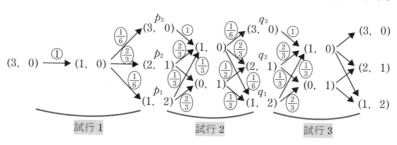

　最初の状態からの変化を，以下に示します。

● 最初，箱 A には黒 3 個だけですので，必ずその次は $(1,\ 0)$ となります。このとき箱 B は黒と白が 2 個ずつの計 4 個です。

黒2個が箱Bから取り出されて (3, 0) となる確率は，$\dfrac{_2C_2}{_4C_2} = \dfrac{1}{6}$ です。

(1, 2) となるのも同様に，$\dfrac{1}{6}$ です。

(2, 1) となるのは，$1 - \dfrac{1}{6} \times 2 = \dfrac{2}{3}$ です。

● 試行2で，(2, 1) → (1, 0) となるのは，$\dfrac{_2C_1 \cdot _1C_1}{_3C_2} = \dfrac{2}{3}$

(2, 1) → (0, 1) となるのは，$1 - \dfrac{2}{3} = \dfrac{1}{3}$ です。

(1, 2) → (1, 0) となるのは，$\dfrac{_2C_2}{_3C_2} = \dfrac{1}{3}$ です。

(1, 2) → (0, 1) となるのは，$1 - \dfrac{1}{3} = \dfrac{2}{3}$ です。

次に (1, 0) → (3, 0)，(2, 1)，(1, 2) となるのは，各々，試行1における
のと同様に $\dfrac{1}{6}$，$\dfrac{2}{3}$，$\dfrac{1}{6}$ です。

(0, 1) → (2, 1) となるのは，このとき箱Bには黒3個，白1個より，黒2個
が箱Bから取り出されるので $\dfrac{_3C_2}{_4C_2} = \dfrac{1}{2}$ です。よって，(0, 1) → (1, 2) とな
るのは $1 - \dfrac{1}{2} = \dfrac{1}{2}$ です。

● 試行3以降は試行2の矢印と確率がそのまま繰り返されます。
前ページの表にしたがって，(1)，(2)，(3)と順に計算を進めます。

2024
2023
2022
2021
2020
2019
2018
2017
2016
2015
2014
2013
2012
2011
2010

解　答

箱 A の中の黒玉，白玉の個数を各々a個，b個として，各々の個数を$(a,\ b)$で表す。

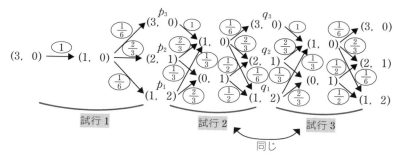

(1)　$p_1 = 1 \cdot \dfrac{{}_2C_2}{{}_4C_2} = \dfrac{1}{6}$　　　$p_2 = 1 \cdot \dfrac{{}_2C_1 \cdot {}_2C_1}{{}_4C_2} = \dfrac{2}{3}$　　　$p_3 = 1 \cdot \dfrac{{}_2C_2}{{}_4C_2} = \dfrac{1}{6}$　**答**

(2)　上の図より

$$q_3 = p_3 \times 1 \cdot \dfrac{1}{6} + p_2 \times \dfrac{2}{3} \cdot \dfrac{1}{6} + p_1 \times \dfrac{1}{3} \cdot \dfrac{1}{6} = \left(\dfrac{1}{6} + \dfrac{4}{9} + \dfrac{1}{18}\right) \cdot \dfrac{1}{6} = \dfrac{1}{9}$$ **答**

$$q_2 = p_3 \times 1 \cdot \dfrac{2}{3} + p_2 \times \left(\dfrac{2}{3} \cdot \dfrac{2}{3} + \dfrac{1}{3} \cdot \dfrac{1}{2}\right) + p_1 \times \left(\dfrac{1}{3} \cdot \dfrac{2}{3} + \dfrac{2}{3} \cdot \dfrac{1}{2}\right)$$

$$= \dfrac{1}{9} + \dfrac{11}{27} + \dfrac{5}{54} = \dfrac{11}{18}$$ **答**

$$q_1 = 1 - \dfrac{1}{9} - \dfrac{11}{18} = \dfrac{5}{18}$$ **答**

(3)　上の図より，(2)と同様に，

$$\left(q_3 \cdot 1 + q_2 \cdot \dfrac{2}{3} + q_1 \cdot \dfrac{1}{3}\right) \cdot \dfrac{1}{6} = \dfrac{11}{18} \cdot \dfrac{1}{6} = \dfrac{11}{108}$$ **答**

研　究

別　解

　試行 T の終了後の箱 A の状態は  と同様の記号を用いれば，$(3,\ 0)$，$(2,\ 1)$，$(1,\ 2)$ のいずれかですので， の図をもとにして n 回目と $(n+1)$ 回目の試行後の箱 A の状態の対応表をつくります。

<div>(n+1)回目 終了後</div><div>n回目 終了後</div>	(3, 0)	(2, 1)	(1, 2)
(3, 0)	$1 \cdot \dfrac{1}{6} = \dfrac{1}{6}$	$1 \cdot \dfrac{2}{3} = \dfrac{2}{3}$	$1 \cdot \dfrac{1}{6} = \dfrac{1}{6}$
(2, 1)	$\dfrac{2}{3} \cdot \dfrac{1}{6} = \dfrac{1}{9}$	$\dfrac{2}{3} \cdot \dfrac{2}{3} + \dfrac{1}{3} \cdot \dfrac{1}{2} = \dfrac{11}{18}$	$\dfrac{2}{3} \cdot \dfrac{1}{6} + \dfrac{1}{3} \cdot \dfrac{1}{2} = \dfrac{5}{18}$
(1, 2)	$\dfrac{1}{3} \cdot \dfrac{1}{6} = \dfrac{1}{18}$	$\dfrac{1}{3} \cdot \dfrac{2}{3} + \dfrac{2}{3} \cdot \dfrac{1}{2} = \dfrac{5}{9}$	$\dfrac{1}{3} \cdot \dfrac{1}{6} + \dfrac{2}{3} \cdot \dfrac{1}{2} = \dfrac{7}{18}$

この表を用いれば,

(1) 表の $(3, 0) \to (3, 0)$, $(2, 1)$, $(1, 2)$ より, $p_3 = \dfrac{1}{6}$, $p_2 = \dfrac{2}{3}$,

$p_1 = \dfrac{1}{6}$ **答**

(2) $q_3 = \{(3, 0) \to (3, 0)\} + \{(2, 1) \to (3, 0)\} + \{(1, 2) \to (3, 0)\}$

$= p_3 \cdot \dfrac{1}{6} + p_2 \cdot \dfrac{1}{9} + p_1 \cdot \dfrac{1}{18}$

$= \dfrac{1}{6} \cdot \dfrac{1}{6} + \dfrac{2}{3} \cdot \dfrac{1}{9} + \dfrac{1}{6} \cdot \dfrac{1}{18} = \dfrac{1}{9}$ **答**

$q_2 = \{(3, 0) \to (2, 1)\} + \{(2, 1) \to (2, 1)\} + \{(1, 2) \to (2, 1)\}$

$= p_3 \cdot \dfrac{2}{3} + p_2 \cdot \dfrac{11}{18} + p_1 \cdot \dfrac{5}{9}$

$= \dfrac{1}{6} \cdot \dfrac{2}{3} + \dfrac{2}{3} \cdot \dfrac{11}{18} + \dfrac{1}{6} \cdot \dfrac{5}{9} = \dfrac{11}{18}$ **答**

$q_1 = 1 - \dfrac{1}{9} - \dfrac{11}{18} = \dfrac{5}{18}$ **答**

(3) $q_3 \cdot \dfrac{1}{6} + q_2 \cdot \dfrac{1}{9} + q_1 \cdot \dfrac{1}{18} = \dfrac{1}{9} \cdot \dfrac{1}{6} + \dfrac{11}{18} \cdot \dfrac{1}{9} + \dfrac{5}{18} \cdot \dfrac{1}{18} = \dfrac{11}{108}$ **答**

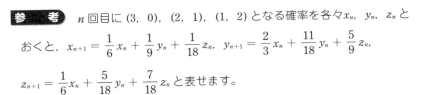 **参 考** n 回目に $(3, 0)$, $(2, 1)$, $(1, 2)$ となる確率を各々 x_n, y_n, z_n と

おくと, $x_{n+1} = \dfrac{1}{6} x_n + \dfrac{1}{9} y_n + \dfrac{1}{18} z_n$, $y_{n+1} = \dfrac{2}{3} x_n + \dfrac{11}{18} y_n + \dfrac{5}{9} z_n$,

$z_{n+1} = \dfrac{1}{6} x_n + \dfrac{5}{18} y_n + \dfrac{7}{18} z_n$ と表せます。

$$x_{n+1} - y_{n+1} = -\frac{1}{2}x_n - \frac{1}{2}(y_n + z_n) = -\frac{1}{2}x_n - \frac{1}{2}(1 - x_n) = -\frac{1}{2},$$

$x_n - y_n = -\dfrac{1}{2}$ と $x_n + y_n + z_n = 1$ を x_{n+1} に代入すると，漸化式

$x_{n+1} = \dfrac{1}{6}x_n + \dfrac{1}{12}$ が得られます。

この式から q_3 と(3)の答えが導けます。

同様に $y_{n+1} = \dfrac{1}{6}y_n + \dfrac{9}{18}$

$$z_{n+1} = \frac{1}{6}z_n + \frac{1}{4}$$

が得られます。

2024
2023
2022
2021
2020
2019
2018
2017
2016
2015
2014
2013
2012
2011
2010

文系学部

 1

問題を見てやるべきこと

(1) "角度の大小"を問われる問題では，角度は直接比較することができません から，三角比の値を比較します。本間では，ベクトル（座標）の問題で三角 比といえば内積の $\cos\theta$ が連想できますから，内積を計算します。

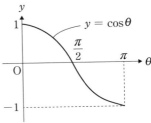

$y = \cos\theta$ のグラフから，$0 < \theta < \pi$ において，

$$\frac{\pi}{2} < \theta \iff \cos\theta < 0$$

がわかります。

(2) 2直線の交点の位置ベクトルや，ある定点から直線に下ろした垂線の足の 位置ベクトルを求める問題は，基本的で典型的な教科書レベルの問題です。

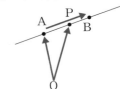

"点 P が直線 AB 上にある"
$\iff$ "$\overrightarrow{\mathrm{OP}} = \overrightarrow{\mathrm{OA}} + t\overrightarrow{\mathrm{AB}}$ を満たす
実数 t が存在する"

公式として覚えておくことも大切ですが，視覚的に頭に入れておくことが重 要です。また "$\vec{a} \perp \vec{b} \iff \vec{a} \cdot \vec{b} = 0$" であることもベクトルの基本中 の基本です。本番では，絶対に落としてはならない問題です。

(3) △OAB の面積 S は，

$$S = \frac{1}{2}\sqrt{|\overrightarrow{\mathrm{OA}}|^2 |\overrightarrow{\mathrm{OB}}|^2 - (\overrightarrow{\mathrm{OA}} \cdot \overrightarrow{\mathrm{OB}})^2}$$

で与えられ，公式として覚えておく必要があります。ただし，この公式を証明せよという問題が2002年に文理共通で出題されていますから，有名な公式は証明までできるようになっておくことが必要です。

解　答

(1) **証　明**　$\overrightarrow{BA} = \overrightarrow{OA} - \overrightarrow{OB}$

$= (1, 0, 0) - (0, 0, 2)$

$= (1, 0, -2)$

$\overrightarrow{BC} = \overrightarrow{OC} - \overrightarrow{OB}$

$= (-2, 1, 3) - (0, 0, 2) = (-2, 1, 1)$

B(0, 0, 2)

A(1, 0, 0)　　C(−2, 1, 3)

より，

$$\overrightarrow{BA} \cdot \overrightarrow{BC} = 1 \cdot (-2) + 0 \times 1 + (-2) \cdot 1 = -4 < 0$$

$$\cos \angle B = \frac{\overrightarrow{BA} \cdot \overrightarrow{BC}}{|\overrightarrow{BA}||\overrightarrow{BC}|}$$ だから，

$$\cos \angle B < 0$$

$0 < \angle B < \pi$ のもとで

$$\cos \angle B < 0 \iff \frac{\pi}{2} < \angle B$$

であるから，題意は示された。

(2)　点 H は直線 BC 上の点であるから，

$$\overrightarrow{OH} = \overrightarrow{OB} + t\overrightarrow{BC} = (0, 0, 2) + t(-2, 1, 1)$$

$$= (-2t, t, t+2) \quad (t：実数) \quad \cdots\cdots①$$

と表せる。よって，

$$\overrightarrow{AH} = \overrightarrow{OH} - \overrightarrow{OA} = (-2t, t, t+2) - (1, 0, 0) = (-2t-1, t, t+2)$$

で $\overrightarrow{AH} \perp \overrightarrow{BC}$ だから，

$$\overrightarrow{AH} \cdot \overrightarrow{BC} = 0 \iff (-2) \cdot (-2t-1) + 1 \times t + 1 \times (t+2) = 0$$

$$\iff t = -\frac{2}{3}$$

これを①に代入して，

$$\overrightarrow{OH} = \left(\frac{4}{3}, -\frac{2}{3}, \frac{4}{3} \right) \quad \therefore \quad H\left(\frac{4}{3}, -\frac{2}{3}, \frac{4}{3} \right) \quad 答$$

(3)　$$\triangle OAH = \frac{1}{2} \sqrt{|\overrightarrow{OA}|^2 |\overrightarrow{OH}|^2 - (\overrightarrow{OA} \cdot \overrightarrow{OH})^2} \quad \cdots\cdots②$$

である。

$$|\overrightarrow{OA}|^2 = 1, \quad |\overrightarrow{OH}|^2 = \left(\frac{4}{3}\right)^2 + \left(-\frac{2}{3}\right)^2 + \left(\frac{4}{3}\right)^2 = 4$$

$$\overrightarrow{OA} \cdot \overrightarrow{OH} = 1 \times \frac{4}{3} + 0 \times \left(-\frac{2}{3}\right) + 0 \times \frac{4}{3} = \frac{4}{3}$$

より, これらを②に代入して,

$$\triangle OAH = \frac{1}{2}\sqrt{1 \times 4 - \left(\frac{4}{3}\right)^2} = \frac{\sqrt{5}}{3} \quad \text{答}$$

 研　究

(3)　一般に, △OAB の面積は,

$$\triangle OAB = \frac{1}{2}\sqrt{|\overrightarrow{OA}|^2|\overrightarrow{OB}|^2 - (\overrightarrow{OA} \cdot \overrightarrow{OB})^2}$$

で与えられますが, この公式の導出の仕方を説明し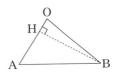
ておきましょう。

　図のように点 H をとると,

$$\triangle OAB = \frac{1}{2} OA \cdot BH$$

ここで,

$$BH = OB \sin\angle AOB = OB\sqrt{1 - \cos^2\angle AOB}$$
$$(\sin^2\angle AOB + \cos^2\angle AOB = 1, \ \sin\angle AOB > 0 \ \text{より})$$

より,

$$\triangle OAB = \frac{1}{2} OA \cdot OB\sqrt{1 - \cos^2\angle AOB}$$

また,

$$\cos\angle AOB = \frac{\overrightarrow{OA} \cdot \overrightarrow{OB}}{|\overrightarrow{OA}||\overrightarrow{OB}|}$$

より, これを代入して,

$$\triangle OAB = \frac{1}{2}|\overrightarrow{OA}||\overrightarrow{OB}|\sqrt{1 - \frac{(\overrightarrow{OA} \cdot \overrightarrow{OB})^2}{|\overrightarrow{OA}|^2|\overrightarrow{OB}|^2}}$$
$$= \frac{1}{2}\sqrt{|\overrightarrow{OA}|^2|\overrightarrow{OB}|^2 - (\overrightarrow{OA} \cdot \overrightarrow{OB})^2}$$

となります。公式の証明の問題は毎年どこかの大学で必ず出題されていますので，覚えるだけでなく証明までしっかり勉強しておくようにしましょう。

また(3)の別解としては，点 H から x 軸に下ろした垂線の足を点 H′ とおくと，$\mathrm{H}'\left(\dfrac{4}{3},\ 0,\ 0\right)$ であり，

$$
\begin{aligned}
\triangle \mathrm{OAH} &= \frac{1}{2}\,\mathrm{OA} \cdot \mathrm{HH}' \\
&= \frac{1}{2} \times 1 \times \sqrt{0^2 + \left(-\frac{2}{3}\right)^2 + \left(\frac{4}{3}\right)^2} \\
&= \frac{\sqrt{5}}{3}
\end{aligned}
$$

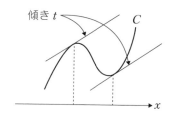

と計算することもできます。

2

問題を見てやるべきこと

(1)　3次曲線は複接線（複数の接点をもつ接線）をもちませんから，"傾きが t である接線を2本もつこと"とは"微分係数が t である異なる2点が存在すること"すなわち"$f'(x) = t$ が異なる2つの実数解をもつこと"と言い換えることができます。このように読み換えることができれば，あとは2次方程式の判別式の議論となり難しくありません。

なお，冒頭の議論は必ずしも答案に記述する必要はないですが，複接線をもつ曲線は身近に存在するので，頭に入れておいてほしいと思います。

(2)　点 P と点 Q が点 A に関して対称であるとは，2点 P，Q の中点が点 A であることであり，

$$
\begin{cases}
\dfrac{p+q}{2} = -1 \\[2mm]
\dfrac{f(p)+f(q)}{2} = 0
\end{cases}
$$

が成り立つことを計算によって示します。その際，p, q が $f'(x) = t$ の 2 解であることを用います。

(3) 2 点 P, Q の距離を計算すれば p, q の式として得られますが，p, q が $f'(x) = t$ の 2 解であることに注意すれば，それは t の式として書き換えることができます。あとは PQ を t の関数とみて増減を調べ，$t \geqq 0$ における最小値を求めます。流れとしては自然ですが，計算は煩雑です。

解　答

(1)　**証　明**　$f(x) = x^3 + 3x^2 + x - 1$

$$f'(x) = 3x^2 + 6x + 1$$

x についての 2 次方程式

$$f'(x) = t \iff 3x^2 + 6x + 1 - t = 0 \quad \cdots\cdots ①$$

が異なる 2 つの実数解をもつことを示せばよい。

$$(①の判別式)／4 = 3^2 - 3(1 - t) = 3t + 6$$

$t \geqq 0$ のとき $3t + 6 > 0$ であるから，題意は示された。

(2)　点 P$(p, f(p))$，点 Q$(q, f(q))$ の中点が点 A$(-1, 0)$ であること，すなわち

$$\begin{cases} \dfrac{p + q}{2} = -1 \\ \dfrac{f(p) + f(q)}{2} = 0 \end{cases} \iff \begin{cases} p + q = -2 \\ f(p) + f(q) = 0 \end{cases}$$

を示せばよい。

　ここで p, q は(1)の①の 2 解であるから，解と係数の関係により，

$$\begin{cases} p + q = -2 & \cdots\cdots ⑦ \\ pq = \dfrac{1 - t}{3} & \cdots\cdots ① \end{cases}$$

が成り立つ。

　さて，

$$\begin{aligned} f(p) + f(q) &= (p^3 + 3p^2 + p - 1) + (q^3 + 3q^2 + q - 1) \\ &= (p^3 + q^3) + 3(p^2 + q^2) + (p + q) - 2 \\ &= (p + q)^3 - 3pq(p + q) + 3\{(p + q)^2 - 2pq\} + (p + q) - 2 \\ &= (-2)^3 - 3 \cdot \frac{1 - t}{3} \times (-2) + 3\left\{(-2)^2 - 2 \cdot \frac{1 - t}{3}\right\} + (-2) - 2 \\ &= 0 \quad \cdots\cdots ⑦ \quad \blacktriangleleft \boxed{⑦，①を代入しています} \end{aligned}$$

したがって，㋐，㋒により題意は示された。

(3)　$\mathrm{PQ}^2 = (p - q)^2 + \{f(p) - f(q)\}^2$

$\qquad = (p - q)^2 + \{(p^3 + 3p^2 + p - 1) - (q^3 + 3q^2 + q - 1)\}^2$

$\qquad = (p - q)^2 + \{(p^3 - q^3) + 3(p^2 - q^2) + (p - q)\}^2$

$\qquad = (p - q)^2 + \{(p - q)(p^2 + pq + q^2) + 3(p + q)(p - q) + (p - q)\}^2$

$\qquad = (p - q)^2 + (p - q)^2\{(p^2 + pq + q^2) + 3(p + q) + 1\}^2$

ここで，

$\qquad (p - q)^2 = (p + q)^2 - 4pq$

$\qquad p^2 + pq + q^2 = (p + q)^2 - pq$

であり，(2)の㋐，㋑を代入すると，結局 PQ^2 は，

$$\mathrm{PQ}^2 = \frac{4}{27}(t + 2)(t^2 - 8t + 25)$$

となる。

さて，$g(t) = (t + 2)(t^2 - 8t + 25)$ とおき，$t \geqq 0$ における $g(t)$ の最小値を調べる。

$\qquad g(t) = t^3 - 6t^2 + 9t + 50$

$\qquad g'(t) = 3t^2 - 12t + 9$

$\qquad\qquad = 3(t - 1)(t - 3)$

$t \geqq 0$ における $g(t)$ の増減表は次のとおり。

t	0	$\cdots$	1	$\cdots$	3	$\cdots$
$g'(t)$		$+$	0	$-$	0	$+$
$g(t)$	50	↗	54	↘	50	↗

増減表より $g(t)$ は $t = 0, 3$ のとき最小値50をとる。

よって，

$$(\mathrm{PQ} \text{ の最小値}) = \sqrt{\frac{4}{27} \times 50}$$

$$= \frac{10\sqrt{6}}{9} \quad \text{答}$$

である。

また，最小値を与えるときの p, q の値は，

$t = 0$ のとき，(1)の① は $3x^2 + 6x + 1 = 0$ であり，$p, q\,(p < q)$ はこの2次方程式の2解だから，これを解いて，

$$x = \frac{-3 \pm \sqrt{6}}{3}$$

すなわち，$(p, q) = \left(\dfrac{-3 - \sqrt{6}}{3}, \dfrac{-3 + \sqrt{6}}{3} \right)$ 答

$t = 3$ のとき，①は $3x^2 + 6x - 2 = 0$ より，

$$(p, q) = \left(\frac{-3 - \sqrt{15}}{3}, \frac{-3 + \sqrt{15}}{3} \right)$$ 答

 **研　究**

(2)　$f(p) + f(q)$ の計算における工夫を紹介しておきます。

まず $f(x) \div f'(x)$ を計算すると，商が $\left(\dfrac{1}{3}x + \dfrac{1}{3} \right)$，余りが $-\dfrac{4}{3}x - \dfrac{4}{3}$ とな

るので，

$$
\begin{aligned}
f(x) &= \left(\frac{1}{3}x + \frac{1}{3} \right) f'(x) - \frac{4}{3}x - \frac{4}{3} \\
&= \frac{1}{3}(x + 1)f'(x) - \frac{4}{3}(x + 1) \\
&= \frac{1}{3}(x + 1)\{f'(x) - 4\}
\end{aligned}
$$

が成り立ちます。

p, q は $f'(x) = t$ の 2 解であることに注意すれば，

$$f(p) = \frac{1}{3}(p + 1)(t - 4)$$

$$f(q) = \frac{1}{3}(q + 1)(t - 4)$$

$$\left[f'(p) = f'(q) = t \text{ を代入しています} \right]$$

となり，計算量は軽減されます。この手法は，3 次関数の極値を求める際，それが求めにくい場合に大変有効な方法です。(3)の PQ^2 の計算で，$\{f(p) - f(q)\}^2$ の部分を計算するときにも役に立つでしょう。

(3)　(2)の結果を意識すれば，$PQ = 2AP$ であり，

$$
\begin{aligned}
PQ^2 &= 4AP^2 \\
&= 4\{(p + 1)^2 + (p^3 + 3p^2 + p - 1)^2\}
\end{aligned}
$$

となって p の一変数関数とみることができます。出だしは好調ですが，p, q の

対称性を崩したことで解と係数の関係が使えなくなり，結果的には，本解説よりも複雑な計算をせまられることになります。あまりおすすめできませんが一部紹介しておきます。

$$PQ^2 = 4AP^2$$
$$= 4\{(p+1)^2 + (p^3 + 3p^2 + p - 1)^2\}$$
$$= 4\{(p+1)^2 + (p+1)^2(p^2 + 2p - 1)^2\}$$
$$= 4[(p+1)^2 + (p+1)^2\{(p+1)^2 - 2\}^2]$$

ここで $u = (p+1)^2$ とおくと，まず p は $f'(x) = t$ の解だから，

$$3p^2 + 6p + 1 = t$$
$$\iff \quad 3(p+1)^2 - 2 = t$$
$$\iff \quad (p+1)^2 = \frac{t+2}{3}$$
$$\iff \quad u = \frac{t+2}{3}$$

が成り立ち，$t \geqq 0$ のとき $u \geqq \dfrac{2}{3}$ である。また，

$$PQ^2 = 4\{u + u(u-2)^2\} = 4(u^3 - 4u^2 + 5u)$$

となるから，$g(u) = u^3 - 4u^2 + 5u$ とおいて $u \geqq \dfrac{2}{3}$ における最小値を考える。
（以下省略）

③ 問題を見てやるべきこと

⑴　指示された通りのことを試して，事実であることを確認するだけの作業ですが，"x を 3 で割ったときの余りが 1 の場合に整数である" ことと，"それ以外の場合は整数でない" ことは同等に重要な事実です。後者を軽く扱う受験生は少なくないので注意しましょう。

⑵　セット A を x セット，セット B を y セット購入することにすれば，乗車券は全部で $(7x + 3y)$ 枚で，これを余らせずすべて利用するので，

$$7x + 3y = 100$$

を満たす 0 以上の整数の組 (x, y) を求めればよいことになります。
　極めて平易な設問ですが，上式を y について解いて，

$$y = \frac{1}{3}(100 - 7x)$$

とし，(1)の結果を用いて調べればよいことに気がつかないと少し苦労するかもしれません。

(3) セット A を x セット，セット B を y セット購入するとすれば，乗車券の枚数の条件から，

$$\begin{cases} 7x + 3y \geqq 100 \\ x \geqq 0,\, y \geqq 0 \end{cases}$$

であり，このもとで購入金額 $(480x + 220y)$ の最小値を考えます。一見すると，いわゆる "線形計画法" の問題の一種ですが，$x,\, y$ は 0 以上の整数であることに注意しなければなりません。

解　答

(1) **証　明**　(i) $x = 3m$　$(m = 0,\, 1,\, 2,\, \cdots\cdots)$ のとき

$$\frac{1}{3}(100 - 7x) = \frac{1}{3}(100 - 7 \times 3m)$$

$$= \frac{1}{3}\{3(33 - 7m) + 1\}$$

$$= 33 - 7m + \frac{1}{3}$$

　　より，これは整数ではない。

　(ii)　$x = 3m + 1$　$(m = 0,\, 1,\, 2,\, \cdots\cdots)$ のとき

$$\frac{1}{3}(100 - 7x) = \frac{1}{3}\{100 - 7(3m + 1)\}$$

$$= 31 - 7m$$

　　より，これは整数。

　(iii)　$x = 3m + 2$　$(m = 0,\, 1,\, 2,\, \cdots\cdots)$ のとき

$$\frac{1}{3}(100 - 7x) = \frac{1}{3}\{100 - 7(3m + 2)\}$$

$$= \frac{1}{3}\{3(28 - 7m) + 2\}$$

$$= 28 - 7m + \frac{2}{3}$$

　　より，これは整数ではない。

以上より，題意成立。

(2) セット A を x セット，セット B を y セット購入するとして，全部で $(7x + 3y)$ 枚の乗車券を余らせず利用するから，

$$7x + 3y = 100 \quad \cdots\cdots①$$

これを満たす 0 以上の整数の組 (x, y) を求める。

①より，

$$y = \frac{1}{3}(100 - 7x)$$

であり，$y \geqq 0$ だから，

$$100 - 7x \geqq 0 \quad \therefore \quad x \leqq \frac{100}{7} = 14\frac{2}{7}$$

これと，(1)より，y が整数となるのは x が 3 で割って 1 余る数のときのみであることに注意して，

$$(x, y) = \underline{(1, 31), (4, 24), (7, 17), (10, 10), (13, 3)} \quad \boxed{答}$$

(3) セット A を x セット，セット B を y セット購入するものとする。

このとき，乗車券の枚数は $(7x + 3y)$ 枚，購入金額は $(480x + 220y)$ 円である。

乗車券の枚数についての条件から，

$$7x + 3y \geqq 100$$

これを満たす 0 以上の整数の組 (x, y) に対して，$480x + 220y$ が最小となるときを考える。

さて，

$$\begin{cases} 7x + 3y \geqq 100 \\ x \geqq 0, \ y \geqq 0 \end{cases}$$

を xy 平面上に図示して，その領域を D とする。

$480x + 220y = k$ とおく。

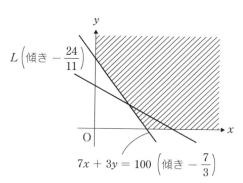

直線 $L : 480x + 220y = k$ が領域 D 内の格子点と共有点をもつ範囲で，k が最小，すなわち（L の y 切片）が最小となるときを考えればよい。

直線 $7x + 3y = 100$ の傾きは $-\dfrac{7}{3}$，直線 L の傾きは $-\dfrac{24}{11}$ であることに注意すると，最小値を与える (x, y) は，

$$(x, y) = (13, 3), (14, 1), (15, 0)$$

のいずれかであり，

$$(x, y) = (13, 3) \text{ のとき，} 480x + 220y = 6900$$
$$(x, y) = (14, 1) \text{ のとき，} 480x + 220y = 6940$$
$$(x, y) = (15, 0) \text{ のとき，} 480x + 220y = 7200$$

だから，購入金額が最も低くなるのは，

A を13セット，B を 3 セット購入するときで，購入金額は6900円 **答**

(2) $7x + 3y = 100$ を満たす 0 以上の整数の組 (x, y) を求めるにあたり，(1)の結果を使わずに求める **別　解** を考えてみたいと思います。

別　解

$$\begin{cases} 7x + 3y = 100 & \cdots\cdots① \\ x, y : 0 \text{ 以上の整数} & \cdots\cdots② \end{cases}$$

まず，

$$7x + 3y = 1 \quad \cdots\cdots①'$$

について，これを満たす整数の組 (x, y) として，$(x, y) = (1, -2)$ がとれる。

$$7 \cdot 1 + 3 \times (-2) = 1$$

両辺に100をかけて，

$$7 \times 100 + 3 \times (-200) = 100 \quad \cdots\cdots③$$

$$\left[\begin{array}{l} \text{すなわち①を満たす整数の組 } (x, y) \text{ として } (x, y) = (100, -200) \text{ をとることが} \\ \text{できます。このように特殊解を 1 つ得ると} \end{array} \right]$$

① $-$ ③より，

$$7(x - 100) + 3(y + 200) = 0$$
$$7(x - 100) = -3(y + 200) \quad \cdots\cdots④$$

3 と 7 は互いに素であるから，$(x - 100)$ は 3 の倍数，すなわち，

$$x - 100 = -3k \quad (k : \text{整数})$$

と表すことができ，これを④に代入して，

$$y + 200 = 7k$$

よって，一般解として，

$$\begin{cases} x = -3k + 100 \\ y = 7k - 200 \end{cases} \quad (k：整数)$$

を得る。$x \geq 0$，$y \geq 0$ とすると，$\dfrac{200}{7} \leq k \leq \dfrac{100}{3}$ となり，一般解で，

$k = 29, 30, 31, 32, 33$ として，

$(x, y) = \underline{(13, 3), (10, 10), (7, 17), (4, 24), (1, 31)}$ **答**

4

 問題を見てやるべきこと

解　答

理系学部5（p.511）に同じ。

2024
2023
2022
2021
2020
2019
2018
2017
2016
2015
2014
2013
2012
2011
2010

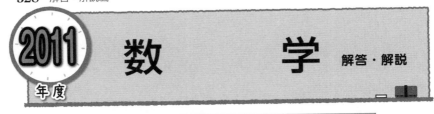

理系学部

1

 問題を見てやるべきこと

(1) 点 H は点 P を通り，$y = x$ に垂直な直線 ℓ と $y = x$ との交点です。

$y = x$ の傾きは1ですので，ℓ の傾きは -1 です。

よって，点 $P(t, \sqrt{t}\,)$ を通ることと合わせて，

$$\ell : y - \sqrt{t} = -(x - t)$$
$$\therefore \ \ell : y = -x + t + \sqrt{t}$$

です。

この ℓ と $y = x$ の交点として点 $\mathrm{H}\left(\dfrac{t + \sqrt{t}}{2},\ \dfrac{t + \sqrt{t}}{2}\right)$ が得られます。

(2) 直線 $y = x$ 上に，点 $Q(t, t)$ をとります。

　△PQH は $\angle QHP = 90°$，$\angle HQP = 45°$ より，直角二等辺三角形です。したがって，PQ を底辺と見ると，その高さは，$\dfrac{PQ}{2}$ ですので，

$$\triangle PQH = \frac{1}{2}\underbrace{(t - \sqrt{t}\,)}_{PQ}\underbrace{\left\{\frac{1}{2}(t - \sqrt{t}\,)\right\}}_{\frac{1}{2}PQ} = \frac{1}{4}(t - \sqrt{t}\,)^2$$ です。

　よって，

$$S_1 = \int_1^t (x - \sqrt{x})dx - \triangle PQH \text{ により,} \quad S_1 = \frac{1}{4}t^2 - \frac{1}{6}t\sqrt{t} - \frac{1}{4}t + \frac{1}{6}$$

です。

(3) S_2 を求めるのは簡単です。

$$S_2 = \int_0^1 (\sqrt{x} - x)dx = \left[\frac{2}{3}x^{\frac{3}{2}} - \frac{1}{2}x^2\right]_0^1 = \frac{1}{6}$$

(2)で求めた S_1 より, $\underset{\displaystyle S_1}{\underbrace{\frac{1}{4}t^2 - \frac{1}{6}t\sqrt{t} - \frac{1}{4}t + \frac{1}{6}}} = \underset{\displaystyle S_2}{\underbrace{\frac{1}{6}}}$ が成り立ちます。

$$\frac{1}{4}t^2 - \frac{1}{6}t\sqrt{t} - \frac{1}{4}t = 0 \text{ を解きます。}$$

$\sqrt{t} = u \ (t > 1 \text{ より } u > 1)$ と置き換え, 両辺に $\dfrac{12}{u^2}$ をかけて,
$3u^2 - 2u - 3 = 0$ を解きます。

解　答

(1) 直線 PH は $y = x$ の垂線より,
傾きは -1 で点 $P(t, \sqrt{t})$ を通るの
で, 直線 PH の方程式は,
$$y = -(x - t) + \sqrt{t}$$
$$\therefore \quad y = -x + t + \sqrt{t}$$
点 H は $y = x$ との交点により,
$$x = -x + t + \sqrt{t}$$
$$\therefore \quad x = y = \frac{t + \sqrt{t}}{2}$$

$$\therefore \quad \underline{H\left(\frac{t + \sqrt{t}}{2}, \frac{t + \sqrt{t}}{2}\right)} \quad 答$$

(2) 点 $Q(t, t)$, 点 H から直線 PQ に下ろした垂線の足を $S\left(t, \dfrac{t + \sqrt{t}}{2}\right)$ とおく。

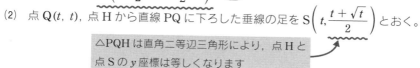

△PQH は直角二等辺三角形により, 点 H と
点 S の y 座標は等しくなります

△PQH は底辺を PQ とすると, 高さは線分 $HS = \dfrac{PQ}{2} = \dfrac{t - \sqrt{t}}{2}$ となる。

$y = x$, $y = \sqrt{x}$, $x = t$ で囲まれた部分から, △PQH の面積を除きます

$$S_1 = \int_1^t (x - \sqrt{x})dx - \triangle PQH = \left[\frac{1}{2}x^2 - \frac{2}{3}x^{\frac{3}{2}}\right]_1^t - \frac{1}{2} \cdot \frac{t - \sqrt{t}}{2} \cdot (t - \sqrt{t})$$

$$= \frac{1}{2}(t^2 - 1) - \frac{2}{3}(t^{\frac{3}{2}} - 1) - \frac{1}{4}(t^2 - 2t\sqrt{t} + t)$$

$$= \frac{1}{4}t^2 - \frac{1}{6}t\sqrt{t} - \frac{1}{4}t + \frac{1}{6} \quad \boxed{答}$$

(3) $S_2 = \int_0^1 (\sqrt{x} - x)dx = \left[\frac{2}{3}x^{\frac{3}{2}} - \frac{1}{2}x^2\right]_0^1 = \frac{1}{6}$ より，$S_1 = S_2$ のとき，(2)より，

$$\frac{1}{4}t^2 - \frac{1}{6}t\sqrt{t} - \frac{1}{4}t + \frac{1}{6} = \frac{1}{6} \iff t(3t - 2\sqrt{t} - 3) = 0$$

12 倍しています

$t > 1$ により　$t \neq 0$ t で両辺を割って　$\therefore$　$3t - 2\sqrt{t} - 3 = 0$

$\sqrt{t} = u$ とおいて，$(u > 1)$

$$3u^2 - 2u - 3 = 0$$

$$u = \frac{1 \pm \sqrt{10}}{3}, \quad u > 1 \text{ より，} \quad u = \frac{1 + \sqrt{10}}{3} \text{ を得る。}$$

$$\therefore \quad t = u^2 = \left(\frac{1 + \sqrt{10}}{3}\right)^2 = \frac{11 + 2\sqrt{10}}{9} \quad \boxed{答}$$

研　究

(1) $\triangle PQH$ は直角二等辺三角形なので，直線 PH の方程式を求めなくても，

点 S の y 座標は線分 QP の中点より，$\dfrac{t + \sqrt{t}}{2}$

よって，$H\left(\dfrac{t + \sqrt{t}}{2}, \dfrac{t + \sqrt{t}}{2}\right)$ と導けます。

(2) $S_1 =$ 台形 ABCH ＋ 台形 HCDP $- \displaystyle\int_1^t \sqrt{x}\, dx$　としても求まります。

$$= \frac{1}{2}\left\{1 + \frac{1}{2}(t + \sqrt{t})\right\}\left\{\frac{1}{2}(t + \sqrt{t}) - 1\right\}$$

AB + HC　　　　BC

$$+ \frac{1}{2}\left\{\frac{1}{2}(t + \sqrt{t}) + \sqrt{t}\right\}\left\{t - \frac{1}{2}(t + \sqrt{t})\right\} - \int_1^t \sqrt{x}\, dx$$

HC + PD　　　　CD

$$= \frac{1}{2}\left\{\frac{1}{4}(t+\sqrt{t})^2 - 1\right\} + \frac{1}{8}(t^2 + 2t\sqrt{t} - 3t) - \left[\frac{2}{3}x^{\frac{3}{2}}\right]_1^t$$

$$= \frac{1}{8}(2t^2 + 4t\sqrt{t} - 2t - 4) - \frac{2}{3}(t\sqrt{t} - 1) = \frac{1}{12}(3t^2 - 2t\sqrt{t} - 3t + 2)$$

$$\underline{= \frac{1}{4}t^2 - \frac{1}{6}t\sqrt{t} - \frac{1}{4}t + \frac{1}{6}}\quad \boxed{答}$$

2

 ## 問題を見てやるべきこと

(1) $f(x) = (x^2 + 2x + 2 - a^2)e^{-x}$ より導関数 $f'(x)$ を求めます。

$$f'(x) = (2x + 2)e^{-x} - (x^2 + 2x + 2 - a^2)e^{-x}$$
$$= -(x^2 - a^2)e^{-x}$$
$$= -(x - a)(x + a)e^{-x}$$

$a > 0$ を考慮して，増減表をかくと，

$$\begin{cases} 極大値：f(a) = 2(a + 1)e^{-a} \\ 極小値：f(-a) = -2(a - 1)e^{a} \end{cases} \quad を得ます。$$

(2) $g(x) = x^3 \cdot e^{-x}$ とおきます。

$$g'(x) = 3x^2 \cdot e^{-x} + x^3(-e^{-x})$$
$$= -x^2(x - 3)e^{-x}$$

$g(x)$ の増減表より，$x \geqq 3$ で，$g(x) \leqq g(3) = 27 \cdot e^{-3}$ が示せます。

$x^3 \cdot e^{-x} \leqq 27 \cdot e^{-3}$ が示せると，不等式の両辺を $x(> 0)$ で割ることで，$\lim\limits_{x \to \infty} x^2 \cdot e^{-x}$ を求めることができます。

(3) $y = x^2 + 2x + 2$ と $y = ke^x + a^2$ より y を消去して，$x^2 + 2x + 2 = ke^x + a^2$ この式が異なる 3 つの実数解をもつ条件を考えましょう。

$x^2 + 2x + 2$ が，(1)の $f(x)$ の $(x^2 + 2x + 2 - a^2)$ のなかに含まれていることに気づけば，a^2 を左辺に移項し，両辺に e^{-x} をかけて，

$(x^2 + 2x + 2 - a^2)e^{-x} = k$ となり，左辺が(1)の $f(x)$ となります。

(1)で $f(x)$ の極大値・極小値を求めていますので，それを利用して，$y = f(x)$ のグラフをかきましょう。

(2)の $\lim\limits_{x \to \infty} x^2 \cdot e^{-x} = 0$ を利用して，$\lim\limits_{x \to \infty} f(x) = 0$，$\lim\limits_{x \to -\infty} f(x) = \infty$ を示します。

$a > 0$ のもとで，極小値 $f(-a) = -2(a-1)e^a$ が正か負かで，場合分けが必要になります。

解　答

(1)　$f(x) = (x^2 + 2x + 2 - a^2)e^{-x}$ より，

$$f'(x) = (2x+2)e^{-x} - (x^2 + 2x + 2 - a^2)e^{-x}$$
$$= -(x^2 - a^2)e^{-x}$$
$$= -(x+a)(x-a)e^{-x}$$

$a > 0$ より，$f(x)$ の増減表は右のようになる。

x	$\cdots$	$-a$	$\cdots$	a	$\cdots$
$f'(x)$	$-$	0	$+$	0	$-$
$f(x)$	$\searrow$	極小	$\nearrow$	極大	$\searrow$

よって，$\begin{cases} 極大値は\ f(a) = 2(a+1)e^{-a} \\ 極小値は\ f(-a) = -2(a-1)e^a \end{cases}$

(2)　**証　明**

$g(x) = x^3 \cdot e^{-x}$ とおくと，

$$g'(x) = 3x^2 \cdot e^{-x} + x^3 \cdot (-e^{-x})$$
$$= -x^2(x-3)e^{-x} \quad (x \geqq 3)$$

$g(3) = 27 \cdot e^{-3}$ より，$g(x)$ の増減表は右のようになる。

x	3	$\cdots$	∞
$g'(x)$	0	$-$	
$g(x)$	$27 \cdot e^{-3}$	$\searrow$	

よって，$x \geqq 3$ で，

$$g(x) \leqq g(3) = 27 \cdot e^{-3}$$

となる。つまり，$x^3 \cdot e^{-x} \leqq 27 \cdot e^{-3}$ が成立する。

$x^2 \cdot e^{-x}$ の極限を求める際，上に示した不等式の両辺を $x(> 0)$ で割り，左辺の $x^3 \cdot e^{-x}$ を $x^2 \cdot e^{-x}$ とします

$x \geqq 3$ のとき，$g(x) > 0$ より，$0 < x^3 \cdot e^{-x} \leqq 27 \cdot e^{-3}$
この各辺を $x(> 0)$ で割ると，

$$0 < x^2 \cdot e^{-x} \leqq \frac{27 \cdot e^{-3}}{x} \qquad ここで \lim_{x \to \infty} \frac{27 \cdot e^{-3}}{x} = 0 \ より，$$

はさみうちの原理により，$\displaystyle \lim_{x \to \infty} x^2 \cdot e^{-x} = 0$ **答**

(3)　$y = x^2 + 2x + 2$ と $y = ke^x + a^2$ より，y を消去して，$x^2 + 2x + 2 = ke^x + a^2$
この式が異なる 3 つの実数解をもつ条件を求める。

（左辺）$= k$（定数）の形にして，$y =$（左辺）と $y = k$ とのグラフの交点を考察します

$(x^2 + 2x + 2 - a^2)e^{-x} = k$ と変形すると，左辺は(1)の $f(x)$ になる。

$y = f(x)$ と $y = k$ が異なる3交点をもつ場合を考える。

$$\therefore \begin{cases} \displaystyle\lim_{x \to \infty} f(x) = \lim_{x \to \infty}(x^2 + 2x + 2 - a^2)e^{-x} = \lim_{x \to \infty} x^2 \cdot e^{-x}\left(1 + \frac{2}{x} + \frac{2 - a^2}{x^2}\right) = 0 \\[4mm] \displaystyle\lim_{x \to -\infty} f(x) = \lim_{x \to -\infty}(x^2 + 2x + 2 - a^2)e^{-x} = \lim_{x \to -\infty} x^2 \cdot e^{-x}\left(1 + \frac{2}{x} + \frac{2 - a^2}{x^2}\right) \end{cases}$$

(2)を利用

$$= \lim_{t \to \infty}(-t)^2 \cdot e^t\left(1 - \frac{2}{t} + \frac{2 - a^2}{t^2}\right)$$
$$= \infty$$

$x = -t$ として $x \to -\infty$ は $t \to \infty$

$\displaystyle\lim_{x \to \infty} f(x) = 0$ より，$f(x)$ の極小値 $-2(a - 1)e^a$ が 0 より大きいか小さいかで

(1)より

場合分けします

[1] 　$-2(a - 1)e^a > 0$，
　　つまり $0 < a < 1$ のとき

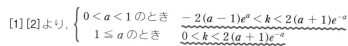

[2] 　$-2(a - 1)e^a \leq 0$，
　　つまり $1 \leq a$ のとき

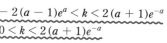

[1][2]より，$\begin{cases} 0 < a < 1 \text{ のとき} & -2(a - 1)e^a < k < 2(a + 1)e^{-a} \\ 1 \leq a \text{ のとき} & 0 < k < 2(a + 1)e^{-a} \end{cases}$　**答**

 研　究

(1)　a が正という条件がなければ，a が正か負かで，極大値・極小値の場合分けが必要になります。

(2)　本問では，前半の誘導の下で，$\displaystyle\lim_{x \to \infty} \frac{x^2}{e^x} = 0$ を示しましたが，理系であれば誘導がなくとも，一般に，$\displaystyle\lim_{x \to \infty} \frac{x^k}{e^x} = 0$ を示せることを知っておきたいものです（以下，上式の x を自然数 n と置き換えます）。

たとえば，$k = 1$ のとき，$\lim\limits_{n \to \infty} \dfrac{n}{e^n} = 0$ を二項定理で示します。

$e^n = \{1 + (e - 1)\}^n$ ◀ 1より大という形にします

$\qquad = 1 + n \cdot (e - 1) + \dfrac{n(n - 1)}{2}(e - 1)^2 + \cdots\cdots > 1 + n(e - 1)$

$\qquad\quad + \dfrac{n(n - 1)}{2}(e - 1)^2 = An^2 + Bn + C$（$A$ は正の定数）

とおきます。

　すると，$0 < \dfrac{n}{e^n} < \dfrac{n}{An^2 + Bn + C}$ より，$\lim\limits_{n \to \infty} \dfrac{n}{e^n} = 0$ が得られます。

　$\lim\limits_{n \to \infty} \dfrac{n^k}{e^n}$（$k = 1,\ 2,\ \cdots\cdots$）は，$e^n = \{1 + (e - 1)\}^n$ の展開を n^{k+1} の項が現れるまで行うと，　$0 < \dfrac{n^k}{e^n} < \dfrac{n^k}{An^{k+1} + Bn^k + Cn^{k-1} + \cdots\cdots}$　が得られ，

$\lim\limits_{n \to \infty} \dfrac{n^k}{e^n} = 0$ が示せます。x が自然数でなくとも，$\lim\limits_{x \to \infty} \dfrac{x^k}{e^x} = 0$ です。

　本問と同様に $f(x) = \dfrac{x^{k+1}}{e^x} = x^{k+1} \cdot e^{-x}$（$k = 1,\ 2,\ \cdots\cdots$）（$x > 0$）を微分し，

$f'(x) = x^k e^{-x}\{(k + 1) - x\}$ より，$f(x)$ は $x = k + 1$ で極大かつ最大になります。

$\qquad \dfrac{x^{k+1}}{e^x} \leqq f(k + 1) = (k + 1)^{k+1} \cdot e^{-(k+1)}$　の両辺を x（> 0）で割り，

$0 < \dfrac{x^k}{e^x} < \dfrac{(k + 1)^{k+1} \cdot e^{-(k+1)}}{x}$ としても，$(k + 1)^{k+1} \cdot e^{-(k+1)}$ は定数により，

$\lim\limits_{x \to \infty} \dfrac{x^k}{e^x} = 0$ を示せます。

(3)　$\lim\limits_{x \to \infty} f(x) = 0$ ですが，$f(x)$ の極小値 $-2(a - 1)e^a$ は a と 1 との大小により負または正の値をとりうるので，2 つのグラフが異なる 3 交点をもつためには，$0 < a < 1$ と，$1 \leqq a$ の場合分けが必要となります。

3

問題を見てやるべきこと

(1)　漸化式が分数の形になっていますので，逆数をとり，$\dfrac{1}{a_{n+1}} = \dfrac{1}{2} \cdot \dfrac{1}{a_n} - \dfrac{1}{2} a_n$

と変形してみた受験生もいるでしょうが，これではうまくいきません。

　$a_1 = \dfrac{1}{\sqrt{3}}$ を漸化式に代入すると，$a_2 = \sqrt{3}$ が得られ，さらに $a_3 = -\sqrt{3}$

$a_4 = \sqrt{3}$，$a_5 = -\sqrt{3}$ と繰り返すことがわかります。

(2)　本問の漸化式が「tan の 2 倍角の公式」になっていることに気づけば，

$\tan 2\theta = \dfrac{2\tan\theta}{1 - \tan^2\theta}$ において，$\theta = \dfrac{\pi}{12}$ として，$\tan 2\theta = \tan\dfrac{\pi}{6} = \dfrac{1}{\sqrt{3}}$ を代入

すれば，$\tan\theta$ についての 2 次方程式 $\tan^2\theta + 2\sqrt{3}\,\tan\theta - 1 = 0$ を得ます。

　「tan の 2 倍角の公式」に気づかなくとも，$\dfrac{\pi}{12} = \dfrac{\pi}{3} - \dfrac{\pi}{4}$ から加法定理により，

$$\tan\dfrac{\pi}{12} = \tan\left(\dfrac{\pi}{3} - \dfrac{\pi}{4}\right) = \dfrac{\tan\dfrac{\pi}{3} - \tan\dfrac{\pi}{4}}{1 + \tan\dfrac{\pi}{3}\tan\dfrac{\pi}{4}} = \dfrac{\sqrt{3} - 1}{1 + \sqrt{3}} = 2 - \sqrt{3}$$

とわかります。

(3)　漸化式が「tan の 2 倍角の公式」になっていますので，

$a_1 = \tan\dfrac{\pi}{20}$，$a_2 = \tan\dfrac{\pi}{10}$，$a_3 = \tan\dfrac{\pi}{5}$，$a_4 = \tan\dfrac{2}{5}\pi$，$a_5 = \tan\dfrac{4}{5}\pi$，

$a_6 = \tan\dfrac{8}{5}\pi = \tan\left(\pi + \dfrac{3}{5}\pi\right) = \tan\dfrac{3}{5}\pi$，

$a_7 = \tan\dfrac{6}{5}\pi = \tan\left(\pi + \dfrac{\pi}{5}\right) = \tan\dfrac{\pi}{5} = a_3$ となります。

　したがって，$a_7 = a_3$ から以降 $a_8 = a_4$，$a_9 = a_5$，……となることがわかります。

　また，　　研　究　で示しますが，$\theta_n = \dfrac{\pi}{20} \cdot 2^{n-1}$ となることを数学的帰納法を用いて示す方法もあります。

解　答

(1)　$a_1 = \dfrac{1}{\sqrt{3}}$

$$a_2 = \frac{2a_1}{1 - a_1{}^2} = \frac{\dfrac{2}{\sqrt{3}}}{1 - \dfrac{1}{3}} = \sqrt{3}$$

$$a_3 = \frac{2a_2}{1 - a_2{}^2} = \frac{2\sqrt{3}}{1 - 3} = -\sqrt{3}$$

$$a_4 = \frac{2a_3}{1 - a_3{}^2} = \frac{-2\sqrt{3}}{1 - 3} = \sqrt{3}$$

数列 $\{a_n\}$ は $\begin{cases} a_n = \sqrt{3} \ \text{なら} \ a_{n+1} = -\sqrt{3} \\ a_n = -\sqrt{3} \ \text{なら} \ a_{n+1} = \sqrt{3} \end{cases}$ となる。

以上より，$a_n = \begin{cases} \dfrac{1}{\sqrt{3}} & (n = 1) \\ (-1)^n \cdot \sqrt{3} & (n \geq 2) \end{cases}$　**答**

(2)　$\tan 2\theta = \dfrac{2\tan\theta}{1 - \tan^2\theta}$ において $\theta = \dfrac{\pi}{12}$ とし，$\tan 2\theta = \tan\dfrac{\pi}{6} = \dfrac{1}{\sqrt{3}}$ を代入して，

$\dfrac{1}{\sqrt{3}}(1 - \tan^2\theta) - 2\tan\theta = 0 \iff \tan^2\theta + 2\sqrt{3}\tan\theta - 1 = 0$

$\iff \tan\theta = -\sqrt{3} \pm 2$

$\tan\theta = \tan\dfrac{\pi}{12} > 0$ より，$\tan\dfrac{\pi}{12} = -\sqrt{3} + 2$　**答**

(3)　漸化式が tan の 2 倍角の公式になっているので，

$a_n = \tan\theta_n$ とおくと，$a_{n+1} = \dfrac{2a_n}{1 - a_n{}^2} = \dfrac{2\tan\theta_n}{1 - \tan^2\theta_n} = \tan 2\theta_n$ となる。

よって，$a_1 = \tan\dfrac{\pi}{20}$，$a_2 = \tan\dfrac{\pi}{10}$，$a_3 = \tan\dfrac{\pi}{5}$，$a_4 = \tan\dfrac{2}{5}\pi$，$a_5 = \tan\dfrac{4}{5}\pi$，

$a_6 = \tan\dfrac{8}{5}\pi = \tan\left(\pi + \dfrac{3}{5}\pi\right) = \tan\dfrac{3}{5}\pi$，

$a_7 = \tan\dfrac{16}{5}\pi = \tan\left(3\pi + \dfrac{\pi}{5}\right) = \tan\dfrac{\pi}{5}$　となる。

ここで，初めて，$a_3 = a_7$ と等しい値の項が得られた。

これ以降，数列 $\{a_n\}$ の各項は $\tan\dfrac{\pi}{5}$，$\tan\dfrac{2}{5}\pi$，$\tan\dfrac{4}{5}\pi$，$\tan\dfrac{3}{5}\pi$ が，この順に繰り返される。

また，tan の基本周期 π に対し，$0 < \dfrac{\pi}{5} < \dfrac{2}{5}\pi < \dfrac{3}{5}\pi < \dfrac{4}{5}\pi < \pi$ より，

$$\underset{a_3}{\uparrow} \quad \underset{a_4}{\uparrow} \quad \underset{a_6}{\uparrow} \quad \underset{a_5}{\uparrow}$$

a_3，a_4，a_5，a_6 の値はすべて異なる。

← 4 より小さな周期がないことを示しています

以上より，$a_{n+k} = a_n$ を満たす最小の自然数 k は $k = 4$　答

研　究

(1)　答の表記として，n の偶数・奇数で場合分けをし，

$$a_n = \begin{cases} \dfrac{1}{\sqrt{3}} & (n = 1\text{ のとき}) \\[2mm] \sqrt{3} & (n\text{ が偶数のとき}) \\[2mm] -\sqrt{3} & (n\text{ が }1\text{ 以外の奇数のとき}) \end{cases}$$

と示しても，問題ありません。

(2)　$\tan\dfrac{\pi}{12}$ の求め方として，加法定理または 2 倍角の公式を使わない図形的解法も簡単かつ重要です。

右図において，

$\tan\dfrac{\pi}{12} = \dfrac{\mathrm{AB}}{\mathrm{BD}} = \dfrac{1}{2+\sqrt{3}} = 2 - \sqrt{3}$

$\mathrm{AD}^2 = \mathrm{BD}^2 + \mathrm{AB}^2$ より，

$\mathrm{AD} = \sqrt{(2+\sqrt{3})^2 + 1^2} = \sqrt{8 + 4\sqrt{3}}$

$\qquad = \sqrt{6} + \sqrt{2}$　← sin, cos も出せます

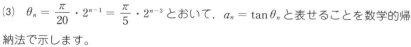

(3)　$\theta_n = \dfrac{\pi}{20} \cdot 2^{n-1} = \dfrac{\pi}{5} \cdot 2^{n-3}$ とおいて，$a_n = \tan\theta_n$ と表せることを数学的帰納法で示します。

[1]　$n = 1$ のとき，$a_1 = \tan\theta_1 = \tan\dfrac{\pi}{20}$ により成立。

[2]　$n = k$ のとき，$a_k = \tan\theta_k$ とすると，

$$2\theta_k = \frac{\pi}{20} \cdot 2^{k-1} \cdot 2 = \frac{\pi}{20}\, 2^k = \theta_{k+1}$$

$$a_{k+1} = \frac{2a_k}{1 - a_k{}^2} = \frac{2\tan\theta_k}{1 - \tan^2\theta_k} = \tan 2\theta_k = \tan\theta_{k+1}\ \text{より，}\ n = k+1\ \text{の}$$

ときも成立。

[1] [2] より，$a_n = \tan\theta_n = \tan\left(\dfrac{\pi}{5} \cdot 2^{n-3}\right)$ が成立します。

さらに，$n \geqq 3$ のとき，$a_{n+l} = a_n$ とすると，$\tan\theta_{n+l} = \tan\theta_n$ から，

$\theta_{n+l} = \theta_n + m\pi$ （m は整数，π は $\tan$ の周期）

$\Longleftrightarrow \dfrac{\pi}{5} \cdot 2^{n+l-3} = \dfrac{\pi}{5} \cdot 2^{n-3} + m\pi$ ← 両辺を $\dfrac{\pi}{5}$ で割ります

$\Longleftrightarrow 2^{n+l-3} = 2^{n-3} + 5m$ ……Ⓐ

$\Longleftrightarrow 2^{n-3}(2^l - 1) = 5m$　ここで，$n \geqq 3$ により，2^{n-3} は整数。しかし，5 の倍数ではありません。よって，Ⓐを満たす整数 m が存在する条件は，$2^l - 1$ が 5 の倍数になることです。$l = 1,\ 2,\ 3,\ 4,$ 各々に対し，$2^l - 1 = 1,\ 3,\ 7,$ 15 となります。

5 の倍数なので，最小の自然数として，$l = 4$ が得られます。

4

問題を見てやるべきこと

(1)　中心 D の座標を D$(x,\ y,\ z)$ とおくと，DO$^2 = x^2 + y^2 + z^2 = ($半径$)^2$ となりますので，DO$^2 =$ DA$^2 =$ DB$^2 =$ DC^2 より，連立方程式が得られます。これを解くことで，D $= \left(\dfrac{1}{2},\ 1,\ \dfrac{3}{2}\right)$ が得られます。

あるいは，4 点 O，A，B，C が，同じ直方体の頂点になっていることに気づけば，球面の中心 D は，この直方体の中心であることがわかります。

(2) 右図において，$\overrightarrow{AB}$，$\overrightarrow{AC}$ の双方に垂直なベクトルの 1 つを $\vec{n}$ として，$\vec{n} \cdot \overrightarrow{AB} = 0$ かつ $\vec{n} \cdot \overrightarrow{AC} = 0$ から，$\vec{n}$ を求める。

点 D から $\vec{n}$ への垂線の足を H とし，

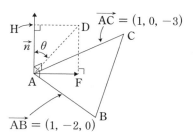

$$|\overrightarrow{AH}| = ||\overrightarrow{AD}|\cos\theta| = \left| \frac{|\overrightarrow{AD}||\vec{n}|\cos\theta}{|\vec{n}|} \right| = \left| \frac{\overrightarrow{AD} \cdot \vec{n}}{|\vec{n}|} \right|$$

$= \dfrac{3}{7}$ と求まります。

> **DF = AH** ですので，$|\overrightarrow{AH}|$ を求めています。$\overrightarrow{AD}$ と $\vec{n}$ のなす角 θ はわかりませんが，$\overrightarrow{AD} \cdot \vec{n}$ を利用することで結局 θ は不要です。$|\overrightarrow{AD}|\cos\theta$ に $|\vec{n}|$ をかけることで，$\overrightarrow{AD} \cdot \vec{n}$ をつくり出しています

(3) (2)で求めた DF $= \dfrac{3}{7}$ が，△ABC を底面としたときの四面体 ABCD の高さです。△ABC の面積は，$\overrightarrow{AB}$，$\overrightarrow{AC}$ がわかっていますので，

$$\frac{1}{2}\sqrt{|\overrightarrow{AB}|^2|\overrightarrow{AC}|^2 - (\overrightarrow{AB} \cdot \overrightarrow{AC})^2}$$ により，$\dfrac{7}{2}$ と求まります。

以上より，（体積）$= \dfrac{1}{3} \cdot \dfrac{3}{7} \cdot \dfrac{7}{2} = \dfrac{1}{2}$ と容易に求まります。

解　答

(1) 点 D は 4 点 O，A，B，C から等距離の点なので，D$(x,\ y,\ z)$ とおくと，

$$
\begin{cases}
DO^2 = x^2 + y^2 + z^2 & \cdots\cdots① \\
DA^2 = x^2 + (y-2)^2 + (z-3)^2 & \cdots\cdots② \\
DB^2 = (x-1)^2 + y^2 + (z-3)^2 & \cdots\cdots③ \\
DC^2 = (x-1)^2 + (y-2)^2 + z^2 & \cdots\cdots④
\end{cases}
$$

①＝②より，$4y + 6z = 13$ ……⑤

①＝③より，$2x + 6z = 10$ ……⑥ $\iff$ $\begin{cases} x = \dfrac{1}{2} \\ y = 1 \\ z = \dfrac{3}{2} \end{cases}$

①＝④より，$2x + 4y = 5$ ……⑦

$\therefore \quad \underline{\underline{\text{D}\left(\dfrac{1}{2},\ 1,\ \dfrac{3}{2}\right)}}$ 【答】

(2)

$\begin{cases} \overrightarrow{AB} = (1,\ -2,\ 0) \\ \overrightarrow{AC} = (1,\ 0,\ -3) \end{cases}$ の双方に垂直なベクトルの

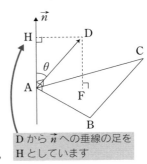

D から $\vec{n}$ への垂線の足を
H としています

1つを $\vec{n} = (a,\ b,\ c)$ とおくと，

$\begin{cases} \vec{n} \cdot \overrightarrow{AB} = 0 \\ \vec{n} \cdot \overrightarrow{AC} = 0 \end{cases}$ より，$\begin{cases} a - 2b = 0 \\ a - 3c = 0 \end{cases}$

これを満たすものとして，$\vec{n} = (6,\ 3,\ 2)$ とおく。

右図のように，$\overrightarrow{AD}$ と $\vec{n}$ のなす角を θ とおくと，

$$\text{DF} = |\overrightarrow{AH}| = ||\overrightarrow{AD}|\cos\theta| = \left| \frac{|\overrightarrow{AD}||\vec{n}|\cos\theta}{|\vec{n}|} \right| = \left| \frac{\overrightarrow{AD} \cdot \vec{n}}{|\vec{n}|} \right|$$

分母・分子に $|\vec{n}|$ をかけて，$\overrightarrow{AD} \cdot \vec{n}$ を
利用できるようにしました

$$= \left| \frac{\left(\dfrac{1}{2},\ -1,\ -\dfrac{3}{2}\right) \cdot (6,\ 3,\ 2)}{7} \right| = \underline{\underline{\dfrac{3}{7}}}$$ 【答】

$\overrightarrow{AD} = \left(\dfrac{1}{2},\ 1,\ \dfrac{3}{2}\right) - (0,\ 2,\ 3) = \left(\dfrac{1}{2},\ -1,\ -\dfrac{3}{2}\right)$

$|\vec{n}| = \sqrt{6^2 + 3^2 + 2^2} = 7$

(3) 四面体 ABCD は底面を△ABC にとると，高さが(2)で求めた DF である。

$$\triangle\text{ABC} = \frac{1}{2}\sqrt{|\overrightarrow{AB}|^2|\overrightarrow{AC}|^2 - (\overrightarrow{AB} \cdot \overrightarrow{AC})^2} = \frac{1}{2}\sqrt{5 \cdot 10 - 1^2} = \frac{7}{2}$$

$$\therefore \quad (体積) = \frac{1}{3} \cdot \triangle\text{ABC} \cdot \text{DF} = \frac{1}{3} \cdot \frac{7}{2} \cdot \frac{3}{7} = \underline{\underline{\frac{1}{2}}}$$ 【答】

研　究

(1)　右のように図示すると，求める球面は，4点 O，A，B，C を頂点にもつ直方体の各頂点を通りますので，球面の中心 D は直方体の中心 $\left(\dfrac{1}{2},\ 1,\ \dfrac{3}{2}\right)$ と一致します。

(2)　球の半径を R，$\triangle$ABC の外接円の半径を r として，図形的に解けます。点 F は $\triangle$ABC の外心になります。

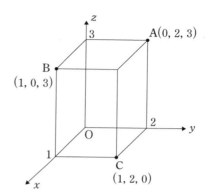

よって，AB $= \sqrt{5}$，BC $= \sqrt{13}$，CA $= \sqrt{10}$，

$$DA = DO = R = \frac{\sqrt{14}}{2} \quad \text{から,}$$

$$\cos \angle \mathrm{BAC} = \frac{\mathrm{AB^2 + AC^2 - BC^2}}{2 \cdot \mathrm{AB} \cdot \mathrm{AC}} = \frac{1}{5\sqrt{2}}$$

$$\therefore \quad \sin \angle \mathrm{BAC} = \frac{7}{5\sqrt{2}}$$

$\triangle$ABC で正弦定理より，

$$r = \frac{\mathrm{BC}}{2\sin \angle \mathrm{BAC}} = \frac{5\sqrt{13}}{7\sqrt{2}} \qquad \therefore \quad \mathrm{DF} = \sqrt{R^2 - r^2} = \frac{3}{7} \quad \text{答}$$

　また(2)で，内積（正射影）を用いなければ，ベクトルで次のように解きますが，計算が大変です。

　点 F は平面 ABC 上にありますので，
$\overrightarrow{\mathrm{OF}} = s\overrightarrow{\mathrm{OA}} + t\overrightarrow{\mathrm{OB}} + u\overrightarrow{\mathrm{OC}} = (t + u,\ 2s + 2u,\ 3s + 3t)$ とおけます。（ただし，実数 s，t，u は $s + t + u = 1$ を満たします。）
　ここで，

$$\overrightarrow{\mathrm{DF}} = \overrightarrow{\mathrm{OF}} - \overrightarrow{\mathrm{OD}} = (t + u,\ 2s + 2u,\ 3s + 3t) - \left(\frac{1}{2},\ 1,\ \frac{3}{2}\right)$$

$$= \left(t + u - \frac{1}{2},\ 2s + 2u - 1,\ 3s + 3t - \frac{3}{2}\right)$$

$\overrightarrow{\rm DF} \perp$ 平面 ABC より,

$\begin{cases} \overrightarrow{\rm AB} = (1, -2, 0) \\ \overrightarrow{\rm AC} = (1, 0, -3) \end{cases}$ に対し, $\begin{cases} \overrightarrow{\rm DF} \perp \overrightarrow{\rm AB} \\ \overrightarrow{\rm DF} \perp \overrightarrow{\rm AC} \end{cases}$ より, $\begin{cases} \overrightarrow{\rm DF} \cdot \overrightarrow{\rm AB} = 0 \\ \overrightarrow{\rm DF} \cdot \overrightarrow{\rm AC} = 0 \end{cases}$

$\therefore \begin{cases} t + u - \dfrac{1}{2} - 4s - 4u + 2 = 0 \ \text{より}, \ \ 4s - t + 3u = \dfrac{3}{2} \\ t + u - \dfrac{1}{2} - 9s - 9t + \dfrac{9}{2} = 0 \ \text{より}, \ \ 9s + 8t - u = 4 \end{cases}$

$s + t + u = 1$ と合わせて, $\begin{cases} s + t + u = 1 \\ 8s - 2t + 6u = 3 \\ 9s + 8t - u = 4 \end{cases}$ より, $(s,\ t,\ u) = \left(\dfrac{13}{98}, \dfrac{20}{49}, \dfrac{45}{98} \right)$

$\therefore \quad \overrightarrow{\rm DF} = \left(\dfrac{18}{49}, \dfrac{9}{49}, \dfrac{6}{49} \right) = \dfrac{3}{49}(6, 3, 2)$

$\therefore \quad |\overrightarrow{\rm DF}| = \dfrac{3}{49}\sqrt{6^2 + 3^2 + 2^2} = \underline{\underline{\dfrac{3}{7}}}$ **答**

1999 年度, 2004 年度, 2007 年度でも, 内積 (正射影) を用いなければ, 計算が大変, または困難な出題が見られます。九大受験者はぜひマスターしてください。

(3) 右の△ABC の面積をベクトルで求める公式は, $\overrightarrow{\rm AB}$ と $\overrightarrow{\rm AC}$ のなす角を θ として,

$\triangle {\rm ABC} = \dfrac{1}{2} |\overrightarrow{\rm AB}| |\overrightarrow{\rm AC}| \sin\theta = \dfrac{1}{2} |\overrightarrow{\rm AB}| |\overrightarrow{\rm AC}| \sqrt{1 - \cos^2\theta}$

$= \dfrac{1}{2} |\overrightarrow{\rm AB}| |\overrightarrow{\rm AC}| \sqrt{1 - \dfrac{(\overrightarrow{\rm AB} \cdot \overrightarrow{\rm AC})^2}{|\overrightarrow{\rm AB}|^2 |\overrightarrow{\rm AC}|^2}} = \dfrac{1}{2} \sqrt{|\overrightarrow{\rm AB}|^2 |\overrightarrow{\rm AC}|^2 - (\overrightarrow{\rm AB} \cdot \overrightarrow{\rm AC})^2}$

と導きます。

実際, 2002 年度にこの公式を証明させる出題があります。また, この公式を用いる出題が, 九大では多数見られます。

5

問題を見てやるべきこと

(1) 2回の操作後に，4枚のカードの配列が，元と同じということは，1回目と2回目で，同じ組み合わせの数字を選択するということです。

　たとえば，1回目で，$\{1, \underset{\sim}{2}, \underset{\sim}{3}, 4\}$ のなかから $\{2, 3\}$ を選んで，配列が $\{1, \underset{\sim}{3}, \underset{\sim}{2}, 4\}$ となると，2回目も同じく $\{2, 3\}$ を選択することで，$\{1, \underset{\sim}{2}, \underset{\sim}{3}, 4\}$ と元に戻ります。

(2) $\{1, 2, 3, 4\} \xrightarrow{n=2} \{4, 3, 2, 1\}$ とするためには，$\{1, 4\}$ と $\{2, 3\}$ の位置を各々入れ替える必要があります。したがって，1回目に $\{1, 4\}$ を選択し，2回目に $\{2, 3\}$ を選択するか，その順序を逆にする場合が考えられます。

(3) (1)が参考になります。1回目に1を含む組み合わせ，（たとえば $\{1, 2\}$）を選択すると，2回目も1回目と同じ組み合わせを選択することで，1が左端に戻ります。

　また，1回目に1を選ばなかった場合は，1回目終了時に左端に1がありますので，2回目も1を含まない組み合わせを選択する必要があります。

(4) 左端は1からスタートしていますので，$n = 3$ において，左端が1になる確率をまず求めます。

　(a) (3)より $n = 2$ で左端が1となる確率は $\dfrac{1}{3}$ です。3回目は，左端の1以外の2つの数字を選びますので $\dfrac{{}_3C_2}{{}_4C_2} = \dfrac{1}{2}$ です。

　(b) (3)の余事象として，$n = 2$ で，左端に1が来ない確率は $1 - \dfrac{1}{3} = \dfrac{2}{3}$ です。

3回目は，左端の数字と1の組み合わせを選択しますので，$\dfrac{1}{{}_4C_2} = \dfrac{1}{6}$ です。

以上，(a)(b)より，$n = 3$ で左端が1となる確率は，

$$\frac{1}{3} \cdot \frac{1}{2} + \frac{2}{3} \cdot \frac{1}{6} = \frac{5}{18} \text{ です。}$$

$n = 3$ で，左端が2，3，4となる確率は各々，等しくなりますので，$\dfrac{5}{18}$ の余事象 $\left(1 - \dfrac{5}{18}\right)$ を，3等分し，$\dfrac{1}{3} \cdot \dfrac{13}{18} = \dfrac{13}{54}$ です。

以上より，期待値は，$1 \cdot \dfrac{5}{18} + 2 \cdot \dfrac{13}{54} + 3 \cdot \dfrac{13}{54} + 4 \cdot \dfrac{13}{54} = \dfrac{22}{9}$ です。

解　答

(1)

- 右図のように，1回目の操作で選んだ2個の球を2回目も選択した場合である。
- 球の選び方は $_4\mathrm{C}_2 = 6$ 通りであり，このなかで1回目と同じ組み合わせは1つだから，$\dfrac{1}{6}$ **答**

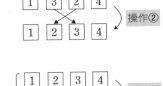

(例)（2と3を1回目で選んだ場合）
操作①
操作②

(2)

[1]　右図のように1回目の操作で，$\{1,\ 4\}$ を選び，2回目に $\{2,\ 3\}$ を選ぶか，または，順番を入れ替えて，

[2]　1回目の操作で，$\{2,\ 3\}$ を選び，2回目に $\{1,\ 4\}$ を選んだ場合である。

[1][2]より，$\dfrac{1}{(_4\mathrm{C}_2)^2} + \dfrac{1}{(_4\mathrm{C}_2)^2} = \dfrac{1}{18}$ **答**

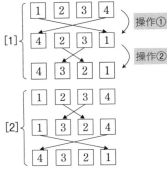

[1]
操作①
操作②

[2]

(3)

[1]　右図のように，1回目に1を含む組み合わせ $\{1,\ 2\}$，$\{1,\ 3\}$，$\{1,\ 4\}$ のいずれかを選んだときは，2回目も同じ組み合わせを選ぶ。

よって，$\dfrac{3}{(_4\mathrm{C}_2)^2} = \dfrac{1}{12}$ が求める確率である。

または，

[2]　右図のように，1回目に1を選ばない場合は2回目も1を選ばないようにする。この場合は $(_3\mathrm{C}_2)^2 = 9$ 通り

により，$\dfrac{9}{(_4\mathrm{C}_2)^2} = \dfrac{1}{4}$ が求める確率である。

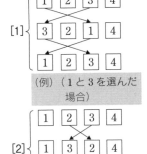

[1]

(例)（1と3を選んだ場合）

[2]

[1] [2]より，$\dfrac{1}{12}+\dfrac{1}{4}=\dfrac{1}{3}$ 答

(4)　[1]　$n=3$ で，左端が1になる場合を次の(a)，(b)に分けて考える。

(a)　$n=2$ で左端が1となる確率は(3)より確率 $\dfrac{1}{3}$ で，3回目は1以外のカードを動かしたいので，

この3つから2つ選ぶ。よって，$\dfrac{1}{3}\cdot\dfrac{{}_3C_2}{{}_4C_2}=\dfrac{1}{6}$ が求める確率である。

(b)　$n=2$ で左端が1以外のとき，(3)の余事象より確率 $\left(1-\dfrac{1}{3}\right)=\dfrac{2}{3}$ で，

次に この2つ，つまり左端と1を選ぶ。

よって，$\dfrac{2}{3}\cdot\dfrac{1}{{}_4C_2}=\dfrac{1}{9}$ が求める確率である。

(a)，(b)より，$n=3$ で，左端が1になるのは，$\dfrac{1}{6}+\dfrac{1}{9}=\dfrac{5}{18}$ となる。

[2]　$n=3$ で，左端が2，3，4となる確率は各々等しいので，(4)[1]の余事象より，各々 $\dfrac{1}{3}\cdot\left(1-\dfrac{5}{18}\right)=\dfrac{13}{54}$ である。

[1] [2]より，求める期待値は，

$$1\cdot\dfrac{5}{18}+2\cdot\dfrac{13}{54}+3\cdot\dfrac{13}{54}+4\cdot\dfrac{13}{54}=\dfrac{1\cdot15+2\cdot13+3\cdot13+4\cdot13}{54}$$

$$=\dfrac{22}{9}\ \text{答}$$

 研　究

(3)，(4)は，いきなりだと，やや考えにくいかもしれません。

しかし，(3)の左端のカードが1になる確率の一部は，(1)の確率ですので，(1)の考え方が参考になります。つまり，1回目も2回目も，ともに1を含む組み合わせを選ぶか，ともに1を含まない組み合わせを選ぶかで，場合分けをするのが，ポイントです。

(4)も，(3)を利用して，$n=2$ で左端が1のときと，そうでないときとに，場合分けをし，$n=3$ で左端が1となる確率を求めるのがポイントとなります。

文系学部

1 ## 問題を見てやるべきこと

　座標平面で考えるときはいつもそうですが，とにかくまずは図を描いて状況を把握するところから始めます。その際，$t > 1$ という条件が図形的に何を意味するのかに注意しながら，正確に図を描くことを心がけてください。

(1)　点 $P(t, t^2)$ を通り，$y = x$ に垂直な直線の方程式は，傾きが -1 ですから

$$y - t^2 = -(x - t)$$
$$y = -x + t^2 + t$$

となります。点 H は $y = x$ と
$y = -x + t^2 + t$ との交点なので，連立方程式を解いてその座標を得ることができます。

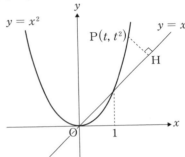

(2)　図より点 R の座標が $R(t, t)$ であることはすぐにわかります。3 点 P, R, H の座標が分かれば，三角形 PRH の面積を求める方法はいくらでもあります。

(3)・(4)　指示された図形が正しく把握できていれば，計算を含めて特に難しくありません。

解　答 ▶

(1)　点 $P(t, t^2)$ を通り，$y = x$ に垂直な直線の方程式は，

$$y - t^2 = -(x - t)$$
$$\therefore \quad y = -x + t^2 + t$$

$\left[\begin{array}{l} y = x \text{ に垂直な直線の傾きは} \\ -1 \text{ となります} \end{array}\right]$

　点 H は，$y = x$ と $y = -x + t^2 + t$ との交点だから，

$$\begin{cases} y = x \\ y = -x + t^2 + t \end{cases}$$

を解いて，

$$\therefore \quad H\left(\frac{t^2 + t}{2}, \frac{t^2 + t}{2}\right) \quad 答$$

(2) 点 R の座標は R(t, t) である。△PRH は ∠PHR $= 90°$ の直角二等辺三角形であるから，

$$\triangle PRH = \frac{1}{2} RH \cdot PH$$

$$= \frac{1}{2}\left(\frac{1}{\sqrt{2}} PR\right)^2$$

$$= \frac{1}{4}(t^2 - t)^2$$

$$\left[\begin{array}{l} RH = PH = \dfrac{1}{\sqrt{2}} PR \\ PR = (\text{点 P の } y \text{ 座標}) - (\text{点 R の } y \text{ 座標}) = t^2 - t \quad (t > 1 \text{ より}) \end{array}\right]$$

よって，

$$\triangle PRH = \frac{1}{4} t^2 (t-1)^2 \quad 答$$

(3) 図より，

$$S_1 = \int_1^t (x^2 - x)dx + \triangle PRH$$

$$= \left[\frac{1}{3}x^3 - \frac{1}{2}x^2\right]_1^t + \frac{1}{4} t^2 (t-1)^2 \quad ((2)\text{より})$$

$$= \left(\frac{1}{3} t^3 - \frac{1}{2} t^2\right) - \left(\frac{1}{3} \cdot 1^3 - \frac{1}{2} \cdot 1^2\right) + \frac{1}{4} t^2 (t-1)^2$$

$$= \frac{1}{4} t^4 - \frac{1}{6} t^3 - \frac{1}{4} t^2 + \frac{1}{6} \quad 答$$

(4) $$S_2 = \int_0^1 (x - x^2)dx$$

$$= \left[\frac{1}{2} x^2 - \frac{1}{3} x^3\right]_0^1 = \frac{1}{6}$$

また，(3)より，

$$S_1 = \frac{1}{4} t^4 - \frac{1}{6} t^3 - \frac{1}{4} t^2 + \frac{1}{6}$$

よって，

$$S_1 = S_2 \iff \frac{1}{4}t^4 - \frac{1}{6}t^3 - \frac{1}{4}t^2 + \frac{1}{6} = \frac{1}{6}$$

$$\iff \frac{1}{4}t^4 - \frac{1}{6}t^3 - \frac{1}{4}t^2 = 0$$

$$\iff \frac{1}{4}t^2 - \frac{1}{6}t - \frac{1}{4} = 0 \quad (t \neq 0 \text{ より})$$

$$\iff 3t^2 - 2t - 3 = 0$$

$$\iff t = \frac{1 \pm \sqrt{10}}{3}$$

$t > 1$ より，

$$t = \frac{1 + \sqrt{10}}{3} \quad \boxed{\text{答}}$$

 研　究

(4)　丁寧な誘導のついた基本的な問題でしたが，仮に(2)，(3)がなく，(4)単独の問題として解く場合は次のような解法があります。

図の斜線部の面積を S_3 とすると，

$$S_1 = S_2 \iff S_1 + S_3 = S_2 + S_3$$

ここで，

$$S_1 + S_3 = \triangle\text{OPH}$$

$$= \frac{1}{2}\,\text{OH} \cdot \text{PH}$$

$$= \frac{1}{2}\left\{\sqrt{2}\left(\frac{t^2 + t}{2}\right)\right\}\left\{\sqrt{2}\left(\frac{t^2 - t}{2}\right)\right\}$$

$$= \frac{1}{4}(t^4 - t^2)$$

また，

$$S_2 + S_3 = \int_0^t (tx - x^2)dx \quad \left[\text{直線 OP : } y = tx \text{ です}\right]$$

$$= \left[\frac{1}{2}tx^2 - \frac{1}{3}x^3\right]_0^t$$

$$= \frac{1}{6}t^3$$

よって,

$$S_1 = S_2$$

$$\iff S_1 + S_3 = S_2 + S_3$$

$$\iff \frac{1}{4}(t^4 - t^2) = \frac{1}{6}t^3$$

$$\iff \frac{1}{4}(t^2 - 1) = \frac{1}{6}t \quad (t \neq 0 \text{ より})$$

$$\iff 3t^2 - 2t - 3 = 0$$

$$\iff t = \frac{1 \pm \sqrt{10}}{3}$$

$t > 1$ より,

$$t = \frac{1 + \sqrt{10}}{3}$$

このように共通な図形を補填して考えることが重要な場合もあります。

問題を見てやるべきこと

"漸化式を解く"問題は,与えられた漸化式に応じた変形の仕方があり,そのほとんどは $a_{n+1} = pa_n + q$ の形に帰着されます。ただし,すべてが解けるとは限りません。さまざまなタイプの漸化式の変形の手法を学んでおく必要がありますが,いくつか試してみてうまくいかないときには,数列の問題の基本アプローチである"具体的に書き並べてみて規則性を見出す"ということも大切です。

(1) 漸化式を変形して一般項を求める,という方法ではうまくいきません。このような場合は,与えられた漸化式に数値を代入して実際に書き並べる,という方法をとります。この方針に転換できれば,

2024
2023
2022
2021
2020
2019
2018
2017
2016
2015
2014
2013
2012
2011
2010

$$a_2 = \frac{2a_1}{1 - a_1{}^2} = \frac{2\left(\dfrac{1}{\sqrt{3}}\right)}{1 - \left(\dfrac{1}{\sqrt{3}}\right)^2} = \sqrt{3}$$

$$a_3 = \frac{2a_2}{1 - a_2{}^2} = \frac{2(\sqrt{3})}{1 - (\sqrt{3})^2} = -\sqrt{3}$$

$$a_4 = \frac{2a_3}{1 - a_3{}^2} = \frac{2(-\sqrt{3})}{1 - (-\sqrt{3})^2} = \sqrt{3}$$

と，a_2 以降は $\sqrt{3}$ と $-\sqrt{3}$ が交互に現れることがわかります。

(3) (1)で，"具体的に書き並べる"という方針をとりましたから，(3)でもそうしてみます。すると，

$$a_2 = \frac{2a_1}{1 - a_1{}^2} = \frac{2\tan\dfrac{\pi}{7}}{1 - \tan^2\dfrac{\pi}{7}}$$

となりますが，ここで tan の 2 倍角の公式を用いて $\dfrac{2\tan\dfrac{\pi}{7}}{1 - \tan^2\dfrac{\pi}{7}} = \tan\dfrac{2}{7}\pi$ とできるかどうかが最大のポイントとなります。これに気づけば，

$$a_3 = \frac{2a_2}{1 - a_2{}^2} = \frac{2\tan\dfrac{2}{7}\pi}{1 - \tan^2\dfrac{2}{7}\pi} = \tan\dfrac{4}{7}\pi$$

$$a_4 = \frac{2a_3}{1 - a_3{}^2} = \frac{2\tan\dfrac{4}{7}\pi}{1 - \tan^2\dfrac{4}{7}\pi} = \tan\dfrac{8}{7}\pi = \tan\dfrac{\pi}{7}$$

となって，ゴールは目前です。

解　答

(1)　$a_1 = \dfrac{1}{\sqrt{3}}$ のとき，与えられた漸化式より，

$$a_2 = \frac{2a_1}{1 - a_1{}^2} = \frac{2 \cdot \dfrac{1}{\sqrt{3}}}{1 - \left(\dfrac{1}{\sqrt{3}}\right)^2} = \sqrt{3}$$

$$a_3 = \frac{2a_2}{1 - a_2{}^2} = \frac{2\sqrt{3}}{1 - (\sqrt{3})^2} = -\sqrt{3}$$

$$a_4 = \frac{2a_3}{1 - a_3{}^2} = \frac{2(-\sqrt{3})}{1 - (-\sqrt{3})^2} = \sqrt{3}$$

以下，帰納的に，

$$a_n = \begin{cases} \dfrac{1}{\sqrt{3}} & (n = 1 \text{ のとき}) \\ \sqrt{3} & (n \text{ が偶数のとき}) \\ -\sqrt{3} & (n \text{ が 3 以上の奇数のとき}) \end{cases}$$

がわかるから，

$$\underline{a_{10} = \sqrt{3},\ a_{11} = -\sqrt{3}} \quad \text{}$$

(2)　tan の 2 倍角の公式 $\tan 2\theta = \dfrac{2\tan\theta}{1 - \tan^2\theta}$ に $\theta = \dfrac{\pi}{12}$ を代入して，

$$\tan\frac{\pi}{6} = \frac{2\tan\dfrac{\pi}{12}}{1 - \tan^2\dfrac{\pi}{12}}$$

$$\frac{1}{\sqrt{3}} = \frac{2\tan\dfrac{\pi}{12}}{1 - \tan^2\dfrac{\pi}{12}}$$

$$\tan^2\frac{\pi}{12} + 2\sqrt{3}\,\tan\frac{\pi}{12} - 1 = 0$$

$$\tan\frac{\pi}{12} = -\sqrt{3} \pm 2$$

$0 < \dfrac{\pi}{12} < \dfrac{\pi}{2}$ より, $\tan\dfrac{\pi}{12} > 0$ だから,

$$\underline{\underline{\tan\dfrac{\pi}{12} = 2 - \sqrt{3}}} \quad \boxed{答}$$

(3) $a_1 = \tan\dfrac{\pi}{7}$ のとき, 与えられた漸化式より,

$$a_2 = \dfrac{2a_1}{1 - a_1{}^2} = \dfrac{2\tan\dfrac{\pi}{7}}{1 - \tan^2\dfrac{\pi}{7}}$$

$\tan$ の2倍角の公式 $\tan 2\theta = \dfrac{2\tan\theta}{1 - \tan^2\theta}$ で $\theta = \dfrac{\pi}{7}$ として, $a_2 = \tan\dfrac{2}{7}\pi$ がわかる。

同様にして,

$$a_3 = \dfrac{2a_2}{1 - a_2{}^2} = \dfrac{2\tan\dfrac{2}{7}\pi}{1 - \tan^2\dfrac{2}{7}\pi} = \tan\dfrac{4}{7}\pi$$

$$a_4 = \dfrac{2a_3}{1 - a_3{}^2} = \dfrac{2\tan\dfrac{4}{7}\pi}{1 - \tan^2\dfrac{4}{7}\pi} = \tan\dfrac{8}{7}\pi$$

ここで, $f(\theta) = \tan\theta$ は $0 < \theta < \dfrac{\pi}{2}$ において単調増加関数だから,

$$\tan\dfrac{\pi}{7} < \tan\dfrac{2}{7}\pi$$

また, $f(\theta)$ は周期 π の周期関数だから,

$$\tan\dfrac{8}{7}\pi = \tan\dfrac{\pi}{7}$$

さらに, $\dfrac{\pi}{2} < \theta < \pi$ において, $f(\theta) < 0$ であるから,

$$\tan\dfrac{4}{7}\pi < 0$$

すなわち,

$$a_3 < 0 < a_1 < a_2, \ a_4 = a_1$$

である。

したがって，求める自然数 k は，

$\underline{k = 4}$

 **研　究**

⑵　⑶で，与えられた漸化式が tan の2倍角の公式の形をしていることに気づく必要がありましたので，本解説では tan の2倍角の公式から $\tan\dfrac{\pi}{12}$ を求める方法をとりましたが，単に $\tan\dfrac{\pi}{12}$ を求めるだけなら，他にも方法があります。

$$
\begin{aligned}
\tan\frac{\pi}{12} &= \tan\left(\frac{\pi}{3} - \frac{\pi}{4}\right) \\
&= \frac{\tan\dfrac{\pi}{3} - \tan\dfrac{\pi}{4}}{1 + \tan\dfrac{\pi}{3}\tan\dfrac{\pi}{4}} \quad (\text{tan の加法定理より}) \\
&= \frac{\sqrt{3} - 1}{1 + \sqrt{3}} \\
&= \frac{(\sqrt{3} - 1)^2}{(\sqrt{3} + 1)(\sqrt{3} - 1)} = \underline{2 - \sqrt{3}} \quad \text{答}
\end{aligned}
$$

また，右下図より，

$$\text{BD} : \text{DC} = \text{AB} : \text{AC} = \sqrt{3} : 2$$

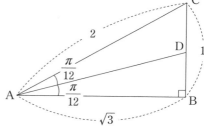

よって，

$$\text{BD} = 1 \times \frac{\sqrt{3}}{\sqrt{3} + 2} = \sqrt{3}\,(2 - \sqrt{3})$$

$$\tan\frac{\pi}{12} = \frac{\text{BD}}{\text{AB}} = \frac{\sqrt{3}\,(2 - \sqrt{3})}{\sqrt{3}} = \underline{2 - \sqrt{3}} \quad \text{答}$$

と図形的に求めることもできます。

(3) そもそも $\tan\dfrac{\pi}{7}$ の値を具体的に求めることはできませんし，もしできるなら，(2)の問題は "$\tan\dfrac{\pi}{7}$ の値を求めよ" となっているのが自然です。だとすれば，結局，"$a_k = a_1$" は "$\tan\square = \tan\dfrac{\pi}{7}$" と解釈することになり，$a_n$ は "$a_n = \tan\theta_n$" の形で書けることが推測されます。

いずれにしても，$\tan 2\theta = \dfrac{2\tan\theta}{1 - \tan^2\theta}$ を見出すことが最大の鍵で，試験会場でこれに気づくのは容易ではなかったかと思います。なお，$a_4 = a_1$ であることがわかっても，条件を満たす自然数 k で "最小" のものを答えなければなりませんから，

$$a_2 \neq a_1,\ a_3 \neq a_1$$

であることを示す必要があります。

③ 問題を見てやるべきこと

平面上の任意のベクトルは，一次独立な2つのベクトル（基底）を用いてただ1通りに表すことができ，これがベクトルの問題の基本になります。本問では，条件文を条件式に書き換え，始点を点 O に統一して，すなわち，たとえば $\overrightarrow{OB}$，$\overrightarrow{OC}$ を基底とみて式変形を行っていきます。あとは "$\vec{a} \perp \vec{b} \iff \vec{a} \cdot \vec{b} = 0$" であるとか，"ベクトルの絶対値（大きさ）は2乗してみる" などといったベクトルの基本動作が備わっていれば，特に図形的なひらめきのようなものは必要とされず，計算によって正解を導くことができます。

(1) "点 A が線分 OM の中点である" $\iff$ $\overrightarrow{OA} = \dfrac{1}{2}\overrightarrow{OM}$

であり，与えられた条件からただちにこれを示すことができます。

(2) △ABC は斜辺 BC の長さが2である直角三角形ですから，

$$\begin{cases} \overrightarrow{AB} \perp \overrightarrow{AC} \\ |\overrightarrow{BC}| = 2 \end{cases}$$

が成り立ちます。また，与えられた条件から，

$$4\overrightarrow{OA} - \overrightarrow{OB} - \overrightarrow{OC} = \vec{0}$$

です。これらの条件を〝始点を点 O に統一して，$\overrightarrow{OB}$ と $\overrightarrow{OC}$ の条件式に変形していく〟という方針で計算していきます。

(3) 与えられた条件式を，始点を点 O にして変形していきます。その際，前の小設問で得た結果を使うことがないかに注意して解答を進めます。

解　答

(1) **証　明**　点 M は辺 BC の中点であるから，

$$\overrightarrow{OM} = \frac{\overrightarrow{OB} + \overrightarrow{OC}}{2} \quad \cdots\cdots①$$

また，与えられた条件より，

$$4\overrightarrow{OA} - \overrightarrow{OB} - \overrightarrow{OC} = \vec{0}$$

$$\therefore \quad \overrightarrow{OA} = \frac{\overrightarrow{OB} + \overrightarrow{OC}}{4} \quad \cdots\cdots②$$

①，②より，

$$\overrightarrow{OA} = \frac{1}{2}\overrightarrow{OM}$$

よって，点 A は線分 OM の中点である。

(2) **証　明**　$\overrightarrow{OB} = \vec{b}$，$\overrightarrow{OC} = \vec{c}$ とおく。

△ABC は斜辺 BC の長さが 2 の直角三角形であるから，

$$\begin{cases} \overrightarrow{AB} \perp \overrightarrow{AC} & \cdots\cdots③ \\ |\overrightarrow{BC}| = 2 & \cdots\cdots④ \end{cases}$$

また，(1)の②より，

$$\overrightarrow{OA} = \frac{\vec{b} + \vec{c}}{4} \quad \cdots\cdots②'$$

ここで，

$$\overrightarrow{AB} = \overrightarrow{OB} - \overrightarrow{OA}$$
$$= \frac{1}{4}(3\vec{b} - \vec{c}) \quad (②'より)$$
$$\overrightarrow{AC} = \overrightarrow{OC} - \overrightarrow{OA}$$
$$= \frac{1}{4}(-\vec{b} + 3\vec{c}) \quad (②'より)$$
$$\overrightarrow{BC} = \overrightarrow{OC} - \overrightarrow{OB}$$
$$= -\vec{b} + \vec{c}$$

より，

$$③ \iff \overrightarrow{AB} \cdot \overrightarrow{AC} = 0$$

$$\iff \frac{1}{4}(3\vec{b} - \vec{c}) \cdot \frac{1}{4}(-\vec{b} + 3\vec{c}) = 0$$

$$\iff -3|\vec{b}|^2 + 10\vec{b} \cdot \vec{c} - 3|\vec{c}|^2 = 0 \quad \cdots\cdots ③'$$

$$④ \iff |\overrightarrow{BC}|^2 = 4$$

$$\iff |-\vec{b} + \vec{c}|^2 = 4$$

$$\iff |\vec{b}|^2 - 2\vec{b} \cdot \vec{c} + |\vec{c}|^2 = 4 \quad \cdots\cdots ④'$$

③′，④′より $\vec{b} \cdot \vec{c}$ を消去して，

$$|\vec{b}|^2 + |\vec{c}|^2 = 10 \quad \cdots\cdots ⑤$$

よって，$|\overrightarrow{OB}|^2 + |\overrightarrow{OC}|^2 = 10$ であることが示された。

(3) $4|\overrightarrow{PA}|^2 - |\overrightarrow{PB}|^2 - |\overrightarrow{PC}|^2 = -4$

$$\iff 4|\overrightarrow{OA} - \overrightarrow{OP}|^2 - |\overrightarrow{OB} - \overrightarrow{OP}|^2 - |\overrightarrow{OC} - \overrightarrow{OP}|^2 = -4$$

$$\iff 2|\overrightarrow{OP}|^2 - 2\overrightarrow{OP} \cdot (4\overrightarrow{OA} - \vec{b} - \vec{c}) + 4|\overrightarrow{OA}|^2 - |\vec{b}|^2 - |\vec{c}|^2 = -4$$

$$\left(\begin{array}{l} ②'より 4\overrightarrow{OA} - \vec{b} - \vec{c} = \vec{0} \\ ⑤より |\vec{b}|^2 + |\vec{c}|^2 = 10 \end{array} \right)$$

$$\iff 2|\overrightarrow{OP}|^2 + 4|\overrightarrow{OA}|^2 - 10 = -4$$

$$\iff |\overrightarrow{OP}|^2 = 3 - 2|\overrightarrow{OA}|^2$$

ここで，②′より，

$$|\overrightarrow{OA}| = \frac{1}{4}|\vec{b} + \vec{c}|$$

両辺を2乗して，

$$|\overrightarrow{OA}|^2 = \frac{1}{16}|\vec{b} + \vec{c}|^2 = \frac{1}{16}(|\vec{b}|^2 + 2\vec{b} \cdot \vec{c} + |\vec{c}|^2)$$

$$= \frac{1}{16}(10 + 2\vec{b} \cdot \vec{c}) \quad （⑤より）$$

⑤を④′に代入して，

$$\vec{b} \cdot \vec{c} = 3$$

であるから，$|\overrightarrow{OA}|^2 = \frac{1}{16}(10 + 6) = 1 \quad \therefore |\overrightarrow{OA}| = 1$

よって，$|\overrightarrow{OP}|^2 = 3 - 2|\overrightarrow{OA}|^2 = 3 - 2 = 1 \quad \therefore \underline{\underline{|\overrightarrow{OP}| = 1}}$ 答

 **研　究**

　図形的なひらめきを必要とせず計算だけで議論ができるのがベクトルの特徴
ですが，初等幾何の知識が少しでももちこめれば計算が少なくてすむのもまた
事実です。図を描いてみて，

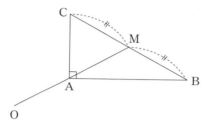

点 M が△ABC の外心であることに気がつけば，
$$|\overrightarrow{OA}| = |\overrightarrow{AM}| = |\overrightarrow{BM}| = 1$$
がわかります。
　$|\overrightarrow{OA}| = 1$ がわかっていると，たとえば(2)で，
$$\overrightarrow{AB} \cdot \overrightarrow{AC} = 0 \iff (\overrightarrow{OB} - \overrightarrow{OA}) \cdot (\overrightarrow{OC} - \overrightarrow{OA}) = 0$$
$$\iff \vec{b} \cdot \vec{c} - \overrightarrow{OA} \cdot (\vec{b} + \vec{c}) + |\overrightarrow{OA}|^2 = 0$$
$$\iff \vec{b} \cdot \vec{c} - 4|\overrightarrow{OA}|^2 + |\overrightarrow{OA}|^2 = 0$$
$$(②' より \vec{b} + \vec{c} = 4\overrightarrow{OA})$$
$$\iff \vec{b} \cdot \vec{c} = 3|\overrightarrow{OA}|^2 = 3$$
のように解説よりも手早く計算ができます。
　また，$|\overrightarrow{OM}| = 2$ がわかるので，△OBC で中線定理より，
$$|\overrightarrow{OB}|^2 + |\overrightarrow{OC}|^2 = 2(|\overrightarrow{OM}|^2 + |\overrightarrow{BM}|^2)$$
$$= 2(2^2 + 1^2)$$
$$= 10$$
とダイレクトに議論することもできます。

4

問題を見てやるべきこと

　確率・場合の数の問題に対しては，技巧的な解法が数多く存在しますが，一方でそれはその問題固有の解法であったりします。やはり，確率・場合の数の問題の基本は，表にまとめたり樹形図を描いたりといった古典的な作業を正確に行うことです。本問では，1回目と2回目の球の取り出し方を表にまとめてしまえば，ぐっと見通しがよくなりますし，また，自信をもって解き進めることができます。

(3)　1回目と2回目の球の取り出し方についての表を記し，2回の操作後，左端のカードの数字が1になるかどうかを判別すると，以下のようになります。

2回目 1回目	(1, 2)	(1, 3)	(1, 4)	(2, 3)	(2, 4)	(3, 4)
(1, 2)	○	×	×	×	×	×
(1, 3)	×	○	×	×	×	×
(1, 4)	×	×	○	×	×	×
(2, 3)	×	×	×	○	○	○
(2, 4)	×	×	×	○	○	○
(3, 4)	×	×	×	○	○	○

　＊　1，2の球を選ぶことを (1, 2) のように表記しています。

　1つひとつの作業はそれほど難しいものではありませんし，数箇所埋めると，規則性を見出すことができて一気にまとめることができます。ちなみに，答えは $\dfrac{12}{36} = \dfrac{1}{3}$ となります。

(4)　左端のカードの数字が k となる確率を $p(k)$　($k = 1, 2, 3, 4$) とすると，求める期待値 E は $E = \displaystyle\sum_{k=1}^{4} kp(k)$ となります。その際，$p(2)$, $p(3)$, $p(4)$ を求める必要がありますが，$p(2) = p(3) = p(4)$ であることに気づけば，全確率の和が1であることと(3)で得た $p(1)$ から，ただちに求めることができます。

　"確率の対等性"に注意を払うことは大変重要なことです。

解　答

(1)　4個の球が入っている袋から同時に2個の球を取り出すとき，その取り出し方は全部で $_4C_2$ 通りである。

　　カードが左から順に1, 2, 3, 4と並ぶのは，2回目の操作で1回目と同じ2個の球を選ぶ場合だから，

$$1 \times \frac{_2C_2}{_4C_2} = \frac{1}{6}$$ 答

(2)　カードが左から順に4, 3, 2, 1と並ぶのは，2回の操作で，1と4，2と3の球を1回ずつ取り出す場合で，取り出す順序も考慮して，

$$\frac{_2C_2}{_4C_2} \times \frac{_2C_2}{_4C_2} \times 2 = \frac{1}{18}$$ 答

(3)　(ⅰ)　1回目の操作で1の球を選ぶ場合

　　　　左端のカードの数字が1になるのは，2回目の操作で1回目と同じ2個の球を選ぶ場合だから，

$$\frac{1 \times {_3C_1}}{_4C_2} \times \frac{_2C_2}{_4C_2} = \frac{1}{12}$$

　(ⅱ)　1回目の操作で1の球を選ばない場合

　　　　左端のカードの数字が1になるのは，2回目の操作で，2, 3, 4の中から2個の球を選ぶ場合だから，

$$\frac{_3C_2}{_4C_2} \times \frac{_3C_2}{_4C_2} = \frac{1}{4}$$

　(ⅰ)，(ⅱ)は互いに排反であるので，

$$\frac{1}{12} + \frac{1}{4} = \frac{1}{3}$$ 答

(4)　左端のカードの数字が k となる確率を $p(k)$　$(k = 1, 2, 3, 4)$ とおくと，(3) より，

$$p(1) = \frac{1}{3}$$

また，対等性より $p(2) = p(3) = p(4)$ が成り立ち，
$p(1) + p(2) + p(3) + p(4) = 1$ だから，

$$p(2) = p(3) = p(4) = \frac{1}{3}\{1 - p(1)\} = \frac{2}{9}$$

よって，求める期待値は，

$$1 \times \frac{1}{3} + 2 \times \frac{2}{9} + 3 \times \frac{2}{9} + 4 \times \frac{2}{9} = \underline{\underline{\frac{7}{3}}} \quad \boxed{答}$$

 **研　究**

(4) $p(2)$ を直接求めてみましょう。

たとえば，1回目の操作で1と2の球を選んだとすると（以下 (1, 2) のように表記します），カードの並び方は，

1234 $\longrightarrow$ 2134

となります。左端のカードの数字が2になるためには，2回目の球の選び方は，(1, 3), (1, 4), (3, 4) であればよいことがすぐにわかります。これを表にまとめてしまえば，

1回目＼2回目	(1, 2)	(1, 3)	(1, 4)	(2, 3)	(2, 4)	(3, 4)
(1, 2)	×	○	○	×	×	○
(1, 3)	×	×	×	○	×	×
(1, 4)	×	×	×	×	○	×
(2, 3)	○	×	×	×	×	×
(2, 4)	○	×	×	×	×	×
(3, 4)	○	×	×	×	×	×

となり，

$$p(2) = \frac{8}{36} = \frac{2}{9}$$

と求めることが可能です。本解説のように“確率の対等性”から $p(2)$ をすぐに計算できるのは重要なことですが，すべての場合の数が比較的少ない場合は，このように表にまとめてしまうことも安全・確実で大切です。

理系学部

1

 問題を見てやるべきこと

(1)　$\triangle ABC$ は a と b の大小により，右のように，(ア)(イ)の2つの場合があります。

(ア)　$a \leqq b$ のとき

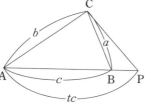

(イ)　$a > b$ のとき

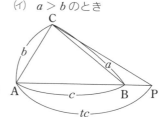

いずれの場合も，$\triangle ACP$ において，余弦定理を用いれば，

$$CP^2 = AC^2 + AP^2 - 2AC \cdot AP \cdot \cos \angle A \quad \cdots\cdots①$$

①において $\cos \angle A$ は，$\triangle ABC$ において余弦定理を用いれば，3辺の長さ a，b，c を用いて表すことができます。

(2)　(1)で得られた式において $CP^2 = a^2$ を代入すれば，

$$a^2 = c^2t^2 - (b^2 + c^2 - a^2)t + b^2 \text{ が得られます。}$$

これを t についての2次方程式 $c^2t^2 - (b^2 + c^2 - a^2)t + b^2 - a^2 = 0 \quad \cdots\cdots②$ と見ます。②を解く際に，解の公式を用いると，たいへん面倒です。(1)の(ア)(イ)の図において，P が B に一致するとき，つまり，$t = 1$ となるとき CP $= a$ となることに気づけば，$t = 1$ が②の解になることがわかり，容易に因数分解できます。② $\iff (t - 1)\{c^2t - (b^2 - a^2)\} = 0$

$t \geqq 0$ より $\begin{cases} \text{(ア)の場合}：a \leqq b \text{ のとき } t = 1, \dfrac{b^2 - a^2}{c^2} \\ \text{(イ)の場合}：a > b \text{ のとき } t = 1 \end{cases}$ と解を得ます。

(3) (2)より，点 P が辺 AB 上にちょうど 2 つ存在するとき，(2)の(ア)の場合で，

$t = 1, \dfrac{b^2 - a^2}{c^2}$ において，$1 \neq \dfrac{b^2 - a^2}{c^2}$ であることが条件になります。

$t = \dfrac{b^2 - a^2}{c^2} (\neq 1)$ が辺 AB 上ですので，$\dfrac{b^2 - a^2}{c^2} < 1$ が必要になります。

つまり，$\begin{cases} a \leqq b \\ \dfrac{b^2 - a^2}{c^2} < 1 \end{cases}$ が求める条件になります。

解 答

(1) △ACP において余弦定理により，

$$CP^2 = b^2 + (tc)^2 - 2 \cdot b \cdot (tc)\cos \angle A$$
$$= b^2 + t^2c^2 - 2bct \cdot \dfrac{b^2 + c^2 - a^2}{2bc}$$
$$\underline{= c^2t^2 - (b^2 + c^2 - a^2)t + b^2} \quad 答$$

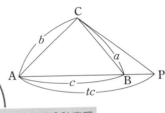

△ABC で余弦定理

(2) CP $= a$ を(1)の式に代入すると，

$$a^2 = c^2t^2 - (b^2 + c^2 - a^2)t + b^2$$
$$\Longleftrightarrow c^2t^2 - (b^2+c^2-a^2)t + (b^2-a^2) = 0$$
$$\Longleftrightarrow (t-1)\{c^2t - (b^2 - a^2)\} = 0$$

P が B に一致するとき CP $= a$ となりますので，$t = 1$ を明らかに解にもちます

$t \geqq 0$ より，$\begin{cases} (ア) \quad a \leqq b \text{ のとき} \quad t = 1, \dfrac{b^2 - a^2}{c^2} \\ (イ) \quad a > b \text{ のとき} \quad t = 1 \end{cases}$ 答

(ア) $a \leqq b$

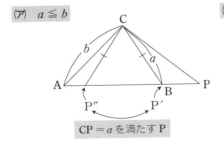

CP $= a$ を満たす P

(イ) $a > b$

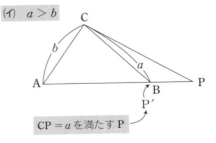

CP $= a$ を満たす P

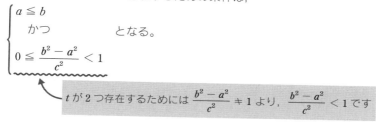

$$t = \frac{b^2 - a^2}{c^2} \geqq 0$$ より，$b \geqq a$ が条件となります。この場合が前ページの図の(ア)の場合です

(3) (2)の(ア)より，t の値が 2 つ存在するための条件は，

$$\begin{cases} a \leqq b \\ \qquad\qquad かつ \qquad\qquad となる。 \\ 0 \leqq \dfrac{b^2 - a^2}{c^2} < 1 \end{cases}$$

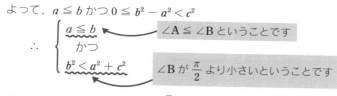

t が 2 つ存在するためには $\dfrac{b^2 - a^2}{c^2} \neq 1$ より，$\dfrac{b^2 - a^2}{c^2} < 1$ です

よって，$a \leqq b$ かつ $0 \leqq b^2 - a^2 < c^2$

$$\therefore \quad \begin{cases} \underline{a \leqq b} \\ \qquad かつ \\ \underline{b^2 < a^2 + c^2} \end{cases}$$

$\angle A \leqq \angle B$ ということです

$\angle B$ が $\dfrac{\pi}{2}$ より小さいということです

以上より，$0 < \angle A \leqq \angle B < \dfrac{\pi}{2}$ 答

 研　究

(1) △ABC の 3 辺の長さが a，b，c と与えられており，$AP = tc$ とおくように条件が与えられていますので，(1)の CP^2 を表す式は容易に得られます。

(2) $c^2 t^2 - (b^2 + c^2 - a^2)t + b^2 - a^2 = 0$ の 1 つの解が $t = 1$ であることに気づくことがポイントです。△ABC と△APC の図を描いていると，P が B に一致するときとして，$t = 1$ に，容易に気づくでしょう。

(3) △ABC において，$a \leqq b$ のとき，$\angle A \leqq \angle B$ としています。この設問においては，その証明は必要ありません。

しかし，一応，教科書にも載っている証明ですので，紹介しておきます。

○ 「△ABC において，$a > b$ ならば ∠A > ∠B」

証明 BC > AC より，辺 BC 上に

AC = DC となる点 D をとります。

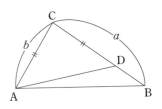

△CAD は二等辺三角形より，

∠CAD = ∠CDA

∠A = ∠CAD + ∠DAB より，

∠A > ∠CAD

よって，∠A > ∠CDA ……①

∠CDA = ∠B + ∠DAB より，∠CDA > ∠B ……②

①②より，∠A > ∠B

2

問題を見てやるべきこと

(1) サイコロを 2 回振る問題では，6×6 の表を活用するのが有効です。

1 回目のサイコロの目を x_1，

2 回目のサイコロの目を x_2

として，右の表に得点を示します。

$\begin{cases} 2 \text{点} \sim 1 \text{か所}, 3 \text{点} \sim 2 \text{か所}, 4 \text{点} \sim 3 \text{か所} \\ 5 \text{点} \sim 4 \text{か所}, 6 \text{点} \sim 5 \text{か所} \end{cases}$

より，期待値を計算すると，$\dfrac{35}{18}$ となります。

x_1 \ x_2	1	2	3	4	5	6
1	2	3	4	5	6	0
2	3	4	5	6	0	0
3	4	5	6	0	0	0
4	5	6	0	0	0	0
5	6	0	0	0	0	0
6	0	0	0	0	0	0

(2) (1)の表の最下段が $\boxed{6\,|\,0\,|\,0\,|\,0\,|\,0\,|\,0}$ → $\boxed{6\,|\,6\,|\,6\,|\,6\,|\,6\,|\,6}$ と変わり

ます。他は変化しません。(1)の期待値 $+ \dfrac{1}{6} \times 6 = \dfrac{35}{18} + \dfrac{18}{18} = \dfrac{53}{18}$ です。

(3) (1)(2)の流れで考えましょう。

(1)の「常にサイコロを 2 回振る」を

① 「1 回目の目が 6 以下のときに，2 回目を振る」と考え，これを $E(6)$ と表す

と，(1)より $E(6) = \dfrac{35}{18} = \dfrac{70}{36}$

(2)の「最初の目が 6 のときだけ，2 回目を振らない」を

② 「1 回目の目が 5 以下のときに，2 回目を振る」と考え，(2)より，

$$E(5) = \frac{53}{18} = \frac{106}{36}$$

以下，

③ 「1 回目の目が 4 以下のときに，2 回目を振る」場合
④ 「1 回目の目が 3 以下のときに，2 回目を振る」場合
⑤ 「1 回目の目が 2 以下のときに，2 回目を振る」場合
⑥ 「1 回目の目が 1 以下のときに，2 回目を振る」場合
⑦常に 2 回目を振らない場合を $E(0)$ として考えます。

解　答

(1) $\begin{cases} 1 \text{ 回目のサイコロの目を } x_1 \\ 2 \text{ 回目のサイコロの目を } x_2 \end{cases}$

として右の表に得点を示す。

36 個の各マスの確率は各々

$\dfrac{1}{6^2} = \dfrac{1}{36}$ より，常に 2 回振るときの

期待値は，

x_1＼x_2	1	2	3	4	5	6
1	2	3	4	5	6	0
2	3	4	5	6	0	0
3	4	5	6	0	0	0
4	5	6	0	0	0	0
5	6	0	0	0	0	0
6	0	0	0	0	0	0

$$\frac{1}{36} \times (2 \cdot 1 + 3 \cdot 2 + 4 \cdot 3 + 5 \cdot 4 + 6 \cdot 5) = \frac{70}{36} = \frac{35}{18} \quad \text{答}$$

(2) (1)の表の一番下の段の 6 0 0 0 0 0 が 6 6 6 6 6 6 となるので，

(1)の期待値 $+ \dfrac{1}{6} \times 6 = \dfrac{35}{18} + \dfrac{18}{18} = \dfrac{53}{18}$ 　答

(3) (1)は1回目の目が「6以下」のときに2回目を振り，(2)は1回目の目が「5以下」のとき2回目を振りますので，この流れで「4以下」「3以下」「2以下」「1以下」「0以下（2回目を振らない）」と調べます

1回目の目が k ($k = 1, 2, \cdots, 6$) 以下のときだけ2回目を振るものとして，その期待値を $E(k)$ とする。

$$E(6) = \frac{35}{18} = \frac{70}{36} \quad \cdots\cdots(1), \quad E(5) = \frac{53}{18} = \frac{106}{36} \quad \cdots\cdots(2)$$

〈$E(4)$ 以降は，$E(6)$ との差を求めていく〉

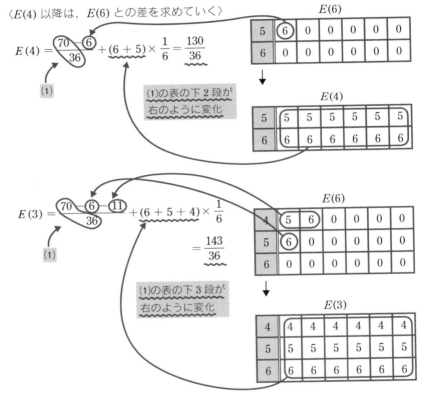

同様にして，$E(2) = \dfrac{70 - 6 - 11 - 15}{36} + (6 + 5 + 4 + 3) \times \dfrac{1}{6} = \dfrac{146}{36}$

$$E(1) = \frac{70 - 6 - 11 - 15 - 18}{36} + (6 + 5 + 4 + 3 + 2) \times \frac{1}{6} = \frac{140}{36}$$

$$E(0) = (6 + 5 + 4 + 3 + 2 + 1) \times \frac{1}{6} = \frac{126}{36}$$

常に2回目を振らない場合

以上より，$E(2)$ が最大となる。

つまり，最初の目が1または2のときだけ，2回目を振るとよい。

 研　究

(1)　サイコロを2回投げる操作の問題で，6×6の表を活用すべき出題は，2013年度の ③ でも見られます。

(2)　(1)の表を利用することで，容易に正解にたどりつきます。

(3)　$E(4) \sim E(1)$ の計算は，$E(6)$ との差を考えずに，(1)の表から直接，

$$E(4) = \frac{2 \times 1 + 3 \times 2 + 4 \times 3 + 5 \times 4 + 6 \times 4}{36} + \frac{1}{6} \times (5 + 6) = \frac{130}{36}$$

$$E(3) = \frac{2 \times 1 + 3 \times 2 + 4 \times 3 + 5 \times 3 + 6 \times 3}{36} + \frac{1}{6} \times (4 + 5 + 6) = \frac{143}{36}$$

$$E(2) = \frac{2 \times 1 + 3 \times 2 + 4 \times 2 + 5 \times 2 + 6 \times 2}{36} + \frac{1}{6} \times (3 + 4 + 5 + 6) = \frac{146}{36}$$

$$E(1) = \frac{2 \times 1 + 3 \times 1 + 4 \times 1 + 5 \times 1 + 6 \times 1}{36} + \frac{1}{6} \times (2 + 3 + 4 + 5 + 6) = \frac{140}{36}$$

と計算しても求められます。

(3)　**別　解**

最初の目が k $(k = 1, 2, \cdots, 6)$ とします。

ここで，2回目を振ったとき，考えられる得点は，

$k + 1$, $k + 2$, $\cdots$, 6, 0, $\cdots$, 0 となります。

この平均は，

$$\frac{1}{6} \underbrace{\{(k + 1) + (k + 2) + \cdots + 6\}}_{6 - (k + 1) + 1 \text{ より } (6 - k) \text{項}} = \frac{1}{6} \cdot \frac{1}{2} \cdot (k + 7)(6 - k) = \frac{1}{12}(6 - k)(k + 7)$$

$\cdots\cdots$①

$k = 6$ のとき，2回目を振ると，0点により，①は $k = 6$ のときも成立します。

①と，最初の目が k で2回目を振らない場合の得点 k との差をとり，

$$\frac{1}{12}(6 - k)(k + 7) - k = \frac{1}{12}\{42 - k(k + 13)\} = f(k) \text{ とおくと，}$$

$f(1) > f(2) > 0 > f(3) > f(4) > f(5) > f(6)$ より，

最初の目が1または2のときに2回目を振るとよいことがわかります。

問題を見てやるべきこと

③

(1)(2)　$y = \dfrac{1}{x^2}$,　$y' = -\dfrac{2}{x^3}$

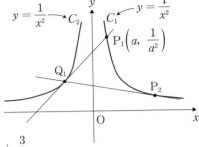

より，グラフの概形を描きます。

C_1 は第 1 象限なので，$a > 0$

点 $Q_1\left(t,\ \dfrac{1}{t^2}\right)$ とおくと，点 Q_1 に

おける接線は，

$$y - \dfrac{1}{t^2} = -\dfrac{2}{t^3}(x - t) \iff y = -\dfrac{2}{t^3}x + \dfrac{3}{t^2}$$

となります。

この直線の上に点 $P_1\left(a,\ \dfrac{1}{a^2}\right)$ がありますので，これを代入して，t の値を

求めます。

$$\underline{P_1\left(a,\ \dfrac{1}{a^2}\right) \to Q_1\left(-2a,\ \dfrac{1}{(-2a)^2}\right)}$$

$$\underline{Q_1\left(-2a,\ \dfrac{1}{4a^2}\right) \to P_2\left(-2(-2a),\ \dfrac{1}{4(-2a)^2}\right)}$$

$P_2\left(4a,\ \dfrac{1}{16a^2}\right)$ ですので，

> P_1 から Q_1 を求める手順と，Q_1 から P_2 を求める手順は同じですので，Q_1 の x, y 座標で a の代わりに，$-2a$ を代入して求めます

$$\begin{cases} \overrightarrow{Q_1P_1} = \overrightarrow{OP_1} - \overrightarrow{OQ_1} = \left(3a,\ \dfrac{3}{4a^2}\right) \\[2mm] \overrightarrow{Q_1P_2} = \overrightarrow{OP_2} - \overrightarrow{OQ_1} = \left(6a,\ -\dfrac{3}{16a^2}\right) \end{cases}$$ が求まります。

(3)　(2)と同様の手順により，P_1, P_2 の x 座標が，$a \to 4a$ ですので，P_n の x 座標は，初項 a，公比 4 の等比数列として表せます。

(4)　(3)で $S_n = \dfrac{81}{32a}\left(\dfrac{1}{4}\right)^{n-1}$ と求まりましたので，$\displaystyle\sum_{n=1}^{\infty} S_n$ は初項 $\dfrac{81}{32a}$，公比 $\dfrac{1}{4}$

の無限等比級数として求めることができます。

解　答

(1)　$y = \dfrac{1}{x^2}$ より,

$$y' = (x^{-2})' = -2x^{-3} = -\dfrac{2}{x^3}$$

$Q_1\left(t, \dfrac{1}{t^2}\right)$ とおくと, 点 Q_1 における

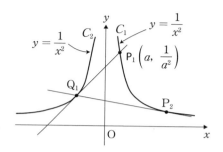

接線は,　$y = -\dfrac{2}{t^3}(x - t) + \dfrac{1}{t^2}$

$\iff y = -\dfrac{2}{t^3}x + \dfrac{3}{t^2}$

これが点 $P_1\left(a, \dfrac{1}{a^2}\right)$ を通るので,

$$\dfrac{1}{a^2} = -\dfrac{2}{t^3}a + \dfrac{3}{t^2} \iff t^3 - 3a^2t + 2a^3 = 0$$

$$\iff (t - a)^2(t + 2a) = 0$$

$\therefore\quad t = a,\ -2a$　P_1 は第 1 象限なので $a > 0$ で,

$\underset{\sim\sim\sim\sim\sim}{t < 0}$ より $t = -2a$

Q₁ は第 2 象限です

$\therefore\quad \underline{Q_1\left(-2a, \dfrac{1}{4a^2}\right)}$ 答

(2)　C_1, C_2 はともに $y = \dfrac{1}{x^2}$ と同じ式なので, Q_1 から P_2 を求める計算は, P_1

から Q_1 を求めたのと同じ計算手順になる。よって, Q_1 の x, y 座標において, a を $-2a$ と置き換えて,

$$P_1\left(a, \dfrac{1}{a^2}\right) \to Q_1\left(-2a, \dfrac{1}{4a^2}\right) \to P_2\left(-2(-2a), \dfrac{1}{4(-2a)^2}\right) = P_2\left(4a, \dfrac{1}{16a^2}\right)$$

となる。

$$\begin{cases} \overrightarrow{Q_1P_1} = \overrightarrow{OP_1} - \overrightarrow{OQ_1} = \left(3a, \dfrac{3}{4a^2}\right) \\[2mm] \overrightarrow{Q_1P_2} = \overrightarrow{OP_2} - \overrightarrow{OQ_1} = \left(6a, -\dfrac{3}{16a^2}\right) \end{cases}$$

P_1 は第 1 象限ですので, $a > 0$

$\therefore\quad S_1 = \dfrac{1}{2}\left|6a \cdot \dfrac{3}{4a^2} - 3a\left(-\dfrac{3}{16a^2}\right)\right| = \underline{\dfrac{81}{32a}}$ 答

(3) (2)と同様に，「P_n から Q_n を求める手続き」も「Q_n から P_{n+1} を求める手続き」も同様なので，P_n の x 座標を a_n とおくと，

$$Q_n \text{ の } x \text{ 座標は } -2a_n \text{ となり，}$$

$$P_{n+1} \text{ の } x \text{ 座標は} -2(-2a_n) = 4a_n$$

となる。

$a_1 = a$，$a_{n+1} = 4a_n$ より，数列 $\{a_n\}$ は初項 a，公比 4 の等比数列なので，

$$a_n = a \cdot 4^{n-1}$$

(2)より，$S_n = \dfrac{81}{32a_n} = \dfrac{81}{32(a \cdot 4^{n-1})} = \dfrac{81}{32a} \cdot \left(\dfrac{1}{4}\right)^{n-1}$ **答**

(4) $\displaystyle\sum_{n=1}^{\infty} S_n = \sum_{n=1}^{\infty} \dfrac{81}{32a} \cdot \left(\dfrac{1}{4}\right)^{n-1}$ ←── 初項 $\dfrac{81}{32a}$，公比 $\dfrac{1}{4}$ の無限等比級数です

公比 $\left|\dfrac{1}{4}\right| < 1$ より，この無限等比級数は収束する。

よって，$\displaystyle\sum_{n=1}^{\infty} S_n = \dfrac{\dfrac{81}{32a}}{1 - \dfrac{1}{4}} = \dfrac{27}{8a}$ **答** ←── 収束するとき無限等比級数の和は，$|r| < 1$ のもとで $\displaystyle\sum_{n=1}^{\infty} ar^{n-1} = \dfrac{a}{1-r}$

 研　究

1992 年度に，本問同様に順次，接点を求める出題があります。良問ですので，学習しておきましょう。

> **問**　3 次曲線 $C : y = x^3 + 9x^2 + 9x + 2$ 上に点 $P_0(x_0,\ y_0)$ をとる。ただし，$x_0 > 0$ とする。さらに自然数 n に対して，C 上の点 $P_n(x_n,\ y_n)$ を「P_{n-1} を通る直線が点 $P_n (\neq P_{n-1})$ で C と接する」ように定める。このとき，次の問いに答えよ。
>
> (1)　$n > 0$ のとき，関係式 $2x_n + x_{n-1} + 9 = 0$ が成り立つことを示せ。
>
> (2)　x_n を x_0 で表せ。
>
> (3)　点 P_n は n を大きくすると C 上の定点に近づくことを示し，その定点を求めよ。

解

(1) **証　明**

$$C : y = x^3 + 9x^2 + 9x + 2 \quad \cdots\cdots①$$
$$y' = 3x^2 + 18x + 9$$

①上の $P_n(x_n, \ x_n^3 + 9x_n^2 + 9x_n + 2)$ におけ
る接線の方程式は,

$$y - (x_n^3 + 9x_n^2 + 9x_n + 2)$$
$$= (3x_n^2 + 18x_n + 9)(x - x_n)$$
$$\therefore \quad y = 3(x_n^2 + 6x_n + 3)x$$
$$\qquad - 2x_n^3 - 9x_n^2 + 2 \quad \cdots\cdots②$$

①②を連立させて,

$$x^3 + 9x^2 + 9x + 2 = 3(x_n^2 + 6x_n + 3)x - 2x_n^3 - 9x_n^2 + 2$$
$$\therefore \quad x^3 + 9x^2 - 3(x_n^2 + 6x_n)x + x_n^2(2x_n + 9) = 0$$
$$\therefore \quad (x - x_n)^2\{x + (2x_n + 9)\} = 0$$

$P_n \neq P_{n-1}$ より $x \neq x_n$

接線は①と P_{n-1} で交わるので, $x = x_{n-1} = -2x_n - 9$
$$\therefore \quad 2x_n + x_{n-1} + 9 = 0$$

(2) (1)より $2x_n + x_{n-1} + 9 = 0$

$$x_n = -\frac{1}{2}x_{n-1} - \frac{9}{2}$$

$\alpha = -\dfrac{1}{2}\alpha - \dfrac{9}{2}$ とおくと, $\alpha = -3$

$$\therefore \quad (x_n + 3) = -\frac{1}{2}(x_{n-1} + 3)$$

したがって, 数列 $\{x_n + 3\}$ は初項 $(x_0 + 3)$, 公比 $-\dfrac{1}{2}$ の等比数列

よって, $x_n + 3 = \left(-\dfrac{1}{2}\right)^n (x_0 + 3)$

$$\therefore \quad \underline{x_n = \left(-\frac{1}{2}\right)^n (x_0 + 3) - 3} \quad \boxed{答}$$

(3) $\displaystyle \lim_{n \to \infty} x_n = \lim_{n \to \infty}\left\{\left(-\frac{1}{2}\right)^n (x_0 + 3) - 3\right\} = -3$

$$\lim_{n \to \infty} y_n = (-3)^3 + 9(-3)^2 + 9(-3) + 2 = 29$$

以上より, 定点 $\underline{(-3, \ 29)}$

（図中のラベル） C　①　②　P_{n-1}　P_n　P_{n+1}

補 足

(2)の三角形の面積の公式ですが，九大では頻出ですので，証明も含めてマスターしておきましょう。

$$\triangle \text{OAB} = \frac{1}{2} |\vec{a}||\vec{b}|\sin\theta = \frac{1}{2}|\vec{a}||\vec{b}|\sqrt{1 - \cos^2\theta}$$

$$= \frac{1}{2}|\vec{a}||\vec{b}|\sqrt{1 - \frac{(\vec{a}\cdot\vec{b})^2}{|\vec{a}|^2|\vec{b}|^2}} = \frac{1}{2}\sqrt{|\vec{a}|^2|\vec{b}|^2 - (\vec{a}\cdot\vec{b})^2}$$

これもよく出題されます

$$= \frac{1}{2}\sqrt{(a_1{}^2 + a_2{}^2)(b_1{}^2 + b_2{}^2) - (a_1b_1 + a_2b_2)^2} = \frac{1}{2}\sqrt{a_1{}^2b_2{}^2 + a_2{}^2b_1{}^2 - 2a_1a_2b_1b_2}$$

$$= \frac{1}{2}|a_1b_2 - a_2b_1|$$

4

問題を見てやるべきこと

(1)　円が角 t だけ回転した とき，円の中心を Q とする と，Q の x 座標は角 t の弧 の長さ分移動するので，

$$(0,\ a) \to (at,\ a)$$

x 軸との接点を $T(at,\ 0)$ とします。

$\overrightarrow{OP} = \overrightarrow{OQ} + \overrightarrow{QP}$ により，$\overrightarrow{QP}$ を求めます。

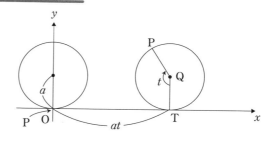

点 P の角は，点 Q を中心に x 軸 の正の向きから，反時計回りに測り ますので，右図のように動径 PQ の

角は $-\dfrac{\pi}{2} - t$ です。

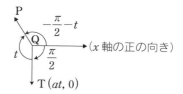

(2)　(1)より，$\begin{cases} x = a(t - \sin t) \\ y = a(1 - \cos t) \end{cases}$ において，

$\begin{cases} t = 0 \text{ のとき } (0,\ 0) \\ t = \pi \text{ のとき } (\pi a,\ 2a) \\ t = 2\pi \text{ のとき } (2\pi a,\ 0) \end{cases}$

さらに，$y = a(1 - \cos t) \geqq 0$

$$\dfrac{dx}{dt} = a(1 - \cos t) \geqq 0$$

より，点 P の描く C の概形は上図です。

(3)　曲線の長さ L は

$$L = \int_0^{2\pi} \sqrt{\left(\dfrac{dx}{dt}\right)^2 + \left(\dfrac{dy}{dt}\right)^2}\, dt \text{ で求められますので，}$$

$$\dfrac{dx}{dt} = a(1 - \cos t),\ \dfrac{dy}{dt} = a \sin t \text{ を上式に代入します。}$$

解　答

(1) 回転後の円の中心を Q，円と x 軸の接点を T とする。

$OT = \overparen{TP} = at$ より，

$\overrightarrow{OQ} = (at, a)$ となる。

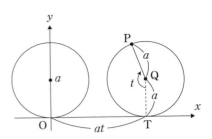

P は x 軸の正の方向から，

$-\dfrac{\pi}{2} - t$ 回転した位置により，

$$\overrightarrow{QP} = \left(a\cos\left(-\dfrac{\pi}{2} - t\right), a\sin\left(-\dfrac{\pi}{2} - t\right)\right)$$

$$= (-a\sin t, -a\cos t)$$

$$\therefore\quad \overrightarrow{OP} = \overrightarrow{OQ} + \overrightarrow{QP} = (at - a\sin t, a - a\cos t)$$

$$= (a(t - \sin t), a(1 - \cos t))$$

よって，$\underline{P(a(t - \sin t), a(1 - \cos t))}$ 答

(2) (1)より曲線 C は $\begin{cases} x = a(t - \sin t) \\ y = a(1 - \cos t) \end{cases}$ $(0 \le t \le 2\pi)$

と表せる。

$$\dfrac{dx}{dt} = a(1 - \cos t) \ge 0,\quad y = a(1 - \cos t) \ge 0$$

$y = 0$ のとき，$t = 0,\ 2\pi$ より，右図を得る。

図：$t = \pi$ のとき $(\pi a, 2a)$，$t = 2\pi$，$t = 0$

面積 $S = \displaystyle\int_0^{2\pi a} y\,dx = \int_0^{2\pi} a(1 - \cos t)\cdot a(1 - \cos t)\,dt = \int_0^{2\pi} a^2(1 - 2\cos t + \cos^2 t)\,dt$

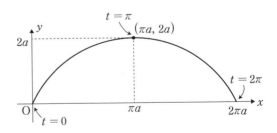

$y = a(1 - \cos t)$ と t で表されていますので，$x = a(t - \sin t)$ より，$\dfrac{dx}{dt} = a(1 - \cos t)$ と置換します

$$= a^2 \int_0^{2\pi} \left(1 - 2\cos t + \frac{\cos 2t + 1}{2}\right) dt = \frac{a^2}{2} \int_0^{2\pi} (3 - 4\cos t + \cos 2t) dt$$

$$= \frac{a^2}{2}\left[3t - 4\sin t + \frac{\sin 2t}{2}\right]_0^{2\pi} = \underline{\underline{3\pi a^2}} \quad \boxed{答}$$

(3)　曲線の長さ

$$L = \int_0^{2\pi} \sqrt{\left(\frac{dx}{dt}\right)^2 + \left(\frac{dy}{dt}\right)^2}\, dt = \int_0^{2\pi} \sqrt{\{a(1-\cos t)\}^2 + (a\sin t)^2}\, dt$$

$$= a\int_0^{2\pi} \sqrt{1 - 2\cos t + \cos^2 t + \sin^2 t}\, dt = a\int_0^{2\pi} \sqrt{2(1-\cos t)}\, dt \qquad \frac{dy}{dt} = a\sin t$$

$$= a\int_0^{2\pi} \sqrt{4\sin^2 \frac{t}{2}}\, dt = 2a\int_0^{2\pi} \left|\sin\frac{t}{2}\right| dt = 2a\left[-2\cos\frac{t}{2}\right]_0^{2\pi} = \underline{\underline{8a}} \quad \boxed{答}$$

$$0 \le \frac{t}{2} \le \pi \text{ より } \sin\frac{t}{2} \ge 0$$

 研　究

　(1)の動く円上の定点 P の座標の計算は，多くの受験生が苦手とするところです。動く円の中心を Q とし，$\overrightarrow{OP} = \overrightarrow{OQ} + \overrightarrow{QP}$ のベクトル計算をしますが，$\overrightarrow{QP}$ の回転角を求めるのが，むずかしいです。

☆曲線 $x = f(t)$, $y = g(t)$ $(\alpha \le t \le \beta)$ の長さ L は，

$$\Delta L \fallingdotseq \sqrt{(\Delta x)^2 + (\Delta y)^2}$$

$$L = \int_\alpha^\beta \sqrt{\left(\frac{dx}{dt}\right)^2 + \left(\frac{dy}{dt}\right)^2}\, dt = \int_\alpha^\beta \sqrt{\{f'(t)\}^2 + \{g'(t)\}^2}\, dt$$

です。

　本問の円は x 軸上を転がりますが，2000 年度後期・2006 年度後期に，各々，円の外側・内側を転がる出題があります。2000 年度の問題の改題を紹介します。

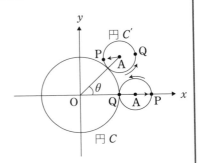

問 図のように，座標平面上に原点を中心とする半径 1 の円 C と，中心 A が x 軸の正の部分にある円 C' があり，C と C' は外接している。P，Q を C' の円周上の点として，はじめ Q は C との接点の位置に，P は C' と x 軸のもう一方の交点の位置にあるとする。

いま C' が，C と接しながらすべらずに，A がはじめて y 軸に達するまで反時計回りに回転する。この間，点 P は一度だけ C の円周と接して最後に $\overrightarrow{AP}$ がはじめと同じベクトルとなった。

(1) 円 C' の半径 r を求めよ。

(2) OA と x 軸のなす角が θ であるときの点 P の座標を θ で表せ。

(3) P が，最初の位置から，はじめて C の円周に接するまでに描く軌跡と，C の円周および x 軸で囲まれる領域の面積を求めよ。

解

(1) 回転前の点 P，Q の位置を P_0，Q_0，最後の位置を P_1，Q_1 とする。

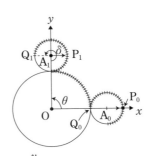

$\overrightarrow{A_1 P_1} = \overrightarrow{A_0 P_0}$ から右図より，$\theta = \dfrac{\pi}{2}$，$\delta = \dfrac{3}{2}\pi$

C と C' のおうぎ形の弧の長さは等しく，

$1 \cdot \theta = r \cdot \delta$ が成立するので，

$$1 \cdot \frac{\pi}{2} = r \cdot \frac{3}{2}\pi \text{ より } r = \frac{1}{3} \enspace \boxed{答}$$

(2) (1)より，$1 \cdot \theta = \dfrac{1}{3} \cdot \delta$ $\therefore$ $\delta = 3\theta$

$$|\overrightarrow{OA_0}| = 1 + r = \frac{4}{3}$$

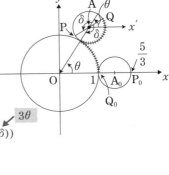

右図より
$$\begin{cases} \overrightarrow{OA} = \dfrac{4}{3}(\cos\theta,\ \sin\theta) \\[2mm] \overrightarrow{AP} = \dfrac{1}{3}(\cos(\theta + \delta),\ \sin(\theta + \delta)) \end{cases}$$

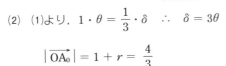

$$= \frac{1}{3}(\cos 4\theta,\ \sin 4\theta)$$

$$\therefore \quad \overrightarrow{OP} = \overrightarrow{OA} + \overrightarrow{AP}$$

$$= \left(\frac{1}{3}(4\cos\theta + \cos 4\theta),\ \frac{1}{3}(4\sin\theta + \sin 4\theta) \right)$$

P の座標 $\left(\dfrac{1}{3}(4\cos\theta + \cos 4\theta),\ \dfrac{1}{3}(4\sin\theta + \sin 4\theta) \right)$ **答**

点 P が円 C の円周に接するとき $\delta = \pi$

(3) $\delta = \pi$ のとき，つまり $3\theta = \pi$，$\theta = \dfrac{\pi}{3}$ のときを考える。

$$\frac{dx}{d\theta} = -\frac{4}{3}(\sin\theta + \sin 4\theta)$$

$$= -\frac{4}{3}\left\{ \sin\left(\frac{5}{2}\theta - \frac{3}{2}\theta \right) + \sin\left(\frac{5}{2}\theta + \frac{3}{2}\theta \right) \right\}$$

$$= -\frac{8}{3}\sin\frac{5}{2}\theta\cos\frac{3}{2}\theta \leqq 0$$

$$S = \int_{\frac{1}{2}}^{\frac{5}{3}} y\,dx + \triangle\text{OHP}' - \text{おうぎ形 OQ}_0\text{P}' \quad \cdots\cdots\text{Ⓐ}$$

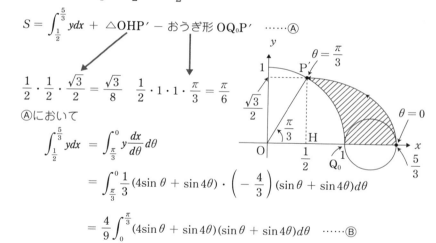

$$\frac{1}{2}\cdot\frac{1}{2}\cdot\frac{\sqrt{3}}{2} = \frac{\sqrt{3}}{8} \qquad \frac{1}{2}\cdot 1\cdot 1\cdot\frac{\pi}{3} = \frac{\pi}{6}$$

Ⓐにおいて

$$\int_{\frac{1}{2}}^{\frac{5}{3}} y\,dx = \int_{\frac{\pi}{3}}^{0} y\frac{dx}{d\theta}\,d\theta$$

$$= \int_{\frac{\pi}{3}}^{0} \frac{1}{3}(4\sin\theta + \sin 4\theta)\cdot\left(-\frac{4}{3} \right)(\sin\theta + \sin 4\theta)\,d\theta$$

$$= \frac{4}{9}\int_{0}^{\frac{\pi}{3}} (4\sin\theta + \sin 4\theta)(\sin\theta + \sin 4\theta)\,d\theta \quad \cdots\cdots\text{Ⓑ}$$

Ⓑにおいて，$2(4\sin\theta + \sin 4\theta)(\sin\theta + \sin 4\theta)$

$$= 8\sin^2\theta + 2\sin^2 4\theta + 10\sin\theta\sin 4\theta$$

$$= 4(1 - \cos 2\theta) + 1 - \cos 8\theta - 5(\cos 5\theta - \cos 3\theta)$$

$$= 5 - 4\cos 2\theta + 5\cos 3\theta - 5\cos 5\theta - \cos 8\theta$$

Ⓑに代入し，$\displaystyle\int_{\frac{1}{2}}^{\frac{5}{3}} y\,dx = \frac{2}{9}\left[5\theta - 2\sin 2\theta + \frac{5}{3}\sin 3\theta - \sin 5\theta - \frac{1}{8}\sin 8\theta \right]_{0}^{\frac{\pi}{3}}$

$$= \frac{10}{27}\pi - \frac{\sqrt{3}}{8}$$

これを(A)に代入して,

$$S = \frac{10}{27}\pi - \frac{\sqrt{3}}{8} + \frac{\sqrt{3}}{8} - \frac{\pi}{6} = \frac{11}{54}\pi$$ **答**

5 （旧課程内容のため割愛しました）

文系学部

1

問題を見てやるべきこと

解　答

理系学部 1 （p.561）に同じ。

2

問題を見てやるべきこと

解　答

理系学部 2 （p.564）に同じ。

3

問題を見てやるべきこと

まずは，図を正確に描くことから始めましょう。

単位円周上の点は，必ず $(\cos\square, \sin\square)$ と表すことができますから，その表示を考える場合は，x 軸正方向とのなす角を求めます。"M(x_0, y_0) とおく"などと座標を適当において解きはじめると，(1)から泥沼にはまってしまいます。

"x 軸の正方向とのなす角"という意識があれば，$\angle BOM = 2\theta$ であることに気づくのはそれほど難しくありません。また，点 N の座標についても，"NM = MB"を長さの条件ととらえるのではなく，"$\angle BOM = \angle MON$"と角度の条件としてとらえられるかがポイントです。

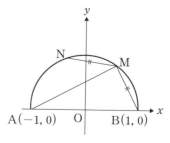

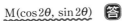

(1)　∠AMB = 90° であるから，

　　　MB = AB sin θ

　　　　　= 2sinθ 答

　また，△OAM は二等辺三角形であるから，

　∠OAM = ∠OMA，∠BOM = 2θ で，

　　　M(cos2θ, sin2θ) 答

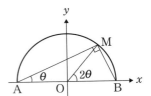

(2)　NM = MB より∠BOM = ∠MON = 2θ

　すなわち，∠BON = 4θ であり，

　　　N(cos4θ, sin4θ)

　よって，P(cos4θ, 0)

　　　∴　PB = 1 − cos4θ 答

(3)　$t = \sin\theta$ とおくとき，(1)，(2)より

　　　MB = 2sin θ = 2t

　　　PB = 1 − cos4θ

　　　　　= 1 − (1 − 2sin²2θ)

　　　　　= 2sin²2θ

　　　　　= 2(2sin θ cos θ)²

　　　　　= 8sin²θ cos²θ

　　　　　= 8sin²θ(1 − sin²θ)

　　　　　= 8t²(1 − t²)

であるから，

　　　MB = PB　⟺　2t = 8t²(1 − t²)

　　　　　　　　　⟺　4t⁴ − 4t² + t = 0

　ここで，2 点 M, N は C 上の点であるから，

　　　0 < 4θ ≦ π

　　　0 < θ ≦ $\dfrac{\pi}{4}$

　　　∴　0 < t ≦ $\dfrac{1}{\sqrt{2}}$

よって，4t⁴ − 4t² + t = 0 の両辺を t で割って

　　　MB = PB　⟺　4t³ − 4t + 1 = 0 答

(4)　**証　明**　点 M と ∠MAB $= \theta \left(0 < \theta \leqq \dfrac{\pi}{4} \right)$ は 1 対 1 に対応し，この θ

と $t = \sin\theta$ を満たす $t \left(0 < t \leqq \dfrac{1}{\sqrt{2}} \right)$ とは 1 対 1 に対応するから，

　　　"MB ＝ PB となるような点 M がただ 1 つある"

　$\Longleftrightarrow$　"$4t^3 - 4t + 1 = 0$　かつ　$0 < t \leqq \dfrac{1}{\sqrt{2}}$ を満たす t がただ 1 つ存在する"

　さて，$f(t) = 4t^3 - 4t + 1$ とおくと，

　　$f'(t) = 12t^2 - 4 = 12\left(t + \dfrac{1}{\sqrt{3}} \right)\left(t - \dfrac{1}{\sqrt{3}} \right)$

$f(t)$ の $0 < t \leqq \dfrac{1}{\sqrt{2}}$ における増減表は次のようになる。

t	0	$\cdots$	$\dfrac{1}{\sqrt{3}}$	$\cdots$	$\dfrac{1}{\sqrt{2}}$
$f'(t)$		$-$	0	$+$	
$f(t)$	1	$\searrow$	$1 - \dfrac{8\sqrt{3}}{9}$	$\nearrow$	$1 - \sqrt{2}$

　増減表より，$y = f(t)$ のグラフは下図のようになり，したがって，題意が示された。

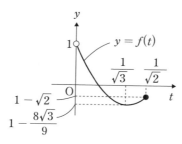

 研　究

(1)で，∠BOM ＝ 2θ となることから，点 M の座標を

$$M(\cos 2\theta, \sin 2\theta) \quad \cdots\cdots ①$$

と求めました。

一方で，点 M の座標を，円 $x^2 + y^2 = 1$ と，点 A を通り傾きが $\tan\theta$ の直線 ℓ との交点として求めてみます。

まず，$\tan\theta = t$ とおいて，

$$\ell : y = t(x + 1)$$

となります。

$$\begin{cases} x^2 + y^2 = 1 \\ y = t(x + 1) \end{cases}$$

を解きます。y を消去して，

$$x^2 + t^2(x + 1)^2 = 1$$
$$(1 + t^2)x^2 + 2t^2 x + t^2 - 1 = 0$$
$$(x + 1)\{(1 + t^2)x - (1 - t^2)\} = 0$$

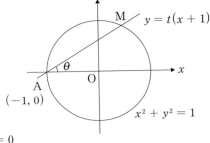

点 M の座標を考えていますから，$x \neq -1$ として（$x = -1$ は点 A の x 座標）

$$x = \frac{1 - t^2}{1 + t^2}$$

で，これを $y = t(x + 1)$ に代入して，

$$y = \frac{2t}{1 + t^2}$$

よって，

$$M\left(\frac{1 - \tan^2\theta}{1 + \tan^2\theta}, \frac{2\tan\theta}{1 + \tan^2\theta} \right) \quad \cdots\cdots ②$$

さて，①と②は当然同一の点ですから，

$$\cos 2\theta = \frac{1 - \tan^2\theta}{1 + \tan^2\theta}, \quad \sin 2\theta = \frac{2\tan\theta}{1 + \tan^2\theta}$$

が成り立ちます。

三角関数の発展的な公式として，知っておいて損はないでしょう。

4

問題を見てやるべきこと

教科書にも載っている $\sum$ 計算の公式

$$\sum_{k=1}^{n} k = \frac{n(n+1)}{2}, \quad \sum_{k=1}^{n} k^2 = \frac{n(n+1)(2n+1)}{6},$$

$$\sum_{k=1}^{n} k^3 = \frac{n^2(n+1)^2}{4}$$

を導け，という問題です。解答としては，結果を既知のものとしてそれが正しいことを数学的帰納法で示すパターンと，計算によって導出するパターンとがあります。おそらく多くの受験生が，前者を採用したのではないかと思います。

いったん数学的帰納法の流れに乗ってしまえば，(1), (2), (3)とも同じ問題といっても過言ではありません。(1)について，数学的帰納法による証明の流れを示しておきましょう。

$$\left[1 + 2 + \cdots\cdots + n = \frac{n(n+1)}{2} \text{であることを示します} \right]$$

$n = k$ のとき成り立つと仮定すると，

$$1 + 2 + \cdots\cdots + k = \frac{k(k+1)}{2}$$

$$\left[\begin{array}{l} \text{この式から，} n = k + 1 \text{のときにも成り立つこと，すなわち} \\ 1 + 2 + \cdots\cdots + (k+1) = \frac{(k+1)(k+2)}{2} \\ \text{が成り立つことを導くために} \end{array} \right]$$

両辺に $(k+1)$ を加えて，

$$1 + 2 + \cdots\cdots + k + (k+1) = \frac{k(k+1)}{2} + (k+1)$$

$$= \frac{k+1}{2}(k+2)$$

$$= \frac{(k+1)\{(k+1)+1\}}{2}$$

これは $n = k + 1$ のとき成り立つことを示す。
という流れになります。

2024
2023
2022
2021
2020
2019
2018
2017
2016
2015
2014
2013
2012
2011
2010

解 答

(1)　　$1 + 2 + \cdots + n = \dfrac{n(n+1)}{2}$　……①

であることを数学的帰納法により示す。

[I]　$n = 1$ のとき

（左辺）$= 1$，（右辺）$= \dfrac{1 \times (1+1)}{2} = 1$

よって①は成り立つ。

[II]　$n = k$ のとき①が成り立つと仮定すると，

$$1 + 2 + \cdots + k = \dfrac{k(k+1)}{2}$$

両辺に $(k+1)$ を加えて，

$$1 + 2 + \cdots + k + (k+1) = \dfrac{k(k+1)}{2} + (k+1)$$
$$= \dfrac{(k+1)\{(k+1)+1\}}{2}$$

これは $n = k + 1$ のとき①が成り立つことを示す。

したがって，[I]，[II]より，すべての自然数 n に対し①が成り立つことが示された。

$$1 + 2 + \cdots + n = \dfrac{n(n+1)}{2}$$　**答**

(2)　　$1^2 + 2^2 + \cdots + n^2 = \dfrac{n(n+1)(2n+1)}{6}$　……②

であることを数学的帰納法により示す。

[I]　$n = 1$ のとき

（左辺）$= 1^2 = 1$

（右辺）$= \dfrac{1 \times (1+1) \times (2 \times 1 + 1)}{6} = 1$

よって②は成り立つ。

[II]　$n = k$ のとき②が成り立つと仮定すると，

$$1^2 + 2^2 + \cdots + k^2 = \dfrac{k(k+1)(2k+1)}{6}$$

両辺に $(k+1)^2$ を加えて，

$$1^2 + 2^2 + \cdots\cdots + k^2 + (k+1)^2 = \frac{k(k+1)(2k+1)}{6} + (k+1)^2$$

$$= \frac{k+1}{6}\{k(2k+1) + 6(k+1)\}$$

$$= \frac{k+1}{6}(2k^2 + 7k + 6)$$

$$= \frac{k+1}{6}(k+2)(2k+3)$$

$$= \frac{(k+1)\{(k+1)+1\}\{2(k+1)+1\}}{6}$$

これは $n = k+1$ のとき②が成り立つことを示す。

したがって，[I]，[II]より，すべての自然数 n に対し②が成り立つことが示された。

$$1^2 + 2^2 + \cdots\cdots + n^2 = \frac{n(n+1)(2n+1)}{6} \quad 答$$

(3)　　$1^3 + 2^3 + \cdots\cdots + n^3 = \dfrac{n^2(n+1)^2}{4}$　　……③

であることを数学的帰納法により示す。

　[I]　$n = 1$ のとき

　　（左辺）$= 1^3 = 1$

　　（右辺）$= \dfrac{1^2 \times (1+1)^2}{4} = 1$

　よって，③は成り立つ。

　[II]　$n = k$ のとき③が成り立つと仮定すると，

$$1^3 + 2^3 + \cdots\cdots + k^3 = \frac{k^2(k+1)^2}{4}$$

　両辺に $(k+1)^3$ を加えて，

$$1^3 + 2^3 + \cdots\cdots + k^3 + (k+1)^3 = \frac{k^2(k+1)^2}{4} + (k+1)^3$$

$$= \frac{(k+1)^2}{4}\{k^2 + 4(k+1)\}$$

$$= \frac{(k+1)^2}{4}(k+2)^2$$

$$= \frac{(k+1)^2\{(k+1)+1\}^2}{4}$$

これは $n = k + 1$ のとき③が成り立つことを示す。

したがって，［I］，［II］より，すべての自然数 n に対し③が成り立つことが示された。

$$1^3 + 2^3 + \cdots\cdots + n^3 = \frac{n^2(n+1)^2}{4} \quad \boxed{\text{答}}$$

 **研　究**

数学的帰納法によらずに，計算によって結果を導く方法を紹介しておきましょう。

(1)　求める和を S_n とおくと，

$$S_n = 1 + 2 + \cdots\cdots + n$$

$$S_n = n + (n-1) + \cdots\cdots + 1 \quad \longleftarrow \boxed{\text{順序を逆にしたもの}}$$

2 式を辺々加えると，（左辺）$= 2S_n$，右辺についてはまず項を縦に足すと和は $(n+1)$ で，これが n セットできますから（右辺）$= (n+1) \times n$ となります。

よって，

$$2S_n = n(n+1)$$

$$\therefore \quad S_n = \frac{n(n+1)}{2}$$

(2)　k についての恒等式

$$(k+1)^3 - k^3 = 3k^2 + 3k + 1$$

において，$k = 1, 2, \cdots\cdots, n$ とすると，

$$2^3 - 1^3 = 3 \times 1^2 + 3 \times 1 + 1$$

$$3^2 - 2^3 = 3 \times 2^2 + 3 \times 2 + 1$$

$$\vdots$$

$$(n+1)^3 - n^3 = 3 \times n^2 + 3 \times n + 1$$

となり，これらを辺々加えると，（左辺）$= (n+1)^3 - 1$，右辺については，項を縦に足して，（右辺）$= 3\sum_{k=1}^{n} k^2 + 3\sum_{k=1}^{n} k + 1 \times n$ です。

よって，

$$(n+1)^3 - 1 = 3\sum_{k=1}^{n} k^2 + 3\sum_{k=1}^{n} k + n$$

$\sum_{k=1}^{n} k = \dfrac{n(n+1)}{2}$ となることを(1)で得ましたから，これを代入して，

$$(n + 1)^3 - 1 = 3\sum_{k=1}^{n} k^2 + 3 \times \frac{n(n + 1)}{2} + n$$

$$3\sum_{k=1}^{n} k^2 = (n + 1)^3 - 1 - \frac{3n(n + 1)}{2} - n$$

$$= (n + 1)^3 - \frac{3n(n + 1)}{2} - (n + 1)$$

$$= \frac{n + 1}{2}\{2(n + 1)^2 - 3n - 2\}$$

$$= \frac{n + 1}{2}(2n^2 + n)$$

$$= \frac{n(n + 1)(2n + 1)}{2}$$

$$\therefore \quad \sum_{k=1}^{n} k^2 = \frac{n(n + 1)(2n + 1)}{6}$$

(3)についても(2)の要領で導出することができますが，ここでは割愛します。

2024
2023
2022
2021
2020
2019
2018
2017
2016
2015
2014
2013
2012
2011
2010

資料 「中分類－小分類」における出題分類一覧

㊟ 行列および1次変換は削除しています。

中分類	小分類	年度・大問
図形と計量	三角比	2010・理・① , 2010・文・①
	証明	2014・文・③
場合の数	数え上げ	2024・理・④ , 2024・文・④
確率	カード	2011・文・④
	コイン	2014・文・④ , 2013・文・③
	コインの移動	2016・文・③
	サイコロ	2020・理・④ , 2019・理・③ , 2016・理・③ , 2020・文・④ , 2017・文・③ , 2013・文・③ , 2010・文・②
	期待値	2014・理・④ , 2013・理・③ , 2011・理・⑤ , 2010・理・②
	条件付き確率	2018・文・④
	色玉	2015・文・③
	漸化式	2018・理・③ , 2017・理・④ , 2023・文・④
		2015・理・④ , 2012・理・⑤ , 2019・文・① , 2012・文・④
整数	n進法	2018・文・②
	互いに素	2022・理・③
	剰余類	2022・理・③ , 2016・理・④ , 2018・文・② , 2016・文・④
	整数解	2018・理・④
	倍数	2017・理・③
	方程式・不等式	2024・理・③ , 2024・文・③
	約数と倍数	2017・文・④
	有理数解	2018・理・④
整数の性質	合同式	2020・理・② , 2020・文・③
	証明	2015・理・⑤ , 2014・理・② , 2014・文・②
	整数解	2022・文・③
	線形計画法	2012・文・③
	方程式	2015・文・④
式と証明	割り算	2022・理・②
	恒等式	2019・理・② , 2019・文・④
	高次方程式	2020・理・② , 2020・文・③ , 2022・文・③
	二項係数	2021・理・⑤
軌跡と領域	面積	2015・文・① , 2014・文・①
図形と式	三角形	2017・文・②
	命題と証明	2017・文・②

図形と方程式	円と直線	2021・文・1
	線形計画法	2013・文・2, 2012・文・3
	不等式で表された領域	2013・文・4
	領域	2021・文・2
		2012・文・3, 2011・文・1
対数関数	常用対数	2017・理・5, 2019・文・1
三角関数	2直線のなす角	2023・文・2
	単位円	2010・文・3
		2011・文・2
数列	Σの計算	2010・文・4
	三角関数	2011・理・3
	漸化式	2011・理・3, 2011・文・2
	和の計算	2021・文・4
		2017・理・3, 2017・文・3
微分法	3次関数	2012・文・2
	関数方程式	2023・理・4
	極値	2019・文・2
	接線	2023・理・5
	存在条件	2020・理・1
	導関数の定義	2022・理・2
		2010・文・3
	面積	2016・理・1
		2024・理・5
積分法	グラフ	2022・理・5
	解の存在条件	2021・理・3
	回転体	2021・理・3, 2020・理・5
	極限	2019・理・1
	証明	2022・理・4, 2022・文・4
	接線	2022・文・1
	定積分	2019・理・1
	面積	2023・理・5, 2022・理・5, 2024・文・1, 2023・文・1, 2022・文・1, 2021・文・3, 2020・文・1, 2018・文・1, 2017・文・1, 2016・文・1, 2015・文・1, 2014・文・1, 2011・文・1
		2013・文・4
極限	2直線のなす角	2013・理・1
	数列の極限	2023・理・2, 2019・理・4, 2012・理・4
	無限級数	2010・理・3
微分	方程式の解の個数	2011・理・2
	方程式の解の存在条件	2012・理・3
		2014・理・5

積分	回転体の体積	2014・理・① , 2013・理・④ , 2012・理・①
	三角関数	2017・理・①
	体積	2018・理・② , 2015・理・③
	中間値の定理	2015・理・①
	不定積分	2015・理・②
	不等式	2015・理・②
	部分積分法	2024・理・⑤
	面積	2018・理・② , 2017・理・① , 2015・理・① , 2015・理・③ , 2013・理・① , 2011・理・①
平面ベクトル	位置ベクトル	2018・文・③
	内積	2023・理・③ , 2024・文・② , 2023・文・③ , 2011・文・③
	内分比	2016・理・②
空間ベクトル	外接球	2020・理・③
	三角形の面積	2012・文・①
	四角錐	2013・文・①
	四面体	2020・文・②
	四面体の体積	2011・理・④
	垂線	2022・理・①
	成分表示	2017・理・②
	正四面体	2015・文・②
	体積	2019・文・③
	対称移動	2022・理・① , 2022・文・②
	内積	2017・理・②
	内接球	2021・理・①
	比	2016・文・②
	分点比	2013・理・②
	面積	2024・理・①
2次曲線	曲線の長さ	2010・理・④
	線形計画法	2014・理・③
	面積	2010・理・④
	軌跡	2018・理・①
複素数	共役複素数	2023・文・④
複素数平面	n 乗根	2024・理・②
	ド・モアブルの定理	2016・理・⑤
	軌跡	2019・理・⑤
	極形式	2017・理・⑤
	三角形の形状決定	2023・理・①
	二次方程式	2019・理・③
	平均値の定理	2021・理・④
	方程式	2018・理・⑤
	方程式の解	2021・理・②

〔著者紹介〕
筒井　俊英（つつい　としひで）

　「英進館株式会社」代表取締役社長。久留米大学附設高等学校を経て、東京大学工学部卒。英進館に入社後、九州大学医学部医学科に入学し、首席で卒業。九州大学附属病院勤務を経て、2002年に英進館に復帰、2004年より代表取締役に就任。

　現在、医学部進学予備校の「株式会社メビオHD」並びに「株式会社YMS」の代表取締役社長、田中学習会を運営する「株式会社ビー・シー・イングス」の代表取締役会長を兼務。会社代表であるとともに現場教師としての顔も持ち、小・中・高生の算数・数学の授業を担当。自身も教壇に立つ「東大攻略講座」「九大攻略講座」には、進学校の現役生が多数参加。

　過去には九大前期日程で的中問題を出すなど、自他ともに認める九大入試数学指導のエキスパート。近年、英語教育改革に高い関心を寄せており、自身のTOEIC®のスコアは965点。受験生憧れの存在である。

〔英進館の紹介〕

　福岡県に拠点を置き、九州全県（沖縄を除く）および広島県に教場を展開。また、大阪に医学部進学予備校メビオと東京に医学部専門予備校YMS、広島を拠点に岡山・香川・大阪に校舎がある田中学習会をグループ会社に持つ。

　大学入試・高校入試・中学入試で九州トップクラスの合格実績を誇る学習塾。大学入試部門である高等部は福岡市（天神）の本部を含め29教場をかまえ（2024年現在）、例年、西日本地区屈指の九大合格実績を上げている。また、天神高等部では「東大攻略講座」「九大攻略講座」を実施しており、九州内外から受験生が受講、毎年多数の東大・九大合格者を輩出している。

　本書は、筒井俊英が執筆者、英進館高等部数学科教師である中村洋平、谷口拓紀、舩越英文、飯島翔太、大嶋由香、石原健が監修者を務める特別プロジェクトチームによって制作された。

改訂第3版　世界一わかりやすい　九大の数学
理系数学＋文系数学の前期日程15か年

2024年10月7日　初版発行

著者／筒井　俊英

発行者／山下　直久

発行／株式会社KADOKAWA
〒102-8177　東京都千代田区富士見2-13-3
電話　0570-002-301（ナビダイヤル）

印刷所／株式会社加藤文明社

製本所／株式会社加藤文明社

●お問い合わせ
https://www.kadokawa.co.jp/（「お問い合わせ」へお進みください）
※内容によっては、お答えできない場合があります。
※サポートは日本国内のみとさせていただきます。
※Japanese text only

定価はカバーに表示してあります。

©Toshihide Tsutsui 2024　Printed in Japan
ISBN 978-4-04-606760-9　C7041